U0377735

国 家 出 版 基 金 资 助 项 目

国家出版基金项目
NATIONAL PUBLICATION FOUNDATION

①

秦岭昆虫志

低等昆虫及直翅类

总 主 编　杨星科
本卷主编　廉振民
副 主 编　魏朝明

世界图书出版公司
西安 北京 上海 广州

图书在版编目(CIP)数据

秦岭昆虫志.1,低等昆虫及直翅类／杨星科,廉振民
主编.—西安:世界图书出版西安有限公司,2018.1
ISBN 978－7－5192－4039－4

Ⅰ.①秦… Ⅱ.①杨… ②廉… Ⅲ.①秦岭—昆虫志
Ⅳ.①Q968.224.1

中国版本图书馆 CIP 数据核字(2018)第 060421 号

书　　名	秦岭昆虫志　低等昆虫及直翅类
总 主 编	杨星科
本卷主编	廉振民
副 主 编	魏朝明
策　　划	赵亚强
责任编辑	冀彩霞　王　哲
装帧设计	诗风文化
出版发行	世界图书出版西安有限公司
地　　址	西安市北大街85号
邮　　编	710003
电　　话	029－87214941　87233647(市场营销部)
	029－87234767(总编室)
网　　址	http://www.wpcxa.com
邮　　箱	xast@wpcxa.com
经　　销	新华书店
印　　刷	陕西博文印务有限责任公司
开　　本	787mm×1092mm　1/16
印　　张	36.25
字　　数	700千字
版　　次	2018年1月第1版　2018年1月第1次印刷
国际书号	ISBN 978－7－5192－4039－4
定　　价	380.00元

内容简介

本志为《秦岭昆虫志》第一卷，包括低等昆虫及直翅类昆虫。本卷由来自全国10家单位的昆虫学专家在充分研究现有标本的基础上，对低等昆虫及直翅类昆虫进行了部分区域、部分季节的补充考察，并通过查看原始文献，了解外国学者已发表新种的产地，进而获取相关种类的地模标本。本卷全面系统地整理了秦岭低等及直翅类昆虫标本和文献资料，并对相关种类进行了分类学厘定，给出了各分类阶元的主要鉴别特征，同时给出了分科、亚科、属、种的检索表，各属种均有主要引证、模式种、分布和重要属种的生态习性等。书中详细记述了秦岭陕西段昆虫4纲15目70科231属397种。科后附有参考文献。

本志可为从事昆虫学、生物多样性研究及植物保护、森林保护等工作的人员提供参考。

序

　　秦岭是我国最古老的山脉之一，在我国生物地理上占据着重要地位。它是我国南北气候的分水岭，环境的复杂性成就了生物的多样性，因此受到了世界的高度关注。关于秦岭的生物资源、区系组成、分布格局等，植物和大型动物都有较为系统的研究和显著的成果，《秦岭植物志》《秦岭动物志》陆续问世，而无脊椎动物研究却一直属于空白。

　　杨星科研究员长期从事昆虫区系的研究，先后组织开展过多次大型科学考察，并且都有很好的成果以专著、考察报告等形式展现给大家，为我国的昆虫多样性研究做出了实质性的贡献。2013年，他利用在中国科学院西安分院、陕西省科学院工作的机会，积极争取项目支持，团结全国同行，全面开展秦岭地区昆虫资源的考察。通过3年的野外工作，在大家的共同努力下，完成了《秦岭昆虫志》这部12卷册的巨著。《秦岭昆虫志》所包括的种类是原已知种类的2倍，编写完全按照志书的规则，不同阶元都有鉴别特征及检索表，属、种都有科学引证，在保证种类准确性的同时，为大家提供了更为广泛的信息，文后附有详细的参考文献，有力地保证了《秦岭昆虫志》的质量和水平，使这套志书具有很高的科学价值和应用价值，我相信这套志书的出版必定会对我国乃至世界昆虫多样性研究产生深远的影响。

　　生物多样性研究，直接关系到生物资源的合理开发与科学利用，关系到生态系统的平衡与可持续发展，关系到友好型生态环境的建设。我国地域广阔，地形复杂多样，生物多样性极为丰富。但是，我国昆虫资源家底远不清楚，昆虫多样性研究与国际相比相差甚远。如何改变这种现状，在需要国家政策支持的同时，更需要我们同行的共同努力。《秦岭昆虫志》的完成与问世，为我们大家起到了很好的示范与引领作用。

随着全球化的发展态势，世界各国、不同地域之间的各种交流、来往、贸易、物流等出现新的模式和高频次现象，这也给我们带来巨大的挑战。首先是生物安全问题，随着贸易往来、物流循环、人员交流的不断增长，外来入侵生物的入侵形势严峻，农林生产及生态环境的安全威胁加大；其次是生物产业作为未来战略新兴产业，对生物资源的挖掘与开发日趋强化，生物资源的研究与保护已不仅仅是一个科学问题。这些都关系到我们国家的经济与社会发展战略。昆虫是生物界最大的家族，蕴藏着巨大的资源，摸清昆虫资源家底，不但可以有效应对外来生物入侵，破解生物安全的威胁，同时也可以对我国生物资源的保护和利用做出实质性的贡献，这是我们科技工作者义不容辞的责任和义务。我衷心希望我国昆虫界的同仁们，在国家建设科技强国战略的指引下，大家齐心协力，共同努力，把我国昆虫多样性研究推向一个新的水平，真正服务于国家战略需求！

这或许是《秦岭昆虫志》带给我们的启迪吧！

是为序！

中国科学院院士

中国科学院上海植物生理生态研究所研究员　尹文英

2016 年 11 月于上海

出版前言

秦岭自西向东横贯我国中部，是长江、黄河两大水系的分水岭，西起甘肃临洮，东抵河南鲁山，东西长达500km，南北宽140～200km，地处北纬32°5′～34°45′，东经104°30′～115°52′。秦岭西部比较陡峭，海拔较高，一般在2000～3000m；东部比较舒缓，海拔较低，一般在2000m以下。它是古北区和东洋区的分界线，同时为亚热带、暖温带的分界线，亚热带常绿阔叶林的分布北线。该地区具有从一种自然地理条件向另一种自然过渡、从一种地质构造单元向另一种构造单元过渡的特性。同时，秦岭作为我国大陆青藏高原以东的最高山地，具有自己独特的垂直景观带谱。正因为秦岭山地地理位置的特殊性，使得其物种多样性非常丰富且具较强的区域特异性，一直是生物分类学和生物地理学研究的热点区域。然而，之前对该地区昆虫区系研究多较为零散，缺乏系统的专著。

1997年，中国科学院生命科学院生物技术局设立"关键地区生物资源综合考察及其评价"重大项目，并于1998～1999年由项目主持单位组织考察秦岭西段和甘肃南部地区。在此研究基础上，形成了2005年出版的《秦岭西段及甘南地区昆虫》这一专著。该书对于秦岭西部地区的昆虫类群的系统研究有着重要意义，推动了对该区生物多样性的研究，也让更多的人认识到了秦岭地区的重要性。然而，由于其工作多集中在秦岭西部地区，对秦岭中、东部地区的调查较少，未能反映整个秦岭地区昆虫的全貌。为了全面系统地评价和利用秦岭昆虫资源，我们在陕西省财政厅科技专项经费的支持下，在陕西省科学院的大力帮助下，从2012年开始，再次进行了为期 3 年的野外调查工作，在借鉴秦岭西段研究结果的基础上，重点加强了秦岭中、东部地区的调查工作。参加野外工作的包括陕西省动物研究所、西北农林科技大学、陕西师范大学、中国科学院动物研究所、南开大学、浙江大学、河北大学、中国农业大学、中南科技大学等十多家单位，计 120 多人次，共获得昆虫标本 50 余万号，进一步完善了秦岭地区昆虫多样性资料，为编写《秦岭昆虫志》奠定了良好基础。

《秦岭昆虫志》按照《中国动物志》的编写体例进行编写，顺序上参照六足动物的系统关系；各目按照系统发育关系，以科为单元进行编写，科下各属按照系统关系排序，属内各种以种名的首字母顺序编排，各阶元都有鉴别特征和检索表，属、种都有科学引证，文后附参考文献。为了准确体现各位专家的劳动，除了《秦岭昆虫志》编委会外，各卷都有本卷的编委会，各科作者署名紧跟其后。

《秦岭昆虫志》共分为十二卷：第一卷由廉振民教授主编，包括无翅昆虫、蜉蝣目、蜻蜓目、襀翅目、蜚蠊目、等翅目、螳螂目、革翅目、直翅目、竹节虫目；第二卷由卜文俊教授主编，包括半翅目异翅亚目；第三卷由张雅林教授主编，包括半翅目同翅亚目；第四卷由花保祯教授主编，包括蛩目、缨翅目、广翅目、蛇蛉目、脉翅目、毛翅目、长翅目；第五卷鞘翅目（一）由杨星科、葛斯琴研究员主编，包括步甲科、龙虱科、牙甲总科、隐翅虫总科、金龟总科、花甲总科、丸甲总科、长蠹总科、吉丁甲总科、叩甲总科、郭公甲总科、扁甲总科、拟步甲总科等；第六卷鞘翅目（二）由林美英博士主编，包括暗天牛科、瘦天牛科和天牛科；第七卷鞘翅目（三）由杨星科、张润志研究员主编，主要包括叶甲总科（除去天牛类）、象甲总科；第八卷鳞翅目由薛大勇研究员、韩红香和姜楠博士主编，包括大蛾类；第九卷鳞翅目（二）由房丽君研究员主编，包括蝶类；第十卷由杨定教授、王孟卿副研究员和董慧博士主编，包括双翅目；第十一卷由陈学新教授主编，包括膜翅目。十一卷共记述了秦岭地区六足类 4 纲 27 目 334 科 3325 属 7496 种，其中包括 1 个新属、27 个新种、12 个中国新纪录属、34 个新纪录种、42 个陕西新纪录属、260 个陕西新纪录种。需要说明的是：鳞翅目小蛾类已由南开大学李后魂教授主编先期出版，我们这次没有组织重新编写；另有部分目、科因为国内没有专家研究，因此没有办法编写。为了弥补缺憾，系统总结陕西秦岭地区已知昆虫种类，同时也便于读者使用，由唐周怀研究员、杨美霞博士主编，完成了《陕西昆虫名录》，作为本志的第十二卷。

目前，《秦岭昆虫志》即将付梓。该项目成果的获得，是全国广大同行通力合作、共同努力的结果，凝聚了昆虫分类学者忠诚于神圣事业的集体智慧。项目主持单位、《秦岭昆虫志》编委会对各卷主编的辛勤劳动和各位专家的全力支持、无私奉献表示衷心的感谢！对大家的科学精神表示敬佩！

在项目立项初期，白明博士在项目建议书的起草、成稿等方面做了大量工作；张雅林、廉振民等多位教授提出了许多宝贵意见；陕西省财政厅教科文处在项目申请和审批方面给予了诸多指导和帮助。在项目执行过程中，陕西省动物研究所领导给予了全力的支持，唐周怀研究员对野外工作给予了多方面的协调和帮助。

在本志编写过程中，尹文英院士、印象初院士、康乐院士分别给予了不同程度的鼓励、支持、指导和帮助，特别是尹文英院士在大病初愈的情况下欣然为本志写序，让我们深受鼓舞和激励！

在本志的统稿过程中，杨美霞博士付出了巨大的劳动，崔俊芝女士和郭明霞同学在文字整理、格式修改、学名审核等方面做了大量的工作。本书的出版，得到了世界图书出版有限公司的鼎力支持，特别是薛春民先生的全力支持与帮助，责任编辑同志亦付出了的艰辛的努力和辛勤的劳动，终使本志得以顺利出版。

我们谨借此对以上相关单位和个人，以及在项目执行和出版过程中提供帮助和做出贡献的同志表示衷心的感谢！

由于我们的水平所限，本志的错误和缺憾在所难免，诚望大家不吝赐教！

《秦岭昆虫志》编委会
2017 年 10 月于古城西安

Preface

Through the middle China from the West to the East, the Qinling Mountains provide a natural boundary between the Yangtze River and the Yellow River, the two major river systems in China. Located around the latitude 32°5′ − 34°45′N and the longitude 104°30′ − 115°52′E, they stretch from Lintao, Gansu Province in the west to Lushan, Henan Province in the east, with the length of 500km from west to east and the breadth of 140 − 200km from north to south. The west part of the Qinling Mountains is considerably steep, with higher elevations of 2000 − 3000m, while the east part is comparatively gentle, with lower elevation generally below 2000m. The Qinling Mountains are generally accepted as the boundary between Palaearctic and Oriental Regions, subtropical and warm temperate zones, as well as the north line of distribution of subtropical evergreen broad-leaved forests. This region is characterized by transition from one natural geographical condition to another and one geological structure unit to another. Furthermore, the Qinling Mountains, as the highest mountain in the east of the Qinghai-Tibet Plateau, have their own unique vertical landscape spectrum. Because of the special geographical location of the Qinling Mountains Range, it is rich in species diversity and has strong regional endemism, which constantly makes it research hotspot both for taxonomy and biogeography. However, the study of insect fauna in this area is fragmented and still lacks systematic monographs.

In 1997, the Biotechnology Bureau of the Chinese Academy of Sciences established a major Project of "Comprehensive Survey and Evaluation of Biological Resources in Key Regions". In 1998 – 1999, the presider of this project investigated the western part of Qinling range and southern Gansu. On the basis of these expeditions, a monograph entitled *Insect Fauna of Mid-West Qinling Range and Southern Gansu* was published in 2005. This book is of great significance for the systematic study of insects in the western Qinling region. It has promoted the study of biodiversity in this region and made more people realize the importance of Qinling region. However, since its work is mainly concentrated on the west part of Qinling, there are little surveys in the mid-east part, which hardly reflects the true state of the insect fauna of the entire Qinling Mountains. In order to comprehensively and systematically evaluate and utilize the insect resources of the Qinling Mountains, funded by special expenses of Science and Technology Project from the Financial Department of Shaanxi Province, as well as the help from Shaanxi Academy of Sciences, we have carried out a three-year field survey since 2012. Based on the expedition results of the western region, we have paid more attention to the eastern part of the Qinling Mountains during the investigations. More than 120 researchers from over 10 institutions participated in the field work, including Shaanxi Institute of Zoology, Northwest A & F University, Shaanxi Normal University, Institute of Zoology, Chinese Academy of Sciences, Nankai University, Zhejiang University, Hebei University, China Agricultural University, Central South University of Forestry and Technology etc. Over half million insect specimens were collected, which would greatly improve the biodiversity data of insect fauna in the Qinling region and lay a good foundation for the compiling of the monograph *Insect Fauna of the Qinling Mountains*.

The compiling style of *Insect Fauna of the Qinling Mountains* is mainly in accordance with *Fauna Sinica*, and the sequence is based on the systematic relationship of the hexapod system. The compiling of each order is according to the phylogenetic relationship and one family is taken as a unit. Below the family, the sequence of each genus is also according to the phylogenetic relationship, while below the genus, the arrangement of species is in alphabetical order. Each species is sorted according to the first letter. Each category is accompanied by identification feature and identification key, and each genus, as well as each species has scientific citation. At the end, references are attached. In order to accurately reflect the work of every specialist, apart from the Editorial Board of *Insect Fauna of the Qinling Mountains*, the Editorial Board for each volume is also provided, and the authors for each family immediately follow the family name.

There are totally 12 volumes for *Insect Fauna of the Qinling Mountains*. Volume I is edited by Professor Lian Zhenmin, and includes apterygot insects, Ephemeroptera, Odonata, Plecoptera, Blattodea, Isoptera, Mantodea, Dermaptera, Orthoptera and Phasmatodea. Volume II is edited by Professor Bu Wenjun, and includes Hemiptera-Heteroptera. Volume III is edited by Professor Zhang Yalin, and includes Hemiptera-Homoptera. Volume IV is edited by Professor Hua Baozhen, and includes Psocoptera, Thysanoptera, Megaloptera, Raphidioptera, Neuroptera, Trichoptera and Mecoptera. Volume V (Coleoptera I) is jointly edited by Professor Yang Xingke and Ge Siqin, and includes Carabidae, Dytiscidae, Hydrophiloidea, Staphylinoidea, Scarabaeoidea, Dascilloidea, Byrrhoidea, Dryopoidea, Buprestoidea, Elateroidea, Cleroidea, Cujoidea and Tenebrionoidea. Volume VI (ColeopteraII) is edited by Dr. Lin Meiying, and includes

Vesperidae, Disteniidae and Cerambycidae. Volume Ⅶ (Coleoptera Ⅲ) is jointly edited by Professor Yang Xingke and Zhang Runzhi, and includes Chrysomeloidea (except Cerambycid-beetles) and Curculionoidea. Volume Ⅷ (Lepidoptera Ⅰ) is jointly edited by Professor Xue Dayong, Dr. Han Hongxiang and Jiang Nan, and includes large moths. Volume Ⅸ (Lepidoptera Ⅱ) is edited by Professor Fang Lijun, and includes exclusively butterflies. Volume Ⅹ is edited by Professor Yang Ding, Associate Prof. Wang Mengqing and Dr. Dong Hui, and includes Diptera. Volume Ⅺ is edited by Professor Chen Xuexin, and includes Hymenoptera. There are totally 4 classes, 27 orders, 334 families, 3325 genera and 7496 species of Hexapoda recorded in the 11 volumes of this series, including one new genus and 27 new species. For the new record, there are 12 genera and 34 species from China, as well as 42 genera and 260 species from Shaanxi Province. It should be noted that the contents of Microlepidoptera have been published previously by Professor Li Houhun, Nankai University, therefore, we haven't rewritten the same context. Besides, due to the unavailability of suitable specialists, some insect groups unavoidably are not covered in this series. In order to make up for this defect and systematically summarize the known species of insects, as well as make convenience for the readers, the book *Insect Fauna of Shaanxi Province*, was jointly compiled by Prof. Tang Zhouhuai and Dr. Yang Meixia, which will be the twelfth volume of this series.

Currently, 12 volumes have been completed and are ready for publication. The achievements should be addressed to the cooperation and collective intelligence of numerous entomologists throughout China. The project presiding institution and the editorial board are highly appreciated with all specialists' hard work, full support and unselfish dedication!

During the initial stage of the program, Dr. Bai Ming had contributed a lot to the drafting of the research proposal. Prof. Zhang Yalin and Prof. Lian Zhenmin had proposed many valuable comments. The Financial Department of Shaanxi Province had given a lot of guidance and helps during the application process and final approval of the program. During the conduction of the program, the authority of Shaanxi Institute of Zoology had given a full support to the research. Prof. Tang Zhouhuai had made a lot of coordination and assistances in the fieldwork.

In the preparation of this series of books, Academicians Yin Wenying, Yin Xiangchu and Kang Le had provided various degrees of encouragement, supports, guidance and help! In particular, Prof. Yin Wenying readily consented to write the preface even though she had just recovered from a severe illness, which really made us encouraged and inspired!

In the process of drafting preparation, Dr. Yang Meixia had paid a great labor. Mrs. Cui Junzhi and Miss Guo Mingxia had done a lot of work in word polishing, format adjustment, and terms checking. While, the publication of this series have obtained great support from World Publishing Corporation, especially Mr. Xue Chunmin. The executive editors have also made a lot of hard work.

We would like to express our heartfelt gratitude to the above-mentioned institutes and individuals, as well as those not mentioned above but provided various assistances in the implementation period of the program, drafting preparation and publication.

Due to the limitations of our expertise, there are inevitable mistakes and shortcomings in this series. We sincerely expect you to enlighten us with your instruction!

Editorial Board of *Insect Fauna of the Qinling Mountains*

前　言

　　秦岭是横贯中国中部的东西走向山脉，是全球 25 个生物多样性热点地区、中国 14 个生物多样性关键地区之一，是全球第 83 份"献给地球的礼物"。秦岭所承载的生物种质资源在物种、遗传和生态系统多样性 3 个层次上都具有国家乃至世界战略意义。然而，相对于植物及高等动物的研究而言，对秦岭昆虫的研究相对滞后。2013 年 7 月，由陕西省动物研究所承担，杨星科研究员为主编的《秦岭昆虫志》编写项目正式启动，目标在于填补秦岭昆虫系统分类的空白，提升秦岭地区生物多样性的研究水平，并促进研究所昆虫分类学科的发展。

　　本卷为《秦岭昆虫志》第一卷，包括低等昆虫及直翅类昆虫，来自全国 10 家单位的专家在充分研究现有标本的基础上，进行了部分区域、部分季节的补充考察；通过查看原始文献，了解外国学者已发表新种的产地，进而获取相关种类的地模标本；全面系统地整理了秦岭低等及直翅类昆虫标本和文献资料，并对相关种类进行了分类学厘定。书中详细记述了秦岭陕西段昆虫 4 纲 15 目 70 科 231 属 397 种。本卷编写具体分工如下：原尾纲由卜云、尹文英编写；弹尾纲由高艳、卜云编写；双尾纲由卜云编写；蜉蝣目由罗娟艳、周长发编写；蜻蜓目由李虎、张宏杰编写；蜚蠊目由王宗庆、邱鹭编写；螳螂目由魏朝明、廉振民编写；等翅目由邢连喜编写；襀翅目由杜予州、陈志腾编写；蜱目由魏朝明、廉振民编写；革翅目由孙美玲、李恺、刘宪伟编写；直翅目为本卷最大类群，其中蚤蝼总科由曹成全编写；蟋蟀总科由卢慧、何祝清、李恺编写；螽斯次目三个总科由王瀚强、刘宪伟编写；蚱总科、蝗总科由魏朝明、廉振民编写。研究生李婉玫、刘红霞、邱立飞、柴青香、王俊杰、张杏、王晓瑜、马丽红等在帮助整理资料、绘图、校对等方面做了不少工作。

本卷由尹文英院士、印象初院士和郑哲民教授任总顾问，三位先生虽年事已高，仍在百忙之中对本卷的编写给予了热心而又细致的指导和帮助，尹文英院士更是直接参与了原尾纲一章的编撰。在此，我们谨向三位德高望重的老前辈表示由衷的感谢！同时，也要特别感谢杨星科研究员和杨美霞博士，杨星科先生对本卷初稿几经审阅，提出了很多专业性极强的修改意见。最后，感谢所有在此卷成书过程中给予过关心与支持的专家，以及为本卷出版付出辛苦努力的世界图书出版西安有限公司的编辑同志。

由于编者水平有限，加之时间仓促，本卷内容难免有各种不足之处，欢迎广大同行专家及各位读者批评指正。

本卷编委会

2017 年夏于西安

目　录

原尾纲 Protura

弹尾纲 Collembola

双尾纲 Diplura

昆虫纲 Insecta

原尾纲 Protura

卜云[1]　尹文英[2]

（1. 上海科技馆 上海自然博物馆 自然史研究中心，上海 200041；

2. 中国科学院 上海生命科学研究院 植物生理生态研究所，上海 200032）

原尾纲动物通称原尾虫。体型微小，长梭形；幼虫乳白色，成虫淡黄色、黄褐色至红棕色；体长 0.6~2.0mm。身体分为头、胸、腹三部分，头部无触角和眼，具 1 对形状不一的假眼；口器内颚式。胸部分 3 节，分别着生 1 对足，胸足分别由 6 节组成，前足跗节极为长大，着生形态多样的感觉毛；部分种类中胸和后胸各有气孔 1 对；腹部共有 12 节，腹部第 I 至第 III 节腹面分别具有 1 对腹足，分 1 或 2 节；腹部末端无尾须；雌性和雄性外生殖器结构相似，但雄性的细长，雌性的粗短，生殖孔位于第 XI 至第 XII 节之间。

原尾虫主要生活在富含腐殖质的土壤中，是典型的土壤动物，最适宜的栖息层为距离地面 20cm 之间。分布广泛，适应性强，在湿润的土壤里，苔藓植物中，腐朽的木材、树洞以及白蚁和小型哺乳动物的巢穴中均可以发现原尾虫。原尾虫种群的消长与温度、湿度和土壤 pH 值密切相关，一年中可见明显的消长趋势。

原尾虫的个体发育为增节变态类型，胚后发育共有 5 个时期，即前幼虫、第 I 幼虫、第 II 幼虫、童虫和成虫，在一些类群中的雄性幼虫还有一个外生殖器未完全发育的前成虫期。前幼虫和第 I 幼虫腹部为 9 节，第 II 幼虫为 10 节，童虫和成虫为 12 节。增加的体节出现在第 VIII 节和第 XII 节之间。

原尾虫的分布遍及全世界，我国原尾虫种类以东洋界成分占绝对优势，约占总数的 90%。就科的分布而言，夕蚖科和始蚖科广泛分布于华中、西南、青藏高原、华北和东北地区，但在华南尚未发现；蚖科和日本蚖科是典型的古北区种类，主要分布在我国东北和西北地区；富蚖科和华蚖科是亚热带和热带的类群；檗蚖科和古蚖科为全球分布的类群，在我国主要分布在华东、华南和西南地区。

截至 2016 年，全世界共记录原尾虫 3 目 10 科 825 种，中国已记录 3 目 9 科 209 种。原尾纲现行的分类系统由尹文英于 1996 年提出，并在 1999 年出版的《中国动物志——原尾纲》中进行完善，该系统为国际上大多数同行采用。按照该系统，原尾纲划分为蚖目、华蚖目和古蚖目 3 个目，包含 10 个科，除囊腺蚖科仅在欧洲分布外，其余 9 个科在我国均有分布。截至目前，陕西秦岭地区共发现原尾虫 22 种，隶属 2 目 6 科 11 属。

分目检索表

中、后胸背板两侧各生气孔 1 对 ·· 古蚖目 Ensentomata
中、后胸背板两侧无气孔 ·· 蚖目 Acerentomata

蚖目 Acerentomata

鉴别特征：无气孔和气管系统，头部假眼突出；颚腺管的中部常有不同形状的"蕚"和花饰以及膨大部分或突起；3 对胸足均为 2 节，或者第Ⅱ、Ⅲ胸足 1 节；腹部第Ⅷ节前缘有 1 条腰带，生有栅纹或不同程度退化；第Ⅷ腹节背板两侧具有 1 对腹腺开口，覆盖有栉梳；雌性外生殖器简单，端阴刺多呈短锥状；雄性外生殖器长大，端阳刺细长。

分类：世界广布。我国已记录蚖目 5 科 33 属 109 种，陕西秦岭地区分布 5 科 7 属 11 种。

分科检索表

1. 假眼梨形，中裂"S"形，颚腺管中部的蕚膨大为香肠状 ················· 夕蚖科 Hesperentomidae
   假眼圆形无中裂，颚腺管中部的蕚球形或心形 ····································· 2
2. 假眼多数具有后杆，颚腺管中部具有光滑的球形蕚 ················· 始蚖科 Protentomidae
   假眼无后杆，颚腺管中部具有心形蕚 ··· 3
3. 蕚光滑无花饰 ··· 檗蚖科 Berberentulidae
   蕚部生有多瘤的花饰或其他附属物 ·· 4
4. 蕚部光滑，背面生单一的盔状附属物 ··························· 蚖科 Acerentomidae
   蕚部膨大如柚，既生有多瘤的花饰，也生有单一盔状附属物 ········· 日本蚖科 Nipponentomidae

一、夕蚖科 Hesperentomidae

鉴别特征：身体细长。假眼常呈梨形，中部有纵贯的"S"形中隔；颚腺管细长，中部常膨大成香肠状或袋状的蕚部，在袋的远端生有极微小的花椰菜状的花饰；前胸足跗节的感觉毛常呈柳叶状或者短棒状；第Ⅰ~Ⅲ腹足均为 2 节，各生 4 根刚毛(夕蚖属 *Hesperentomon*)，或第Ⅰ~Ⅱ节腹足为 2 节，第Ⅲ腹足为 1 节(尤蚖属 *Ionescuellum*)；第Ⅷ腹节前缘的腰带简单而无纵纹；栉梳为长方形；雌性外生殖器的端阴刺为尖锥状。

分类：本科全世界已知 2 亚科 3 属 29 种，我国已知 2 属 16 种，陕西秦岭地区分布 1 属 3 种。

1. 夕蚖属 *Hesperentomon* Price, 1960

Hesperentomon Price, 1960：676. **Type species**：*Hesperentomon macswaini* Price, 1960.

Ionescuellum：Tuxen, 1960：22. **Type species**：*Paraentomon carpaticum* Ionesco, 1930.

属征：腹足Ⅰ至Ⅲ节均为2节；腹部Ⅳ至Ⅵ节的腹板后排均有中央毛，第Ⅷ腹节腹板生1排刚毛，其刚毛式为0/6。

分布：东洋区，全北区。全世界已知19种，我国已知15种，秦岭地区分布3种。

分种检索表

1. 腹部第Ⅱ至第Ⅵ背板无刚毛 *P1a* 和 *P2a* ⋯⋯⋯⋯⋯⋯⋯⋯⋯⋯⋯⋯⋯⋯⋯⋯⋯ 2
   腹部第Ⅱ至第Ⅵ背板均具有刚毛 *P1a* 和 *P2a* ⋯⋯⋯⋯⋯⋯ **佛坪夕蚖 *H. fopingense***
2. 前胸腹板具有1对前排刚毛，无 *A2* 毛 ⋯⋯⋯⋯⋯⋯ **华山夕蚖 *H. hwashanensis***
   前胸腹板具有2对前排刚毛，有 *A2* 毛 ⋯⋯⋯⋯⋯⋯ **棘腹夕蚖 *H. pectigastrulum***

(1) 佛坪夕蚖 *Hesperentomon fopingense* **Bu, Shrubovych *et* Yin, 2011**（表1，图1）

Hesperentomon fopingense Bu, Shrubovych *et* Yin, 2011：56.

Hesperentomon fopingense Bu, 2008：28.

鉴别特征：成虫体长1300.0~1475.0μm。头椭圆形，长168.0~195.0μm，宽113.0~130.0μm；头部背面中央刚毛较长，其余刚毛较短，具有刚毛 *sma* 和 *sla*；假眼梨形，较宽阔，后杆较细，长15.0~18.0μm，宽13.0~15.0μm，头眼比=10.0~14.0；颚腺管长，中间的葶部膨大，腺管盲端稍膨大，后部腺管与葶部等长，头颚腺比=3.4~3.9；下颚须亚端节具有2个线性近等长的感器，下唇须发达，基部感器缺失。前跗长113~128μm，爪长35.0~40.0μm，有1个内悬片，跗爪比=3.2，中垫长5.0μm，垫爪比=0.13~0.14，基端比=0.76~0.8；中跗长55.0~60.0μm，爪长22.0~26.0μm；后跗长63.0~75.0μm，爪长25.0~30.0μm。栉梳长方形，后缘具有10枚尖齿；雌性外生殖器较长，端阴刺尖锥状，内侧具有1片半圆形侧翼。成虫胸腹部毛序见表1。

采集记录：1♂，留坝县韦驮沟，1600m，1998.Ⅶ.20，傅荣恕采；1♀，佛坪凉风垭，2000m，1998.Ⅶ.24，傅荣恕采；1♂，佛坪凉风垭，2000m，1998.Ⅶ.24，傅荣恕采；1 LII，佛坪凉风垭，2000m，1998.Ⅶ.24，傅荣恕采；1MJ.，宁陕火地塘，1700m，1998.Ⅶ.28，傅荣恕采。

分布：陕西(留坝、佛坪、宁陕)。

表 1　佛坪夕蚖 *Hesperentomon fopingense* Bu，Shrubovych *et* Yin，2011 胸、腹部毛序简表

	胸 I	II	III	腹 I	II – III	IV	V – VI	VII	VIII	IX	X	XI	XII
背面	4	$\frac{6}{18}$	$\frac{6}{16}$	$\frac{4}{12}$	$\frac{8}{16}$	$\frac{8}{16}$	$\frac{8}{16}$	$\frac{8}{18}$	$\frac{6}{14}$	14	14	8	9
腹面	$\frac{4+2}{6}$	$\frac{6+2}{5}$	$\frac{8+2}{5}$	$\frac{4}{4}$	$\frac{4}{5}$	$\frac{4}{9}$	$\frac{4}{9}$	$\frac{4}{9}$	$\frac{0}{6}$	6	6	6	8

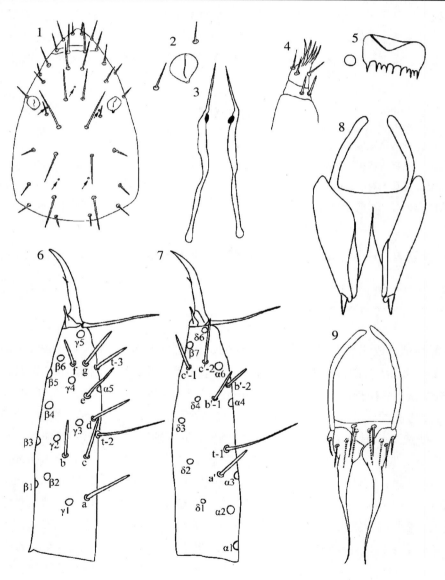

图 1　佛坪夕蚖 *Hesperentomon fopingense* Bu，Shrubovych *et* Yin(仿 Bu *et al.*，2011)

1. 头部背面观；2. 假眼；3. 颚腺；4. 下唇须；5. 栉梳；6. 前跗外侧面观；7. 前跗内侧面观；8. 雌性外生殖器；

9. 雄性外生殖器

（2）华山夕蚖 *Hesperentomon hwashanensis* Yin, 1982（图2，表2）

Hesperentomon hwashanensis Yin, 1982: 89.

鉴别特征： 体长 1450.0~1588.0μm。头椭圆形，长 170.0~180.0μm，宽125.0μm；假眼梨形，长 15.0~18.0μm，头眼比 =10.0~14.0；颚腺中部膨大成袋状，后部长 55.0μm，头颚腺比 =3.1~3.2。前跗长 113.0~123.0μm，爪长 35.0~38.0μm，跗爪比 =3.1~3.5，中垫长5.0μm，垫爪比 =0.13~0.14，基端比 =0.75~0.8；中跗长 55.0~58.0μm，爪长 30.0~35.0μm；后跗长 63.0~65.0μm，爪长 33.0~35.0μm。腹部第Ⅱ至第Ⅶ节背板毛序为 8/12；腹部第Ⅷ节栉梳后缘生有 8 枚尖齿。前胸背板无腺孔，中胸、后胸背板具有腺孔 *sl* 和 *sm*，胸部腹板各具有 1 个中央腺孔；腹部第Ⅰ至第Ⅶ节背板具有腺孔 *psm* 和 *al*，第Ⅷ节背板具有腺孔 *psm*，第Ⅻ节背板具有 1 个中央腺孔；第Ⅰ至第Ⅸ节腹板各具有 1 个中央腺孔，第Ⅻ节腹板前部具有 2 个腺孔。成虫胸腹部毛序见表2。

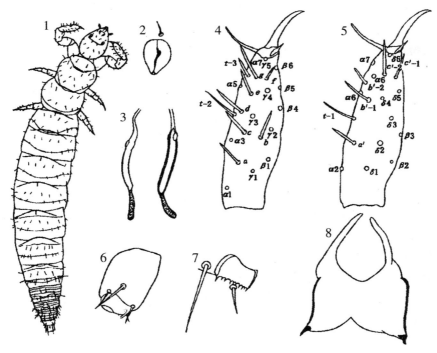

图2 华山夕蚖 *Hesperentomon hwashanensis* Yin（仿尹文英，1999）

1. 成虫背面观；2. 假眼；3. 颚腺；4. 前跗外侧面观；5. 前跗内侧面观；6. 第Ⅱ腹足；7. 栉梳；8. 雌性外生殖器

采集记录： 1♀3♂，华山玉泉院，1978.Ⅷ.10，郭培福采；2♀1♂，留坝，1600m，1998.Ⅶ.21，傅荣恕采。

分布： 陕西（华阴、留坝）、山西、安徽、湖北、湖南、贵州。

附记：重新检查模式标本时发现中胸背板毛序为 6/16，前排具有非常短小的刚毛 P5a 和 P5a'，后胸背板毛序为 6/14，前排具有短小的刚毛 P5a，与《动物志》中描述的数量（6/12）不同。留坝的标本中后胸腹板毛序分别为（6-2）/5 和（8-2）/5，腹部第 9 和 10 节背板分别具有 12 和 8 根刚毛，与模式标本不同，可能是地理差异。

表2　华山夕蚖 *Hesperentomon hwashanensis* Yin，1982 胸、腹部毛序简表

	胸Ⅰ	Ⅱ	Ⅲ	腹Ⅰ	Ⅱ－Ⅲ	Ⅳ	Ⅴ－Ⅵ	Ⅶ	Ⅷ	Ⅸ	Ⅹ	Ⅺ	Ⅻ
背面	4	$\frac{6}{16}$	$\frac{6}{14}$	$\frac{4}{10}$	$\frac{8}{12}$	$\frac{8}{12}$	$\frac{8}{12}$	$\frac{8}{16}$	$\frac{6}{14}$	12	10	6	9
腹面	$\frac{2+2}{6}$	$\frac{4+2}{5}$	$\frac{6+2}{5}$	$\frac{4}{4}$	$\frac{4}{5}$	$\frac{4}{9}$	$\frac{4}{9}$	$\frac{4}{9}$	$\frac{0}{6}$	6	6	6	8

（3）棘腹夕蚖 *Hesperentomon pectigastrulum* Yin，1984（表3，图3）

Hesperentomon pectigastrulum Yin，1984：421.

鉴别特征：体长 1068.0～1493.0μm；身体黄色，前足跗节颜色较深。头椭圆形，长 113.0～135.0μm，宽 83.0～100.0μm；假眼梨形，长 13.0～15.0μm，宽 7.5～10.0μm，头眼比 =7.7～10.0；颚腺中部膨大成袋状，后部长 25.0～38.0μm，头颚腺比 =3.5～5.0。前跗长 65.0～83.0μm，爪长 13.0～20.0μm，跗爪比 =4.1～7.8，中垫长 2.5～3.8μm，垫爪比 =0.17～0.25，基端比 =1.1～1.2；中跗长 28.0～33.0μm，爪长 13.0～18.0μm；后跗长 30.0～38.0μm，爪长 13.0～18.0μm。腹部第Ⅱ至第Ⅶ节背板毛序为 8/12；腹部第Ⅷ节栉梳后缘生有 8 枚尖齿。成虫胸腹部毛序见表3。

采集记录：2♀，1MJ.，翠华山，1300m，2006.Ⅵ.08，卜云、高艳、栾云霞采；4♀2♂，1MJ.，骊山，1200m，2006.Ⅵ.07，卜云、高艳、栾云霞采；6♀4♂，2 MJ.，2 LⅡ，秦陵，1200m，卜云、高艳、栾云霞采。

分布：陕西（长安、临潼、秦陵）、河北、山西、宁夏。

附记：重新检查了棘腹夕蚖的模式标本，发现后胸背板仅有 1 对小毛（P5a），毛序为 6/14，腹部第 1 节背板毛序为 4/10。陕西秦岭地区的部分标本第 10 节背板具有 10 根刚毛（缺少刚毛 2a）。

表3　棘腹夕蚖 *Hesperentomon pectigastrulum* Yin，1984 胸、腹部毛序简表

	胸Ⅰ	Ⅱ	Ⅲ	腹Ⅰ	Ⅱ－Ⅲ	Ⅳ	Ⅴ－Ⅵ	Ⅶ	Ⅷ	Ⅸ	Ⅹ	Ⅺ	Ⅻ
背面	4	$\frac{6}{16}$	$\frac{6}{14}$	$\frac{4}{10}$	$\frac{8}{12}$	$\frac{8}{12}$	$\frac{8}{12}$	$\frac{8}{16}$	$\frac{6}{14}$	14	12(10)	8	9
腹面	$\frac{4+2}{6}$	$\frac{6+2}{5}$	$\frac{8+2}{5}$	$\frac{4}{4}$	$\frac{4}{5}$	$\frac{4}{9(8)}$	$\frac{4}{9}$	$\frac{4}{9}$	$\frac{0}{6}$	6	6	6	8

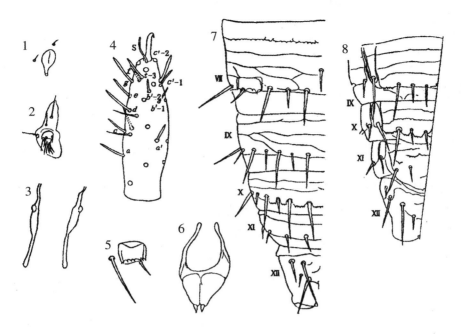

图3 棘腹夕蚖 *Hesperentomon pectigastrulum* Yin(仿尹文英, 1999)

1. 假眼；2. 下唇须；3. 颚腺；4. 前跗外侧面观；5. 栉梳；6. 雌性外生殖器；7. 第Ⅷ至第Ⅻ腹节背板；8. 第Ⅸ至第Ⅻ腹节腹板

二、始蚖科 Protentomidae

鉴别特征：体较为粗笨。口器稍尖细，大颚顶端不具齿；下颚须和下唇须均较短；颚腺管近盲端具有光滑的球形萼；前足跗节感觉器多数呈柳叶形或短棒状；第Ⅰ至第Ⅱ腹足2节，第Ⅲ腹足1节或者2节；后胸背板具有2对或1对前排刚毛，腹节背板前排刚毛不同程度的减少。

分类：本科全世界已知2亚科6属44种，我国已知4属11种，陕西秦岭地区分布1属1种。

2. 新康蚖属 *Neocondeellum* Tuxen *et* Yin, 1982

Neocondeellum Tuxen et Yin, 1982：235. **Type species**：*Condeellum brachytarsum* Yin, 1977.

属征：假眼圆形较小，头眼比＝14.0~18.0，具短而粗的后杆；颚腺管中部为球形萼；第Ⅰ至第Ⅱ对腹足2节，各生4根刚毛；第Ⅲ腹足1节，生3根刚毛；前跗节感器有退化缺失，仅有少数感器。

分布：古北区，东洋区，新北区。全世界已知 10 种，我国已知 6 种，秦岭地区分布 1 种。

（4）短跗新康蚖 *Neocondeellum brachytarsum*（Yin, 1977）（表 4，图 4）

Condeellum brachytarsum Yin, 1977：433.

Neocondeellum brachytarsum：Tuxen & Yin, 1982：236.

鉴别特征：体长 888.0～913.0μm。头椭圆形，长 82.0～93.0μm，宽 60.0～65.0μm；假眼长 8.0～9.0μm，宽 5.0～6.0μm，头眼比 = 9.2～11.0；颚腺萼部球形，后部腺管弯曲，长 10.0～13.0μm，头颚腺比 = 6.7～8.8；下颚须亚端节具有 1 个宽短的柳叶形感器。前跗长 42.0～45.0μm，爪长 15.0μm，跗爪比 = 2.7～3.3，中垫长 3.0～4.0μm，垫爪比 = 0.2～0.23，基端比 = 0.87～1.3；中跗长 17.0～20.0μm，爪长 12.0～13.0μm；后跗长 18.0～22.0μm，爪长 13.0～15.0μm。前跗背面感器 *t-1* 和 *t-2* 细长，*t-3* 柳叶形；外侧面感器 *a* 和 *b* 剑状，*b* 较短，*c*、*d*、*e* 和 *g* 缺失，*f* 短小，柳叶形；内侧面感器 *a'* 柳叶形，短小；刚毛 *δ4* 和 *β1* 特化为短小的感器状。腹部第Ⅷ节栉梳后缘生有 8 枚尖齿。雌性外生殖器具尖细的腹突和端阴刺。体表背腹面均有一些刚毛特化为短小的感器状，包括中后胸背板的 *P1a*，*P2a* 和 *P5*，腹板 *A1a*；腹部第Ⅰ节背板 *A5*，*P1a*，*P2a*，第Ⅱ至第Ⅶ节 *P2a* 和 *P4a*，腹板的 *A1a*；第Ⅻ节腹板刚毛 *4*。中胸背板 *P1*：*P1a*：*P2* = 4.5～5.5：1.0：6.0～6.5。腹部第Ⅲ腹足上亚端毛：端毛 = 2.2～2.4。成虫胸腹部毛序见表 4。

采集记录：2♀，西安植物园，400m，2006.Ⅵ.09，卜云、高艳、栾云霞采；2♀，翠华山，1300m，2006.Ⅵ.08，卜云、高艳、栾云霞采；2♀，周至楼观台，650m，2006.Ⅵ.10，卜云、高艳、栾云霞采；1♀，骊山，1200m，2006.Ⅵ.07，卜云、高艳、栾云霞采。

分布：陕西（西安、长安、周至、临潼、华阴）、辽宁、吉林、北京、河南、江苏、上海、安徽、浙江、湖北、湖南、重庆、四川、贵州。

附记：观察标本的中胸背板毛序为 6/16，中后胸腹板分别具有 6 和 8 根前排刚毛，这与《动物志》描述的毛序不同。

表 4 短跗新康蚖 *Neocondeellum brachytarsum*（Yin, 1977）胸、腹部毛序简表

	胸Ⅰ	Ⅱ	Ⅲ	腹Ⅰ	Ⅱ－Ⅲ	Ⅳ	Ⅴ－Ⅵ	Ⅶ	Ⅷ	Ⅸ	Ⅹ	Ⅺ	Ⅻ
背面	4	$\frac{6}{16}$	$\frac{6}{14}$	$\frac{6}{12}$	$\frac{4}{14}$	$\frac{4}{14}$	$\frac{4}{14}$	$\frac{4}{18}$	$\frac{6}{12}$	14	12	8	9
腹面	$\frac{2+2}{6}$	$\frac{6+2}{4}$	$\frac{8+2}{8}$	$\frac{4}{4}$	$\frac{4}{5}$	$\frac{4}{8}$	$\frac{4}{9}$	6	6	6	6	8	

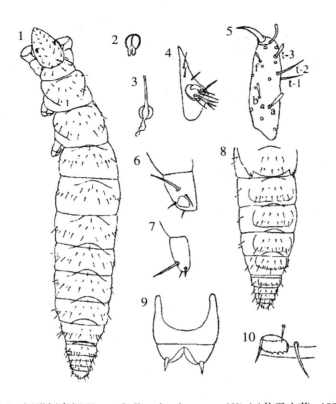

图4 短跗新康蚖 *Neocondeellum brachytarsum*（Yin）（仿尹文英，1999）
1. 成虫背面观；2. 假眼；3. 颚腺；4. 下唇须；5. 前跗外侧面观；6. 第Ⅱ腹足；7. 第Ⅲ腹足；8. 第Ⅲ～Ⅻ腹节腹板；9. 雌性外生殖器；10. 栉梳

三、蟹蚖科 Berberentulidae

鉴别特征：身体较粗壮；成虫的腹部后端常呈土黄色。口器较小，上唇一般不突出成喙，下唇须退化成3～1根刚毛或者1根感器；颚腺管细长，具简单而光滑的心形萼；假眼圆或椭圆形，有中隔。中胸和后胸背板生前刚毛2对和中刚毛1对。第Ⅰ对腹足2节，各生4根刚毛；第Ⅱ至第Ⅲ对腹足1节，各生2或者1根刚毛。第Ⅷ腹节前缘的腰带纵纹明显或不同程度退化或变形。

分类：全世界已知3亚科22属156种，我国已知11属56种，陕西秦岭地区分布2属4种。

分属检索表

颚腺管细长，沿基部腺管上有2～3个念珠状膨大处 ·················· **肯蚖属 Kenyentulus**
颚腺管平直，沿基部腺管上无念珠状膨大处 ·················· **巴蚖属 Baculentulus**

3. 肯蚖属 *Kenyentulus* Tuxen, 1981

Kenyentulus Tuxen, 1981: 135. **Type species**: *Acerentulus kenyanus* Condé, 1948.

Gracilentulus (partim): Tuxen, 1964: 201.

属征：下唇须生 3 根刚毛和 1 根感器；颚腺管较长，萼为简单的心形，沿其基部腺管上有 2~3 个念珠状膨大部；前跗节背面感器 *t-1* 为鼓槌形，外侧感器通常短小；具有内侧感器 *b'*；第Ⅷ腹节腰带上无栅纹或者只有一半栅纹，或极不明显；第Ⅷ腹节腹板仅有 1 排 4 根刚毛；雌性外生殖器的端阴刺尖细。

分布：古北区，东洋区，全热带区。全世界已知 43 种，我国已知 31 种，秦岭地区分布 3 种。

分种检索表

1. 腹部第Ⅷ节腰带有栅纹 ………………………………………… 楼观肯蚖 *K. louguanensis*
   腹部第Ⅷ节腰带无栅纹 ……………………………………………………………… 2
2. 腹部第Ⅱ至第Ⅵ背板具有 10 对后排刚毛，有 *P1a'* 和 *P3a* ………… 陕西肯蚖 *K. shaanxiensis*
   腹部第Ⅱ至第Ⅵ背板具有 8 对后排刚毛，无 *P1a'* 和 *P3a* ……… 毛萼肯蚖 *K. ciliciocalyci*

(5) 楼观肯蚖 *Kenyentulus louguanensis* Bu et Yin, 2010 (图 5，表 5)

Kenyentulus louguanensis Bu, 2008: 37.

Kenyentulus louguanensis Bu et Yin, 2010c: 68.

鉴别特征：成虫体长 840.0~855.0μm。头椭圆形，长 88.0~92.0μm，宽 55.0~67.0μm；头部具有刚毛 *a*，假眼椭圆形，长 7.0μm，宽 5.0~6.0μm，头眼比 = 12.6~13.2；颚腺管长，后部腺管具有 2 个膨大，前部腺管表面具有不规则突起，颚腺后部长 19.0~20.0μm，头颚腺比 = 4.4~4.7；下颚须亚端节具有 2 个线性近等长的感器，下唇须退化，具有 1 个短小的感器和 3 根刚毛。前跗长 54.0~55.0μm，爪长 13.0~14.0μm，跗爪比 = 3.9~4.2，中垫长 3.0~4.0μm，垫爪比 = 0.23~0.31；中跗长 21.0~23.0μm，爪长 13.0~14.0μm；后跗长 24.0~25.0μm，爪长 14.0~15.0μm。第Ⅷ节腰带具有稀疏的栅纹，腹板毛序为 4/0；栉梳长方形，宽为长的 4.0 倍，后缘具有 8 枚尖齿。雌性外生殖器端阴刺尖细。成虫胸腹部毛序见表 5。

采集记录：3♀，周至楼观台森林公园，650m，2006.Ⅵ.10，卜云、高艳、栾云霞采。

分布：陕西 (周至)。

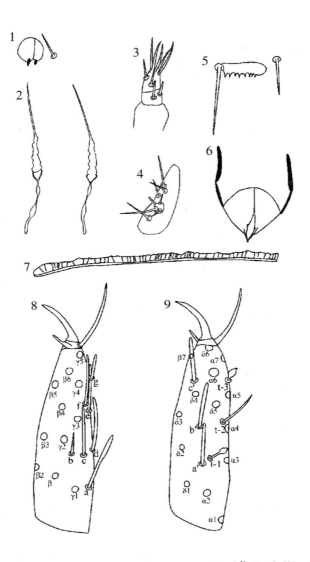

图 5　楼观肯蚖 *Kenyentulus louguanensis* Bu *et* Yin（仿 Bu & Yin, 2010c）

1. 假眼；2. 颚腺；3. 下颚须；4. 下唇须；5. 栉梳；6. 雌性外生殖器；7. 腰带；8. 前跗外侧面观；9. 前跗内侧面观

表 5　楼观肯蚖 *Kenyentulus louguanensis* Bu *et* Yin, 2010 胸、腹部毛序简表

	胸 I	II	III	腹 I	II – III	IV	V – VI	VII	VIII	IX	X	XI	XII
背面	4	$\frac{6}{16}$	$\frac{6}{16}$	$\frac{6}{12}$	$\frac{6}{16}$	$\frac{6}{16}$	$\frac{8}{16}$	$\frac{6}{16}$	$\frac{6}{15}$	14	12	6	9
腹面	$\frac{4+4}{6}$	$\frac{5+2}{4}$	$\frac{7+2}{4}$	$\frac{3}{4}$	$\frac{3}{5}$	$\frac{3}{8}$	$\frac{3}{8}$	$\frac{3}{8}$	4	4	4	6	6

(6)陕西肯蚖 *Kenyentulus shaanxiensis* **Bu et Yin, 2010**(图6，表6)

Kenyentulus shaanxiensis Bu et Yin, 2010c: 66.

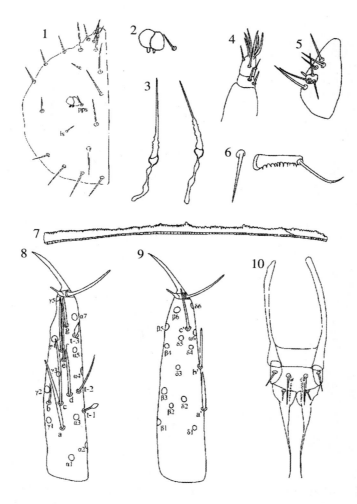

图6　陕西肯蚖 *Kenyentulus shaanxiensis* Bu et Yin(仿 Bu & Yin, 2010c)
1. 头部背面观；2. 假眼；3. 颚腺；4. 下颚须；5. 下唇须；6. 栉梳；7. 腰带；8. 前跗外侧面观；9. 前跗内侧面观；10. 雄性外生殖器

鉴别特征：成虫体长 850.0~963.0μm。头椭圆形，长 95.0~100.0μm，宽 70.0~87.0μm，头部刚毛 *a* 缺失，假眼长 5.0~6.0μm，宽 7.0~8.0μm，头眼比 = 16.0~20.0，颚腺后部长 22.0~27.0μm，具有 2 个膨大处，头颚腺比 CF = 3.7~4.5；下颚须亚端节具有 2 个尖细的感器，下唇须退化，具有 1 个短小感器和 3 根刚毛。前跗长 76.0~89.0μm，跗爪比 = 3.4~3.9，基端比 = 0.43~0.56，中垫长 5.0~6.0μm，垫

爪比 = 0.23 ~ 0.25；中跗长 37.0 ~ 40.0μm；中爪长 16.0 ~ 18.0μm；后跗长 40.0 ~ 50.0μm，后爪长 16.0 ~ 20.0μm。第Ⅱ、Ⅲ腹足均为 1 节，各具有 2 根刚毛，亚端毛为端毛长度的 2.4 ~ 2.6 倍；第Ⅷ节腰带退化，无明显栅纹，前缘具有细齿；栉梳具 10 ~ 14 枚齿。雄性外生殖器端阴刺尖细。成虫胸腹部毛序见表 6。

采集记录：3♂，翠华山，1300m，2006. Ⅵ. 08，卜云、高艳、栾云霞采。

分布：陕西（长安）。

表 6　陕西肯蚖 *Kenyentulus shaanxiensis* Bu *et* Yin，2010 胸、腹部毛序简表

	胸Ⅰ	Ⅱ	Ⅲ	腹Ⅰ	Ⅱ-Ⅲ	Ⅳ-Ⅵ	Ⅶ	Ⅷ	Ⅸ	Ⅹ	Ⅺ	Ⅻ
背面	4	$\frac{6}{16}$	$\frac{6}{16}$	$\frac{6}{14}$	$\frac{6}{20}$	$\frac{6}{20}$	$\frac{6}{18}$	$\frac{6}{15}$	14	12	6	9
腹面	$\frac{4+2}{6}$	$\frac{7+2}{4}$	$\frac{7+2}{4}$	$\frac{3}{4}$	$\frac{3}{5}$	$\frac{3}{8}$	$\frac{3}{8}$	4	4	4	6	6

(7) 毛萼肯蚖 *Kenyentulus ciliciocalyci* Yin，1987（表 7，图 7）

Kenyentulus ciliciocalyci Yin，1987：153.

鉴别特征：体长 688.0 ~ 825.0μm。头长 73.0 ~ 85.0μm，宽 66.0 ~ 73.0μm，假眼长 5.0 ~ 7.0μm，头眼比 = 13.0 ~ 16.0，颚腺后部长 15.0 ~ 16.0μm，头颚腺比 CF = 5.0 ~ 6.0。前跗长 50.0 ~ 57.0μm，跗爪比 = 3.2 ~ 3.7，基端比 = 0.59 ~ 0.67，中垫长 5.0μm，垫爪比 = 0.29 ~ 0.33；中跗长 24.0 ~ 25.0μm，中爪长 10.0 ~ 12.0μm；后跗长 25.0 ~ 28.0μm，后爪长 10.0 ~ 12.0μm。栉梳具 8 齿。中胸背板 *P1: P1a: P2* = 5.0 ~ 6.0: 1.0: 7.0 ~ 8.0，第Ⅱ和Ⅲ腹足上的亚端毛: 端毛 = 2.5 ~ 2.8。成虫胸腹部毛序见表 7。

采集记录：2♀，长安翠华山，1300m，2006. Ⅵ. 08，卜云、高艳、栾云霞采；4♀，6♂，临潼骊山，1200m，2006. Ⅵ. 07，卜云、高艳、栾云霞采；4♀，秦陵，1200m，卜云、高艳、栾云霞采；2♀1♂，留坝，1600m，1998. Ⅶ. 20，傅荣恕采；2♀1♂，佛坪凉风垭，1900m，1998. Ⅶ. 24，傅荣恕采；1♀，宁陕火地塘，1600m，1998. Ⅶ. 28，傅荣恕采。

分布：陕西（长安、临潼、留坝、佛坪、宁陕）、浙江、湖南、海南、香港、重庆、四川、贵州、云南。

附记：观察标本的中、后胸背板毛序为 6/16，都有短小的刚毛 *P5a*；腹部第Ⅺ节背板仅有 4 根刚毛，缺失刚毛 *1*，与《动物志》所描述特征不同。此外，前跗感器 a′ 的位置在观察标本中不稳定，部分标本中与 *t-1* 平行，部分标本中低于 *t-1*，也有的标本中稍高于 *t-1*。

表7　毛萼肯蚖 *Kenyentulus ciliciocalyci* Yin，1987 胸、腹部毛序简表

	胸Ⅰ	Ⅱ	Ⅲ	腹Ⅰ	Ⅱ - Ⅲ	Ⅳ - Ⅵ	Ⅶ	Ⅷ	Ⅸ	Ⅹ	Ⅺ	Ⅻ
背面	4	$\frac{6}{16}$	$\frac{6}{16}$	$\frac{6}{12}$	$\frac{6}{16}$	$\frac{6}{16}$	$\frac{6}{18}$	$\frac{6}{15}$	14	12	6	9
腹面	$\frac{4+2}{6}$	$\frac{7(5)+2}{4}$	$\frac{7(5)+2}{4}$	$\frac{3}{4}$	$\frac{3}{5}$	$\frac{3}{8}$	$\frac{3}{8}$	4	4	4	6	6

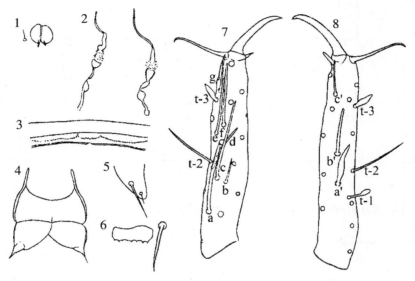

图7　毛萼肯蚖 *Kenyentulus ciliciocalyci* Yin，1987（仿尹文英，1999）
1. 假眼；2. 颚腺；3. 腰带；4. 雌性外生殖器；5. 第Ⅲ腹足；6. 栉梳；7. 前跗外侧面观；8. 前跗内侧面观

4. 巴蚖属 *Baculentulus* Tuxen，1977

Baculentulus Tuxen，1977：601. **Type species**：*Berberentulus becki* Tuxen，1976.
Berberentulus（partim）Tuxen，1964：304.

　　属征：下唇须生3根刚毛和1根感器；颚腺管平直，萼心形，简单无花饰；前跗节背面感器 *t-1* 为鼓槌形；第Ⅱ至第Ⅲ对腹足各生1根长刚毛和1根甚短小刚毛；第Ⅷ腹节腰带上无栅纹，栉梳为稍斜的长方形。
　　分布：世界广布。全世界已知40种，我国已知10种，秦岭地区分布1种。

(8) 天目山巴蚖 *Baculentulus tianmushanensis*（Yin，1963）（表8，图8）

Acerentulus tienmushanensis Yin，1963：268.
Berberentulus tienmushanensis：Imadaté，1965：295.
Baculentulus tianmushanensis：Yin，1999：222.

鉴别特征：体长 800.0～1400.0μm。头长 96.0～130.0μm；假眼近圆形，长 8.0～12.0μm，头眼比＝12.0～14.0；颚腺管短而平直，萼为心形，远侧具不规则的突起，腺管盲端不膨大或稍膨大。前跗长 70.0～96.0μm，爪长 24.0～30.0μm，跗爪比＝3.3～3.6，中垫长 3.0～4.0μm。前跗背面感器 *t-1* 鼓槌状，基端比＝0.5，*t-2* 细长，*t-3* 细长芽形，外侧面感器 *a* 细长，*b* 长而粗，顶端接近 *g* 的基部，*c* 与 *d* 靠近，*e* 和 *f* 细长，*f* 的顶端不超过爪的基部，*g* 较短而长，顶端超过爪的基部，内侧感器 *a′* 甚粗大，*b′* 缺失，*c′* 细长。第Ⅷ腹节的腰带无栅纹，仅在中部有 1 条排成波浪形的小齿；栉梳长方形，后缘生 6～8 枚小齿。雌性外生殖器的端阴刺尖细。成虫胸腹部毛序见表 8。

采集记录：3♀，西安植物园，400m，2006.Ⅵ.09，卜云、高艳、栾云霞采。

分布：陕西（西安）、辽宁、内蒙古、河北、河南、宁夏、甘肃、上海、安徽、浙江、湖北、江西、湖南、重庆、四川、贵州、云南。

表 8　天目山巴蚖 *Baculentulus tianmushanensis*（Yin，1963）胸、腹部毛序简表

	胸 Ⅰ	Ⅱ	Ⅲ	腹 Ⅰ	Ⅱ－Ⅲ	Ⅳ－Ⅴ	Ⅵ	Ⅶ	Ⅷ	Ⅸ	Ⅹ	Ⅺ	Ⅻ
背面	4	$\frac{6}{16}$	$\frac{6}{16}$	$\frac{6}{12}$	$\frac{6}{16}$	$\frac{6}{16}$	$\frac{8}{16}$	$\frac{6}{16}$	$\frac{6}{16}$	14	12	6	9
腹面	$\frac{4+4}{6}$	$\frac{7+2}{4}$	$\frac{7+2}{4}$	$\frac{3}{4}$	$\frac{3}{5}$	$\frac{3}{8}$	$\frac{3}{8}$	$\frac{3}{8}$	4	4	4	6	6

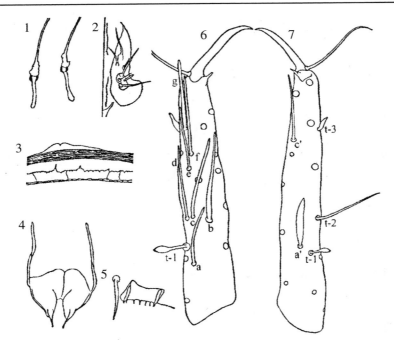

图 8　天目山巴蚖 *Baculentulus tianmushanensis*（Yin）（仿尹文英，1999）

1. 颚腺；2. 下唇须；3. 腰带；4. 雌性外生殖器；5. 栉梳；6. 前跗外侧面观；7. 前跗内侧面观

四、蚖科 Acerentomidae

鉴别特征：体型较大。口器常尖细，上唇的中部常向前延伸成喙；下唇须生有 1 根感器和 1 簇刚毛；假眼圆形或扁圆形，有中隔无后杆；颚腺管上生心形萼，萼上无花饰，仅有 1 个光滑的盔状附属物。前足跗节上的感器数目和形状均较稳定，*t-1* 为线形，棍棒形或鼓槌形；前跗远端的爪内侧有时生有内悬片，爪垫一般较短，中跗和后跗的爪舟形并具发达的套膜和较长的中垫。腹部第 I 对腹足 2 节，各生 4 根刚毛，第 Ⅱ 至第 Ⅲ 对腹足 1 节，各生 3 根或 2 根刚毛；第 Ⅷ 腹节前缘的腰带常具发达的栅纹。雌性外生殖器具有尖锥状的端阴刺。

分类：全世界已知 3 亚科 17 属 143 种，我国已知 9 属 11 种，陕西秦岭地区分布 2 属 2 种。

分属检索表

后胸背板生 2 对前排刚毛（*A2*、*4*）····························· **华山蚖属** *Huashanentulus*
后胸背板生 4 对前排刚毛（*A2*、*3*、*4*、*5*）····················· **线毛蚖属** *Filientomon*

5. 华山蚖属 *Huashanentulus* Yin, 1980

Huashanentulus Yin, 1980：144. **Type species**：*Huashanentulus huashanensis* Yin, 1980.

属征：中后胸背板各具 2 对前排刚毛（*A2*、*4*）；下唇须顶端生 3 根刚毛和 1 根膨大的感器。假眼圆形；颚腺管细长，萼简单无花饰，背面生 1 个盔状附属物。前足跗节感器 *t-1* 线形；第 Ⅱ 至第 Ⅲ 对腹足各生 2 根刚毛，顶端刚毛长于次顶端刚毛之半；第 Ⅷ 腹节的腰带栅纹发达；栉梳后缘略突出，具 20 ~ 22 枚细齿。雌性外生殖器端阴刺尖细。

分布：古北区。本属已知 2 种，均分布在我国，秦岭地区分布 1 种。

（9）华山蚖 *Huashanentulus huashanensis* Yin, 1980（图 9，表 9）

Huashanentulus huashanensis Yin, 1980：144.
Alaskaentomon gansuensis Wang, 1983：69.

鉴别特征：体长 1308.0 ~ 1465.0μm。头长 138.0 ~ 140.0μm，宽 88.0 ~ 100.0μm，假眼长7.5μm，宽 10.0μm，头眼比 = 18.3 ~ 18.7，颚腺后部长 30.0 ~ 35.0μm，头颚腺

比 =4.3 ~4.6。前跗长93.0 ~102.0μm，跗爪比 TR =3.4 ~3.9，基端比 =0.78 ~0.95，中垫长 5.0μm，垫爪比 =0.18 ~0.25；中跗长 43.0 ~48.0μm，中爪长 17.5μm；后跗长 50.0 ~53.0μm，后爪长 18.0 ~20.0μm。中胸背板具有腺孔 al 和 l，后胸背板具有腺孔 l，胸部腹板无腺孔；腹部第Ⅰ节和第Ⅷ节背板具有腺孔 psm，第Ⅱ至第Ⅵ节背板具有腺孔 psm 和 al，第Ⅰ至第Ⅶ节腹板各具有单个的中央腺孔；腹部第Ⅻ节背板具有 1 个中央腺孔，腹板具有腺孔 al。成虫胸腹部毛序见表9。

　　采集记录：1♂，华山，1978.Ⅷ.15，郭培福采；5♀，留坝，1600m，1998.Ⅶ. 21，傅荣恕采；5♀，宁陕火地塘，1580m，1998.Ⅶ.27，傅荣恕采。

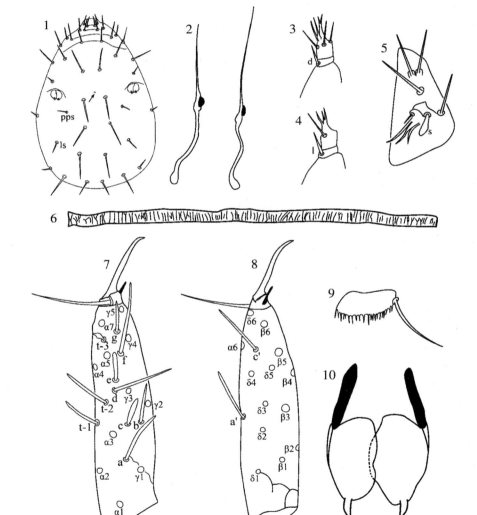

图9　华山蚖 *Huashanentulus huashanensis* Yin(仿 Bu & Yin, 2010a)

1. 头部背面观；2. 颚腺；3. 下颚须背面观；4. 下颚须腹面观；5. 下唇须；6. 腰带；7. 前跗外侧面观；8. 前跗内侧面观；9. 栉梳；10. 雌性外生殖器

分布：陕西（华阴、留坝、宁陕）、宁夏、甘肃、湖北、四川。

表 9　华山蚖 *Huashanentulus huashanensis* Yin，1980 胸、腹部毛序简表

	胸 I	II	III	腹 I	II－III	IV－VI	VII	VIII	IX	X	XI	XII
背面	4	$\frac{6}{16}$	$\frac{6}{16}$	$\frac{6}{10}$	$\frac{8}{12}$	$\frac{8}{14}$	$\frac{8}{16}$	$\frac{8}{15}$	12	10	6	9
腹面	$\frac{2+4}{6}$	$\frac{5+2}{4}$	$\frac{7+2}{4}$	$\frac{3}{2}$	$\frac{3}{5}$	$\frac{3}{8}$	$\frac{3}{8(9)}$	$\frac{4}{2}$	4	4	6	6

6. 线毛蚖属 *Filientomon* Rusek，1974

Filientomon Rusek，1974：269. **Type species**：*Acerentulus lubricus takanawanus* Imadaté，1956.

Acerella（partim）：Tuxen，1964：227.

Yamatentomon（partim）：Imadaté，1974：103.

属征：颚腺管细长，萼光滑无花饰，背侧生有单一的盔状附属物；中胸背板生 3 对前排刚毛（*A2、3、4*），后胸背板生 4 对前排刚毛（*A2、3、4、5*）；前跗节背面感器 *t-1* 为线形，*a'* 位于 *t-1* 的远侧或平排；第Ⅱ至第Ⅲ对腹足 1 节，各生 2 根长度相仿的刚毛；第Ⅷ腹节腰带上栅纹细密清楚，腹板生一排 4 根刚毛；雌性外生殖器具有尖锥状的端阴刺。

分布：东洋区，全北区。本属已知 10 种，我国分布 2 种，秦岭地区分布 1 种。

（10）高绳线毛蚖 *Filientomon takanawanum*（Imadaté，1956）（表10，图10）

Acerentulus lubricus takanawanus Imadaté，1956：105.

Acerentomon takanawanum：Imadaté & Yosii，1959：39.

Acerella takanawana：Tuxen，1963：95.

Filientomon takanawanum：Rusek，1974：269.

鉴别特征：体长 1200.0～1600.0μm。头长 151.0～163.0μm；假眼较小，宽大于长，头眼比＝17.0～20.0；颚腺管较细小，萼简单光滑，背面生有 1 个椭圆形的盔状附属物，基部腺管短，盲端不膨大。前跗长 100.0～120.0μm，爪长 40.0～44.0μm，具有 1 个微小的内悬片，跗爪比＝2.4～2.9，中垫较短小。前跗背面感器 *t-1* 线性，基端比＝0.6～0.7，*t-2* 细长，*t-3* 矛形，外侧面感器 *a* 细长，顶端可达 *d* 的基部，*b* 极长，与 *c* 平排，*d* 位于 *c* 和 *e* 之间，*f* 与 *g* 靠近，二者的顶端均超过爪的基部；内侧感器 *a'* 稍粗大，*b'* 缺失，*c'* 细长。第Ⅷ腹节的腰带栅纹清楚；栉梳后缘向后突出成弧形长方形，生 15～20 枚尖齿。雌性外生殖器的端阴刺尖细。成虫胸腹部毛序见表10。

采集记录：5♀2♂，长安翠华山，1300m，2006.Ⅵ.08，卜云、高艳、栾云霞采。

分布：陕西（长安）、吉林、河北、山西、安徽、浙江；朝鲜，韩国，日本。

表10　高绳线毛蚖 *Filientomon takanawanum*（Imadaté，1956）胸、腹部毛序简表

	胸I	II	III	腹I	II	III	IV－V	VI	VII	VIII	IX	X	XI	XII
背面	4	$\frac{8}{16}$	$\frac{10}{16}$	$\frac{8}{12}$	$\frac{10}{16(18)}$	$\frac{10}{18}$	$\frac{10}{18}$	$\frac{10}{18}$	$\frac{12}{18}$	$\frac{8}{15}$	14	10	6	9
腹面	$\frac{4+4}{6}$	$\frac{5+2}{4}$	$\frac{7+2}{4}$	$\frac{3}{4}$	$\frac{5(3)}{5}$	$\frac{5(3)}{5}$	$\frac{6(5)}{8}$	$\frac{6(5)}{9}$	$\frac{5}{9}$	$\frac{4}{0}$	4	4	6	6

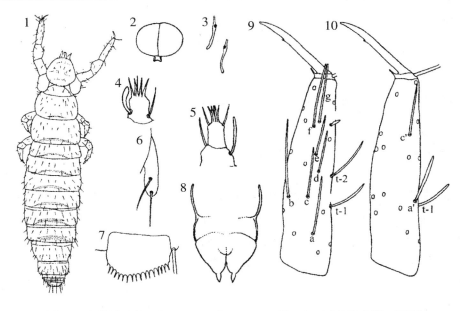

图10　高绳线毛蚖 *Filientomon takanawanum*（Imadaté）（仿尹文英，1999）

1．成虫背面观；2．假眼；3．颚腺；4．下唇须；5．下颚须；6．第Ⅲ腹足；7．栉梳；8．雌性外生殖器；9．前跗外侧面观；10．前跗内侧面观

五、日本蚖科 Nipponentomidae

鉴别特征：身体壮大，表皮骨化浓重。上唇须具有1个梭形的膨大感器和1簇刚毛；假眼圆形有中隔；颚腺管细长，萼常膨大，上生多瘤的花饰和单一的盔状附属物；前跗感器齐全，爪垫内侧常生有2条内悬片；中胸背板生2～3对前排刚毛，后胸背板生2～4对前排刚毛，第Ⅱ至第Ⅲ对腹足1节，各生2根刚毛；第Ⅷ腹节前缘的腰带发达，栅纹清楚；栉梳多为长方形，后缘平直或突出成弧形；雌性外生殖器的端阴刺尖锥状或末端三齿状分叉。

分类：古北区。全世界已知3亚科14属64种，我国已知7属13种，陕西秦岭地

区分布1属1种。

7. 雅娃虮属 *Yavanna* Szeptycki，1988

Yavanna Szeptycki，1988：306. **Type species**：*Yavanna altaica* Szeptycki，1988.

属征：中后胸背板具有3对前排刚毛，前足跗节感器 *t-1* 棍棒状，*a′* 高于 *t-2* 基部；腹部第Ⅱ至第Ⅵ背板具有10根前排刚毛，第Ⅷ节背板具有6根前排刚毛，第Ⅰ至第Ⅶ腹板具有3根前排刚毛；雌性外生殖器短钝，端阴刺二分叉或三分叶状。

分布：亚洲。全世界已知7种，我国分布1种，秦岭地区分布1种。

(11) 中华雅娃虮 *Yavanna sinensis*（**Bu** *et* **Yin**，**2008**）（表11，图11）

Nosekiella sinensis Bu *et* Yin，2008：201.
Yavanna sinensis：Shrubovych *et al.*，2012：7.

鉴别特征：体长 1120.0～1485.0μm。头椭圆形，长 125.0～143.0μm，宽 88.0～100.0μm；假眼长 7.5～8.8μm，宽 7.5～10.0μm，头眼比 = 16.3～18.7，颚腺管长，盲端稍膨大，萼部侧面具有2块明显的葡萄状附属物，后部长 30.0～35.0μm，头颚腺比 CF = 3.5～4.4；下颚须亚端节具有2个等长的感器，下唇须发达，基部具有1个叶状的感器。前跗长 78.0～93.0μm，爪长 23.0～33.0μm，具有1个内悬片，跗爪比 = 3.2～4.0，中垫长 5.0～7.5μm，垫爪比 = 0.2～0.33；中跗长 38.0～45.0μm，中爪长 15.0～20.0μm；后跗长 43.0～48.0μm，后爪长 15.0～23.0μm。第Ⅷ节腰带发达，具有细密的栅纹；栉梳长方形，后缘具有 11～12 枚规则的尖齿。雌性外生殖器粗壮，端阴刺长，末端分两叉。成虫胸腹部毛序见表11。

采集记录：2♀，临潼骊山，1200m，2006.Ⅵ.07，卜云、高艳、栾云霞采。
分布：陕西(临潼)、宁夏、青海。

表11　中华雅娃虮 *Yavanna sinensis*（**Bu** *et* **Yin**，**2008**）胸、腹部毛序简表

	胸Ⅰ	Ⅱ	Ⅲ	腹Ⅰ	Ⅱ	Ⅲ	Ⅳ–Ⅵ	Ⅶ	Ⅷ	Ⅸ	Ⅹ	Ⅺ	Ⅻ
背面	4	$\frac{8}{16}$	$\frac{8}{16}$	$\frac{6}{10}$	$\frac{10}{14}$	$\frac{10}{14}$	$\frac{10}{14}$	$\frac{8}{16}$	$\frac{6}{15}$	12	8(10)	6	9
腹面	$\frac{2+4}{6}$	$\frac{5+2}{4}$	$\frac{7+2}{4}$	$\frac{3}{4}$	$\frac{3}{5}$	$\frac{3}{6}$	$\frac{3}{8}$	$\frac{4}{9}$	$\frac{4}{2}$	4	4	6	6

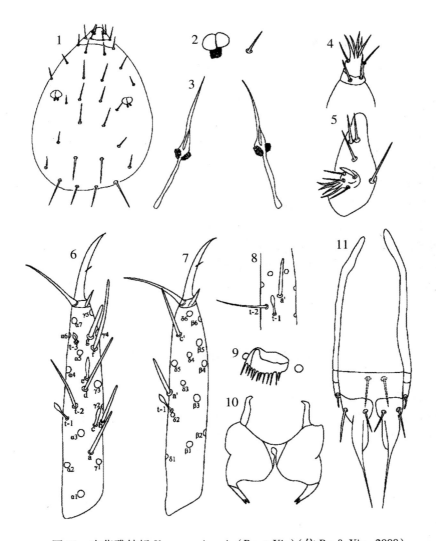

图 11　中华雅娃蚖 *Yavanna sinensis*（Bu *et* Yin）（仿 Bu & Yin, 2008）

1. 头部背面观；2. 假眼；3. 颚腺；4. 下颚须；5. 下唇须；6. 前跗外侧面观；7. 前跗内侧面观；8.前跗背面感器；9. 栉梳；10. 雌性外生殖器；11. 雄性外生殖器

古蚖目 Eosentomata

鉴别特征：中胸和后胸背板上有中刚毛，两侧各生 1 对气孔，气孔内生有气管冕；口器较宽而平直，一般不突出成喙；大颚顶端较粗钝并具有小齿；颚腺细长无萼，膨大部常忽略不见；假眼较小而突出，有假眼腔；前跗节上的感器 f 和 b' 常常各生 2 根；前跗的爪垫几乎与爪长相仿；中跗和后跗均具爪，但无套膜；3 对腹足均为 2 节，各生 5 根刚毛；第Ⅷ腹节前缘无腰带，两侧的腹腺孔上盖小而简单，无具齿的栉梳；雌性外生殖器常有腹片和细长的刺状端阴刺。

分类：世界广布。全世界已知 2 科 11 属 363 种，我国已记录 2 科 7 属 98 种，陕西秦岭地区分布有 1 科 4 属 11 种。

一、古蚖科 Eosentomidae

鉴别特征：见古蚖目特征。

分类：全世界已知 3 亚科 9 属 360 种，我国已知 6 属 95 种，陕西秦岭地区分布 4 属 11 种。

分属检索表

1. 中国蚖属 *Zhongguohentomon* Yin, 1979

Zhongguohentomon Yin, 1979：77. **Type species**：*Zhongguohentomon magnum* Yin, 1979.

属征：虫体型较大。前跗节的感器 t-1 为短小的鼓槌形，e 和 g 均短小，略呈梭形；腹部第Ⅱ至第Ⅶ节分别具有 5 对前排刚毛；第Ⅷ腹节背板后排刚毛 $P3$ 位于腹腺孔外的底板上，腹板具有前排刚毛 1 对；雌性外生殖器缺少腹片，而生 1 对乳头状突起和 1 对简单的端阴刺。

　　分布：古北区，东洋区。本属已知 2 种，均分布在我国。秦岭地区分布 1 种。

（1）多毛中国蚖 *Zhongguohentomon piligeroum* Zhang *et* Yin，1981（图 12，表 12）

Zhongguohentomon piligeroum Zhang *et* Yin，1981：77.

　　鉴别特征：体长 1375.0 ~ 1338.0μm。头椭圆形，长 118.0 ~ 125.0μm，宽 108.0 ~ 115.0μm；头背面刚毛 *sp*：*p* = 1.2 ~ 1.5；大颚具有 4 个端齿；刚毛 *sr* 和 *r* 均为羽状，基部较宽；假眼圆形，长 10.0μm，头眼比 = 12.0 ~ 12.5。前跗长 98.0 ~ 100.0μm，爪长 13.0 ~ 15.0μm，跗爪比 = 6.7 ~ 7.8，中垫长 13.0 ~ 15.0μm，垫爪比 = 1.0，基端比 = 1.2；中跗长 40.0μm，爪长 13.0μm；后跗长 50.0 ~ 53.0μm，爪长 13.0μm。中胸背板 *P1*：*P1a*：*P2* = 1.4：1.0：1.8；第Ⅲ对胸足跗节基部的刚毛 *D2* 大刺状；第Ⅱ、Ⅲ胸足爪垫均长。腹部第Ⅳ至第Ⅹ节腹板分别有 1 个中央腺孔，第Ⅻ节背板和腹板分别有 1 对中央腺孔。成虫胸腹部毛序见表 12。

　　采集记录：2♀，1MJ.，临潼骊山，1200m，2006．Ⅵ.07，卜云、高艳、栾云霞采；1MJ.，佛坪凉风垭，1900m，1998．Ⅶ.24，傅荣恕采。

　　分布：陕西（临潼、佛坪）、内蒙古、甘肃、湖北、广东、广西、四川、贵州。

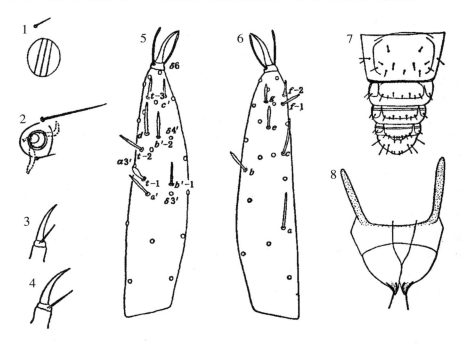

图 12　多毛中国蚖 *Zhongguohentomon piligeroum* Zhang *et* Yin（仿尹文英，1999）

1. 假眼；2. 气孔；3. 中爪；4. 后爪；5. 前跗外侧面观；6. 前跗内侧面观；7. 第Ⅷ至第Ⅻ腹节腹板；8. 雌性外生殖器

表 12　多毛中国蚖 *Zhongguohentomon piligeroum* Zhang *et* Yin, 1979 胸、腹部毛序简表

	胸 I	II	III	腹 I	II – III	IV – VI	VII	VIII	IX	X	XI	XII
背面	4	$\frac{6}{16}$	$\frac{6}{16}$	$\frac{4}{10}$	$\frac{10}{16}$	$\frac{10}{16}$	$\frac{10}{16}$	$\frac{6}{9}$	10	10	8	9
腹面	$\frac{6+2}{6}$	$\frac{6+2}{6}$	$\frac{6+4}{8}$	$\frac{4}{4}$	$\frac{6}{4}$	$\frac{6}{10}$	$\frac{6}{10}$	$\frac{2}{9}$	7	7	8	12

2. 古蚖属 *Eosentomon* Berlese, 1908

Eosentomon Berlese, 1908：18. **Type species**：*Eosentomon transitorium* Berlese, 1908.

属征：假眼圆形或椭圆形，简单无中隔或有中隔，或具 2 ~ 5 条纵行线纹以及 1 ~ 3 个小泡；前跗节背面感器 *e* 和 *g* 俱全，且均呈匙形；中胸和后胸背板两侧各有 1 对气孔，孔内常有 2 根气管毫；腹部 IV 至 VII 节背板前排刚毛常缺 1 ~ 4 对；雌性外生殖器有 1 对腹片，是由数根形状不同的骨片组成，向后延伸成细长的端阴刺。

分布：世界广布。全世界已知 309 种，我国已知 63 种，秦岭地区分布 7 种。

分种检索表

1. 第 VIII 腹节腹板生 2 排刚毛，有前排刚毛 1 对 ·· 2
   第 VIII 腹节腹板生 1 排刚毛，无前排刚毛 ·· 6
2. 第 VIII 腹节腹板具有 9 根后排刚毛 ·· 3
   第 VIII 腹节腹板具有 7 根后排刚毛 ·· 4
3. 假眼较小，无纵行线纹 ····························· 九毛古蚖 *E. novemchaetum*
   假眼特大，生有 3 条线纹 ···························· 双长古蚖 *E. dimecempodi*
4. 第 V 至第 VI 腹节腹板各生 4 对前排刚毛 ······································ 5
   第 V 至第 VI 腹节腹板各生 5 对前排刚毛 ·············· 大眼古蚖 *E. megalenum*
5. 第 VII 腹节背板生 4 对前排刚毛(*A1, 2, 4, 5*) ··········· 异形古蚖 *E. dissimilis*
   第 VII 腹节背板生 3 对前排刚毛(*A2, 4, 5*) ··········· 东方古蚖 *E. orientalis*
6. 第 VII 腹节背板生 2 对前排刚毛(*A4, 5*) ·············· 栖霞古蚖 *E. chishiaensis*
   第 VII 腹节背板生 1 对前排刚毛(*A4, A5*) ··············· 樱花古蚖 *E. sakura*

(2) 九毛古蚖 *Eosentomon novemchaetum* Yin, 1965 (图 13，表 13)

Eosentomon novemchaetum Yin, 1965：85.

　　鉴别特征：体长 825.0～900.0μm。头椭圆形，长 87.0～95.0μm，宽 65.0～70.0μm；头背面刚毛 *sp*: *p* = 1.4；大颚具有 3 个端齿；刚毛 *sr* 和 *r* 均为羽状；假眼圆形，长 8.0μm，头眼比 = 11.5～11.9。前跗长 55.0～56.0μm，爪长 10.0～11.0μm，跗爪比 = 5.0～5.6，中垫长 10.0～11.0μm，垫爪比 = 1.0，基端比 = 0.81～0.87；中跗长 26.0μm，爪长 6.0～7.0μm；后跗长 30.0～32.0μm，爪长 8.0～9.0μm。中胸背板 *P1: P1a: P2* = 1.2～1.3: 1.0: 1.4～1.7；第Ⅲ对胸足跗节基部的刚毛 *D2* 大刺状；第Ⅱ对胸足的爪垫极短，第Ⅲ对胸足的爪垫长。腹部第Ⅺ节背板刚毛 *1* 和 *2* 极短。成虫胸腹部毛序见表 13。

　　采集记录：4♀1♂，周至楼观台，650m，2006.Ⅵ.10，卜云、高艳、栾云霞采。

　　分布：陕西(周至)、辽宁、江苏、上海、安徽、江西。

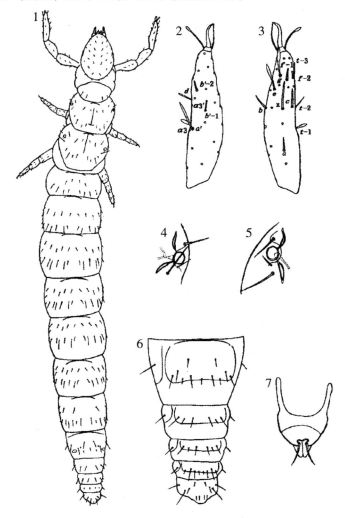

图 13　九毛古蚖 *Eosentomon novemchaetum* Yin(仿尹文英, 1999)

1. 整体背面观；2. 前跗外侧面观；3. 前跗内侧面观；4. 中胸气孔；5. 后胸气孔；6. 第Ⅷ至第Ⅻ腹节腹板；
7. 雌性外生殖器

表 13　九毛古蚖 *Eosentomon novemchaetum* Yin, 1965 胸、腹部毛序简表

	胸 I	II	III	腹 I	II–III	IV–VI	VII	VIII	IX	X	XI	XII
背面	4	$\dfrac{6}{16}$	$\dfrac{6}{16}$	$\dfrac{4}{12}$	$\dfrac{10}{16}$	$\dfrac{10}{16}$	$\dfrac{6}{16}$	$\dfrac{6}{9}$	8	8	8	9
腹面	$\dfrac{6+2}{6}$	$\dfrac{6+2}{6}$	$\dfrac{6+4}{8}$	$\dfrac{4}{4}$	$\dfrac{6}{4}$	$\dfrac{6}{10}$	$\dfrac{6}{10}$	$\dfrac{2}{9}$	6	6	8	12

（3）双长古蚖 *Eosentomon dimecempodi* Yin，1990（图 14，表 14）

Eosentomon dimecempodi Yin, 1990：112.

鉴别特征：体长 950.0～1000.0μm。头椭圆形，长 87.0～95.0μm，宽 75.0～80.0μm；刚毛 *sr* 和 *r* 均为羽状；假眼极大，具有 3 条纵纹，长 18.0～19.0μm，宽 13.0μm，头眼比 = 5.0～5.6。前跗长 60.0μm，爪长 10.0～11.0μm，跗爪比 = 5.5～5.6，中垫长 10.0～11.0μm，垫爪比 = 1.0，基端比 = 1.0；中跗长 22.0～27.0μm，爪长 6.0～8.0μm；后跗长 30.0～32.0μm，爪长 8.0～9.0μm。中胸背板 *P1*：*P1a*：*P2* = 1.2：1：1.7；第Ⅲ对胸足跗节基部的刚毛 *D2* 刚毛状；第Ⅱ、Ⅲ对胸足的爪垫均长。成虫胸腹部毛序见表 14。

采集记录：2♂，华山，1978.Ⅷ.24，金根桃、郭培福采。

分布：陕西（华阴）。

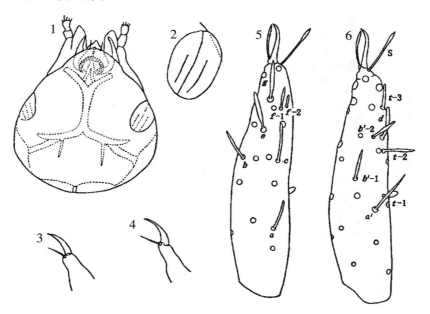

图 14　双长古蚖 *Eosentomon dimecempodi* Yin（仿尹文英，1999）

1. 头部背面观；2. 假眼；3. 中爪；4. 后爪；5. 前跗外侧面观；6. 前跗内侧面观

表 14　双长古蚖 *Eosentomon dimecempodi* Yin, 1990 胸、腹部毛序简表

	胸 I	II	III	腹 I	II – III	IV – VI	VII	VIII	IX	X	XI	XII
背面	4	$\frac{6}{16}$	$\frac{6}{16}$	$\frac{4}{12}$	$\frac{10}{16}$	$\frac{10}{16}$	$\frac{6}{16}$	$\frac{6}{9}$	8	8	8	9
腹面	$\frac{6+2}{6}$	$\frac{6+2}{6}$	$\frac{6+4}{8}$	$\frac{4}{4}$	$\frac{6}{4}$	$\frac{6}{10}$	$\frac{6}{10}$	$\frac{2}{9}$	6	6	8	12

（4）大眼古蚖 *Eosentomon megalenum* Yin, 1990（图 15，表 15）

Eosentomon megalenum Yin, 1990：110.

鉴别特征： 体长 665.0 ~ 930.0μm。头椭圆形，长 76.0 ~ 82.0μm，宽 55.0 ~ 76.0μm；大颚具有 3 个端齿；刚毛 *sr* 和 *r* 均为羽状；假眼大，长 12.0 ~ 15.0μm，宽 10.0 ~ 15.0μm，头眼比 = 5.3 ~ 6.7。前跗长 53.0 ~ 58.0μm，爪长 8.0 ~ 11.0μm，跗爪比 = 5.5 ~ 7.7，中垫长 9.0 ~ 11.0μm，垫爪比 = 1.0，基端比 = 0.80 ~ 0.92；中跗长 25.0μm，爪长 6.0 ~ 8.0μm；后跗长 28.0 ~ 31.0μm，爪长 7.0 ~ 9.0μm。中胸背板 *P1: P1a: P2* = 1.0 ~ 1.2: 1.0: 1.3 ~ 1.7；第Ⅲ对胸足跗节基部的刚毛 *D2* 正常；第Ⅱ对胸足的爪垫短，第Ⅲ对胸足的爪垫长。腹部第XI节背板刚毛 *1* 和 *2* 极短。成虫胸腹部毛序见表 15。

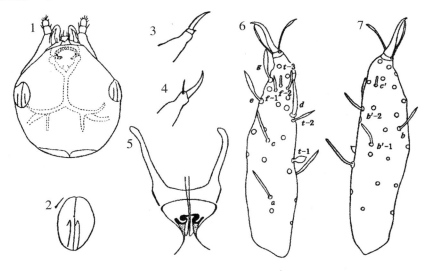

图 15　大眼古蚖 *Eosentomon megalenum* Yin（仿尹文英，1999）

1. 头部背面观；2. 假眼；3. 中爪；4. 后爪；5. 雌性外生殖器；6. 前跗外侧面观；7. 前跗内侧面观

采集记录： 2♂，长安翠华山，1300m，2006.Ⅵ.08，卜云、高艳、栾云霞采；1♂，临潼骊山，1200m，2006.Ⅵ.07，卜云、高艳、栾云霞采；1♂，秦陵，1200m，卜云、高艳、栾云霞采；3♀2♂，华山，1978.Ⅷ.09，郭培福采。

分布：陕西（长安、临潼、华阴）、宁夏、甘肃、江苏、上海、湖北、湖南、四川、贵州、云南。

表 15　大眼古蚖 *Eosentomon megalenum* Yin，1990 胸、腹部毛序简表

	胸 I	II	III	腹 I	II – III	IV – VI	VII	VIII	IX	X	XI	XII
背面	4	$\frac{6}{16}$	$\frac{6}{16}$	$\frac{4}{12}$	$\frac{10}{16}$	$\frac{10}{16}$	$\frac{6}{16}$	$\frac{6}{9}$	8	8	8	9
腹面	$\frac{6+2}{6}$	$\frac{6+2}{6}$	$\frac{6+4}{8}$	$\frac{4}{4}$	$\frac{6}{4}$	$\frac{6}{10}$	$\frac{6}{10}$	$\frac{2}{7}$	6	6	8	12

（5）东方古蚖 *Eosentomon orientalis* Yin，1965（图 16，表 16）

Eosentomon orientalis Yin，1965：48.

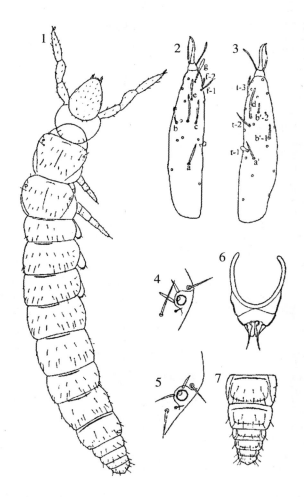

图 16　东方古蚖 *Eosentomon orientalis* Yin（仿尹文英，1999）

1. 整体背面观；2. 前跗外侧面观；3. 前跗内侧面观；4. 中胸气孔；5. 后胸气孔；6. 雌性外生殖器；7. 第VIII至第XII腹节腹板

鉴别特征：体长 890.0 ~ 1075.0μm。头椭圆形，长 85.0 ~ 93.0μm，宽 63.0 ~ 80.0μm；大颚具有 3 个端齿；刚毛 sr 和 r 正常；假眼长 10.0μm，宽 7.5 ~ 10.0μm，头眼比 = 8.5 ~ 9.3。前跗长 58.0 ~ 60.0μm，爪长 10.0μm，跗爪比 = 5.5 ~ 6.0，中垫长 10.0μm，垫爪比 = 1.0，基端比 = 0.85 ~ 1.0；中跗长 25.0 ~ 28.0μm，爪长 7.5μm；后跗长 28.0 ~ 33.0μm，爪长 7.5 ~ 10.0μm。中胸背板 $P1: P1a: P2 = 1.0 ~ 1.2: 1.0: 1.3 ~ 1.7$；第 III 对胸足跗节基部的刚毛 $D2$ 正常；第 II 对胸足的爪垫短，第 III 对胸足的爪垫长。成虫胸腹部毛序见表 16。

采集记录：1♀1♂，华山，1978. VIII.24，金根桃、郭培福采。

分布：陕西（华阴）、辽宁、宁夏、甘肃、青海、江苏、上海、安徽、浙江、湖北、江西、湖南、广东、海南、广西、重庆、四川、贵州。

表 16　东方古蚖 *Eosentomon orientalis* Yin, 1965 胸、腹部毛序简表

	胸 I	II	III	腹 I	II – III	IV	V – VI	VII	VIII	IX	X	XI	XII
背面	4	$\frac{6}{16}$	$\frac{6}{16}$	$\frac{4}{12}$	$\frac{10}{16}$	$\frac{10}{16}$	$\frac{8}{16}$	$\frac{6}{16}$	$\frac{6}{9}$	8	8	4	9
腹面	$\frac{6+2}{6}$	$\frac{6+2}{6}$	$\frac{6+4}{8}$	$\frac{4}{4}$	$\frac{6}{4}$	$\frac{6}{10}$	$\frac{6}{10}$	$\frac{6}{10}$	$\frac{2}{7}$	6	6	8	12

（6）异形古蚖 *Eosentomon dissimilis* Yin, 1979（表 17，图 17）

Eosentomon dissimilis Yin, 1979：83.

鉴别特征：体长 1375.0 ~ 1488.0μm。头椭圆形，长 125.0 ~ 138.0μm，宽 103.0 ~ 118.0μm；大颚具有 3 个端齿；刚毛 sr 和 r 羽状；假眼圆形，长 10.0μm，表面具有 3 条纵纹，头眼比 = 13.0 ~ 14.0。前跗长 98.0 ~ 120.0μm，爪长 15.0 ~ 18.0μm，跗爪比 = 6.0 ~ 8.0，中垫长 15.0 ~ 18.0μm，垫爪比 = 1.0，基端比 = 0.9 ~ 0.95；中跗长 45.0 ~ 50.0μm，爪长 13.0 ~ 15.0μm；后跗长 53.0 ~ 60.0μm，爪长 15.0 ~ 18.0μm。中胸背板 $P1: P1a: P2 = 1.2: 1.0: 1.6$；气孔直径为 5.0 ~ 7.0μm，气管龛长 15.0μm，第 III 对胸足跗节基部的刚毛 $D2$ 正常刚毛状；第 II、III 胸足的爪垫均长，为爪长的 1/2 ~ 2/3。成虫胸腹部毛序见表 17。

采集记录：1♂，华山，1978. VIII.09，郭培福采；1♂，留坝，1600m，1998. VII.20，傅荣恕采。

分布：陕西（华阴、留坝）、青海、上海、安徽、浙江、湖南、贵州。

表 17　异形古蚖 *Eosentomon dissimilis* Yin, 1979 胸、腹部毛序简表

	胸 I	II	III	腹 I	II – III	IV	V – VII	VIII	IX	X	XI	XII
背面	4	$\frac{6}{16}$	$\frac{6}{16}$	$\frac{4}{12}$	$\frac{10}{16}$	$\frac{10}{16}$	$\frac{8}{16}$	$\frac{6}{9}$	8	8	4	9
腹面	$\frac{6+2}{6}$	$\frac{6+2}{6}$	$\frac{6+4}{8}$	$\frac{4}{4}$	$\frac{6}{4}$	$\frac{6}{10}$	$\frac{6}{10}$	$\frac{2}{7}$	6	6	8	12

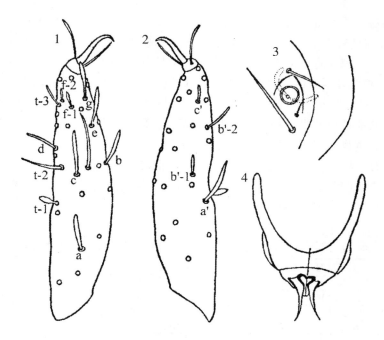

图 17　异形古蚖 *Eosentomon dissimilis* Yin(仿尹文英, 1999)

1. 前跗外侧面观；2. 前跗内侧面观；3. 后胸气孔；4. 雌性外生殖器

(7) 栖霞古蚖 *Eosentomon chishiaensis* **Yin, 1965**(表 18, 图 18)

Eosentomon chishiaensis Yin, 1965：74.

　　鉴别特征： 体长 1000.0 ~ 1325.0μm。头椭圆形，长 133.0 ~ 145.0μm，宽 100.0 ~ 125.0μm；大颚具有 3 个端齿；刚毛 *sr* 和 *r* 羽状；假眼圆形，长 13.0 ~ 15.0μm，头眼比 = 9.0 ~ 11.0。前跗长 95.0 ~ 115.0μm，爪长 18.0 ~ 20.0μm，跗爪比 = 5.0 ~ 6.0，中垫长 18.0 ~ 20.0μm，垫爪比 = 1.0，基端比 = 0.95 ~ 1.0；中跗长 43.0 ~ 55.0μm，爪长 13.0 ~ 15.0μm；后跗长 55.0 ~ 60.0μm，爪长 15.0 ~ 18.0μm。中胸背板 *P1*：*P1a*：*P2* = 1.0：1.0：1.1 ~ 1.7；气孔直径为 5.0 ~ 7.0μm，第Ⅲ对胸足跗节基部的刚毛 *D2* 大刺状；第 2、3 胸足的爪垫均极短。成虫胸腹部毛序见表 18。

　　采集记录： 1♀1♂，华山，1978.Ⅶ.17，郭培福采；2♂，宁陕，1700m，1998.Ⅶ.28，傅荣恕采。

　　分布： 陕西(华阴、宁陕)、甘肃、江苏、上海、安徽、浙江、湖北、湖南、广东。

表 18　**栖霞古蚖 *Eosentomon chishiaensis* Yin, 1965 胸、腹部毛序简表**

	胸Ⅰ	Ⅱ	Ⅲ	腹Ⅰ	Ⅱ - Ⅲ	Ⅳ	Ⅴ - Ⅵ	Ⅶ	Ⅷ	Ⅸ	Ⅹ	Ⅺ	Ⅻ
背面	4	$\frac{6}{16}$	$\frac{6}{16}$	$\frac{4}{8}$	$\frac{10}{16}$	$\frac{10}{16}$	$\frac{8}{16}$	$\frac{4}{16(18)}$	$\frac{6}{9}$	8	8	4	9
腹面	$\frac{6+2}{6}$	$\frac{6+2}{6}$	$\frac{6+4}{8}$	$\frac{4}{4}$	$\frac{6}{4}$	$\frac{6}{10}$	$\frac{6}{10}$	$\frac{6}{10}$	$\frac{0}{7}$	4	4	8	12

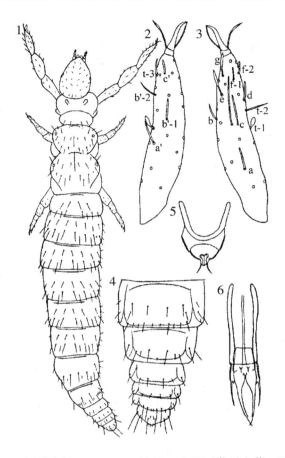

图18　栖霞古蚖 *Eosentomon chishiaensis* Yin(仿尹文英，1999)

1. 整体背面观；2. 前跗内侧面观；3. 前跗外侧面观；4. 第Ⅶ至第Ⅻ腹节腹板；5. 雌性外生殖器；6. 雄性外生殖器

(8) 樱花古蚖 *Eosentomon sakura* Imadaté *et* Yosii，1959(表19，图19)

Eosentomon sakura Imadaté *et* Yosii，1959：7.

Eosentomon collarum：Yin，1963：271.

鉴别特征：体长988.0μm。头椭圆形，长133.0μm，宽108.0μm；头背面刚毛 *sp: p* =2；大颚具有2个端齿；刚毛 *sr* 和 *r* 羽状；假眼圆形，表面具有1个中央小泡，长13.0μm，头眼比 =11.0。前跗长103.0μm，爪长20.0μm，跗爪比 =5.1，中垫长20.0μm，垫爪比 =1.0，基端比 =1.2；中跗长50.0μm，爪长10.0μm；后跗长60.0μm，爪长15.0μm。中胸背板 *P1: P1a: P2* =1.0: 1.0: 1.3；气孔直径为7.0μm，第Ⅲ对胸足跗节基部的刚毛 *D2* 大刺状；第Ⅱ、Ⅲ胸足的爪垫均极短。成虫胸腹部毛序见表19。

采集记录：1♀，佛坪凉风垭，1998.Ⅶ.25，950m，郭培福采。

分布：陕西(佛坪)、江苏、上海、安徽、浙江、湖北、江西、湖南、福建、台湾、广东、海南、香港、广西、四川、贵州、云南；日本。

表19　樱花古蚖 *Eosentomon sakura* Imadaté *et* Yosii，1959 胸、腹部毛序简表

	胸Ⅰ	Ⅱ	Ⅲ	腹Ⅰ	Ⅱ–Ⅲ	Ⅳ	Ⅴ–Ⅵ	Ⅶ	Ⅷ	Ⅸ	Ⅹ	Ⅺ	Ⅻ
背面	4	$\frac{6}{16}$	$\frac{6}{16}$	$\frac{4}{10}$	$\frac{10}{16}$	$\frac{10}{16}$	$\frac{4}{16}$	$\frac{2}{16}$	$\frac{6}{9}$	8	4	4	9
腹面	$\frac{6+2}{6}$	$\frac{6+2}{6}$	$\frac{6+4}{8}$	$\frac{4}{4}$	$\frac{6}{4}$	$\frac{6}{10}$	$\frac{6}{10}$	$\frac{6}{10}$	$\frac{0}{7}$	4	4	8	12

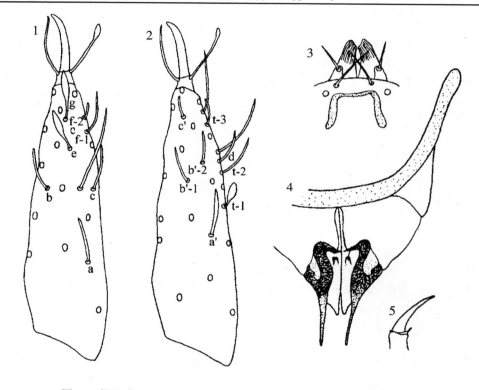

图19　樱花古蚖 *Eosentomon sakura* Imadaté *et* Yosii(仿尹文英，1999)

1. 前跗外侧面观；2. 前跗内侧面观；3. 头前端；4. 雌性外生殖器；5. 后爪和中垫

3. 近异蚖属 *Paranisentomon* Zhang *et* Yin，1984

Paranisentomon Zhang *et* Yin，1984：70. **Type species：***Paranisentomon tuxeni*（Imadaté *et* Yosii，1959）.

属征：体型较大。前跗节外侧感器 *e* 缺失，*g* 为顶部膨大的匙形，或为尖细的刚毛形，*t-2* 和 *f-1* 刚毛形，内侧感器 *b'-2* 细长而不膨大；假眼简单或有线纹和小泡；

中、后跗节的爪垫短小，常短于爪长的 1/5；气孔较大，直径常为 6.0～7.0μm；第Ⅶ腹节背板前排具 3 对刚毛（A2、4、5），第Ⅷ腹节背板的刚毛式为 6/9，腹板刚毛式为 0/7；雌性外生殖器的腹片多为"S"形，头片如鸭头。

分布：古北区，东洋区（中国；日本）。本属已知 4 种，我国分布 3 种，秦岭地区分布 2 种。

(9) 屠氏近异蚖 *Paranisentomon tuxeni*（Imadaté *et* Yosii, 1959）（图 20，表 20）

Eosentomon tuxeni Imadaté *et* Yosii, 1959：3.

Paranisentomon tuxeni：Zhang & Yin, 1984：70.

鉴别特征：体长 800.0～1025.0μm。头椭圆形，长 133.0～140.0μm，宽 100.0～120.0μm；大颚具有 3 个端齿；刚毛 *sr* 和 *r* 均为羽状；假眼圆形，表面具有 3 条纵纹，长 10.0～15.0μm，头眼比＝9.0～11.0。前跗长 93.0～98.0μm，爪长 18.0～20.0μm，跗爪比＝5.2～5.6，中垫长 18.0～20.0μm，垫爪比＝1.0，基端比＝0.95；中跗长 43.0～45.0μm，爪长 13.0μm；后跗长 50.0～55.0μm，爪长 15.0μm。中胸背板 *P1: P1a: P2* ＝1.1～1.2: 1.0: 1.4；气孔直径为 5.0～6.0μm；第Ⅲ对胸足跗节基部的刚毛 *D2* 大刺状；第Ⅱ、Ⅲ对胸足的爪垫均短。成虫胸腹部毛序见表 20。

采集记录：1♀，华山，1978.Ⅷ.11，郭培福采。

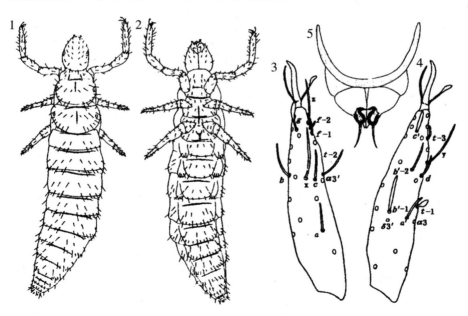

图 20　屠氏近异蚖 *Paranisentomon tuxeni*（Imadaté *et* Yosii）（仿尹文英，1999）

1. 整体背面观；2. 整体腹面观；3. 前跗外侧面观；4. 前跗内侧面观；5. 雌性外生殖器

分布：陕西（华阴）、甘肃、安徽、湖北、江西、湖南、贵州。

表20　屠氏近异蚖 *Paranisentomon tuxeni*（Imadaté *et* Yosii, 1959）胸、腹部毛序简表

	胸I	II	III	腹I	II－III	IV－VI	VII	VIII	IX	X	XI	XII
背面	4	$\frac{6}{16}$	$\frac{6}{16}$	$\frac{4}{10}$	$\frac{10}{16}$	$\frac{8}{16}$	$\frac{6}{16}$	$\frac{6}{9}$	8	8	8	9
腹面	$\frac{6+2}{6}$	$\frac{6+2}{6}$	$\frac{6+4}{8}$	$\frac{4}{4}$	$\frac{6}{4}$	$\frac{6}{10}$	$\frac{6}{10}$	$\frac{0}{7}$	4	4	8	12

（10）三珠近异蚖 *Paranisentomon triglobulum* Yin *et* Zhang, 1982（图21，表21）

Paranisentomon triglobulum Yin *et* Zhang, 1982: 83.

鉴别特征：体长1238.0～1390.0μm。头椭圆形，长118.0～125.0μm，宽95.0～108.0μm；头背面刚毛 *sp*: *p* =1.7；大颚具有3个端齿；刚毛 *sr* 和 *r* 均为羽状；假眼圆形，长13.0μm，具5根线纹和3个小球，头眼比 =8.0～10.0。前跗长93.0～98.0μm，爪长15.0～20.0μm，跗爪比 =4.8～6.3，中垫长18.0～20.0μm，垫爪比 =1.0～1.2，基端比 =0.94～1.1，中跗长43.0～48.0μm，爪长13.0μm；后跗长53.0～58.0μm，爪长13.0～15.0μm。中胸背板 *P1*: *P1a*: *P2* =1.0: 1.0: 1.3～1.6；第Ⅲ对胸足跗节基部的刚毛 *D2* 大刺状；第Ⅱ、Ⅲ对胸足的爪垫均短。腹部第Ⅹ至第Ⅺ节背板刚毛 *1* 和 *2* 极短。成虫胸腹部毛序见表21。

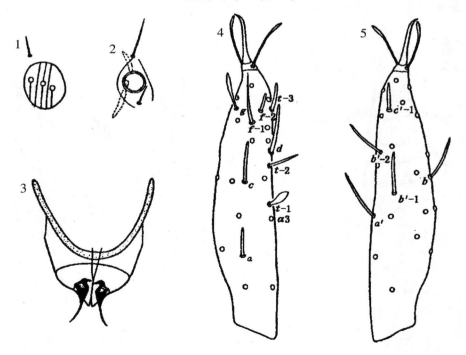

图21　三珠近异蚖 *Paranisentomon triglobulum* Yin *et* Zhang（仿尹文英，1999）
1. 假眼；2. 中胸气孔；3. 雌性外生殖器；4. 前跗外侧面观；5. 前跗内侧面观

采集记录：5♀5♂，临潼骊山，1200m，2006.Ⅵ.07，卜云、高艳、栾云霞采。

分布：陕西(临潼)、安徽、江西、湖南、广东、广西、贵州。

附记：观察标本的后胸背板毛序为6/18，重新检查模式标本，发现模式标本后胸背板毛序也为6/18。

表21　三珠近异蚖 *Paranisentomon triglobulum* Yin *et* Zhang，1982 胸、腹部毛序简表

	胸Ⅰ	Ⅱ	Ⅲ	腹Ⅰ	Ⅱ–Ⅲ	Ⅳ–Ⅵ	Ⅶ	Ⅷ	Ⅸ	Ⅹ	Ⅺ	Ⅻ
背面	4	$\frac{6}{16}$	$\frac{6}{18}$	$\frac{4}{10}$	$\frac{10}{16}$	$\frac{8}{16}$	$\frac{6}{16}$	$\frac{6}{9}$	8	8	8	9
腹面	$\frac{6+2}{6}$	$\frac{6+2}{6}$	$\frac{6+4}{8}$	$\frac{4}{4}$	$\frac{6}{4}$	$\frac{6}{10}$	$\frac{6}{10}$	$\frac{0}{7}$	4	4	8	12

4. 新异蚖属 *Neanisentomon* Zhang *et* Yin，1984

Neanisentomon Zhang *et* Yin，1984：61. **Type species**：*Neanisentomon guicum* Zhang *et* Yin，1984.

属征：体细长，属小型种类。第Ⅷ腹节背板后排缺 *Pc* 刚毛，刚毛式为6/8；腹板刚毛式为2/7；假眼简单或具线纹；前跗节外侧感器 *e* 缺失，*g* 为匙形，内侧常缺 *b'-1*、*b'-2* 和 *c'*；中、后胸的气孔甚小，直径约2.0~3.0μm；雌性外生殖器简单，无弯曲的头片，仅有1对较短的蝌蚪状端阴刺。

分布：本属为我国特有，已知4种，秦岭地区分布1种。

(11) 陕新异蚖 *Neanisentomon shaanicum* Bu *et* Yin，2011(表22，图22)

Neanisentomon shaanicum Bu *et* Yin，2011：29.

鉴别特征：体长750.0~956.0μm(n=3)。头椭圆形，长97.0~100.0μm，宽73.0~75.0μm；头背面具有刚毛 *m4*、*aa* 和 *pa*，*sp*：*p*=1.1；假眼较小，长8.0μm，头眼比=11.0~14.0；唇基内骨明显，刚毛 *sr* 和 *r* 羽状；大颚具有3个明显的端齿；下颚须亚端节具有2个线形的感器。气管龛粗短，末端变细，气孔直径为5.0~6.0μm。前跗长65.0~69.0μm，爪长12.0μm，跗爪比=5.5~5.8，中垫等长于爪，垫爪比=1.0；中跗长33.0~35.0μm，爪长8.0~9.0μm；后跗长40.0~41.0μm，爪长10.0μm。第Ⅱ和Ⅲ胸足的中垫均长；第Ⅲ对胸足跗节基部的刚毛 *D2* 刺状。雌性外生殖器头片鸭头状，向中央弯曲，端阴刺细长。成虫胸腹部毛序见表22。

采集记录：2♀1♂，临潼翠华山，1300m，2006.Ⅵ.08，卜云、高艳、栾云霞采。

分布：陕西(长安)。

表 22　陕新异蚖 *Neanisentomon shaanicum* Bu *et* Yin, 2011 胸、腹部毛序简表

	胸Ⅰ	Ⅱ	Ⅲ	腹Ⅰ	Ⅱ-Ⅲ	Ⅳ	Ⅴ-Ⅶ	Ⅷ	Ⅸ	Ⅹ	Ⅺ	Ⅻ
背面	4	$\frac{6}{16}$	$\frac{6}{20}$	$\frac{4}{12}$	$\frac{10}{16}$	$\frac{10}{16}$	$\frac{6}{16}$	$\frac{6}{8(9)}$	8	8	4	9
腹面	$\frac{6+2}{6}$	$\frac{6+2}{6}$	$\frac{6+4}{8}$	$\frac{4}{4}$	$\frac{6}{4}$	$\frac{6}{10}$	$\frac{6}{10}$	$\frac{2}{7}$	6	6	8	12

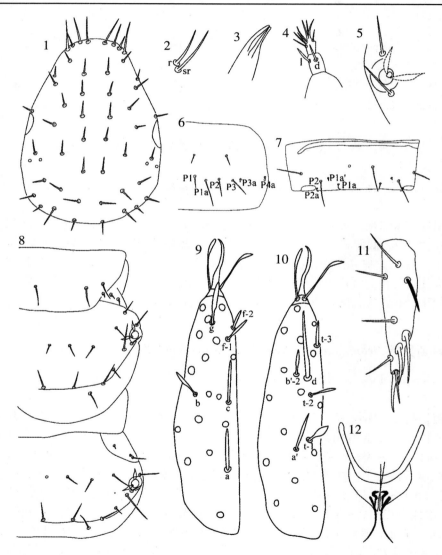

图 22　陕新异蚖 *Neanisentomon shaanicum* Bu *et* Yin(仿 Bu & Yin, 2011)
1. 头部背面观；2. 喙毛和亚喙毛；3. 大颚；4. 下颚须；5. 中胸气孔；6. 第Ⅰ腹节背板；7. 第Ⅷ腹节背板；8. 胸部背面观；9. 前跗内侧面观；10. 前跗外侧面观；11. 后足跗节；12. 雌性外生殖器

参考文献

Bai, Y. and Bu, Y. 2013a. *Baculentulus xizangensis* sp. nov. from Tibet, China（Protura：Acerentomata, Berberentulidae）with a key to the group of *Baculentulus* spp. with foretarsal sensillum *b'*. *Florida Entomologist*, 96（3）：825-831.

Bai, Y. and Bu, Y. 2013b. *Hesperentomon yangi* sp. n. from Jiangsu Province, Eastern China, with analyses of DNA barcodes（Protura, Acerentomata, Hesperentomidae）. *ZooKeys*, 338：29-37.

Bu, Y. and Palacios-Vargas, J. G. 2012. Two new species of *Bolivaridia*（Protura：Berberentulidae）from Mexico. *Zootaxa*, 3517：53-62.

Bu, Y. and Wu, D. H. 2012. Revision of Chinese *Yamatentomon*, with description of one new species and redescription of *Yamatentomon yamato*（Protura：Acerentomata：Acerentomidae）. *Florida Entomologist*, 2012, 95（4）, 839-847.

Bu, Y. and Xie, R. D. 2006. *Neobaculentulus heterotarsus* sp. n. from Liaoning, China（Protura：Berberentulidae）. *Zootaxa*, 1188：63-68.

Bu, Y. and Xie, R. D. 2007. A new species of proturan from Northeast, China（Protura, Acerentomidae）. *Acta Zootaxonomica Sinica*, 32（1）：56-60. ［卜云, 谢荣栋. 2007. 中国东北原尾虫一新种记述（原尾纲：蚖科）. 动物分类学报, 32（1）：56-60. ］

Bu, Y. and Yin, W. Y. 2011. A new species of the genus *Neanisentomon*（Protura, Eosentomata, Eosentomidae）from Shaanxi, China. *Acta Zootaxonomica Sinica*, 36（1）：29-32. ［卜云, 尹文英. 2011. 中国陕西省新异蚖属一新种记述（原尾纲, 古蚖目, 古蚖科）. 动物分类学报, 36（1）：29-32. ］

Bu, Y. and Yin, W. Y. 2007a. The Protura from Xinjiang, Northwestern China. *Zootaxa*, 1437, 29-46.

Bu, Y. and Yin, W. Y. 2007b. Two new species of *Hesperentomon* Price, 1960 from Qinghai Province, Nortwestern China（Protura：Hesperentomidae）. *Acta Zootaxonomica Sinica*, 32（3）：508-514. ［卜云, 尹文英. 2011. 中国青海省夕蚖属二新种记述（原尾纲, 夕蚖科）. 动物分类学报, 32（3）：508-514. ］

Bu, Y. and Yin, W. Y. 2008. Occurrence of *Nosekiella* and *Nienna*（Protura, Nipponentomidae）in China. *Annales de la Société Entomologique de France*, 44（2）, 201-207.

Bu, Y. and Yin, W. Y. 2010a. The Protura from Liupan Mountain, northwest China. *Acta Zootaxonomica Sinica*, 35（2）：278-286. ［卜云, 尹文英. 2010. 中国西北六盘山区原尾虫研究. 动物分类学报, 35（2）：278-286. ］

Bu, Y. and Yin, W. Y. 2010b. Protura. 66-70. *in* Ren, G. D（ed.）. *Fauna of Invertebrate from Liupan Mountain*. Hebei University Publishing House, Baoding. 1-683. ［卜云, 尹文英, 2010b. 原尾纲. 66-70. 见：任国栋主编. 六盘山无脊椎动物. 保定：河北大学出版社. 1-683. ］

Bu, Y. and Yin, W. Y. 2010c. Two new species of the genus *Kenyentulus* Tuxen, 1981 from Shaanxi Province, Northwest China（Protura：Berberentulidae）. *Acta Zoologica Cracoviensia*, 53B（1-2）：65-71.

Bu, Y. and Yin, W. Y. 2013. Protura. 14-16. *in* Bai, X. S, Cai, W. Z. and Nengnai, Z. B（eds.）. *Insect of Helan Mountain Inner Mongolia*, Inner mongolia people's publishing house, Hohhot, 1-768. ［卜云, 尹文英. 2013. 原尾纲. 14-16. 见：白晓拴, 彩万志, 能乃扎布主编. 内蒙古贺兰山地区昆虫. 呼和浩特：内蒙古人民出版社. 1-768. ］

Bu, Y. and Yin, W. Y. 2014a. Protura. 27-29. *in* Wang, Y. P, and Tong, C. L（eds.）. *Insect in*

Qingliangfeng Zhejiang Province, China Forestry Publishing House, Beijing. 1-372. ［卜云，尹文英. 2014a. 原尾纲. 27-29. 见：王义平，童彩亮主编. 浙江清凉峰昆虫. 北京：中国林业出版社. 1-372. ］

Bu, Y. and Yin, W. Y. 2014b. Protura. 1-35. *in* Yin, W. Y, Zhou, W. B and Shi, F. M（eds.）. *Fauna of Tianmu Mountain*, Zhejiang University Press, Hangzhou. 1-435. ［卜云，尹文英. 2014b. 原尾纲. 1-35. 见：尹文英，周文豹，石福明主编. 天目山动物志. 杭州：浙江大学出版社. 1-435. ］

Bu, Y., Potapov, M. B. and Yin, W. Y. 2014. Systematic and biogeographical study of Protura（Hexapoda）in Russian Far East：new data on high endemism of the group. *ZooKeys*, 424：19-57.

Bu, Y., Shrubovych, J. and Yin, W. Y. 2011. Two new species of genus *Hesperentomon* Price, 1960（Protura, Hesperentomidae）from Northern China. *Zootaxa*, 2885：55-64.

Bu, Y., Su, Y. and Yin, W. Y. 2011. First record of Protura from Helan Mountain, Northwest China（Hexapoda, Protura）. *Acta Zootaxonomica Sinica*, 36（3）：803-807. ［卜云，苏云，尹文英. 2011. 中国西北贺兰山区原尾虫首记(六足总纲，原尾纲). 动物分类学报，36（3）：803-807. ］

Bu, Y., Wu, D. H., Shrubovych, J. and Yin, W. Y. 2013. New *Nipponentomon* spp. from northern Asia（Protura：Acerentomata, Nipponentomidae）. *Zootaxa*, 3636（4）：525-546.

Imadaté, G. 1974. Protura（Insecta）. *Fauna japonica*. Keigaku Publishing Co., Tokyo, 351 pp.

Imadaté, G. 1956. A new species and a new subspecies of Protura from Shikoku. *Transactions of the Shikoku entomological Society*, 4：103-106.

Imadaté, G. 1965. Proturans - fauna of Southeast Asia. *Nature and Life in Southeast Asia*, 4：195-302.

Imadaté, G. and Yosii, R. 1959. A synopsis of the Japanese species of Protura. *Contributions from the biological Laboratory Kyoto University*, 6：1-43.

Nosek, J. 1973. *The European Protura. Their taxonomy, ecology and distribution. With keys for determination.* Muséum d'Histoire naturelle, Genève, 345 pp.

Price, D. W. 1960. A new family of Protura from California. *Annals of the entomological Society of America*, 53：675-678.

Rusek, J. 1974. Zur Taxonomie einiger Gattungen der Familie Acerentomidae（Insecta, Protura）. *Acta entomologica bohemoslovaca*, 71：260-281.

Shrubovych, J. 2010. Redescription of *Hesperentomon tianshanicum* Martynova, 1970（Protura：Acerentomata, Hesperentomidae）and key to *Hesperentomon* species. *Zootaxa*, 2720：28-34.

Shrubovych, J., Rusek, J. and Bernard, E. 2012. Redefinition and four new species of Yavanna Szeptycki and comparison with Nosekiella Rusek（Protura：Acerentomidae：Nipponentominae）. *Annals of the Entomological Society of America*, 105（1）：3-19.

Szeptycki, A. 1988. New genera and species of Protura from the Altai Mts. *Acta zoologica cracoviensia*, 31：297-362.

Szeptycki, A. 2007. Checklist of the world Protura. *Acta Zoologica Cracoviensia*, 50B（1）：1-210.

Tuxen, S. L. 1960. Eine neue Gattung von Proturen：*Ionescuellum. Videnskabelige Meddelelser fra dansk naturhistorisk Forening i Kjøbenhavn*, 123：21-32.

Tuxen, S. L. 1963. Art-und Gattungsmerkmale bei den Proturen. *Entomologiske Meddelelser*, 32：84-98.

Tuxen, S. L. 1964. *The Protura. A revision of the species of the world. With keys for determination.* Hermann, Paris, 360 pp.

Tuxen, S. L. 1977. The genus *Berberentulus* (Insecta, Protura) with a key and phylogenetical considerations. *Revue d'Écologie et de Biologie du Sol*, 14: 597-611.

Tuxen, S. L. 1981. The systematic importance of "the striate band" and the abdominal legs in Acerentomidae (Insecta: Protura). With a tentative key to acerentomid genera. *Entomologica scandinavica*, Suppl. 15: 125-140.

Tuxen, S. L. and Yin, W. Y. 1982. A revised subfamily classification of the genera of Protentomidae (Insecta: Proura) with description of a new genus and a new species. *Steenstrupia*, 8 (9): 229-259.

Wang, S. Z. 1983. A new Proturan from Gansu, China - *Alaskaentomon gansuensis* (Protura, Acerentomidae). *Entomotaxonomia*, 5(1): 69-73. [王士正. 1983. 甘肃原尾虫一新种. 昆虫分类学报, 5 (1): 69-73.]

Xie, R. D., Fu, R. S. and Yin, W. Y. 2005. Protua. 30-35. *in* Yang, X. K (ed.). *Insect Fauna of Middle-West Qinling Range and South Mountains of Gansu Province*. Science Press, Beijing. 1-1055. [谢荣栋, 傅荣恕, 尹文英. 2005. 原尾纲. 30-35. 见: 杨星科主编, 秦岭西段及甘南地区昆虫. 北京: 科学出版社. 1-1055.]

Xiong, Y., Bu, Y. and Yin, W. Y. 2008. A new species of *Anisentomon* from Hainan, Southern China (Protura: Eosentomidae). *Zootaxa*, 1727, 39-43.

Yin, W. Y. 1963. Two new species of Protura from China. *Acta Entomologica Sinica*, 12 (3): 268-275. [尹文英. 1963. 中国原尾目昆虫的两新种. 昆虫学报, 12 (3): 268-275.]

Yin, W. Y. 1965. Studies on Chinese Protura Ⅰ. Ten species of the genus *Eosentomon* from Nanking-Shanghai Regions. *Acta Entomologica Sinica*, 14 (1): 71-92. [尹文英. 1965. 中国原尾虫的研究 Ⅰ. 沪宁一带的十种古蚖. 昆虫学报, 14 (1): 71-92.]

Yin, W. Y. 1977. Studies on Chinese Protura: Descriptions of three new species of Protentomidae and their larval stages. *Acta Entomologica Sinica*, 20 (4): 431-439. [尹文英. 1977. 中国原尾虫的研究——始蚖科的三新种及幼虫期的记述. 昆虫学报, 20 (4): 431-439.]

Yin, W. Y. 1977. Two new genera of Protura. *Acta Entomologica Sinica*, 20(1): 85-94. [尹文英. 1977. 原尾目昆虫的两新属. 昆虫学报, 20 (1): 85-94.]

Yin, W. Y. 1979. Studies on Chinese Protura: A new genus and six new species of Eosentomidae from Shanghai. *Acta Entomologica Sinica*, 22(1): 77-89. [尹文英. 1979. 中国原尾虫的研究——上海地区古蚖科的一新属和六新种. 昆虫学报, 22(1): 77-89.]

Yin, W. Y. 1980. Studies on Chinese Protura: Description of new species and new genera of the Family Acerentomidae with discussions on their phylogenetic significance. *Contributions from Shanghai Institute of Entomology*, 1: 135-156. [尹文英. 1980. 中国原尾虫的研究: 蚖科的新种、新属和幼虫期的记述以及在系统分类上的重要意义. 昆虫学研究集刊, 1: 135-156.]

Yin, W. Y. 1982. Studies on Chinese Protura: Description of two new species of *Hesperentomon* and their larval stages. *Acta Entomologica Sinica*, 25 (1): 89-95. [尹文英. 1982. 中国原尾虫的研究: 夕蚖属二新种及其幼虫期的记述. 昆虫学报, 25 (1): 89-95.]

Yin, W. Y. 1984. The discovery of *Proturentomon* and description of two new species of *Hesperentomon* in China (Protura: Protentomidae, Hesperentomidae). *Acta Entomologia Sinica*, 27(4): 418-425. [尹文英. 1984. 原蚖在中国的发现和夕蚖属两新种记述. 昆虫学报, 27 (4): 418-425.]

Yin, W. Y. 1987. Four new species of *Kenyentulus* from hainan Island. *Zoological Research*, 8(2): 149-157. [尹文英. 1987. 海南岛肯蚖属的四新种. 动物学研究, 8 (2): 149-157.]

Yin, W. Y. 1990. Four new species of Eosentomidae (Protura). *Contributions from Shanghai Institute of Entomology*, 9:107-115. ［尹文英. 1990. 古蚖科四新种的记述（原尾目）. 昆虫学研究集刊, 9：107-115. ］

Yin, W. Y. 1999. *Fauna Sinica Arthropoda Protura*. Science Press, Beijing. 1-510. ［尹文英. 1999. 中国动物志 节肢动物门 原尾纲. 北京：科学出版社. 1-510. ］

Yin, W. Y. and Zhang, Z. 1982. Description of nine new species of *Eosentomon* from Guangxi. *Entomotaxonomia*, 4 (1)：79-91. ［尹文英, 张之沅. 1982. 广西地区古蚖属九新种. 昆虫分类学报, 4 (1)：79-91. ］

Zhang, Z. and Yin, W. Y. 1984. A revision of the species and genera of the subfamily Anisentominae (Protura：Eosentomidae). *Entomotaxonomia*, 6 (1)：59-76. ［张之沅, 尹文英. 1984. 异蚖亚科的研究（原尾目：古蚖科）. 昆虫分类学报, 6 (1)：59-76. ］

弹尾纲 Collembola

高艳[1]   卜云[2]

（1. 上海市零陵路 250 弄，上海 200032；

2. 上海科技馆 上海自然博物馆 自然史研究中心，上海 200041）

弹尾纲通称为跳虫。体型较小；成虫体长在 0.5 ~ 8.0mm 之间，大多数在 1.0 ~ 3.0mm 左右。无翅，口器内颚式；身体分为头、胸、腹三部分；头部具有分节的触角，无复眼；胸部 3 节，每节有 1 对胸足；腹部 6 节，通常在腹部腹面第 I、III、IV 节分别具有特化的附肢——腹管、握弹器和弹器；胸足从基部到端部依次由基节、转节、腿节和胫跗节组成，末端为单一的爪；腹部的体节在有些类群中有愈合现象；体表着生稀疏或者密集的刚毛，有些类群体表着生扁平的鳞片；原蚖目的许多类群腹部末端生有肛刺。

跳虫一般生活在潮湿并富含腐殖质的土壤或地表凋落物中，大多数种类以真菌和腐殖质为食，少数种类生活在淡水小水体表面，或者海滨的潮间带上，一些种类适应于冰川或者极地的极端环境。跳虫的胚后发育为表变态，终生蜕皮，每次蜕皮后其外部形态发生细微的变化。虫龄从 2 龄到 50 龄或更多。幼虫和成虫在形态上相似，性别的分化在后面龄期才出现。跳虫的发育在寒冷季节可暂时停顿，卵或未成熟的幼虫可通过滞育形式度过干旱季节。

跳虫的分布很广，从赤道到两极，从平原到海拔 6400m 的高原地区，均有跳虫的生存。弹尾纲现行的分类系统由 Deharveng 于 2004 年提出，该系统中弹尾纲划分为 4 目 30 科，我国已经记录 4 目 20 余科。目前全世界已记录跳虫 8000 余种，中国记录近 500 种，陕西秦岭地区已记录 16 种，隶属 3 目 6 科 9 属。

分目检索表

1. 体长型，胸腹部分节明显 ·· 2
   体球型或者半球型，胸腹分节不明显 ··· 3
2. 具有第 I 胸节背板 ·· **原蚖目 Poduromorpha**
   无第 I 胸节背板 ··· **长角蚖目 Entomobryomorpha**
3. 触角比头长，有眼或者无眼，体色多样 ················· **愈腹蚖目 Symphypleona**
   触角比头短，无眼，体色无或者简单 ·························· **短角蚖目 Neelipleona**

原蛃目 Poduromorpha

分科检索表

口器内大颚缺失，或者具有大颚但无臼齿盘 ·························· 疣蛃科 Neanuridae
口器具有大颚，具有臼齿盘 ······························· 球角蛃科 Hypogastruridae

一、疣蛃科 Neanuridae

鉴别特征：体表多有红、橙、蓝、紫等鲜艳色素，少数白色。身体宽短，粗壮，胸部和腹部分节明显，尤其背板几乎都有明显的体节间区。表皮粗糙，有些具有瘤状区域。触角4节，比头对角线短；第Ⅲ节感器由2个感棒及1~2根外侧感毛组成；第Ⅳ节顶端有可收缩的感觉乳突以及多根感毛；口器刺吸式，上颚无臼齿盘，下颚一般针状；角后器有或无，眼形式多样；爪无小爪；弹器有或无。

分类：分布广泛，尤以热带、亚热带居多。全世界已知1400多种，我国记录30余种，陕西秦岭地区分布3属7种。

分属检索表

1. 下颚端部不是三角形 ······································· 2
　　下颚端部三角形 ································· 奇刺蛃属 *Friesea*
2. 体型较大，眼每侧8个 ························· 伪亚蛃属 *Pseudachorutes*
　　体型较小，眼较少，每侧0、1、2或5个 ················· 拟亚蛃属 *Stachorutes*

1. 奇刺蛃属 *Friesea* Dalla Torre, 1895

Friesea Dalla Torre, 1895：14. **Type species**：*Triaena mirabilis* Tullberg, 1871.

属征：体长0.7~1.7mm；身体蓝色。头每侧2~8个小眼；无角后器；大颚刀片状，具有几个大的锯齿状结构；小颚镰刀状，具有2个锯齿状片状构造；弹器变化大，从弹器基、齿节和端节清晰、短小至退化缺失；通常具有3或5枚肛刺。

分布: 世界广布。全世界已知181种, 我国已知9种, 秦岭地区分布2种。

(1) 陕西奇刺蚖 *Friesea shaanxiensis* Gao et Yin, 2006 (图23)

Friesea shaanxiensis Gao et Yin, 2006: 64.

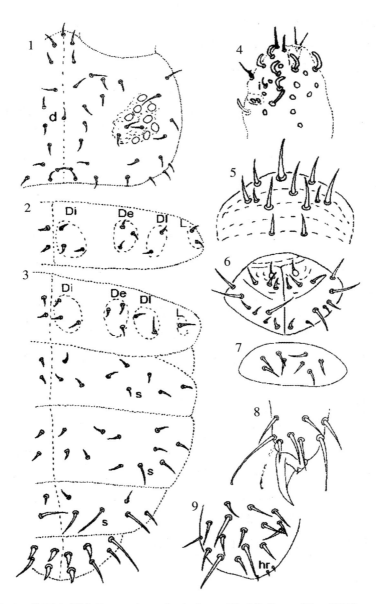

图23　陕西奇刺蚖 *Friesea shaanxiensis* Gao et Yin (仿 Gao et Yin, 2006)

1. 头部背面观; 2. 第Ⅲ胸节背面; 3. 腹部第Ⅱ至第Ⅵ节背面; 4. 触角第Ⅲ至第Ⅳ节; 5. 上唇; 6. 下唇; 7. 雌性生殖板; 8. 第Ⅲ胸足胫跗节; 9. 左侧肛瓣

鉴别特征：体长 600.0μm；体呈灰色，眼区颜色深。体壁颗粒细小。小眼每侧 8 个。头对角线长 158.0μm，触角短于头长。触角第Ⅲ、Ⅳ节愈合。触角第Ⅰ节 7 根毛；第Ⅱ节 13 根毛；第Ⅲ节感器由 2 个短小的感状突和 2 根长感毛组成；触角第Ⅳ节背面有 6 根状感毛、1 根小感毛和 1 根中间小毛组，腹面具有 1 个约 10 根小毛构成的毛序组；触角顶端感泡简单。上唇毛序为 2/2，5，3；下唇每瓣三角区有 7 根毛。头腹部中线两侧有 2 +2 根毛。体毛简单、细小、基本等长，身体腹部的最后两节也只有中等长度的毛；身体感毛为普通毛的 1.3 ~2.2 倍。背部中轴成对毛序为 122/2，2，2，2，2，2。头上前额区有中间毛 d。胸部第Ⅰ节 4 +4 根毛。腹部背面 6 根臀刺等长，和小爪长度相当。腹管 4 +4 根毛。弹器、握弹器缺失。雌性生殖板具 8 根毛。臀突有 3 根短毛。胸足Ⅰ、Ⅱ、Ⅲ的胫跗节分别有 16、16、15 根毛，其中每个上边有 3 根弯曲的粘毛。爪长 16.0μm，无内齿；小爪退化为 1 个小的突起。

采集记录：1♀，秦岭光头山，2800m，2003.Ⅵ.20，阴环采。

分布：陕西(户县)。

(2) 四刺奇刺虮 *Friesea quadrispinensis* Gao et Yin, 2006(图 24)

Friesea quadrispinensis Gao et Yin, 2006：66.

鉴别特征：体长 560.0μm；体呈灰色，眼区颜色深。体壁颗粒细小。小眼每侧 5 个，有 3 根毛位于眼区中。头对角线长 148.0μm，触角短于头长，和头长比例为 0.4：1.0。触角第Ⅲ、Ⅳ节愈合。触角第Ⅰ、Ⅱ节分别有 7、12 根毛；第Ⅲ节感器由 2 个短小的感状突和 2 根长感毛组成；触角第Ⅳ节背面有 6 根钝感毛，腹面有 1 个约 15 根小毛构成的毛序组；触角顶端感泡简单。上唇毛序为 2/3，3，4；下唇每瓣三角区有 5 根毛。体毛简单、细小、基本等长；感毛为普通毛的 1.3 ~2.2 倍长。背部中轴成对毛序为 122/2，2，2，2，2，2。前额区有 d 毛。胸部第Ⅰ节 4 +4 根毛。头腹部中线两侧有 2 +2 根毛。腹管 4 +4 根毛。弹器不具端节，齿节 3 根毛，基节 2 +2 根毛。胸足Ⅰ至第Ⅲ胫跗节分别有 16、16、15 根毛，其中 1 根尖头的粘毛长于其他毛。爪长 14.0μm，无内齿和小爪。腹部末端具 4 根臀刺。

采集记录：1♂，秦岭光头山，2800m，2003.Ⅵ.20，阴环采。

分布：陕西(户县)。

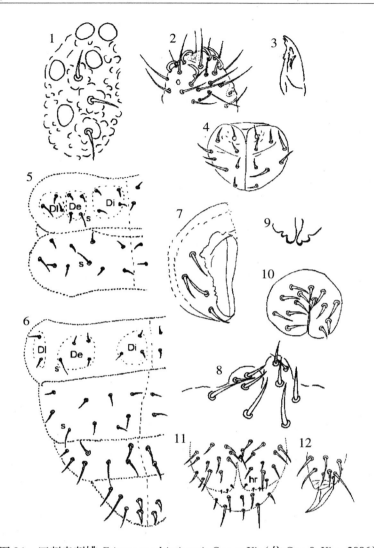

图 24　四刺奇刺蛃 *Friesea quadrispinensis* Gao et Yin(仿 Gao & Yin, 2006)

1. 眼区；2. 触角第Ⅲ至第Ⅳ节；3. 下颚；4. 下唇；5. 胸部第Ⅱ至第Ⅲ节；6. 腹部第Ⅲ至第Ⅵ节；7. 左侧腹管；
8. 弹器；9. 握弹器；10. 雄性生殖板；11. 肛瓣；12. 第Ⅲ胸足胫跗节

2. 伪亚蛃属 *Pseudachorutes* Tullberg, 1871

Pseudachorutes Tullberg, 1871：155. **Type species**：*Pseudachorutes aubcrassus* Tullberg, 1871.

　　属征：体长 1.0~2.0mm；身体蓝色到紫色，膨起，无明显的侧背区。角后器由
4~25 个小泡排列成环状或椭圆形；小眼 8+8 个；口锥尖锐；大颚具有 2~8 枚齿，小
颚细长针状；触角第Ⅲ和第Ⅳ节背面愈合，触角第Ⅳ节通常具有 6 个感器和 1 个端部
感泡；小爪缺失；弹器发育良好，端节匙形；握弹器具 3+3 枚齿；腹部 6 个体节界限

明显；末端无肛刺。

　　分布：世界广布。全世界已知 100 余种，我国记录 6 种，秦岭地区分布 4 种。

分种检索表

1. 体表刚毛稀疏，雄性腹部第Ⅳ节腹面无性别二态的结构 ························· 2
　 体表刚毛极多，雄性腹部第Ⅳ节腹面具有 1 对性别二态的结构 ····· **多毛伪亚虮 *P. polychaetosus***
2. 第Ⅰ胸节背板具刚毛 7 对 ······················· **建秀伪亚虮 *P. jianxiuchenius***
　 第Ⅰ胸节背板刚毛少于 7 对 ··························· 3
3. 角后器具 8 ~ 12 个囊泡，上颚 3 齿，第Ⅰ胸节背板具 4 对刚毛········· **骊山伪亚虮 *P. lishaniese***
　 角后器具 16 ~ 18 个囊泡，上颚 2 齿，第Ⅰ胸节背板具 3 对刚毛　····· **旺达伪亚虮 *P. wandae***

（3）多毛伪亚虮 *Pseudachorutes polychaetosus* Gao *et* Palacios-Vargas，2008（图 25）

Pseudachorutes polychaetosus Gao *et* Palacios-Vargas，2008：54.

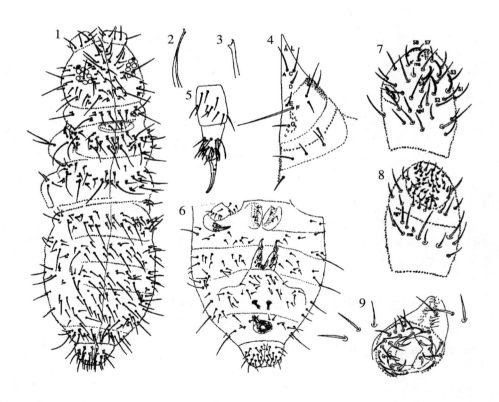

图 25　多毛伪亚虮 *Pseudachorutes polychaetosus* Gao *et* Palacios-Vargas（仿 Gao & Palacios-Vargas，2008）
1. 身体背面毛序；2. 下颚；3. 上颚；4. 下唇；5. 第Ⅲ胸足；6. 腹部腹面；7. 触角第Ⅲ至第Ⅳ节背面；8. 触角
第Ⅲ至第Ⅳ节腹面；9. 雄性生殖板

鉴别特征：体长 1.05mm；体呈深灰色。体表颗粒中等大小，均匀。体毛多样，均光滑。触角短于头长，第 Ⅲ、Ⅳ 节愈合，第 Ⅲ 节感器正常，第 Ⅳ 节背面有 1 个三瓣状感泡和 6 根感觉毛。小眼 8 + 8 个，F 和 G 比其他的小眼小。角后器椭圆形，具 10 个泡，最宽处长度有最临近小眼的 1.1 倍。口锥延长，上颚 3 枚齿，中间的 1 枚齿微小，下颚细长，由两膜片组成，其中 1 片顶端有齿。上唇具有 11 根毛，排列为 2,4,3,2；下唇毛序与属的特征相同，但缺少 B 刚毛，L 刚毛位于 1 个小突起上。身体背面感毛的毛序为 022/1,1,1,1,1,1，感毛与普通毛长度相仿，但较纤细。腹管 4 + 4 根毛。弹器发达，弹器基有 8 对刚毛，齿节具有 6 根刚毛。握弹器 3 + 3 枚齿。爪基部 1/3 处有 2 枚内齿，2 个侧齿。无小爪；第 Ⅰ 至第 Ⅲ 足胫跗节上分别具有 19、19、18 根毛，无粘毛。雄性生殖板具有 3 + 3 根前刚毛，21 根围生殖器毛和 4 + 4 根特化为大刺状的生殖毛；雄性腹部第 Ⅳ 节腹面具有性二态的簇毛结构，左右对称，每簇着生 9 根刚毛。

采集记录：1♂，临潼骊山，1200m，2006.Ⅵ.07，高艳、卜云、栾云霞采。

分布：陕西（临潼）、宁夏。

（4）**建秀伪蚖** *Pseudachorutes jianxiuchenius* Gao，Yin *et* Palacios-Vargas，2008（图 26）

Pseudachorutes jianxiuchenius Gao，Yin *et* Palacios-Vargas，2008：348.

鉴别特征：体长 0.8 ~ 1.0mm；体呈深灰色。体毛短小、光滑。触角短于头长，第 Ⅲ、Ⅳ 节愈合，第 Ⅲ 节感器正常，第 Ⅳ 节背面有 1 个三瓣状感泡和 6 根感觉毛，腹面有 10 ~ 15 根小毛组成的毛序组。小眼 8 + 8 个，最后两个稍小。角后器椭圆形，11 ~ 15 泡，最宽处长度有最临近小眼的 1.1 倍。口锥延长，上颚 4 枚齿，下颚细长，由两膜片组成，每片顶端有 2 枚齿。下唇毛序为 3 + 3 根末端毛和 8 + 8 根前侧毛，L 毛处无乳突，只有 1 根刺状小毛。胸部第 Ⅰ 节背面有 7 + 7 根毛，身体背面感毛毛序为 022/1,1,1,1,1，感毛长度为普通毛的 1.5 ~ 2.5 倍。腹管 4 + 4 根毛。弹器发达，齿节有 6 根毛，端节长度约为齿节的 1/2，匙状，有 2 个大的侧突，顶端钩状。握弹器 3 + 3 枚齿。爪有 1 枚内齿，无小爪；每只胫跗节上的尖粘毛长于其他毛。

采集记录：2♂3♀，8 幼虫，临潼骊山，1200m，2006.Ⅵ.07，高艳、卜云、栾云霞采。

分布：陕西（临潼）。

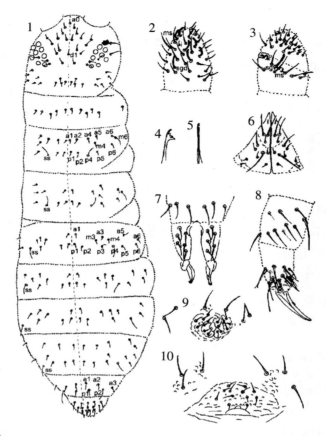

图 26　建秀伪亚圹 *Pseudachorutes jianxiuchenius* Gao，Yin *et* Palacios-Vargas（仿 Gao，Yin & Palacios-Vargas，2008）

1. 身体背面毛序；2. 触角第Ⅲ至第Ⅳ节背面；3. 触角第Ⅲ至第Ⅳ节腹面；4. 上颚；5. 下颚；6. 下唇；7. 弹器；8. 第Ⅲ胸足；9. 雄性生殖板；10. 雌性生殖板

（5）骊山伪亚圹 *Pseudachorutes lishaniese* Gao，Yin *et* Palacios-Vargas，2008（图 27）

Pseudachorutes lishaniese Gao，Yin *et* Palacios-Vargas，2008：345.

鉴别特征：体长 0.9 mm；体呈深灰色。体表颗粒均匀。体毛简单、光滑，有长短 2 种体毛。小眼每侧 8 + 8 个，最后 2 个略小于其他 6 个；角后器具 8 ~ 12 个囊泡，椭圆形，最宽处为单个小眼长度的 1.2 倍。口锥长；上颚 3 枚齿；下颚细长，由两分支组成，每个分支顶端有 1 枚光滑齿。下唇由 3 + 3 根末端毛和 7 + 7 根前端毛组成，有 L 毛。触角短于头长，第Ⅲ、Ⅳ节愈合，第Ⅲ节感器正常；第Ⅳ节亚顶端有 1 个三瓣状感泡，背部侧面 6 根感觉毛。胸部第Ⅰ节背面有 4 + 4 根毛；身体背面感毛的毛序为 022/1，1，1，1，1，感毛长度和普通毛相当。腹管 4 + 4 根毛。弹器发达，齿节背面有疣状突，其上有 6 根刚毛，端节约有齿节的 1/2，船形，一侧有 1 个大的浆状突起，顶端钩状。握弹器 3 + 3 枚齿。爪亚基部有 1 枚内齿，无小爪，无粘毛。

　　采集记录： 2♂2♀，4 幼虫，临潼骊山，1200m，2006. Ⅵ. 07，高艳、卜云、栾云霞采。

　　分布： 陕西（临潼）。

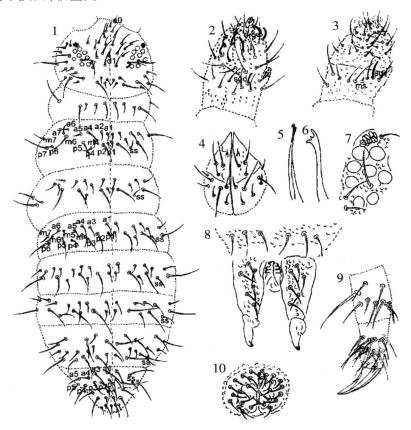

图 27　骊山伪亚蚖 *Pseudachorutes lishaniese* Gao，Yin *et* Palacios-Vargas（仿 Gao，Yin & Palacios-Vargas，2008）

1. 身体背面毛序；2. 触角第Ⅲ至第Ⅳ节背面；3. 触角第Ⅲ至第Ⅳ节腹面；4. 下唇；5. 下颚；6. 上颚；7. 眼区及角后器；8. 弹器和握弹器；9. 第Ⅲ胸足；10. 雄性生殖板

(6)旺达伪亚蚖 *Pseudachorutes wandae* Gao，Yin *et* Palacios-Vargas，2008（图 28）

Pseudachorutes wandae Gao，Yin *et* Palacios-Vargas，2008：351.

　　鉴别特征： 体长 0.9～1.4mm；体呈深蓝色。体毛短小、光滑。触角短于头长，第Ⅲ、Ⅳ节愈合，第Ⅲ节感器正常，第Ⅳ节背面有 1 个三瓣状感泡和 6 根感觉毛。小眼 8 + 8 个，F 和 G 比其他的小眼小。角后器椭圆形，16～18 个泡，最宽处长度有最临近小眼的 2.5 倍。口锥短小，上颚 2 枚齿，下颚细长，由两膜片组成，其中 1 片顶端有齿。下唇毛序为 4 + 4 根末端毛和 7 + 7 根前侧毛，L 毛大刺状。胸部第Ⅰ节背面有 3 + 3 根毛，身体背面感毛的毛序为 022/1，1，1，1，1，感毛长度有普通毛的 5.5 ~ 7.5 倍。腹管 4 + 4 根毛。弹器发达，齿节有 6 根毛，端节长度约为齿节的 1/4，平直。握弹器 3 + 3 枚齿。爪中部有 1 个内齿，无小爪；第Ⅰ至第Ⅲ足胫跗节上分别具有 19、19、18 根毛，无粘毛。

采集记录： 2♀，临潼骊山，1200m，2006.Ⅵ.07，高艳、卜云、栾云霞采。

分布： 陕西（临潼）。

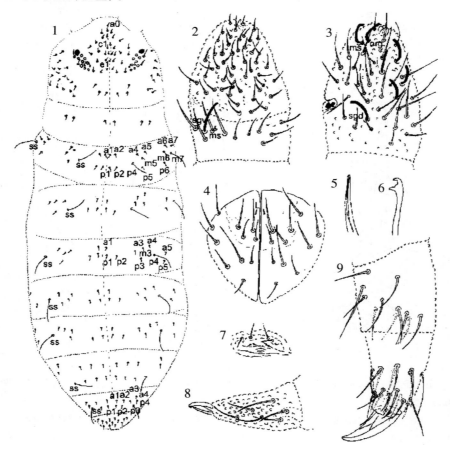

图 28　旺达伪亚蚰 *Pseudachorutes wandae* Gao, Yin et Palacios-Vargas（仿 Gao, Yin & Palacios-Vargas，2008）
1. 身体背面毛序；2. 触角第Ⅲ至第Ⅳ节背面；3. 触角第Ⅲ至第Ⅳ节腹面；4. 下唇；5. 下颚；6. 上颚；7. 雌性生殖板；8. 弹器；9. 第Ⅲ胸足

3. 拟亚蚰属 *Stachorutes* Dallai, 1973

Stachorutes Dallai, 1973：23. **Type species：** *Stachorutes dematteisi* Dallai, 1973.

属征： 个体较小，体型与伪亚蚰属近似，体表颗粒粗糙。触角第Ⅳ节末端的感器简单，具有 5 或 6 根柱状感器和 1 个微感器。大颚具有 2～3 枚大齿，小颚简单，针状。小眼数量较少(0，1，2 或 5)。角后器圆形或椭圆形，由 4～11 个囊泡组成。中胸具有小感毛。胫跗节无明显的粘毛。爪无小爪和齿。腹管具有 4＋4 根刚毛。体表感觉毛短小，体表感毛的毛序为 022/1，1，1，1，1。握弹器 2＋2 枚或 3＋3 枚齿。弹器退化短小，齿节具有 3～6 根毛，端节退化或与齿节愈合；腹部末端无肛刺。

　　分布：世界广布。全世界已知 17 种，我国已知 2 种，秦岭地区分布 1 种。

(7) 翠华山拟亚蚖 *Stachorutes cuihuaensis* Gao et Yin, 2007 (图 29)

Stachorutes cuihuaensis Gao et Yin, 2007：65.

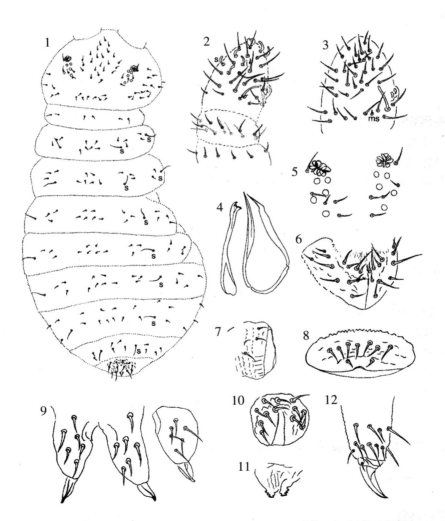

图 29　翠华山拟亚蚖 *Stachorutes cuihuaensis* Gao et Yin(仿 Gao & Yin, 2007)

1. 身体背面毛序；2. 触角第 I 至第Ⅳ节背面；3. 触角第Ⅲ至第Ⅳ节腹面；4. 上颚和下颚；5. 眼区和角后器；
6. 下唇；7. 腹管；8. 雌性生殖板；9. 弹器齿节和端节；10. 雄性生殖板；11. 握弹器；12. 第Ⅲ胸足

鉴别特征：体长600.0～850.0μm；体呈灰色，眼区颜色深。体壁颗粒细小。小眼5＋5个；角后器椭圆形，9个泡。触角长120.0μm，头对角线长220.0μm。触角第Ⅲ、Ⅳ节愈合，触角Ⅰ、Ⅱ节分别有7、12根毛，第Ⅲ节感器由2根短小感毛和2根长护卫毛组成，腹面护卫毛一侧有1根小毛，第Ⅳ节背面有6根钝感毛加中间毛i。口锥较长，上颚具3枚齿，下颚细长。头上有a0毛和单根d1毛。感毛长度为普通毛的2.0倍，感毛式022/1，1，1，1，1。胸部腹面无毛。腹管具4＋4根毛。弹器长45.0μm；基节13.0μm；齿节24.0μm，有6根毛；端节约为齿节的1/3长，三角形。握弹器3＋3枚齿。雌性生殖板有9根毛，雄性生殖板有12根毛。胸足Ⅰ至第Ⅲ的胫跗节分别有19、19、18根毛，无粘毛；爪长15.0μm，无内齿和小爪。

采集记录：4♀2♂，长安翠华山，1400m，2006.Ⅵ.08，栾云霞、卜云、高艳采。

分布：陕西（长安）。

二、球角䖴科 Hypogastruridae

鉴别特征：体毛光滑稀少，表皮有明显的颗粒。触角4节，一般比头的直径短；第Ⅳ节顶端有1个可收缩的乳突，乳突常呈三叶状，近顶端有1个很小的亚顶端凹陷和一些感觉毛；肛刺2枚，少数3、4枚或无，体长大多为1.0～1.5mm。

分类：本科全世界已知近700种。我国记录24种。陕西秦岭地区有1属2种。

4. 泡角䖴属 *Ceratophysella* Börner，1932

Ceratophysella Börner，1932：136. **Type species**：*Hypogastrura armata*（Nicolet，1841）.

属征：身体黄褐色、褐色、黑褐色至蓝色。体表刚毛分化明显，刚毛羽状或具有纤毛；第Ⅵ腹节背面具有肛刺，部分种类第Ⅴ腹节背面有刺；触角第Ⅲ和第Ⅳ节之间有1个可伸缩的囊，繁殖期间囊可能消失；弹器发育良好，齿节7根刚毛，端节舟形，末端匙状。

分布：世界广布。全世界已知130余种，我国已知8种，秦岭地区分布2种。

（8）三刺泡角䖴 *Ceratophysella liguladorsi* Lee，1974（图30）

Ceratophysella liguladorsi Lee，1974：95.

鉴别特征：体长0.9mm；身体蓝色，腹面颜色较浅。触角第Ⅲ节感器由2个小的感棒组成，第Ⅳ节外侧有7根刚毛，末端有1个可伸缩的感泡；眼8＋8个；角后器由4个突起组成；爪细长，中部有1枚小齿，小爪为爪长的1/3，有1个明显的内叶和顶端刚毛；腹管刚毛 4 + 4 根；握弹器 4 + 4 枚齿；弹器齿节背面 7 根刚毛；第 V 腹节中央有 1 根粗大的刺；第 VI 腹节有 2 根肛刺。

采集记录：3♀，西安植物园，400m，2006.Ⅵ.09，高艳、栾云霞、卜云采。

分布：陕西(西安)、上海、浙江、湖南；韩国。

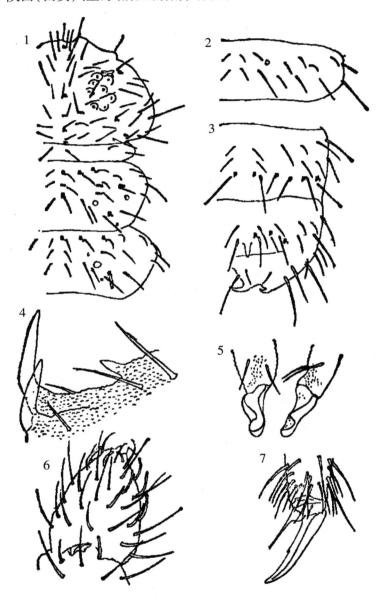

图 30　三刺泡角蚖 *Ceratophysella liguladorsi* (Lee)(仿 Lee，1974)

1. 头部和胸部背面毛序；2. 第 I 腹节背板毛序；3. 第 Ⅳ 至第 Ⅵ 腹节背板毛序；4. 肛刺；5. 弹器齿节和端节；

6. 触角第 Ⅲ 至第 Ⅳ 节背面观；7. 第 Ⅲ 胸足胫跗节和爪

（9）四刺泡角䖴 *Ceratophysella duplicispinosa*（Yosii，1954）（图31）

Hypogastrura duplicispinosa Yosii，1954：781

Ceratophysella duplicispinosa：Gao，2007：23.

鉴别特征：体长1.5mm，触角短于头长；身体灰色，眼区颜色深，腹部颜色较浅。触角第Ⅳ节末端具有三分叶的感泡；具8＋8个眼；角后器由4瓣组成；握弹器具有4枚齿；弹器齿节具有7根刚毛，其中2根加粗；端节变宽，具有内部瓣膜；第Ⅴ腹节具有1对大刺，第Ⅵ腹节具有1对肛刺。

采集记录：3♀3♂，西安植物园，400m，2006.Ⅵ.09，高艳、栾云霞、卜云采。

分布：陕西（西安）、上海、浙江、湖南、广东；韩国，日本。

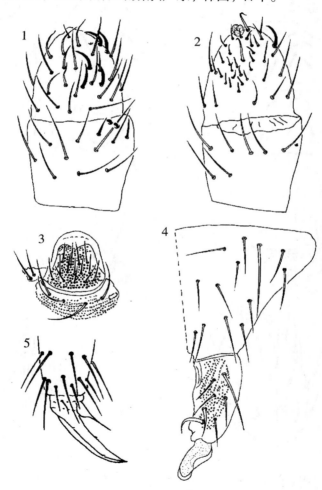

图31　四刺泡角䖴 *Ceratophysella duplicispinosa*（Yosii）（仿 Jiang *et al.*，2011）

1. 触角第Ⅲ至第Ⅵ节背面观；2. 触角第Ⅲ至第Ⅵ节腹面观；3. 上唇；4. 弹器；5. 第Ⅲ胸足胫跗节和爪

长角蚖目 Entomobryomorpha

分科检索表

一、长角蚖科 Entomobryidae

鉴别特征：体节各节不同。有或无鳞片，体表具明显的斑纹。前胸背板无刚毛，通常退化，藏在中胸背板之下；触角较长；无角后器。爪和小爪发达，爪内缘常有 1 个基沟；腹部第Ⅳ节明显长，通常为第Ⅲ腹节的几倍长；弹器极发达，齿节比弹器基长很多，明显呈钝齿状或环状，端节短，1 ~2 枚齿；体表大毛平滑、具缘毛或锯齿状。

分类：世界广布。本科为弹尾纲最大的科，全世界已知近 1800 种，我国已记录近 100 种，陕西秦岭地区分布 2 属 4 种。

分属检索表

1. 刺齿蚖属 *Homidia* Börner，1906

Homidia Börner，1906：173. **Type species**：*Homidia cingula* Börner，1906.

属征：体表无鳞片；头部具 8 +8 枚眼；弹器内侧具刺；腹部第Ⅳ节前方具眉毛状大毛。

分布：东亚，北美洲。全世界已记录 62 种，中国记录近 40 种，秦岭地区记录 2 种。

(1) 华山刺齿䖢 *Homidia huashanensis* Jia, Chen *et* Christiansen, 2005 (图 32)

Homidia huashanensis Jia, Chen *et* Christiansen, 2005: 315.

鉴别特征： 最大体长 3.5mm；眼区和触角内侧区域深蓝色至黑色。触角第 III、IV 节土棕色至紫色；足股节深色，其余部分色素稀少；头部具 8 + 8 个眼；触角第 IV 节具有 2 个顶端感泡；爪具有 2 对成对的和 2 对不成对的内侧小齿；腹管具有 4 + 4 根前面毛；弹器基节：齿节 = 52: 86；齿节有 80 ~ 114 枚大刺排列成 3 ~ 5 行。

采集记录： 6♀，华山，2000m，2003. VII. 08，陈建秀采。

分布： 陕西（华阴）。

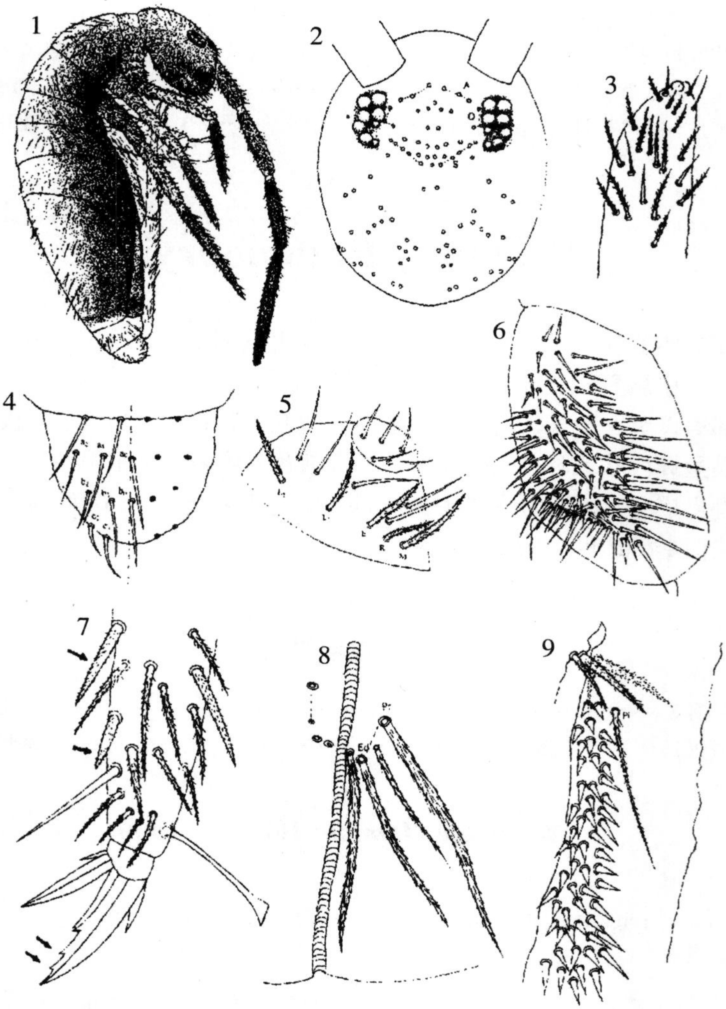

图 32 华山刺齿䖢 *Homidia huashanensis* Jia, Chen *et* Christiansen (仿 Jia, Chen & Christiansen, 2005)
1. 整体侧面观；2. 头部背面观；3. 触角末端；4. 上唇；5. 下唇左侧；6. 转节器；7. 第 III 胸足；8. 腹管前面观；9. 弹器齿节基部

(2) 太白刺齿蚖 *Homidia taibaiensis* **Yuan et Pan，2013**（图 33）

Homidia taibaiensis Yuan *et* Pan，2013：68.

鉴别特征：最大体长接近 3.0mm；酒精标本黄色，腹部的腹管和弹器也为黄色，眼区深蓝色，整个头部黑褐色，触角黄色。头部具 8+8 个眼；腹部第 Ⅱ 节后部具有白色带纹，上唇基部毛 E 和 L1 具纤毛；腹部第 Ⅰ 节刚毛 *m5* 为大毛；腹部第 Ⅳ 节中后部具有 8 根大毛。

采集记录：3♀，眉县蒿坪寺，2013.Ⅶ.13，袁向群、潘志祥采。

分布：陕西（眉县）。

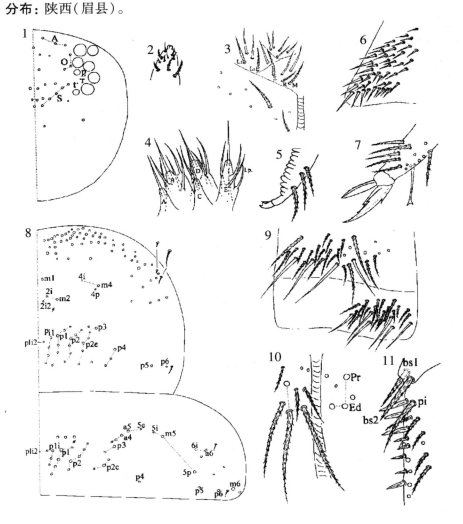

图 33　太白刺齿蚖 *Homidia taibaiensis* Yuan *et* Pan（仿 Yuan & Pan，2013）

1. 头部背面毛序；2. 触角末端；3. 下唇；4. 下唇须；5. 弹器齿节端部和端节；6. 转节；7. 第Ⅲ胸足；8. 胸部第Ⅱ至第Ⅲ节毛序；9. 腹管后面和侧片；10. 腹管前面；11. 弹器齿节基部

2. 裸长角蚖属 *Sinella* Brook，1882

Sinella Brook，1882：541. **Type species**：*Sinella curviseta* Brook，1882.

属征：体长 1.5～4.5mm；身体白色，部分种类体表有散布的色素。体表无鳞片；眼退化或消失；触角第Ⅳ节无环纹；第Ⅳ腹节超过第Ⅲ腹节的 2.5 倍长；爪有内齿，有时较大；胫跗节内侧有 2 排粗壮平滑的长刚毛，粘毛短棍状；弹器齿节背面具有小的圆齿，端节具 2 枚齿，或镰刀状。

分布：全世界已知 66 种，我国已知近 50 种，秦岭地区记录 2 种。

(3) 曲毛裸长蚖 *Sinella curviseta* Brook，1882（图 34）

Sinella curviseta Brook，1882：543.

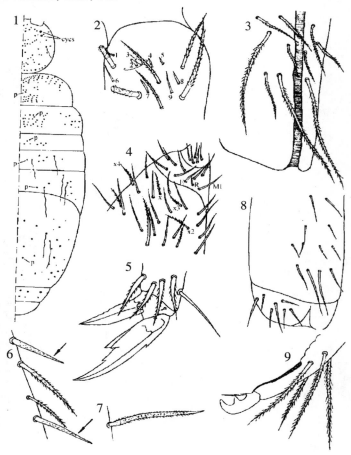

图 34　曲毛裸长蚖 *Sinella curviseta* Brook（仿 Chen & Christiansen，1993）

1. 背面毛序模式图；2. 触角第Ⅲ节；3. 腹管前侧面；4. 下唇；5. 后足爪和小爪；6. 胫跗节内侧面毛；7. 大毛；8. 腹管后侧面和侧片；9. 弹器齿节和端节

　　鉴别特征：体长 0.8~1.8mm；体呈白色，身体密被毛。头部具 2+2 个小眼；触角长，是头对角线长度的 2.0 倍，触角第Ⅲ节上感器为宽毛，第Ⅳ节腹面有 5~20 根钝感觉毛；胸部第Ⅱ背板宽大；爪复杂，内缘有小齿；小爪边缘光滑，镰刀状；弹器发达，基节背面长满刚毛，齿节锯齿状，有 2 排刚毛，端节二齿状，端部有 3~5 根大纤毛。

　　采集记录：3♀3♂，长安翠华山，1300m，2006.Ⅵ.08，高艳、卜云、栾云霞采。

　　分布：陕西（长安）、江苏、上海、浙江、福建。

（4）三毛裸长蚖 *Sinella triseta* **Yuan et Pan，2013**（图 35）

Sinella triseta Yuan et Pan，2013：74.

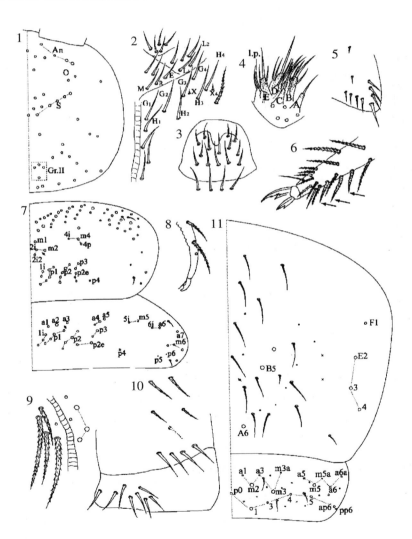

图 35　三毛裸长蚖 *Sinella triseta* Yuan *et* Pan（仿 Yuan & Pan，2013）

1. 头部背面毛序；2. 下唇；3. 上唇；4. 下唇须；5. 转节器；6. 第Ⅲ胸足胫跗节和爪；7. 胸部第Ⅱ至第Ⅲ节毛序；8. 弹器齿节端部和端节；9. 腹管前面；10. 腹管后面和侧片；11. 腹部第Ⅳ至第Ⅴ节背面毛序

鉴别特征：最大体长 1.17mm；体呈白色。无眼；触角第Ⅲ节具有 5 个杆状的感毛；爪具有 3 枚内齿，成对的基部齿不等长，外侧齿较大；握弹器具有 4 + 4 枚齿和 1 根大的基部刚毛；腹管具有 5 + 5 根带纤毛的前侧毛；弹器基无光滑的刚毛；弹器齿节具有基部大刺；腹部第Ⅰ至第Ⅲ节分别具有 6、4、4 根大毛；腹部第Ⅳ节中后部具有 3 根大毛。

采集记录：6♀1♂，眉县蒿坪寺，2012. Ⅶ.11，袁向群、潘志祥采。

分布：陕西（眉县）。

二、等节䖆科 Isotomidae

鉴别特征：身体细长。胸部无第 1 背板，腹部分节明显，第Ⅲ和第Ⅳ腹节背板基本等长，有的腹部末端 2 节或者 3 节愈合；体壁光滑，少数有明显的颗粒；触角分 4 节，较短，不分亚节，第Ⅲ节感器棒状，第Ⅳ节顶端有半球形或者圆锥形突起；口器咀嚼式，上颚有臼齿盘；角后器长形或者椭圆形，少数种类无角后器；眼形式多样；爪和小爪简单，有些无小爪；大部分有弹器，少数弹器退化或无；弹器基背面有毛，齿节一般比弹器基长，端节形状多变；握弹器 4 + 4 枚齿，刚毛有或无。

分类：世界广布。全世界已知 1300 余种，我国已知 60 余种，陕西秦岭地区记录 1 属 1 种。

3. 符䖆属 *Folsomia* Willem, 1902

Folsomia Willem, 1902：280. **Type species**：*Folsomia candida* Willem, 1902.

属征：腹部第Ⅳ、Ⅴ、Ⅵ节愈合，无肛刺；触角末端无感泡；有角后器，眼有或无；外颚叶有 4 根颚须毛；几乎所有的种头部腹面中轴毛序在 4 + 4 到 5 + 5 的范围内；第Ⅰ、Ⅱ胸节腹面无刚毛；有弹器，包括齿节和端节，弹器基前侧至少 1 + 1 根刚毛；齿节如果不短的话，背侧有细小的圆齿状，并且自基部向端部变狭窄。

分布：世界广布。全世界已知 180 余种，中国已知 20 余种，秦岭地区记录 1 种。

(5) 二眼符䖆 *Folsomia diplophthalma* (Axelson, 1902)（图 36）

Isotoma diplophthalma Axelson, 1902：5.
Folsomia diplophthalma：Potapov, 2001：193.

鉴别特征：体长不超过 1.4mm。全身除眼点外无色素；1 + 1 个眼；角后器长，长度超过触角第Ⅰ节的宽度；小颚须分叉，外颚叶有 4 根颚须毛；上唇毛序 4/554；爪上有侧齿；胸部腹面无刚毛；腹管侧端 4+4 根刚毛；弹器基前侧刚毛分成 2 排，多数为 4+4，但也有一定变化，范围自 2+3 到 6+6 不等；弹器基后侧 4+4 根侧基毛，6~7+6~7 中部毛，2+2 根末梢毛，1+1 根顶端毛；齿节前侧 14~17 根刚毛，多数 15 根，后侧 6 根刚毛，基部 3 根，中部 2 根，端部 1 根；大刚毛不长但仍能分辨，第 Ⅱ 胸节至第 Ⅲ 腹节毛序为 1 1/3，3，3；感毛毛序为 4 3/2，2，2，3，5，小感毛为 1 0/1，0，0，其中胸部第 Ⅱ 节至腹部第 Ⅳ 节的中部感毛所处位置在最末排刚毛 p 排之前，在第 Ⅱ、Ⅲ 腹节上位于大刚毛 2 和 3 之间。

采集记录：5♀3♂，长安翠华山，1300m，2006. Ⅵ. 08，高艳、卜云、栾云霞采；2♀4♂，临潼骊山，1200m，2006. Ⅵ. 07，高艳、卜云、栾云霞采；6♀6♂，秦陵，1200m，高艳、卜云、栾云霞采。

分布：陕西（长安、临潼）、山西、江苏、上海、浙江；全北区广布。

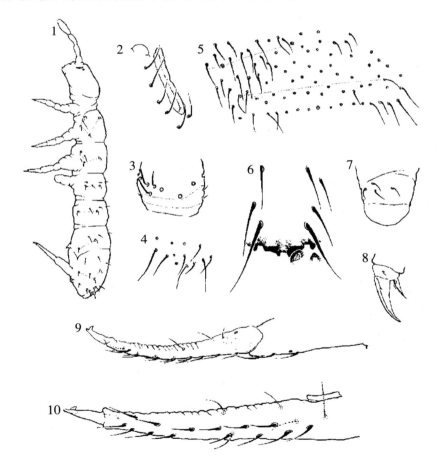

图 36　二眼符蚖 *Folsomia diplophthalma* Axelson（仿 Potapov & Dunger，2000）

1. 全体侧面观（示感觉毛、微感器和大毛）；2. 角后器和眼；3. 触角第 Ⅰ 节；4. 第 Ⅱ 胸节背板后边角毛序；5. 腹部第 Ⅲ 节侧面观；6. 弹器基前侧；7. 腹管；8. 爪和小爪；9. 弹器齿节；10. 弹器侧面观

三、鳞蚖科 Tomoceridae

鉴别特征：体表覆盖鳞片，鳞片有明显的肋状突起或沟；触角第Ⅲ节和第Ⅳ节均分亚节；腹部第Ⅳ节一般比第Ⅲ节短，或该两节长度相近，如果第Ⅳ节比第Ⅲ节长，也只长一点；弹器端节长，具有许多大齿或镰刀状齿，齿节或分亚节或不分，有刺或无刺。

分类：全世界已知170种，我国记录近30种，陕西秦岭地区记录1属1种。

4．鳞蚖属 *Tomocerus* Nicolet，1842

Tomocerus Nicolet，1842：67. **Type species**：*Macrotoma minor* Lubbock，1862.

属征：体表覆盖鳞片；触角第Ⅲ节长于第Ⅳ节，且该两节均分亚节；头部具有6+6个眼，无角后器；胫跗节上有棍棒状的粘毛；弹器端节有齿。

分布：全世界已知80余种，中国已记录近30种，秦岭地区记录1种。

(6) 佛坪鳞蚖 *Tomocerus fopingensis* Sun *et* Liang，2008（图37）

Tomocerus fopingensis Sun *et* Liang，2008：299.

鉴别特征：体长1.4~2.2mm；身体浅黄色，眼区黑色，触角蓝紫色。头部6+6个眼，触角长度为身体长度的0.5倍，为头部的2.3倍；头部背面后缘具有1排约30根小毛；上唇毛序为4/5，5，4；胫跗节刚毛光滑，每足腹面具有6根大的钝刺；爪纤细，伪爪发达，具4~5个内齿；小爪披针状，无内齿和外齿；粘毛粗，末端竹片状；转节器退化为1对刚毛；握弹器具4+4枚齿，无鳞片；腹管无鳞片，前部每侧有18根光滑毛，后部具有35根大小不一的光滑毛，侧翼具有48根刚毛；弹器基具有鳞片，背面每侧具有10~12根大毛，齿节外缘无大毛，齿节大刺有基齿，端节延长。

采集记录：1♀，留坝，1200m，1985.Ⅶ.25，黄复生采；5♀，佛坪，1400m，1985.Ⅶ.16，黄复生采。

分布：陕西（留坝、佛坪）。

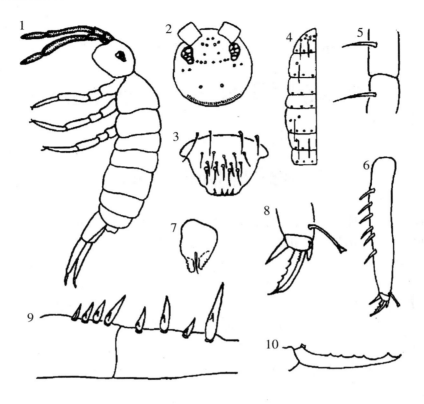

图 37　佛坪鳞跳 *Tomocerus fopingensis* Sun et Liang（仿 Sun & Liang, 2008）

1. 整体观；2. 头部背面观；3. 上唇；4. 体背面毛序；5. 转节器；6. 第Ⅲ胸足胫跗节和爪；7. 握弹器；8. 后足爪；9. 弹器齿节；10. 弹器端节

愈腹蚖目 Symphypleona

一、圆蚖科 Sminthuridae

鉴别特征：身体接近球形。分节不明显，胸部小于腹部，大腹部由胸部第Ⅱ节到腹部第Ⅳ节组成，第Ⅴ和第Ⅵ腹节明显和前4腹节分开；表皮颗粒细，长有稀少的各种刚毛，体色多样；触角比头径长，分4节，第Ⅳ节明显比第Ⅲ节长，很多种类中分亚节；口器咀嚼式，上颚有臼齿盘；雌性有肛附器，雄性触角不特化；第Ⅴ腹节有1对盅毛；胫跗节多具有竹片状的粘毛；腹管有大囊泡；握弹器3+3枚齿。

分类：全世界已知150余种，我国记录12种，陕西秦岭地区记录1属1种。

1. 长角圆蚖属 *Temeritas* Delamare *et* Massoud，1963

Temeritas Delamare *et* Massoud，1963：276. **Type species**：*Sminthurus macroceros* Denis，1933.

属征：身体愈合成球形。触角极长，第Ⅳ节分很多亚节；胫跗节无粘毛。
分布：世界广布。该属已知39种，我国记录2种，秦岭地区分布1种。

(1) 中华长角圆蚖 *Temeritas sinensis* Dallai *et* Fanciulli，1985（图38）

Temeritas sinensis Dallai *et* Fanciulli，1985：157.

鉴别特征：体长1.5~1.9mm。触角较短，第Ⅲ节近端部有2个小感觉杆，生在2个凹陷内；第Ⅳ节分26亚节，各亚节有1圈长毛；背毛为长刺状，混有一些小毛；后足转节外侧有5根长毛，内侧1根长毛；握弹器有3根端毛；弹器基有7+7根毛；齿节约有40根毛；端节内缘、外缘呈齿状，内缘有15个小齿，有1根端节毛。

采集记录：1♀，武功，1973.Ⅷ.18，采集人不详。

分布：陕西（武功）。

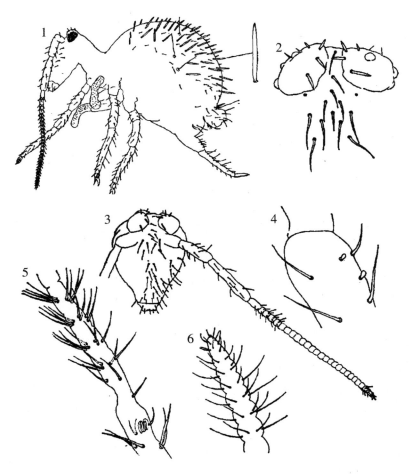

图 38　中华长角圆蚖 *Temeritas sinensis* Dallai *et* Fanciulli(仿 Dallai & Fanciulli, 1985)

1. 整体侧面观；2. 眼区间毛序；3. 头部背面和触角；4. 触角第Ⅱ节感器；5. 触角第Ⅲ节端部及第Ⅳ节基部；

6. 触角第Ⅳ节端部

参考文献

Axelson, W. M. 1902. Beiträge zur Kenntniss der Collembolen Fauna Sibiriens. *Öfversigi af Finska Veten-skaps-Societetens Förhandlingar*, 20: 1-14.

Bellinger, P. F., Christiansen, K. A. and Janssens, F. 1996-2016. Checklist of the Collembola of the world. http://www.collembola.org.

Bernard, E. C. 2006. *Morulina delicata*, new species from Great Smoky Mountains National Park and re-descriptions of *M. callowayia* Wray and *M. crassa* Christiansen & Bellinger (Collembola: Neanuri-dae). *Proceedings of the Biological Society of Washington*, 119(4): 540-556.

Betsch, J. M. 2000. Edude des Collemboles de Madagascar. Ⅶ. Huit espèces nouvelles de *Temeritas* (Symphypléones, Sminthuridae). *Bulletin de la Société entomologique de France*, 105(4): 325-336.

Börner, C. 1906. Das System der Collembolen nebst Beschreibung neuer Collembolen des Hamburger Naturhistorischen Museums. *Mitteilungen aus den Naturhistorischen Museum in Hamburg*, 23:

147-188.

Brook, G. 1882. On a new genus of Collembola (*Sinella*) allied to Degeeria Nicolet. *Journal of the Linnean Society of London* (*Zoology*), 16: 541-545.

Chen, J. X. and Christiansen, K. 1993. The genus *Sinella* with special reference to *Sinella* S. S. (Collembola: Entomobryidae) of China. *Oriental Insects*, 27: 1-54.

Dallai, R. 1973. Ricerche sui Collemboli. XVI. *Stachorutes dematteisi*n. gen., n. sp., *Micranurida intermedia* n. sp. e considerazioni sul genre Micranurida. *Redia*, 54: 23-31.

Dallai, R. and Fanciulli, P. P. 1985. A new species of Temeritas (Insect, Collembola) from China. *Entomotaxonomia*, 7(2): 157-164.

Delamare, D. C. and Massoud, Z. 1963. Collemboles Symphypleones. *in*: *Biologie de l'Amerique Australe*, Ed. CNRS, 2: 169-289.

Fjellberg, A. 1998. *The Collembola of Fennoscandia and Denmark*, *Part I : Poduromorpha, Fauna Entomologica Scandinavica*, volume 35, Brill Academic Publisher, Leiden. 1-184.

Fjellberg, A. 2007. *The Collembola of Fennoscandia and Denmark*, *Part II : Entomobryomorpha and Symphypleona, Fauna Entomologica Scandinavica*, Volume 42, Brill Academic Publisher, Leiden. 1-264.

Gao, Y. and Bu, Y. 2014. Collembola. Pp. 30-34. *in* Wang, Y. P. and Tong, C. L (eds.). *Insect in Qingliangfeng Zhejiang Province*, China Forestry Publishing House, Beijing. 1-372. [高艳，卜云. 2014. 原尾纲. 30-34. 见：王义平，童彩亮主编，浙江清凉峰昆虫，北京：中国林业出版社. 1-372.]

Gao, Y. and Huang, C. W. Collembola. Pp. 17-19. *in* Bai, X. S, Cai, W. Z. and Nengnai, Z. B (eds.). *Insect of Helan Mountain Inner Mongolia*, Inner mongolia people's publishing house, Hohhot, 1-768. [高艳，黄骋望. 2013. 弹尾纲. 17-19. 见：白晓拴，彩万志，能乃扎布主编. 内蒙古贺兰山地区昆虫. 呼和浩特：内蒙古人民出版社. 1-768.]

Gao, Y. and Palacios-Vargas, J. G. 2008. A new species of genus *Pseudachorutes* (Collembola: Neanuridae: Pseudachorutinae) from China. *Zootaxa*. 1895: 53-58.

Gao, Y. and Yin, W. Y. 2006. Two new species of the genus *Friesea* (Collembola: Neanuridae) from North-west China. *Zootaxa*, 1283: 63-68.

Gao, Y. and Yin, W. Y. A new species of the genus *Stachorutes* Dallai, 1973 from China (Collembola, Neanuridae). *Zootaxa*, 1469: 65-68.

Gao, Y., Yin, W. Y. and Palacios-Vargas, J. G. 2008. Three new species of *Pseudachorutes* (Collembola: Neanuridae: Pseudachorutini) from china. *Entomological News*. 119(4): 345-353.

Gao, Y., Bu, Y. and Palacios-Vargas, J. G. 2012. Two New Species of *Vitronura* (Collembola: Neanuridae) from Shanghai, East China, with DNA Barcodes. *Florida Entomologist*, 2012, 95 (4): 1142-1153.

Gao, Y., Huang, C. W. and Bu, Y. 2014. Collembola. 36-62. *in* Yin, W. Y, Zhou, W. B. and Shi, F. M(eds). Fauna of Tianmu Mountain, Zhejiang University Press, Hangzhou. 1-435. [高艳，黄骋望，卜云. 2014. 弹尾纲. 36-62. 见：尹文英，周文豹，石福明主编. 天目山动物志. 杭州：浙江大学出版社. 1-435.]

Gao, Y., Huang, C. W. and Bu, Y. Collembola. Pp. 71-74. *in* Ren, G. D (ed.). *Fauna of Invertebrate from Liupan Mountain*. Hebei University Publishing House, Baoding. 1-683. [高艳，黄骋望，卜云. 弹尾纲. 71-74. 见：任国栋主编. 六盘山无脊椎动物. 保定：河北大学出版社. 1-683.]

Jia, S. B., Chen, J. X. and Christiansen K. 2005. A New Entomobryid Species of *Homidia* from Shaanxi, China (Collembola: Entomobryidae). *Journal of the Kansas Entomological Society*, 78(4): 315-321.

Jiang, J. G., Yin, W. Y., Chen, J. X. and Bernard, E. C. 2011. Redescription of *Hypogastrura gracilis*, synonymy of *Ceratophysella quinidentis* with *C. duplicispinosa*, and additional information on *C. adexilis* (Collembola: Hypogastruridae). *Zootaxa*, 2822: 41-51.

Jiang, J. G. and Yin, W. Y. 2010. A new record species from China and redescription of *Ceratophysella adexilis* Stach, 1964 (Collembola, Hypogastruridae). *Acta Zootaxonomica Sinica*, 35(4): 930-934. [姜吉刚, 尹文英. 2010. 一个中国新纪录种细齿蚖以及微小蚖的重描述. 动物分类学报, 35(4): 930-934.]

Jiang, J. G. and Yin, W. Y. 2011. A new species of *Vitronura* Yosii, 1969 (Collembola, Neanuridae) from Northwestern China. *Acta Zootaxonomica Sinica*, 36(2): 237-240. [姜吉刚, 尹文英. 2011. 中国西北地区维特疣蚖属一新种(弹尾纲, 疣蚖科). 动物分类学报, 36(2): 237-240.]

Palacios-Vargas, J. G. and Gao, Y. 2013. Study on the genus *Morulina* (Collembola: Neanuridae) with description of a new species from Northwest China. *Zootaxa*, 3702 (2): 179-186.

Potapov, M. 2001. Synopses on Palaearctic Collembola. Volume 3. Isotomidae. *Abhandlungen und Berichte des Naturkunde museums Goerlitz*, 73(2): 1-603.

Potapov, M. and Dunger, W. 2000. A redescription of *Folsomia diplophthalma* (Axelson, 1902) and two new species of the genus *Folsomia* from continental Asia (Insecta; Collembola). *Abhandlungen und Berichte des Naturkunde museums Goerlitz*, 72: 59-72.

Shi, S. D., Pan, Z. X. and Qi, X. 2009. A new species of the genus *Homidia* Börner, 1906 (Collembola: Entomobryidae) from East China. *Zootaxa*, 2020: 63-68.

Sun, Y. and Liang, A. P. 2008. Two new species of *Tomocerus* Nicolet (Collembola: Tomoceridae) from China. *Oriental Insects*, 42: 299-304.

Thibaud, J. M. and Palacios-Vargas, J. G. (2000) Remarks on *Stachorutes* (Collembola: Pseudachorutinae) with a new Mexican species. *Folia Entomologica Mexicana*, 109: 107-112.

Tullberg, T. 1871. Förteckning öfver Svenska Podurider. *Öfversigt af Kongl. Vetenskaps-Akademiens Förhandlingar*, 1: 143-155.

Yosii, R. 1954. Springschwänze des Ozé-Naturschutzgebiets. *Scientific Researches of the Ozegahara Moor*, 777-830.

Yosii, R. 1969. Collembola-Arthorplleona of the IBP-Staton in the Shiga Heights, Central Japan, I. *Bulletin of the National Science Museum Tokyo*, 12 (3): 531-556.

Yuan, X. Q. and Pan, Z. X. 2013. Two new species of Entomobryidae (Collembola) of Taibai Mountain from China. *ZooKeys*, 338: 67-81.

Zhao, L. J. 1992. Arthropoda (Ⅲ): ⅱ. Collembola. Pp. 414-457. *in* Yin, W. Y (ed.). Subtropical soil animals of China. Science Press, Beijing. 1-618. [赵立军. 1992. 节肢动物门(Ⅲ): ⅱ. 弹尾目. 414-457. 见: 尹文英等主编. 中国亚热带土壤动物. 北京: 科学出版社. 1-618.]

双尾纲 Diplura

卜云

（上海科技馆 上海自然博物馆 自然史研究中心，上海 200041）

　　双尾纲通称双尾虫。身体细长而扁平；多为白色或淡黄色；杂食性的种类多为 3.0～12.0mm，而肉食性的种类可长达 60.0mm。身体分为头、胸、腹三部分，头部有 1 对多节的触角，既无单眼也无复眼，口器为内口式咀嚼口器。胸部分 3 节，各有 1 对胸足，无翅。腹部有 10 节，第I至第Ⅶ腹节腹面各有 1 对刺突。外生殖器位于第Ⅷ腹节腹面后缘，尾部生有 1 对分节的尾须或几丁质化的单节尾铗，由此得名双尾虫。

　　双尾虫一般生活在土表腐殖质层的枯枝落叶中、腐木中或石块下面，但在地下 10cm 左右的土壤中也常有发现，还有些种类生活在洞穴中。双尾虫喜阴暗潮湿，避光。一生多次蜕皮，成虫期也会蜕皮，可达 40 次左右，每次蜕皮后毛序都稍有变化，属于表变态。

　　双尾虫的分布遍及世界各地，其中热带和亚热带地区种类较多。目前全世界已知双尾虫 1000 余种，分为 2 亚目 3 总科 10 科。我国已记录康虮科、原铗虮科、八孔虮科、副铗虮科、铗虮科和异铗虮科等 6 个科，25 属 52 种。陕西秦岭地区已记录双尾虫 9 种，隶属于 3 科 5 属。

分科检索表

1. 尾须长而多节，腹部无气孔 ······························· **康虮科 Campodeidae**
   尾须单节钳形，几丁质化，腹部第 I 至第Ⅶ节有气孔 ··················· 2
2. 胸气门 2 对，腹部第 I 节腹板上没有可伸缩的囊泡 ·········· **副铗虮科 Parajapygidae**
   胸气门 4 对，腹部第 I 节腹板上有 1 对可伸缩的囊泡 ··············· **铗虮科 Japygidae**

一、康虮科 Campodeidae

　　鉴别特征：触角第Ⅲ至第Ⅵ节上有感觉毛，顶部感觉器着生于触角端节窝中；上颚有内叶，下颚有梳状瓣；头缝完整似"Y"形，有或无鳞片；胸气门 3 对，腹部无气孔；腹部第 I 节腹片的刺突由肌肉组成，圆形；第 I 节腹片上的基节囊泡不发育；尾须长形，多节，无腺孔。

　　分类：世界广布。全世界已知 450 余种，我国已知 11 属 22 种，陕西秦岭地区记录 1 属 1 种。

1. 美虮属 *Metriocampa* Silvestri, 1912

Metriocampa Silvestri, 1912: 18. **Type species**: *Metriocampa packardi* Silvestri, 1912.

属征: 虫体无鳞片; 前胸背板有 2 +2(ma, lp₃) 根大毛; 腹部第 I 至第Ⅶ节背片无中前(ma)大毛; 爪简单, 既无前跗侧刚毛, 也无近基刚毛, 而通常有 1 个近似刚毛形的附属器; 第 3 对足的腿节无背大毛。

分布: 全世界已知 30 余种, 我国已知 6 种, 秦岭地区分布 1 种。

(1) 桑山美虮 *Metriocampa kuwayamae* Silvestri, 1931 (图 39)

Metriocampa kuwayamae Silvestri, 1931: 299.

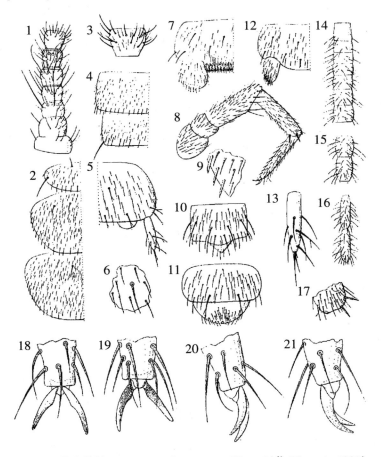

图 39　桑山美虮 *Metriocampa kuwayamae* Silvestri (仿 Silvestri, 1931)

1. 触角第 I 至第Ⅶ节; 2. 胸部背板; 3. 触角第 X 节; 4. 第Ⅸ和 X 节背板; 5. 第 V 腹节腹板; 6. 中胸背板的大毛; 7. 雄性第 I 腹节腹板; 8. 后足; 9. 中胸背板后侧角; 10. 第 X 腹节背板; 11. 雄性第 X 腹节腹板及外生殖器; 12. 雌性第 I 腹节腹板; 13. 刺突; 14. 尾须基部; 15. 尾须第Ⅺ和Ⅻ节; 16. 尾须末端; 17. 胫节上的大刺; 18. 跗节和爪背面观; 19. 跗节和爪腹面观; 20. 跗节和爪外侧面观; 21. 跗节和爪内侧面观

鉴别特征：体长约 2.5 ~ 3.0mm。触角 19 ~ 22 节，长 1.2mm；尾须 2.0mm，多节；前胸背板有 2 + 2(ma, lp$_3$)根大毛；中胸背板有 2 + 2(ma, la)根大毛，后胸背板有 1 + 1(ma)根大毛；第 I 至第 VII 腹节背板无大毛，第 VIII 腹节背板有 1 + 1(lp$_3$)根大毛，第 I 节腹节腹板有 5 + 5 根大毛；有 1 对简单的爪，无中爪；前跗无侧刚毛；胫节有 1 对光滑的距刺。

采集记录：1 幼虫，留坝洪崖沟，1500 ~ 1650m，1998. VII. 22，傅荣恕采；3 幼虫，佛坪凉风垭，1900 ~ 2000m，1998. VII. 24，傅荣恕采；3♀1♂，9 幼虫，佛坪东岳店，950m，1998. VII. 25，傅荣恕采；5♀6♂，21 幼虫，宁陕火地塘，1580m，1998. VII. 27，傅荣恕采；18♀10♂，6 幼虫，宁陕平河梁，2020m，1998. VII. 29，傅荣恕采。

分布：陕西(留坝、佛坪、宁陕)、吉林、辽宁、北京、山西、河南、安徽、浙江、湖南；日本。

二、副铗虮科 Parajapygidae

鉴别特征：全身无鳞片；触角无感觉毛，端节有 4 个或少数板状感觉器；下颚内叶只有 4 个梳状瓣；无下唇须；有不成对的中爪；胸气门 2 对，腹部第 I 至第 VII 节有气孔；腹部刺突刺形无端毛；腹部第 I 节没有可伸缩的囊泡，第 II 至第 III 节有 1 对基节囊泡；腹部第 VIII 至第 X 节几丁质化；尾铗单节成钳形，有近基腺孔。

分类：全世界已知 4 属 62 种，我国发现 1 属 6 种，陕西秦岭地区分布有 1 属 3 种。

2. 副铗虮属 *Parajapyx* Silvestri, 1903

Parajapyx Silvestri, 1903：6. **Type species**：*Iapyx isabellae* Grassi, 1886.

属征：同科的特征。上颚有 5 个齿，在 1 ~ 4 齿之间有 3 个小齿；下颚内叶第 1 瓣长约为第 2 瓣的 1/2。

分布：世界广布。全世界已记录 55 种，我国已记录 6 种，秦岭地区记录 3 种。

分种检索表

1. 触角 20 节 ··· 2
   触角 18 节 ·· 黄副铗虮 *P. isabellae*
2. 前胸背板 4 + 4 根毛·· 爱媚副铗虮 *P. emeryanus*
   前胸背板有 3 + 3 根毛 ·· 华山副铗虮 *P. hwashanensis*

（2）黄副铗虮 *Parajapyx isabellae*（Grassi, 1886）（图40）

Iapyx isabellae Grassi, 1886：11.

Parajapyx isabellae：Silvestri, 1903：6.

Parajapyx paucidentis：Xie *et al.*, 1988：229.

鉴别特征：体长2.0~2.8mm；体小型，细长；体呈白色，只末节及尾为黄褐色。头幅比为1；触角18节，没有感觉毛；前胸背板有7+7（C_{1-2}，M_{1-2}，T_{1-2}，L_1）根大毛；2个侧爪稍有差异，有不成对的中爪；腹部第 I 至第Ⅶ节有刺突，囊泡只见于腹板第Ⅱ、Ⅲ节；臀尾比为1.6；尾铗单节，左右略对称，内缘有5个大齿，近基部1/3处内陷。

采集记录：2只，华山，1956.Ⅵ.20，杨集昆采。

分布：陕西（华阴）、吉林、北京、山东、河南、宁夏、甘肃、江苏、上海、安徽、浙江、湖北、湖南、福建、广东、广西、四川、贵州、云南；日本，欧洲，非洲，北美洲，阿根廷。

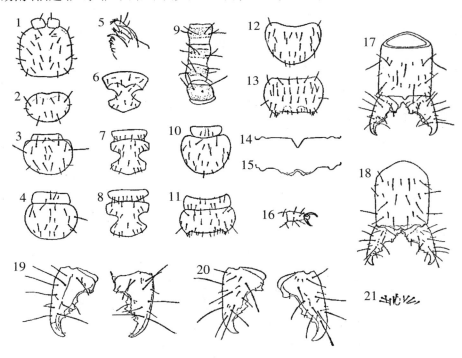

图40　黄副铗虮 *Parajapyx isabellae*（Grassi）（仿周尧，1966）

1. 头部背面观；2. 前胸背板；3. 中胸背板；4. 后胸背板；5. 上颚和下颚；6. 前胸腹板；7. 中胸腹板；8. 后胸腹板；9. 触角第 I 至第Ⅳ节；10. 第 I 腹节背板；11. 第 I 腹节腹板；12. 第Ⅱ腹节背板；13. 第Ⅱ腹节腹板；14. 第 X 腹节（臀板）背面后缘；15. 臀板腹面后缘；16. 后足末端；17. 第 X 腹节背面；18. 第 X 腹节腹面；19. 尾铗背面；20. 尾铗腹面；21. 雌性外生殖器

(3) 爱媚副铗虮 *Parajapyx emeryanus* Silvestri, 1929（图 41）

Parajapyx emeryanus Silvestri, 1929：77.

鉴别特征： 体细长，2.1～3.9mm；体呈白色，第Ⅷ、Ⅸ腹节淡黄色，第Ⅹ腹节和尾铗黄褐色。触角 20 节；头椭圆形，头幅比为 1.22；前胸背板有 4 + 4（C_1，M_{1-2}，L_1）根大毛；2 个侧爪不相等，有不成对的中爪；腹部第 Ⅰ 节基节器有 1 列小毛，第 Ⅱ、Ⅲ 节有囊泡；臀尾比为 1.6；尾铗左右略对称，内缘有 5 个大齿，第 1 齿在近基部 1/5 处，其余 4 个齿排列在 2/5～4/5 处，大小依次递减。

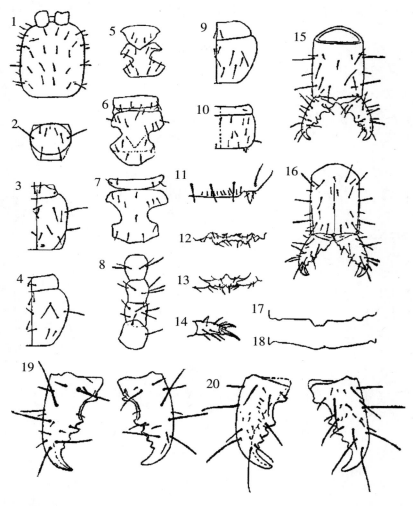

图 41　爱媚副铗虮 *Parajapyx emeryanus* Silvestri（仿周尧，1966）

1. 头部背面观；2. 前胸背板；3. 中胸背板；4. 后胸背板；5. 前胸腹板；6. 中胸腹板；7. 后胸腹板；8. 触角第 Ⅰ 至第Ⅳ节；9. 第 Ⅰ 腹节背板；10. 第 Ⅰ 腹节腹板；11. 第 Ⅰ 腹节基节器；12. 雌性外生殖器；13. 雄性外生殖器；14. 足末端；15. 第 Ⅹ 腹节背板和尾铗；16. 第 Ⅹ 腹节腹板和尾铗；17. 第 Ⅹ 腹节背板后缘；18. 第 Ⅹ 腹节腹板后缘；19. 尾铗背面观；20. 尾铗腹面观

采集记录：3 只，华山南天门及药王殿，1963. X. 15，周尧采。

分布：陕西(华阴)、吉林、北京、山东、河南、宁夏、甘肃、江苏、上海、安徽、浙江、湖北、湖南、福建、广东、广西、四川、贵州、云南；日本。

(4) 华山副铗虬 *Parajapyx hwashanensis* **Chou，1966**（图 42）

Parajapyx hwashanensis Chou，1966：117.

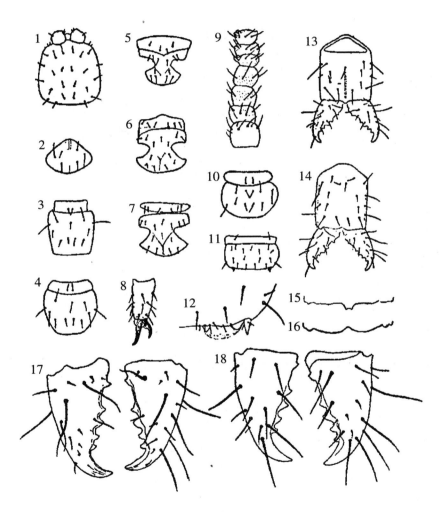

图 42　华山副铗虬 *Parajapyx hwashanensis* Chou(仿周尧，1966)

1. 头部背面观；2. 前胸背板；3. 中胸背板；4. 后胸背板；5. 前胸腹板；6. 中胸腹板；7. 后胸腹板；8. 足末端；9. 触角第 I 至第 IV 节；10. 第 I 腹节背板；11. 第 I 腹节腹板；12. 第 I 腹节基节器；13. 第 X 腹节背板和尾铗；14. 第 X 腹节腹板和尾铗；15. 第 X 腹节背板后缘；16. 第 X 腹节腹板后缘；17. 尾铗背面观；18. 尾铗腹面观

鉴别特征：体长 1.9mm；体呈白色，第 X 腹节和尾铗黄褐色。触角 20 节；体细长，腹部末节及尾显著较小，头椭圆形，头幅比为 1.16；前胸背板有 3 + 3 根毛；2 个侧爪不相等，有不成对的中爪；腹部第 Ⅰ 节基节器有 1 列小毛，第 Ⅱ、Ⅲ 节有囊泡；臀尾比为 1.56；尾铗左右略对称，内缘有 5 个大齿，第 1 齿在近基部，其余 4 个齿排列在 2/5 ~ 4/5 处，第 3 齿最大。

采集记录：1 只，华山药王殿，1963. X. 14，周尧采。

分布：陕西(华阴)、北京、河南、甘肃、江苏、上海、安徽、湖北、湖南、四川、贵州。

三、铗蚣科 Japygidae

鉴别特征：全身无鳞片；触角第 Ⅳ 至第 Ⅵ 节有感觉毛，端节至少有 6 个板状感觉器；上颚没有能动的内叶，下颚内叶有 4 ~5 个梳状瓣；有下唇须；胸气门 4 对；前跗节有中爪和侧爪；腹部第 Ⅰ 至第 Ⅶ 节有气孔，有刺突；单节尾铗骨化成钳形；腹部刺突刺形无端毛；腹部第 Ⅰ 节有 1 对基节器和 1 对可伸缩的囊泡；腹部第 Ⅷ 至第 Ⅹ 节几丁质化；单节尾铗几丁质化，无近基腺孔。

分类：世界广布。全世界已知 400 余种，我国已知 11 属 21 种，陕西秦岭地区分布 3 属 5 种。

分属检索表

1. 下颚内叶第 1 瓣完整，不呈梳状 ··· 2
   下颚内叶 5 个瓣均为梳状瓣 ······························· 缅铗蚣属 *Burmjapyx*
2. 左尾和右尾内缘有 1 列突起 ····························· 偶铗蚣属 *Occasjapyx*
   左尾和右尾内缘有 2 列突起 ························· 陕铗蚣属 *Shaanxijapyx*

3. 缅铗蚣属 *Burmjapyx* Silvestri, 1930

Burmjapyx Silvestri, 1930：483. **Type species：** *Iapyx oudemansi* Parona, 1888.

属征：触角 24 ~59 节；下颚内叶有 5 个梳状瓣；前胸背板有 5 +5 根大毛，少数种类为 4 +4 根或 6 +6 根大毛；基节器简单；中腺器无盘状腺区；第 Ⅷ 腹节背板的前盾片与盾片中间纵线；尾不对称，比第 Ⅹ 节长或与第 Ⅹ 节等长，端部略向内弯曲；左尾有 2 列突起或小齿；右尾只 1 列突起或小齿。

分布：全世界已知 8 种，以南美洲与澳洲种类居多。中国记录 1 种，秦岭地区分布 1 种。

(5) 华山缅铗蚣 *Burmjapyx huashanensis* Chou, 1983 (图 43)

Burmjapyx huashanensis：Chou, 1983：328.

鉴别特征：体长约 8.7mm；体呈黄白色，腹部末节黄褐色。中小型，头近圆形，长 0.85mm，宽 0.73mm，头幅比为 1.16；触角 34 节；上颚有 5 个端齿，第 3 齿最大；下颚内叶 5 瓣均明显梳状；前胸背板横椭圆形，前胸幅比为 0.56，具 5＋5 根大毛，亚大毛 2＋2 根；中后胸大毛列相似，排成 2 横列，但中胸多亚大毛；后足胫跗比为 0.89；腹部第 I 节背板具前盾片毛和盾片毛各 1 对，第 VIII 腹节背板仅有后缘毛 2 对，第 IX 节背板无毛；臀板短，略呈倒梯形，背臀幅比为 0.8，大毛每侧 4 纵列；左尾铗内缘 2 列突起，以基部 3 个较大，近端部 1/3 处有 1 个大齿；右尾铗内缘近基部 3 个小齿及 1 个三角形大齿，其后有 1 列突起；尾长 0.6mm，臀尾比为 1。

采集记录：1♂，华山，1963. IV，周尧、田畴采。

分布：陕西（华阴）、湖南。

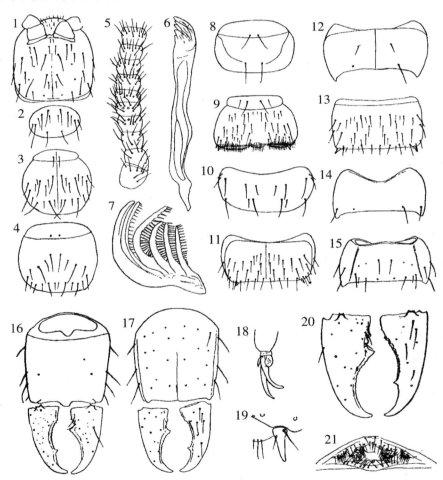

图 43　华山缅铗虬 *Burmjapyx huashanensis* Chou（仿周尧，1983）

1. 头部背面观；2. 前胸背板；3. 中胸背板；4. 后胸背板；5. 触角第 I 至第 X 节；6. 上颚；7. 下颚；8. 第 I 腹节背板；9. 第 I 腹节腹板；10. 第 III 腹节背板；11. 第 III 腹节腹板；12. 第 VII 腹节背板；13. 第 VII 腹节腹板；14. 第 VIII 腹节背板；15. 第 VIII 腹节腹板；16. 第 X 腹节背板和尾铗；17. 第 X 腹节腹板和尾铗；18. 爪；19. 刺突；20. 尾铗腹面观；21. 雄性外生殖器

4. 偶铗虬属 *Occasjapyx* Silvestri, 1948

Occasjapyx Silvestri, 1948: 118. **Type species**: *Iapyx americanus* MacGillivray, 1893.

属征: 触角 24~28 节; 下颚内叶第 1 瓣完整, 不呈梳状; 前胸背板 5+5 根大毛; 无盘状中腺器; 尾铗略对称, 左尾铗有 1~2 个齿, 齿前有 1 排突起, 齿后(或齿间与齿后)有 2 排小齿, 右尾铗有 1~2 个齿, 1 个在基部, 1 个在中后部, 齿前基部和齿间有 1 排突起或小齿, 齿后有小齿。

分布: 全世界已知 10 余种, 我国已知 7 种, 秦岭地区分布 3 种。

分种检索表

1. 体长不超过 20.0mm, 触角少于 28 节 ……………………………………………… 2
   体长超过 20.0mm, 触角 28 节 ……………………………… 锯偶铗虬 *O. beneserratus*
2. 触角 24 节 …………………………………………………… 日本偶铗虬 *O. japonicus*
   触角 26 节 ………………………………………………… 异齿偶铗虬 *O. heterodontus*

(6) 锯偶铗虬 *Occasjapyx beneserratus* (Kuwayama, 1928)(图 44)

Japyx beneserratus Kuwayama, 1928: 153.

Occasjapyx beneserratus: Paclt, 1957: 78.

鉴别特征: 体长 23.0mm; 身体污白色, 第Ⅸ腹节稻草色, 尾铗红棕色, 有光泽, 内缘颜色较深, 上颚红棕色, 爪浅黄褐色。头部方圆形, 稍长; 触角 28 节, 长 5.8mm; 前胸约为头宽的 3/5, 中后胸约为前胸的 2.0 倍长; 第Ⅰ至第Ⅶ腹节腹面具有刺突; 尾铗与第Ⅹ腹节等长; 尾铗不对称, 基部宽, 末端尖, 内缘弯曲, 长 2.8mm; 左尾铗内缘具有 2 个大齿, 基部到第 1 齿之间明显凹陷, 中间具有 1 或 2 个小齿, 2 个大齿之间具有 1 排 10 个大小不一的锐齿, 第 2 大齿远端具有约 12 个钝小齿; 右尾铗距基部 1/4 处具有 1 个简单的大齿, 紧挨着具有 2 个小的齿和 2 个钝齿, 远端的位置凹陷, 具有许多排成 2 排的钝齿, 末端无齿; 体表布满黄褐色刚毛, 由前往后逐渐密集, 腹节的毛序与日本偶铗虬类似。

采集记录: 2 只, 华山, 1963.Ⅸ, 周尧、田畴采。

分布: 陕西(华阴); 日本。

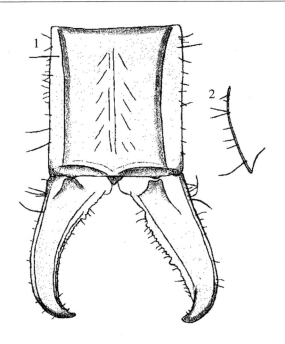

图 44　锯偶铗虬 *Occasjapyx beneserratus*（Kuwayama）（仿 Kuwayama，1928）
1. 第 X 腹节背板和尾铗；2. 第 VII 腹节背板左侧角

(7) 日本偶铗虬 *Occasjapyx japonicus*（**Enderlein，1907**）（图 45）

Iapyx japonicus Enderlein，1907：632.

Occasjapyx japonicus：Paclt，1957：79.

　　鉴别特征：体狭长（8.0～12.0mm），扁平（最大宽度 1.2mm），光滑，少毛。头略呈方形；触角 24 节；头幅比为 1.1；上、下颚包在头壳内，下唇全部露在外面；内颚叶第 1 瓣完整，不呈梳状，其余 4 个为梳状瓣；前胸背板、中胸背板和后胸背板分别有 5＋5 根大毛；前跗节有 2 个侧爪和 1 个中爪，中爪特别短；腹部第 I 节背片仅 1 对后缘大毛，第 II 腹节背板具 4＋4 根大毛，第 III 至第 VII 节各有 7＋7 根大毛，第 VII 节背片后侧角尖锐突出，为种的特征之一；腹部第 I 至第 VII 节有略呈尖形的刺突和透明的囊泡；第 X 节完全骨化，背腹板完全愈合，扁平，背臀比为 1.25，臀尾比为 1.25。尾强烈骨化，弯曲呈钩状，肥厚，沿中线隆起，左右尾不对称。右尾内缘锐利，基部约 1/4 处有 1 个大齿，约 1/2 处也有 1 个大齿，两大齿间有整齐的 8～9 个小齿，从第 2 大齿到末端有不明显的小齿约 12 个；左尾内缘约 1/4 处有 1 个很大的齿，约 1/2 处也有 1 个三角形的大齿，两齿之间部分凹陷，背腹缘各有 1 列小齿（10 余个）。

　　采集记录：1 只，长安南五台，1979. VI. 18，周尧采；16 只，周至楼观台，1979. VI. 09，周尧采；7 只，武功，1956. XI. 05，周尧采；1 只，武功，1963. X. 21，周尧采；1 只，华山，1956. IV，周尧采；4 只，华山，1956. VI. 14-20，杨集昆采；2 只，华山，

1963.Ⅸ，周尧、田畴采。

分布：陕西（长安、周至、武功、华阴）、北京、河北、江苏、上海、安徽、浙江、湖北、广东、广西。

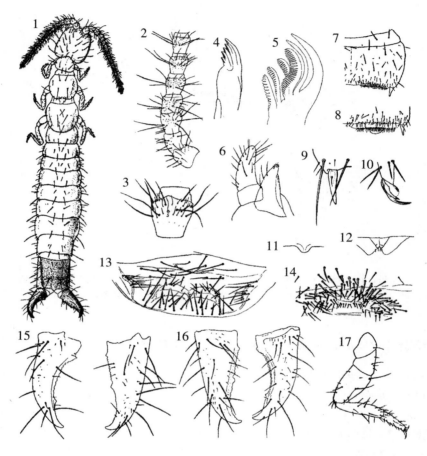

图45   日本偶铗蚋 *Occasjapyx japonicus*（Enderlein）（仿周尧，1966；仿 Enderlein，1907）

1. 整体背面观；2. 触角第Ⅰ至第Ⅶ节；3. 触角第6节，示感器；4. 上颚；5. 下颚；6. 下颚须和外颚叶；7. 第Ⅰ腹节腹面；8. 第Ⅰ腹节的基节器；9. 刺突；10. 爪；11. 第Ⅹ腹节背板后缘；12. 第Ⅹ腹节腹板后缘；13. 雌性外生殖器；14. 雄性外生殖器；15. 尾铗背面观；16. 尾铗腹面观；17. 前足

(8) 异齿偶铗蚋 *Occasjapyx heterodontus*（Silvestri，1949）（图46）

Polyjapyx heterodontus Silvestri，1949：92.

Occasjapyx heterodontus：Paclt，1957：79.

鉴别特征：体长16.0mm。头长0.4mm，具有短刚毛；触角26节，触角第Ⅱ至第Ⅶ节有感觉毛；前胸具有5＋5根大毛，0.5mm长；中后胸分别具有7＋7根大毛，0.5mm长；第Ⅲ至第Ⅵ腹节背板具有7＋7根大毛。

采集记录：2 只，华山，1963. Ⅸ，周尧、田畴采。

分布：陕西（华阴）、山东。

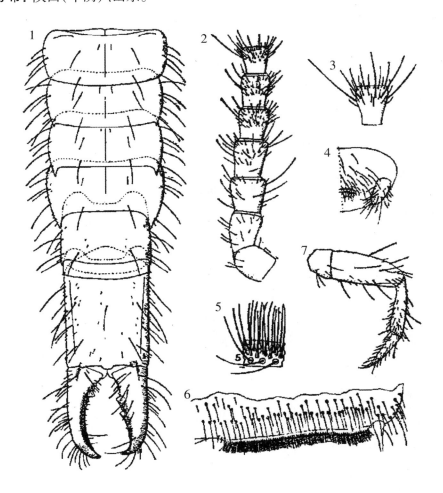

图 46 异齿偶铗虮 *Occasjapyx heterodontus*（Silvestri）（仿 Silvestri，1949）

1. 腹部第Ⅳ至第Ⅹ节背面；2. 触角第Ⅰ至第Ⅶ节；3. 触角第Ⅹ节；4. 刺突；5. 基节器局部放大，示感毛；
6. 腹部第Ⅰ节基节器；7. 后足

5. 陕铗虮属 *Shaanxijapyx* Chou，1983

Shaanxijapyx Chou，1983：330. **Type species**：*Shaanxijapyx xianensis* Chou，1983.

属征：触角 24 节；下颚内叶第 1 瓣完整，不呈梳状；前胸背板有 5 + 5 根大毛。基节器简单；中腺器无盘状腺区；第Ⅲ、Ⅳ节腹板前面有梳状毛；尾和第Ⅹ腹节等长或稍长，不对称，左尾和右尾各有中前齿及 2 列突起。

分布：中国特有属，已知 1 种，秦岭地区分布 1 种。

(9) 陕铗虮 *Shaanxijapyx xianensis* Chou, 1983 (图 47)

Shaanxijapyx xianensis Chou, 1983：330.

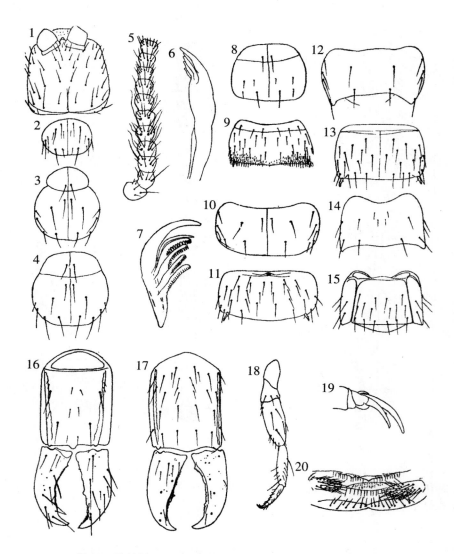

图 47　陕铗虮 *Shaanxijapyx xianensis* Chou (仿周尧, 1983)

1. 头部背面观；2. 前胸背板；3. 中胸背板；4. 后胸背板；5. 触角第 I 至第 XI 节；6. 上颚；7. 下颚；8. 第 I 腹节背板；9. 第 I 腹节腹板；10. 第 IV 腹节背板；11. 第 IV 腹节腹板；12. 第 VII 腹节背板；13. 第 VII 腹节腹板；14. 第 VIII 腹节背板；15. 第 VIII 腹节腹板；16. 第 X 腹节背板和尾铗；17. 第 X 腹节腹板和尾铗；18. 后足；19. 爪；20. 雄性外生殖器

鉴别特征：体长 9.6mm；体呈黄白色，第 X 节及尾铗为黄褐色。头近方圆形，长 0.96mm，宽 0.88mm，头幅比为 1.09；触角 24 节，展开长 3.4mm，各节毛列均不太整齐；前胸背板横椭圆形，前胸幅比为 0.71，具 5 + 5 根大毛；中后胸大毛列相似，各有前盾片毛 1 对，盾片毛 6 对；后足胫跗比为 1.15；腹部第 1 节背板具前盾片毛 1 对，盾片具大毛 1 对，亚大毛 3 对；第 Ⅷ 腹节背板与前节相似，但背中区多 2 对亚大毛；第 X 节长方形，臀幅比为 1.14，背面有大毛 2 对，腹面有大毛 10 对，排成不整齐的 6 纵列；臀板端背突略呈半圆形，端腹突不明显；左尾铗内缘 2 列突起，腹面 1 列较宽而不明显，背面 1 列约占内缘的 3/4，两端的齿较为显著；右尾铗内缘中部有 1 个大齿，铗基部和端部的 1/2 均有 2 列不规则的小齿；尾长 0.93mm，臀尾比为 1.04。

采集记录：1♂，长安韦曲，1956.Ⅶ，申允中采。

分布：陕西（长安）。

参考文献

Bu, Y. and Luan, Y. X. 2014. Diplura. 35-36. *in* Wang, Y. P. and Tong, C. L（eds.）. *Insect in Qingliangfeng Zhejiang Province*, China Forestry Publishing House, Beijing. 1-372.［卜云，栾云霞. 2014. 双尾纲. 35-36. 见：王义平，童彩亮主编. 浙江清凉峰昆虫. 北京：中国林业出版社. 1-372.］

Bu, Y., Gao, Y., Luan, Y. X. and Yin, W. Y. 2012. Progress on the systematic study of basal Heaxpoda. *Chinese Bulletin of Life Sciences*, 24(2)：130-138.［卜云，高艳，栾云霞，尹文英. 2012. 低等六足动物系统学研究进展. 生命科学, 24(20)：130-138.］

Bu, Y., Gao, Y., Potapov, M. B. and Luan, Y. X. 2012. Redescription of arenicolous dipluran *Parajapyx pauliani*（Diplura, Parajapygidae）and DNA barcoding analyses of *Parajapyx* from China. *ZooKeys*, 221：19-29.

Chen, W. J., Bu, Y. and Luan, Y. X. 2010. Diplura. 75. *in* Ren, G. D（ed.）. *Fauna of Invertebrate from Liupan Mountain*. Hebei University Publishing House, Baoding. 1-683.［陈万君，卜云，栾云霞. 2010. 双尾纲. 75. 见：任国栋主编. 六盘山无脊椎动物. 保定：河北大学出版社. 1-683.］

Chou, I. 1966. Studies on Japygidae（Insecta：Diplura）Ⅰ-Ⅲ. *Acta Zootaxonomica Sinica*, 3(1)：51-66.［周尧. 1966. 铗虬科昆虫的研究（Ⅰ-Ⅲ）. 动物分类学报, 3(1)：51-66.］

Chou, I. 1966. Studies on Japygidae Ⅳ（Insecta：Diplura）. *Acta Zootaxonomica Sinica*, 3(2)：115-119.［周尧. 1966. 铗虬科昆虫的研究（Ⅳ）. 中国的副铗虬亚科. 动物分类学报, 3(2)：115-119.］

Chou, I. and Chen, T. 1983. Studies on Japygidae Ⅴ（Insecta：Diplura）. *Entomotaxonomia*, 5(4)：327-338.［周尧，陈彤. 1983. 铗虬科昆虫的研究（Ⅴ）. 昆虫分类学报, 5(4)：327-338.］

Enderlein, G. S. 1907. über die segmental-apotome der Insekten und zur kenntnis der morphologie der Japygiden. *Zoologischer Anzeiger*, 31(19-20)：329-635.

Kuwayama, S. 1928. Some Japanese species of *Japyx*. *Insect Matsumurana*, 2(3)：151-155.

Luan, Y. X., Bu, Y. and Xie, R. D. 2007. Revision of a synonym with *Parajapyx isabellae*（Grassi, 1886）on both morphological and molecular data（Diplura, Parajapygidae）. *Acta Zootaxonomica Sin-*

ica, 32(4)：1006-1007. ［栾云霞，卜云，谢荣栋. 2007. 基于形态和分子数据订正黄副铗虮的一个异名（双尾纲，副铗虮科）. 动物分类学报，32(4)：1006-1007. ］

Luan, Y. X. and Bu, Y. 2014. Diplura. 63-71. *in* Yin, W. Y, Zhou, W. B and Shi, F. M (eds.). *Fauna of Tianmu Mountain*, Zhejiang University Press, Hangzhou. 1-435. ［栾云霞，卜云. 2014. 双尾纲. 63-71. 见：尹文英，周文豹，石福明主编. 天目山动物志. 杭州：浙江大学出版社. 1-435. ］

Paclt, J. 1957. *Diplura*. Genera Insectorum de P. Wytsman, fasc. 212E. Grainhen. 1-123.

Sendra, A. 2006. Synopsis of described Diplura of the world. http://insects. tamu. edu/research/collection/hallan/Arthropoda/Insects/Diplura/Family/Diplura1. htm.

Silvestri, F. 1912. Nuovi generi e nuove specie di Campodeidae (Thysanura) dell′ America settentrionale. *Bollettino del Laboratorio di Zoologia Generale e Agraria*, 6：5-25.

Silvestri, F. 1929. Japygidae dell′Estremo Oriente. *Bollettino del Laboratorio di Zoologia Generale e Agraria della Facolta Agraria in Portici*, 22：49-80.

Silvestri, F. 1931. Campodeidae (Insecta Thysanura) dell′estremo oriente. *Bollettino del Laboratorio di Zoologia Generale e Agraria*, 25：286-320.

Xie, R. D and Yang, Y. M. 1992. Arthropoda (Ⅲ)：Diplura. 457-473. *in* Yin, W. Y (ed.). Subtropical soil animals of China. Science Press, Beijing. 1-618. ［谢荣栋，杨毅明. 2000. 节肢动物（Ⅲ）：ⅲ. 双尾目. 457-473. 见：尹文英等主编. 中国亚热带土壤动物. 北京：科学出版社. 1-618. ］

Xie, R. D. 2000. Fauna and distribution of Diplura in China. 287-293. *in* Yin, W. Y (ed.). *Soil animals of China*. Science Press, Beijing. 1-339. ［谢荣栋. 2000. 中国双尾虫的区系和分布. 287-293. 见：尹文英等主编. 中国土壤动物. 北京：科学出版社. 1-339. ］

Xie, R. D., Fu, R. S. and Yin, W. Y. 2005. Diplura. 36-37. *in* Yang, X. K (ed.). *Insect Fauna of Middle-West Qinling Range and South Mountains of Gansu Province*. Science Press, Beijing. 1-1055. ［谢荣栋，傅荣恕，尹文英. 2005. 双尾纲. 36-37. 见：杨星科主编. 秦岭西段及甘南地区昆虫. 北京：科学出版社. 1-1055. ］

Xie, R. D., Yang, Y. M. and Yin, W. Y. 1988. A new species of Parajapyx from the Tianmu Mountain, china (Diplura：Japygidae). *Contributions from Shanghai Institute of Entomology*, 8：229-233. ［谢荣栋，杨毅明，尹文英. 1988. 天目山副铗虮属的一新种（双尾目：铗虮科）. 昆虫学研究集刊，8：229-233. ］

昆虫纲 Insecta

蜉蝣目 Ephemeroptera

罗娟艳　　周长发

（南京师范大学生命科学学院，南京 210023）

　　蜉蝣的外部形态很特殊，与其他昆虫差别很大。如其稚虫腹部前 1 ~ 7 节背板都可能生长着按节排列的成对的常见为扁平的片状鳃，这种类型的鳃只在蜉蝣中存在，它们可能与胸部的翅具有同样的起源。无论是稚虫还是亚成虫或成虫，蜉蝣身体的尾端都生长着 2 ~ 3 根较长的分节的终尾丝（常长于体长），这在有翅昆虫中也十分罕见。蜉蝣亚成虫与成虫的翅在停歇时竖立，不能像其他新翅类一样将翅折叠覆盖于体背。

　　蜉蝣的生活史有 4 个阶段，分别为卵、稚虫、亚成虫和成虫。稚虫由卵孵化后，在水中生活，用鳃呼吸；亚成虫和成虫在陆地和空中生活，用气管呼吸，且都具翅能飞，故蜉蝣的发育过程为独特的原变态。蜉蝣成虫和亚成虫的口器都已退化，不具功能，故它们都不饮不食，一般只能存活数小时至几天。在中外古籍中，蜉蝣常被称为"朝生暮死"。

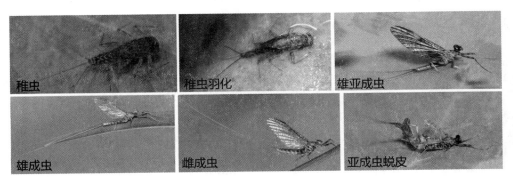

图 48　尤氏拟亚非蜉 *Parafronurus youi* 生活史主要阶段

　　目前全世界蜉蝣目已知种类超过 3000 种，我国种类了解不够深入全面，只报道了 300 余种。本文根据标本，尤其是近几年采集到的标本，共鉴定出陕西秦岭地区蜉蝣 10 科 17 属 25 种，这可能只是实际种类中很少一部分。本研究中的所有标本都保存在南京师范大学生命科学学院。

分科检索表（成虫）

1. 前翅的 MP_2 脉与 CuA 脉在基部向后强烈弯曲 ·· 2
   至少前翅 CuA 脉在基部不强烈弯曲 ··· 3
2. 前翅的 A_1 脉近端部分叉；尾铗第 1 节最长；翅往往具大块色斑 ····· 河花蜉科 Potamanthidae
   前翅的 A_1 脉不分叉，由许多横脉将其与翅后缘连接；尾铗第 2 节最长；翅可能具点 ··········
   ·· 蜉蝣科 Ephemeridae
3. 前翅 CuA 脉与 CuP 脉之间不具长闰脉，CuA 脉由一系列小脉连接到翅后缘 ··········· 4
   前翅 CuA 脉与 CuP 脉之间具数目不定的长闰脉 ································· 5
4. 两枚爪相似 ······································· 短丝蜉科 Siphlonuridae
   两枚爪不同，一钝一尖 ··································· 栉颚蜉科 Ameletidae
5. 前翅具明显的缘闰脉 ···································· 6
   前翅不具缘闰脉 ······························ 7
6. 前翅的 MA_2 脉与 MP_2 脉在基部与其基干游离，缘闰脉短小但明显 ········· 四节蜉科 Baetidae
   前翅的 MA_2 脉与 MP_2 脉在基部与其基干连接，缘闰脉单根，相对较长 ··· 小蜉科 Ephemerellidae
7. 无后翅，翅缘具缨毛，尾铗 1 节，阳茎完全合并 ············· 细蜉科 Caenidae
   后翅可能消失，前翅翅缘不具缨毛，尾铗至少 3 节，阳茎形状多样 ·················· 8
8. 前翅 CuA 脉与 CuP 脉之间具排列规则的 2 对闰脉 ·········· 扁蜉科 Heptageniidae
   前翅 CuA 脉与 CuP 脉之间具数目不定的闰脉 ·················· 9
9. 尾铗第 1 节与第 2 节约等长 ·············· 越南蜉科 Vietnamellidae
   尾铗第 1 节明显长于其他各节，端部各节非常短小 ········· 细裳蜉科 Leptophlebiidae

分科检索表（稚虫）

1. 上颚具上颚牙，头部背面观中明显可见；腹部 2~7 对鳃两叉状，各枚鳃的缘部分裂成缨毛状
   ·· 2
   上颚不具上颚牙；腹部的鳃形态多样，但绝无上述的鳃 ···················· 3
2. 胸足的胫节和跗节宽扁，呈挖掘状；腹部的鳃背位 ·············· 蜉蝣科 Ephemeridae
   胸足各部分正常，呈圆柱状，不特化；腹部的鳃位于体侧 ········· 河花蜉科 Potamanthidae
3. 头部前缘具 2 对角状突出，其中 1 对大而明显·········· 越南蜉科 Vietnamellidae
   头顶和单眼顶部可能具程度不同的瘤突，但头前缘不具上述的角突············ 4
4. 腹部第 2 节无鳃 ·································· 小蜉科 Ephemerellidae
   腹部第 2 节具形状不同的鳃 ···································· 5
5. 身体流线型，呈小鱼状，背腹厚度一般明显大于身体宽度；鳃呈膜质片状 ·········· 6
   身体不呈小鱼状，一般较扁；鳃的形状多样 ························ 7
6. 下颚端部具有 1 排刷状毛 ································· 栉颚蜉科 Ameletidae
   下颚端部不具刷状毛 ································· 短丝蜉科 Siphlonuridae
7. 体长多在 6.0mm 以下；腹部第 2 对鳃扩大成四方形，中部相互遮叠，盖住后部多数鳃 ·········
   ·· 细蜉科 Caenidae

一、短丝蜉科 Siphlonuridae

鉴别特征：稚虫腹部第 1 和第 2 对鳃为两片，其余鳃为单片；下颚端部无刷状刺；身体呈流线型，背腹厚度大于身体宽度；运动像小鱼；3 根尾丝，桨状。

成虫前翅 MP 区狭长，CuA 脉由一些横脉将其与翅的后缘相连；后翅相对较大，MA 脉的分叉点接近翅的中部；前足基部不具鳃丝，各足具 2 枚尖爪；2 根尾须。

生物学：一般生活于寒冷地区的静水区域，如流速缓慢的小河、湖泊、池塘、水潭和流水的近岸区；游泳能力较强，捕食性或刮食性；一般在岸边的石块下羽化。

分类：陕西秦岭地区记录 1 属 1 种。

1. 短丝蜉属 *Siphlonurus* Eaton，1868

Siphlonurus Eaton，1868：89. **Type species**：*Siphlonurus* flavidus（Pictet，1865）.

Siphlurus Eaton，1885（in 1883-1888）：214（unnecessary replacement name for *Siphlonurus Eaton*，1868）.

Siphlurella Bengtsson，1909：11（in part）. **Type species**：*Siphlurella thomsoni* Bengtsson，1909.

Andromina Navás，1912：416. **Type species**：*Andromina grisea* Navás，1912.

属征：稚虫第 3～7 对鳃单片；鳃一般较大，呈椭圆形或者卵圆形；密布气管。

成虫CuA 脉与 CuP 脉之间有 7～10 根长闰脉将 CuA 脉与翅的后边缘相连，有少量的缘闰脉；各足上的两枚爪相似。

分布：全北区。秦岭地区记录 1 种。

（1）戴氏短丝蜉 *Siphlonurus davidi*（**Navás，1932**）（图 49）

Sphluriscus davidi Navás，1932：929.

Siphluriscus davidi：Wu，1935：251.

Siphlonurus davidi：Zhou & Peters，2003：346.

鉴别特征：稚虫体长 15.0～20.0mm，尾须长 5.0～8.0mm，中尾丝长度稍微短于尾须，触角长度约与头宽等长。稚虫体色一般为黄色。头部呈深褐色，复眼之间浅白色，有 2 条深褐色纵纹，复眼整体呈深灰色，上唇唇基深褐色，复眼下方有 1 个褐色斑点。腹部背板黄色，第 2~8 节靠中线两侧具有深褐色斑点，腹部两侧有黑色斑点；第 9 节中部浅黄色，周围深褐色；第 1~9 背板两侧有刺，刺板向外侧突起；每节背板上斑点均有轻微的差别；腹侧呈深褐色，中间呈浅黄色。鳃 7 对，着生于第 1~7 腹节末端，第 1~2 对的背面鳃略大于腹面鳃，第 3~7 对鳃外侧边缘骨化；尾丝 3 根，中尾丝略短，尾丝内侧和中尾丝两侧具浓密的细毛，每节间均有细齿。

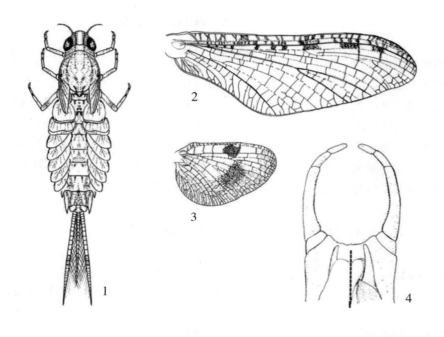

图 49　戴氏短丝蜉 *Siphlonurus davidi*（Navás）稚虫
1. 稚虫；2. 前翅；3. 后翅；4. 外生殖器腹面观

　　雄成虫体长 13.0~15.0mm，前翅长 14.0~15.0mm，触角长 2.0mm，尾丝丢失。体呈棕红色。复眼上半部分灰白色，呈球形；下半部分灰色，呈椭圆形；单眼红色。口器退化。胸部稍微隆起，呈深黄色；中胸有很多纵纹和灰色斑点，后胸较小，足基节周围呈深褐色。前翅透明，C 脉与 Sc 脉之间的横脉多呈黑色斑点；后翅透明，翅中部有黑色斑点，后翅后边缘整体发黄。足黄色，腿节较长，为胫节的 2.0 倍；跗节最长，长度为腿节和胫节长度之和。腹部呈深褐色甚至黑色，第 2~9 节腹部背面颜色较深，没有斑点，有一些似鳃脉状的纹路；第 9 节腹节背板两侧有 1 对刺状突起，腹部背板两侧呈深黄色；腹侧深黄褐色；第 1、2 两节深褐色；第 3~8 节前端及两侧呈深褐色，中间部分呈黄色。具 2 根尾丝。生殖下板轻微凹陷，尾铗 4 节，前 3 节明显可见，第 4 节较短，基部膨大，第 3 节是第 1 节和第 2 节的长度之和；阳茎较短，隐于生殖下板之内；2 个阳茎叶腹部具膜质囊状，分离。

采集记录：3 稚虫，长安区中庙，995m，2012.Ⅴ，徐盛、谢钊采；2 稚虫，户县杨家庄，1105m，2012.Ⅴ，徐盛、谢钊采；13 稚虫，户县太平峪情侣溪，905m，2012.Ⅴ，徐盛、谢钊采；1♂，宁东林业局，1983.Ⅵ，吴兴永采。

分布：陕西(长安、户县、宁东)、四川。

二、栉颚蜉科 Ameletidae

鉴别特征：稚虫身体呈小鱼型，表面光滑。背腹厚度一般明显大于身体宽度；口器特化，左右下颚的端部均具有 1 排刷状毛；鳃 7 对，单片；3 根尾丝，有长而密的细毛，往往具有色斑，较粗，桨状。

成虫前翅的 MP$_2$ 脉与 CuA 脉基部不弯曲，后翅相对较大；各足具爪 2 枚，一钝一尖；具 2 根尾须。

生物学：主要栖息在流水中，一般分布在高山地区或北方寒冷地区；该科属于典型的冷水性种类，成虫不易采到，捕食性或阔食性；在岸边的石块下羽化。

分类：陕西秦岭地区记录 1 属 1 种。

2. 栉颚蜉属 *Ameletus* Eaton，1885

Ameletus Eaton，1885（in 1883-1888）：210. **Type species**：*Ameletus subnotatus*，1885.

Chimura Navás，1915：149. **Type species**：*Chimura aetherea* Navás，1915.

Metreletus Demoulin，1951：10. **Type species**：*Metretopus goetghebueri* Lestagr，1951.

Paleoameletus Lestage，1940：124. **Type species**：*Ameletus prinitivus* Traver，1940.

属征：稚虫颚端部具 1 排刷状的毛；鳃单片，一般呈卵圆形，较小，前缘骨化，背面具 1 条骨化线；爪无小齿。

成虫前翅的 CuA 脉与 CuP 脉之间狭窄不具闰脉，一系列的横脉将 CuA 脉连接到翅后缘。

分布：全北区。秦岭地区记录 1 种。

(2) 山地栉颚蜉 *Ameletus montanus* Imanishi，1930（图 50）

Ameletus montanus Imanishi，1930：265.

鉴别特征：稚虫体长 11.5mm，尾丝长 4.5mm，触角长 1.5mm。身体比较纤细，花纹较多。复眼呈紫黑色，单眼下部紫黑色，上部乳白色，前单眼前部呈深黄色，复眼和单眼周围呈深褐色，两复眼中部有 1 个较浅的较细的纵纹，不明显。前胸背板中部有 1 条明显的纵纹，呈浅黄色，两侧整体呈褐色，每侧各有 2 个较大的浅黄色斑块；中胸背板花纹与前胸背板类似，中线处有 1 条明显的浅黄色纵纹，两侧呈浅褐色，每侧有 4~5 个浅黄色斑块，后缘突出，呈浅黄色；后胸背板与前胸背板类似，两侧仅有 1 个浅黄色斑纹。各足均呈浅黄色，各足基节基部有褐色斑点，前足腿节中部具 1 块褐色斑块；腿节长度稍大于胫节、跗节，胫节长度约等于跗节长度，跗节两端呈褐色，爪单枚锐利，呈深褐色。腹部呈棕褐色，第 1~9 节腹部背板后缘有 1 排小刺，第 1 节呈褐色，中线两侧各有 1 个椭圆形浅黄色斑块，第 2 节背板明显与其他各节不同，呈浅黄色，上缘半部呈深褐色，第 3~6 节背板类似，整体呈褐色，中线处呈浅黄色，两侧各具 1 对浅色斑块，两侧背板鳃下有深褐色斑点；第 7、8 节背板的色较淡，二者花纹类似，6~9 节背板两侧有较小的背刺，第 9~10 节呈深褐色，无浅色斑纹；第 10 节后缘突出无小刺。3 根尾丝，前部呈浅黄色，后部呈黑色。

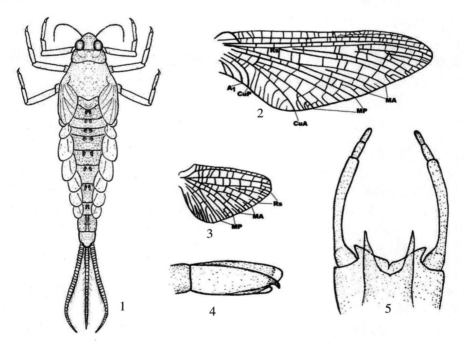

图 50　山地栉颚蜉 *Ameletus montanus* Imanishi
1. 稚虫背面观；2. 前翅；3. 后翅；4. 爪；5. 外生殖器腹面观

雄成虫体长 11.0~15.0mm，前翅长 13.0mm，后翅长 5.0~6.0mm，前足长 12.0mm。头胸部棕黑色，腹部棕黄色，腹部各节背板各具 1 对棕黑色纵纹。翅脉明显，翅痣区的横脉分成上下两部分；前足棕黄色，中后足黄色，跗节 5 节，但第 1 跗节与胫节部分合并；阳茎基部合并而端部分开，腹面观只有端部可见；生殖下板靠近尾铗基部处突出，呈耳状；阳茎腹部骨化突起，突起部分圆滑。

雌成虫体色与雄成虫类似；腹部第 9 节腹板向后延伸呈三角形状，后缘平截。

采集记录： 20♂，宁东林业局，1983.Ⅶ，归鸿、吴兴永采。

分布：陕西（宁东）、内蒙古。

三、扁蜉科 Heptageniidae

鉴别特征：稚虫身体各部扁平，背腹厚度明显小于身体宽度；足的关节为前后型；鳃位于 1~7 腹节体背或体侧，每枚鳃分为背、腹两部分，背方的鳃片状，膜质，而腹方的鳃丝状，一般成簇，第 7 对鳃的丝状部分很小或缺失；2 或 3 根尾丝。

成虫前翅的 CuA 脉与 CuP 脉之间具典型的排列成 2 对的闰脉；后翅明显，MA 脉与 MP 脉分叉；身体一般具黑色、褐色或红色的斑纹；2 根尾须。

生物学：基本生活于流水环境中；在湖泊和大型河流的近岸缓流处的底质中可能采到，在溪流的各种底质如石块、枯枝落叶等下面往往采到大量稚虫；以刮食性和滤食性种类为主，主要食物为颗粒状藻类和腐殖质；稚虫水中羽化，亚成虫在岸边石块下蜕皮。

分类：陕西秦岭地区发现 2 属 5 种。

分属检索表（成虫）

雄成虫前足第 1 跗节的长度基本等于第 2 节（有时略长或略短） ·············· 高翔蜉属 *Epeorus*

雄成虫前足第 1 跗节明显短于第 2 节（0.8 倍以下），阳端突无或退化成薄片状 ················· 似动蜉属 *Cinygmina*

分属检索表（稚虫）

体末只具 2 根尾须 ······························ 高翔蜉属 *Epeorus*

体末具 2 根尾须和 1 根终尾丝（3 根尾丝） ····························· 似动蜉属 *Cinygmina*

3. 似动蜉属 *Cinygmina* Kimmins, 1937

Cinygmina Kimmins, 1937: 435. **Type species**: *Cinygmina assamensis* Kimmins, 1937.

属征：稚虫有 3 根尾丝，尾丝各节之间具短刺；第 5 和第 6 对鳃的膜质部分的顶端具 1 个细长的丝状突起。

成虫的两复眼在头顶接触或几乎接触；前足跗节长于胫节，第 1 跗节短于第 2 跗节，可能为第 2 跗节长度的 3/5 左右；阳茎基部合并，端部向侧后方伸展；阳端突无或退化为薄板状。

分布：亚洲。秦岭地区发现 3 种。

分种检索表（稚虫）

1. 腹部前 8 节背板两侧具明显的黑褐色斜纹 ……………………… 斜纹似动蜉 **C. obliquistrita**
   非上述特征 ……………………………………………………………………… 2
2. 头部背面具 6 块淡黄色斑；腹部各节背面基本为褐绿色………… 红斑似动蜉 **C. rubromaculata**
   头部背面褐绿色；腹部各节背面中央褐绿色 ……………………… 宜兴似动蜉 **C. yixingensis**

分种检索表（成虫）

1. 腹部各节背板两侧各具 1 条黑色斜纹 ……………………… 斜纹似动蜉 **C. obliquistrita**
   非上述特征 ……………………………………………………………………… 2
2. 腹部背板中央两侧红色 ……………………………… 红斑似动蜉 **C. rubromaculata**
   腹部背板中央黑褐色………………………………… 宜兴似动蜉 **C. yixingensis**

（3）斜纹似动蜉 *Cinygmina obliquistrita* **You et al., 1981**（图 51：5）

Cinygmina obliquistrita You et al., 1981：26.

鉴别特征：稚虫体长 6.0～8.0mm，尾丝长 9.0～10.0mm。头部及胸部背板的斑纹与红斑似动蜉 *C. rubromaculata* 相似，各腿节表面的斑纹基本与宜兴似动蜉 *C. yix-ingensis* 相似。腹部第 5、8、9 节背板中央的淡黄色色斑较大，而其他各节只具 1 对较小的圆形色斑；第 10 节背板整个为褐绿色；前 8 节腹节背板两侧具明显的黑褐色斜纹。

雄成虫体长 9.0mm，前翅长 9.2mm，后翅长 3.0mm，尾丝长 23.0mm；身体浅黄色或白色，腹部各节背板的两侧具 1 条黑色的斜纹。两复眼在头顶相互接触。前足腿节长 2.2mm，胫节长 2.2mm，跗节长 4.0mm，各跗节按长度大小顺序排列为 2、3、1、4、5，前 4 节的长度相差不大；后足腿节最长，跗节长度不及胫节长度的 1/2。2 个阳茎叶端部分离，基部合并。各阳茎叶又分为两叶而使后缘呈叉状，外侧叶明显大于内侧叶；2 个阳茎叶之间呈"U"型；阳茎叶背面中央隆起，侧面具 1 个骨板；各阳茎叶具 1 个刺突。其他特征同红斑似动蜉 *C. rubromaculata*。

雌成虫体长 9.0mm；体色与雄成虫类似。第 7 腹节腹板后缘凸出，向前面部分加厚，形成 1 个椭圆形的盖状结构；肛下板的后缘平截。

采集记录：1♂，秦岭关口，1982.Ⅶ.26，归鸿、吴兴永采。

分布：陕西（秦岭）、江苏、安徽、浙江、江西、湖南、福建、贵州等地。

（4）红斑似动蜉 *Cinygmina rubromaculata* **You et al., 1981**（图 51：6）

Cinygmina rubromaculata You et al., 1981：28.

鉴别特征：稚虫体长11.0mm，尾丝长15.0mm；体基本呈褐绿色与淡黄色相间的斑驳花斑状。触角光滑，长度不及头宽。头壳背面具6块淡黄色的色斑。各足腿节宽扁，表面具3块褐绿色斑块，基部的1块较小，其他2块基本呈"V"或"S"形（在不同个体可能略有不同）；胫节中部也呈褐色；爪具3~4枚齿突；各足腿节后缘密生细毛，中后足的胫节后缘也具短细毛，后足上的细毛多而密。鳃7对，1~6对鳃都分为丝状部分与膜片部分。第1对鳃的膜片部分为刀型，2~6对鳃的膜片部分为心形，5~6两对鳃的膜片部分的端部中央各具1个短小的丝状突起，第7对鳃只具膜片部分，呈宽柳叶型。腹部第5、8、9节背板基本为淡黄色，而其他各节背板基本为褐绿色，具1对淡黄色圆形斑点。尾丝3根，节间具刺。

雄成虫体长9.0mm，前翅长10.0mm，后翅长3.0mm，尾丝长28.0mm。身体棕黄色，腹部背板中央两侧成红色。两复眼在头顶相互接触。前足腿节长2.8mm，胫节长3.2mm，跗节长5.0mm，各跗节按长度大小顺序排列为2、3、1、4、5，第1跗节长度约为第2节的0.8倍，后3节的长度相差不大；后足腿节最长，跗节长度不及胫节长度的1/2，第1跗节略长于第2节。翅脉棕黄色，后翅的MA脉在近缘部分叉，而MP脉在基部分叉。2个阳茎叶端部分离，基部合并；各阳茎叶又分为两叶，端部呈叉状，2个阳茎叶之间呈"U"形；阳茎叶背面隆起，呈2个突起状，各阳茎叶的外侧叶背面隆起，基部骨化；各阳茎叶具1个刺突。尾丝具红色环纹。

雌成虫体长10.0mm；体色与雄成虫类似。第7腹节腹板后缘凸出，向前面部分加厚，形成1个椭圆形的盖状结构。肛下板的后缘平截。

采集记录：20♀，佛坪岳坝，1999.Ⅶ.25，谢强、周长发采；5♂亚，3♀亚，佛坪，1982.Ⅶ.29，归鸿、吴兴永采。

分布：陕西（佛坪），华东、华南和西南各省；俄罗斯。

（5）宜兴似动蜉 *Cinygmina yixingensis* Wu *et* You, 1986（图51：1~4）

Cinygmina yixingensis Wu *et* You, 1986：66.

鉴别特征：稚虫体长6.0~10.0mm，尾丝长8.0~10.0mm。体基本呈褐绿色，其间夹杂着淡黄色的斑点。复眼黑色，头壳背面除单眼背面淡黄色外，其他部分褐绿色；触角光滑，长度短于头宽。胸部背板只具少许的淡黄色色斑；各足腿节宽扁，表面密生短刺，并具5块淡黄色色斑，3块在腿节后缘，2块在中部；胫节中部褐绿色；腹部前7节背板各具1对淡黄色圆形斑点，7~8节背板基本为黄色，第10节背板整个为褐绿色；即将羽化的老熟稚虫腹部背板中央色深；其他特征同红斑似动蜉 *C. rubromaculata*。

雄成虫体长8.0mm，前翅长8.2mm，后翅长2.8mm，尾丝长16.0mm。身体淡黄色，腹部背板的中央黑褐色，夹有1对淡黄色圆形小色斑，其他部分淡黄色。两复眼在头顶相互接触。前足腿节长1.8mm，胫节长2.2mm，跗节长3.5mm，各跗节按长度大小顺序排列为2、3、1、4、5，第1跗节为第2跗节长度的0.4倍；后足腿节最长，跗节长度不及胫节长度的1/2，第1跗节长于第2跗节。两阳叶端部分离，基部合并；各阳茎叶端部呈3个突起状；两阳茎之间的凹陷处中央具1个短小的指状突起（在有些个体，突起不明显）；各阳茎叶具1个刺突。尾丝具红色环纹。

雌成虫体长8.0mm；体色与雄成虫类似。第7腹节腹板后缘略凸出，第7腹板的中部加厚，形成1个略呈四方形的盖状结构；肛下板的后缘平截。

采集记录：2♂20♀，佛坪岳坝，1999.Ⅶ.25，谢强、周长发采；1♂3♀，佛坪岳坝，1999.Ⅶ.23，谢强、周长发采。

分布：陕西（佛坪），中国南方广布。

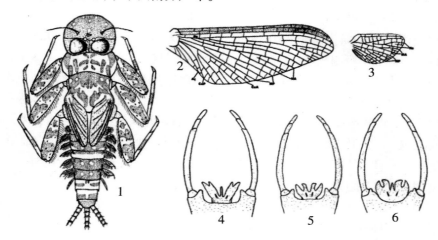

图51　似动蜉属 *Cinygmina* 三种的形态

1～4. 宜兴似动蜉 *C. yixingensis* Wu *et* You(1. 稚虫；2. 前翅；3. 后翅；4. 雄性外生殖器腹面观)；5. 斜纹似动蜉 *C. obliquistrita* You *et al.* 雄性外生殖器腹面观；6. 红斑似动蜉 *C. rubromaculata* You *et al.* 雄性外生殖器腹面观

4. 高翔蜉属 *Epeorus* Eaton, 1881

Epeorus Eaton, 1881：26. **Type species**：*Epeorus torrentium* Eaton, 1881.

Iron Eaton, 1885（in 1883-1888）：244. **Type species**：*Epeorus longimanus* Eaton, 1883.

Ironopsis Traver, 1935：36. **Type species**：*Iron grndis* McDunnough, 1935.

Epeorus（*Epeorus*），Burks, 1953：194.

Epeiorn Demoulin, 1964：358. **Type species**：*Epeiron amseli* Demoulin, 1964.

属征：稚虫上唇前缘中央具浅缺刻；下颚表面具一细毛列；鳃7对，第1对鳃的膜片部分扩大，延伸到腹面，二者在腹面接触或不接触，与其他鳃一起形成吸盘状结构，第7对鳃的膜片部分也可能延伸到腹面；仅2根尾须，尾须上具刺和细毛。

成虫复眼在头顶接触或几乎接触；前翅基部C脉与Sc脉之间的横脉发育良好，后翅相对较大，为前翅长度的0.3～0.4倍；前足第1跗节约与第2跗节等长或略长；阳茎腹面基部中央膜质，2个阳茎叶在基部愈合或分离，具或不具阳端突。

分布：东洋区，全北区。秦岭地区记录2种。

（6）透明高翔蜉 *Epeorus pellucidus*（**Brodsky，1930**）（图52）

Cinygma pellucida Brodsky，1930：35.

Epeorus latifolium Tshernova，1949：145.

Cinygmula pellucida Kustareva，1978：92.

鉴别特征：稚虫体长14.0mm。头壳侧面平直，前缘具黑色斑点；腿节具黑色斑块；第1和第7对鳃的膜片部分扩大，延伸到腹部腹面，但左右两鳃不相互重叠；肛下板的宽度约为长度的1.0倍，肛下板后缘生有细毛簇。

雄成虫体长10.0～13.0mm，前翅长12.0mm，后翅长4.5～5.0mm，前足长13.5mm，尾须长30.0～35.0mm。头胸部黄色，腹部浅白色，只在各节背板的后缘具少许黑色斑点。两复眼黑色，在头顶背面接触；前后翅的纵脉基部黑色，其他部分透明；纵脉黑色，横脉色浅；前足腿节、胫节、跗节之比为3.0：3.5：7.0，跗节各节按长度大小顺序排列为1、2、3、4、5。后足与中足相似，腿节、胫节、跗节之比为3.0：2.0：1.5，跗节各节按长度大小顺序排列为1、2、3、5、4，其中第1节略比第2节短；阳茎明显棒状，左右阳茎叶分离较开，各具1根明显的阳端突；尾须白色。

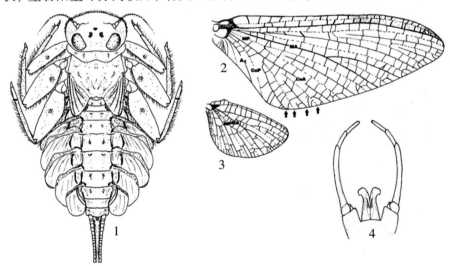

图52　透明高翔蜉 *Epeorus pellucidus*（Brodsky）
1. 稚虫形态；2. 前翅；3. 后翅；4. 雄性外生殖器腹面观

雌成虫体长11.0～13.0mm。第7腹节腹板的后缘扩展至近第8腹板的后缘，加厚，形成盖状；侧板略凹陷；肛下板的后缘呈3个突起状。

采集记录：2♂，宝鸡秦岭关口，1982.Ⅴ.26，归鸿、吴兴永采；15♂2♀，宁陕火地塘，1982.Ⅶ.24，归鸿、吴兴永采。

分布：陕西（宝鸡、宁陕）、河南、甘肃，东北；蒙古，俄罗斯，朝鲜。

（7）钩突高翔蜉 *Epeorus ngi* **Gui，Zhou** *et* **Su，1999**（图 53）

Epeorus ngi Gui，Zhou *et* Su，1999：332.

鉴别特征：雄成虫体长 13.0~15.0mm，尾须长 45.0mm，前翅长 14.0mm，后翅长 5.5mm，前足长 16.0mm。体呈棕黑色；两复眼在背面距离不及中单眼的宽度。前足棕黑色；前足腿节、胫节、跗节之比为 3.0：4.5：7.5，跗节各节按长度大小顺序排列为 1、2、3、4、5；中后足棕黄色，腿节色略深，中央背面具 1 个黑色斑块；跗节长度为胫节长度的 0.7~0.8 倍，第 1 跗节与第 2 跗节相等。前后翅透明，翅脉粗而明显；前翅的 C、Sc 区的横脉周围有色素沉淀。纵脉褐色至黑色，横脉褐色。腹部各节背板的前后缘黑色，前缘的黑纹窄于后缘的横纹，侧面各具 1 对黑色斜纹，与后缘横纹连接在一起，背中线处具 1 条褐色纵纹。尾铗 3~4 节长度之和略长于第 2 节的 1/2。阳茎叶基部合并，端部分开。阳茎干的中央膜质，两侧骨化；各阳茎叶侧面具 1 个长而明显的钩状突起，突起的端部尖锐，又具一些齿突，弯向前方；阳端突明显，针刺状。尾须 2 根，黑色。

雌成虫体长 13.0mm；体色与雄成虫类似；肛下板后缘中央凹陷。

采集记录：1♂，周至板房子，1994.Ⅷ.07，卜文俊采；3♂，佛坪岳坝，1999.Ⅶ.25，谢强、周长发采；1♂，佛坪岳坝，1999.Ⅶ.23，谢强、周长发采。

分布：陕西（周至、佛坪）、福建、重庆。

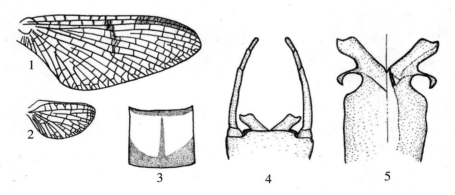

图 53 钩突高翔蜉 *Epeorus ngi* Gui，Zhou *et* Su（雄成虫）
1. 前翅；2. 后翅；3. 腹部背板；4. 外生殖器；5. 阳茎背面观（左）和腹面观（右）

四、四节蜉科 Baetidae

鉴别特征：稚虫体长 3.0~12.0mm。一般较小，身体大多呈流线型，运动有点像小鱼；身体背腹厚度大于身体宽度；触角长度大于头宽的 2.0 倍；后翅芽有时消失；腹部各节的侧后角延长成明显的尖锐突起；鳃一般 7 对，有时 5 对或 6 对，位于 1~7 腹节背侧面；2 或 3 根尾丝，具有长而密的细毛。

成虫复眼分明显的上下两部分，上半部分成锥状突起，橘红色或红色；下半部分圆形，黑色；前翅的 IMA、MA_2、IMP、MP_2 脉与翅的基部游离，横脉减少，在相邻纵脉间的翅缘部具典型的 1 或 2 根缘闰脉；后翅极小或缺如；前足 5 节，中后足的跗节 3 节；阳茎退化成膜质；2 根尾丝。

生物学：本科种类繁多，食性复杂；各种水体都有分布，静水区域和流水区域都能采到很多种类，是蜉蝣类中的重要成员；以切食性种类为主；有孤雌生殖的报道。

分类：陕西秦岭地区发现 1 属 1 种。

5. 二翅蜉属 *Cloeon* Leach, 1815

Cloeon Leach, 1815：137. **Type species**：*Cloeon dipterum*（Linneanus, 1761）.

Cloe（in part）Burmeister, 1839：797. **Type species**：*Ephemera diptera* Linnaeus, 1839.

属征：稚虫上颚具细毛簇，切齿端部分离；下颚须 3 节；下唇须 3 节，第 3 节四方形；爪较长，具 2 排齿或无齿；鳃 7 对，分为 2 片；无后翅芽；3 根尾丝；第 8~9 背板侧缘具刺。

成虫缘闰脉单根，无后翅；两尾铗之间有锥状突起。

分布：中国南部。秦岭地区发现 1 种。

(8) 浅绿二翅蜉 *Cloeon viridulum* Navás, 1931（图 54）

Cloeon viridulum Navás, 1931：6.

鉴别特征：稚虫体长 3.0~7.0mm，尾丝长 2.0~3.0mm。虫体呈棕红色或黑褐色。复眼红褐色，胸部红褐色至黑色；各足腿节、胫节和跗节中后部位各有 1 个棕色斑块；腹部背板棕褐色，第 2~10 体节均有 1 对白色斑点，第 7~9 体节白色斑点略大，后侧另有 3 个略小的白色斑点；鳃 7 对，着生于第 1~7 腹节末端，前 6 对双片，第 7 对单片，鳃内气管发达；尾丝 3 根，长度基本相等；尾丝内侧和中尾丝两侧具浓密的细毛，着生有棕色环纹。

雄成虫体长 7.0 ~ 8.0mm，翅长 6.5 ~ 7.5mm，尾丝长 12.0mm。复眼上半部分红褐色，呈圆锥状，下半部分灰绿色；翅痣区有 4 ~ 5 根横脉；腹部透明至红褐色，第 8 ~ 10 腹节背板为红褐色；2 根尾丝，着生有棕色环纹；尾铗 3 节，第 3 节圆形，并向内侧弯；尾铗间突起呈圆锥状。

采集记录： 1 稚虫，户县大水屯村白马河，2012. Ⅴ，徐盛、谢钊采。

分布： 陕西（户县）、江苏、上海、浙江。

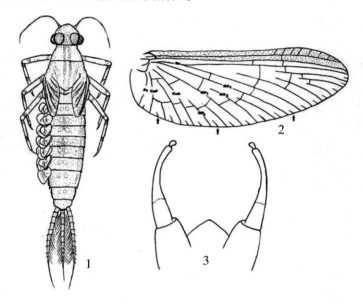

图 54   浅绿二翅蜉 *Cloeon viridulum* Navás

1. 稚虫形态；2. 雄成虫前翅；3. 雄成虫外生殖器腹面观

五、小蜉科 Ephemerellidae

鉴别特征： 稚虫体长 5.0 ~ 15.0mm，一般在同一地点采集到的所有蜉蝣种类中属中等大小；身体的背腹厚度略小于体宽，不特别扁，也不呈圆柱形，常为较暗的红色、绿色或黑褐色。体背常具各种瘤突或刺状突起；腹部第 1 节上的鳃很小，不易看见；第 2 节无鳃，第 3 ~5 或 3 ~6 或 3 ~7 或 4 ~7 腹节上的鳃一般分背、腹两枚，背方的膜质片状，腹方的鳃常分为两叉状，每叉又分为若干小叶；第 3 或第 4 腹节上鳃有时扩大而盖住后面的鳃；鳃背位；3 根尾丝，具刺。

成虫体一般呈红色或褐色，复眼上半部红色，下半部黑色。前翅翅脉较弱，MP_1 脉与 MP_2 脉之间具 2 ~3 根长闰脉；MP_2 脉与 CuA 脉之间具闰脉，CuA 脉与 CuP 脉之间具 3 根或 3 根以上的闰脉，CuP 脉与 A_1 脉向翅后缘强烈弯曲；翅缘纵脉间具单根缘闰脉；尾铗第 1 节长度不及宽度的 2.0 倍，第 2 节长度是第 1 节长度的 4.0 倍以上，第3节较第2节短或极短；3根尾丝。

　　生物学：形态多样，行动较缓慢；撕食性和刮食性种类居多。

　　分类：陕西秦岭地区共发现5属6种。

分属检索表（成虫）

1. 尾铗第3节长度只有宽度的1.0~1.5倍 ……………………………………… 3
　　尾铗第3节长度为宽度的2.0倍或更长 ………………………………………… 2
2. 尾铗第2节强烈弯曲，第3节明显较长 …………………… **弯握蜉属 *Drunella***
　　尾铗第2节不明显弯曲，第3节明显较短 ……………… **大鳃蜉属 *Torleya***
3. 尾铗第2节强烈弯曲 …………………………… **带肋蜉属 *Cincticostella***
　　尾铗第2节不明显弯曲 …………………………………………………………… 4
4. 阳茎背面突起较大，在腹面观中可见 …………………… **天角蜉属 *Uracanthella***
　　阳茎背面突起小，在腹面观中不可见 …………………… **锯形蜉属 *Serratella***

分属检索表（稚虫）

1. 前足腿节明显扩大，前缘可能具明显齿突 ………………… **弯握蜉属 *Drunella***
　　前足腿节不明显扩大，前缘可能具小刺，但不呈锯齿状 …………………… 2
2. 中胸背板前侧角向侧面延伸，明显呈块状突出 …………… **带肋蜉属 *Cincticostella***
　　中胸背板前侧部不向侧面延伸突出 ……………………………………………… 3
3. 第3腹板上的鳃大，几乎覆盖后面两对；身体各部明显具毛 ……… **大鳃蜉属 *Torleya***
　　第3腹板上的鳃相对较小，只部分覆盖后面两对；各体可能具刺，但毛不明显 …… 4
4. 下颚须消失；下颚端部缺刺而密生细毛 …………………… **天角蜉属 *Uracanthella***
　　下颚须消失或存在；下颚端部具刺和细毛 ……………… **锯形蜉属 *Serratella***

6. 大鳃蜉属 *Torleya* Lestage，1917

Torleya Lestage, 1917：366. **Type species**：*Torleya belgica* Lestage, 1917.

　　属征：稚虫的鳃位于腹部第3~7节背板的两侧，第1对鳃大，几乎盖住后面2对鳃；前4对鳃结构相似，分成背、腹两叶，背叶单片膜质，腹叶分成二叉状，每叉又分成许多小叶，第5对鳃较小，其腹叶不呈二叉状分支，一般只分成4个小叶。

　　成虫尾铗第3节长度为宽度的2.0倍，第2节强烈弯曲，长度是第1节长度的4.0倍以上；2个阳茎叶大部分愈合，背面两侧各具1个较大的侧突。

　　分布：全北区。秦岭地区有1种。

（9）膨铗大鳃蜉 *Torleya tumiforceps*（Zhou et Su，1997）（图 55）

Serratella tumiforcpes Zhou et Su，1997：42.

Torleya tumiforceps：Zhou，2002：135.

鉴别特征：稚虫体长 5.0mm 左右；体呈棕黄色。身体各部具程度不同的刺和细毛，前足腿节上的刺最多；下颚须消失，下颚端部密生刺突；腹部 3~7 背板中央各具 1 对小的刺突；鳃位于 3~7 腹节背面，第 1 对鳃扩大，基本盖住后面几对鳃。

雄成虫体长 5.5~7.0mm；体呈棕红色或略浅，各足淡黄色。尾铗第 1 节短而宽，第 2 节长直，端部明显膨大，第 3 节最为短小，长度不到宽度的 2.0 倍；阳茎长，2 个阳茎叶大部愈合，仅在端部呈"V"形分离，阳茎背面靠近端部两侧各具 1 个小而尖的突起；尾丝 3 根，淡黄色。

采集记录：1 稚虫，1♀4♂，佛坪岳坝，2000.Ⅶ.25，周长发采。

分布：陕西（佛坪、秦岭），秦岭以南地区。

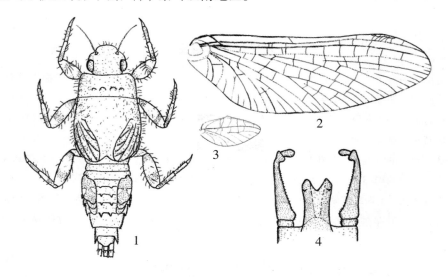

图 55 膨铗大鳃蜉 *Torleya tumiforceps*（Zhou et Su）

1. 稚虫背面观；2. 前翅；3. 后翅；4. 雄性外生殖器背面观

7. 带肋蜉属 *Cincticostella* Allen，1971

Chitonophora Uenó，1930：31（nec Bengtsson，1908）.

Cincticostella Allen，1971：513（as subgenus）. **Type species**：*Ephemerella nigra* Uenó，1928.

属征：稚虫前胸和中胸背板前侧角向侧面突出；鳃位于 3~7 腹节背板的两侧，前 3 对形状相似，分成背、腹两叶，背叶膜质单片；腹叶分成 2 叉，每叉又分成若干小叶；第 6 腹节上的鳃略小，腹叶分成 8~10 个小叶，不分成二叉状；第 7 腹节上的鳃最小，形状与第 4 对鳃相似，但腹叶一般只分成 4~5 个小叶；尾丝节间具刺。

雄成虫尾铗第 2 节长度是基节长度的 4.0 倍多，端部弯曲，第 3 节长度不及宽度的 2.0 倍；2 个阳茎叶基部或大部愈合，端部分离。

分布：亚洲。秦岭地区记录 1 种。

(10) 黑带肋蜉 *Cincticostella nigra*（Uenó，1928）（图 56）

Ephemerella nigra Uéno，1928：44.

Ephemerella nigra：Uéno，1959，48.

Chitonophora（？）*nigra* Uéno，1931a，224.

Ephemerella sp.（tentatively named as "nay"）（in part）：Imanishi，1940，206（first record from China）.

Cincticostella（*Cincticostella*）*nigra*：Allen，1980，82；Ishiwata，2003，333；Tshernova *et al.*，1986，138；Gose，1980，288；1980，368；1985，26；Ishiwata，2003，332.

Cincticostella nigra Ishiwata，1987，29；Yamasaki，1987，115；Hatta and Ishiwata，1990，169；Ishiwata *et al.*，1991，25；Tiunova，1995b，6：Ishiwata and Inada，1996，38；Ishiwata，1997，293；Bae，1997，409；Ishiwata，2000，73；2001，60；2002，7；Jacobus and McCafferty，2008，239；Xie *et al.*，2009，53.

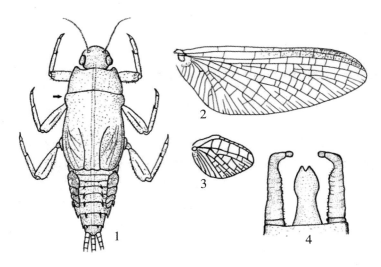

图 56　黑带肋蜉 *Cincticostella nigra*（Uéno）
1. 稚虫背面观；2. 前翅；3. 后翅；4. 雄性外生殖器背面观

鉴别特征：稚虫体长 9.5~10.5mm，尾丝长 7.0~8.0mm。下颚须长度是下颚内颚叶高度的 1/3；前足腿节近端部和近基部各具 1 列小刺，前足前缘具许多细毛和小刺；爪具 5~9 个齿。

雄成虫体长 8.5～11.5mm，前翅长 10.0～11.5mm。除翅痣区半透明外，翅的其余部分透明；足黄色，前足胫节长度是腿节的 2.0 倍，跗节各节长度排列顺序为 2、3、4、5、1；阳茎顶端尖，亚端部略膨大，尾铗第 2 节在近端部呈明显关节状而使其向内弯曲，第 3 节长不及宽的 2.0 倍。

采集记录：8 稚虫，留坝庙台子，1962.Ⅳ；4♂1♀，关口，1982.Ⅶ.26，归鸿、吴兴永采；2♀，佛坪岳坝，2000.Ⅶ.25，周长发采；1♂15♀，宁陕旬阳坝，1982.Ⅶ.02，归鸿、吴兴永采。

分布：陕西（留坝、佛坪、宁陕），中国北方广布；俄罗斯，韩国，日本。

8. 锯形蜉属 *Serratella* Edmunds, 1959

Serratella Edmunds, 1959：544（as subgenus）. **Type species：***Ephemerella serrata* Morgan, 1959.

属征：稚虫下颚须一般较退化，有些种类无下颚须；鳃位于腹部第 3～7 节背面两侧，前 4 对形状相似，都分成背、腹两叶，背叶膜质；腹叶分成二叉状，每叉又分成许多小叶，最后 1 对鳃较前 4 对小，且腹叶不分成二叉状，仅分成 6～10 个小叶；尾丝在节间具 1 圈小刺或长细毛；尾丝短于体长。

成虫尾铗第 3 节长度不及宽度的 2.0 倍，第 2 节直，长度是第 1 节长度的 4.0 倍以上；2 个阳茎叶大部愈合，每一个阳茎叶背面具 1 个侧突，阳茎背腹具刺。

分布：亚洲，北美洲。秦岭地区记录 2 种。

(11) 长茎锯形蜉 *Serratella longipennis* Zhou, Su et Gui, 1997（图 57）

Serratella longipennis Zhou, Su et Gui, 1997：269.

鉴别特征：雄成虫体长 7.5mm；体呈棕红色。复眼大，在头顶相接触，上半部橘红色，下半部黑色；前翅长 6.0mm，翅脉弱，翅痣区翅脉分叉，前缘区和亚前缘区半透明，横脉极弱，翅缘具游离闰脉，后翅前缘中部具 1 个小而钝的前缘突；后足腿节、胫节、跗节之比为 1.0：0.7：0.5，跗节 4 节，其长度排列顺序为 4、1、2、3；外生殖器淡黄色，尾铗略弯曲，3 节，第 2 节最长，第 3 节小，长为宽的 1.5 倍，阳茎略短于尾铗长度，2 个阳茎叶大部分愈合，只在端部分离，阳茎叶端部分离处具 1 个小的向背面的突起，每一个阳茎叶背部又各具 1 个小的略向侧面的突起；尾丝 3 根等长，均为 7.0mm，基部节间具黑色横纹。

雌成虫体长较雄成虫稍大，8.0～8.5mm。复眼小，黑色；横脉脉弱。

采集记录：2♂，宁陕旬阳坝，1982.Ⅶ.02，归鸿、吴兴永采。

分布：陕西（宁陕），中国北方广布。

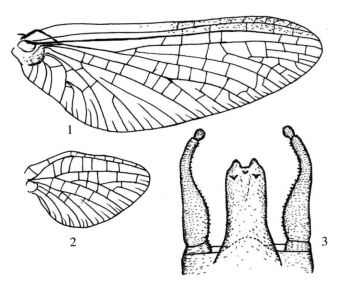

图 57　长茎锯形蜉 *Serratella longipennis* Zhou, Su *et* Gui
1. 前翅；2. 后翅；3. 雄性外生殖器背面观

（12）景洪锯形蜉 *Serratella jinghongensis*（Xu *et al.*, 1980）（图 58）

Ephemerella（*Serratella*）*jinghongensis* Xu *et al.*, 1980：413.

Serratella albostriata Tong *et* Dudgeon, 2000：198.

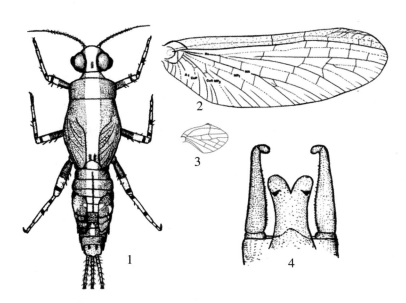

图 58　景洪锯形蜉 *Serratella jinghongensis*（Xu *et al.*）
1. 稚虫背面观；2. 前翅；3. 后翅；4. 雄性外生殖器背面观

鉴别特征: 稚虫体长 5.5mm, 尾丝长 4.0mm。整个身体基本呈棕褐色至棕黑色, 但身体各部分都具色斑, 最明显的是身体背部中央从头顶到腹部第 5 节具 1 条纵向的白色宽纵纹, 在头部、胸部和腹部各节中央可能具褐色纵纹; 腹部第 8、9 节的中央具白色斑块, 其余为黑褐色; 腿节基部大部分为褐色或黑色, 在端部又具 1 个黑色环纹; 胫节具 2 个环纹, 跗节具 1 个环纹; 尾丝中部黑褐色。下颚须消失, 下颚端部具锐利的刺和黄色的细毛; 足细长, 各节稀生长刺; 爪具 9 枚齿, 端部的 1 枚最大, 使爪看上去像分二叉状; 鳃 5 对, 位于 3~7 腹节背板的背面; 尾丝 3 根, 具较长的刺。

雄成虫体长 5.0~6.0mm。体呈棕红色, 在身体中线处具 1 对纵向的白色条纹, 较宽, 在中胸背板处最为明显; 腹部 2~3 节背板往往各具 1 对棕黑色的斑块, 有时整个两节背板都呈黑色; 腿节端部红棕色。复眼大, 在头顶距离很近, 但不接触; 前翅长 5.0mm, 翅痣区白色; 后翅小, 前缘突位于翅前缘近中央, 突起的两侧呈直线状; 尾铗 3 节, 第 2 节粗壮, 第 3 节的长度不到宽度的 2.0 倍; 阳茎叶端部分离, 背部具 1 对突起, 突起较小, 在正腹面看不见; 尾丝 3 根, 均比体长, 中尾丝比尾丝略长。

采集记录: 1 稚虫, 周至厚畛子, 2000.Ⅶ.23, 谢强、周长发采。

分布: 陕西(周至), 中国秦岭以南广大地区。

9. 天角蜉属 *Uracanthella* Belov, 1979

Urocanthella Belov, 1979: 577(as subgenus). **Type species**: *Ephemerella rufa* Imanishi, 1937.

属征: 稚虫下颚无下颚须, 下颚端部无刺, 密生细毛。
雄成虫尾铗第 2 节直, 第 3 节短小; 阳茎背面具明显的突起。
分布: 古北区, 东洋区。秦岭地区记录 1 种。

(13) 红天角蜉 *Uracanthella punctisetae* (**Matsumura, 1931**) (图 59)

Durnella punctisetae Matsumura, 1931: 1471.
Ephemerella rufa Imanishi, 1937: 327.
Ephemerella lenoki Tshernova, 1952: 275.
Uracanthella markevitshi Belov, 1979: 579.

鉴别特征: 稚虫体长 5.0~8.0mm。从头部至腹部第 3 节具 1 对白色纵纹, 背中线处也呈白色, 但背中线的两侧为褐色, 故看上去似身体背面具 3 条白色纵纹; 各足腿节基部黑褐色, 胫节具 2 个褐色环纹, 跗节具 1 个环纹; 身体其他部分基本呈棕红至棕黑色。下颚须消失, 下颚的端部密生黄色的细长毛, 无刺; 爪具小齿 8 枚, 端部 1 枚最大, 使爪呈二叉状分叉; 腹部背板无突起, 背板侧后缘突起小; 尾丝节间处具 1 圈小刺。

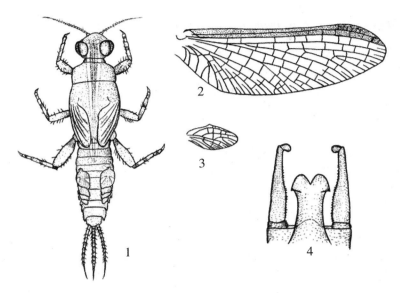

图 59　红天角蜉 *Uracanthella rufa*（Matsumura）

1. 稚虫背面观；2. 前翅；3. 后翅；4. 雄性外生殖器背面观

　　雄成虫体长 5.0～10.0mm；体呈棕红色。前足跗节第 2 节比第 3 节稍长。外生殖器尾铗直，第 1 节粗短，第 3 节短小，长不及宽的 2.0 倍；阳茎背部具 1 对较大的突起，腹面观可见突起的顶端；尾丝略长于身体的长度，其上具棕色环纹。

　　采集记录：1♂8♀，5 稚虫，周至厚畛子，2000.Ⅶ.23，谢强、周长发采；1♂1♂亚，5♀，4 稚虫，佛坪岳坝，2000.Ⅶ.25，谢强、周长发采。

　　分布：陕西（周至、佛坪），中国大部分地区；俄罗斯，朝鲜，日本。

10．弯握蜉属 *Drunella* Needham，1905

Drunella Needham，1905：42．**Type species**：*Ephemerella grandis* Eaton，1905．

　　属征：稚虫头部一般具额突，中单眼顶部突出；前足腿节内缘呈锯齿状，腿节背面具棱或具瘤状突起；腹部背板具成对的棱或刺突；鳃位于 3～7 腹节背板的两侧，前 3 对形状相似，分成背、腹两叶，背叶膜质单片，腹叶分成二叉，每叉又分成许多小叶，第 4 对鳃略小，腹叶分成 8～10 个小叶，但不分成二叉状；第 5 对鳃最小，形状与第 4 对鳃相似，但腹叶一般只分成 4～5 个小叶；尾丝具细毛。

　　雄成虫尾铗第 2 节长度是基节长度的 4.0 倍以上，第 3 节的长度是宽度的 2.0～4.0 倍，第 2 节强烈弯曲或成弓状；2 个阳茎叶愈合，不具任何突起。

　　分布：亚洲，北美洲。秦岭地区发现 1 种。

(14) 石氏弯握蜉 *Drunella ishiyamana* Matsumura, 1931 (图 60)

Drunella ishiyamana Matsumura, 1931: 1470.

Ephemerella latipes Tshernova, 1952: 273.

Ephemerella ishiyama: Edmunds, 1959: 546, incorrect spelling.

Ephemerella yoshinoensis: Gose, 1963: 142.

鉴别特征: 稚虫体长 10.0 ~ 12.0mm。头部具 3 个向前伸的疣状额突, 触角窝处的突起较大, 中单眼背部的突起较小; 下颚须发达; 前足腿节前缘具有 7 ~ 10 枚小刺而使前缘呈波浪状, 内侧刺较大, 而外侧刺较小, 腿节具 1 条明显突起的棱, 背面具若干枚齿突; 胫节端部延伸极长而成 1 个尖状突起; 腹部背板中央有 1 对低棱。

雄成虫体长 10.0 ~ 12.0mm。尾铗弯曲, 第 1 节粗短, 第 2 节最长, 弯曲呈弓状, 端节长, 长是宽的 2.0 ~ 4.0 倍; 阳茎大部分愈合, 亚端部略膨大; 尾丝色淡。

采集记录: 2 稚虫, 周至沙梁子, 1992.Ⅶ, 鲁亮、孙长海采; 100 稚虫, 周至厚畛子, 2000.Ⅶ.23, 谢强、周长发采; 30 稚虫, 华山五龙桥, 1992.Ⅶ, 鲁亮采; 1 稚虫, 留坝庙台子, 1962.Ⅳ, 周尧采; 15♀, 1♂亚, 1♀亚, 100 稚虫, 留坝庙台子, 2000.Ⅷ.30, 周长发采; 20 稚虫, 留坝张良庙; 1 稚虫, 佛坪岳坝, 2000.Ⅶ.25, 谢强、周长发采; 20 稚虫, 宁陕旬阳坝, 1982.Ⅶ.20, 归鸿、吴兴永采。

分布: 陕西(周至、华阴、留坝、佛坪、宁陕); 亚洲。

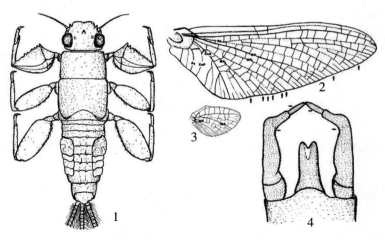

图 60　石氏弯握蜉 *Drunella ishiyamana* Matsumura

1. 稚虫背面观; 2. 前翅; 3. 后翅; 4. 雄性外生殖器腹面观

六、越南蜉科 Vietnamellidae

鉴别特征：稚虫第 1 腹节有 1 对丝状鳃或无鳃，其余鳃 6 对，位于腹部 2 ~ 7 腹节，第 2 节上的鳃扩大或与其他各节的鳃大小相似，不呈盖状；3 根尾丝。

成虫前翅 MP_1 脉与 MP_2 脉之间具 3 根以上的长闰脉，MP_2 的长度长于 CuA 脉与 CuP 脉之间的闰脉；翅痣区的横脉分成上下两部分；尾铗 3 节，第 1 节的长度与第 2 节的长度几乎相等；3 根尾丝。

生物学：生活于山区流水区的石块下，习性可能与小蜉科类似。

分类：陕西秦岭地区发现 1 属 1 种。

11. 越南蜉属 *Vietnamella* Tshernova，1972

Vietnamella Tshernova，1972：612. **Type species**：*Vietnamella thani* ，1972(nymph).

属征：稚虫头部具 2 对伸向前方的角突，其中外侧 1 对较大；前足内缘呈锯齿状；腹部背板具隆起的棱；鳃位于腹部 1 ~ 7 节背板两侧，第 1 对鳃小，丝状，不分节，后面 5 对鳃分背、腹两部分，背叶膜质，腹叶分成二叉状，每叉又分成许多小叶；第 7 对鳃较小，分背、腹两叶，背叶单片膜质，腹叶不分成二叉状，只分成 2 ~ 3 个小叶；尾丝布满细毛。

成虫尾铗基节与第 2 节约等长，第 3 节短小，长度不及宽度的 2.0 倍；阳茎完全愈合；前翅无真正的缘闰脉，后翅圆形。

分布：中国；越南。秦岭地区发现 1 种。

(15) 中华越南蜉 *Vietnamella sinensis*（Hsu，1936）（图 61）

Ephemerella sinensis Hsu，1936：325.
Ephemerellina sinensis：Allen & Edmunds，1963：15.
Vietnamella sinensis：Wang & McCafferty，1995：194.

鉴别特征：稚虫体长 15.0mm。头上有 2 对突起，触角外侧长有 1 对大而直的角状突出；口器与一般小蜉科种类相似；前胸背板的前角呈尖形，前足腿节宽大，其前缘有 1 排 5 ~ 8 枚利齿，胫跗节正常，无突起，中后足正常；第 1 ~ 10 腹节背面的中线两侧具矮的成对纵脊，各节后角向后延伸极尖，前、中、后足的腿节上有 2 ~ 3 对横向斑纹；鳃 7 对，位于 1 ~ 7 腹节；中尾丝略长于尾丝，尾丝长 8.0mm，其上密布细毛。

雄成虫体长 13.0 ~ 16.0mm，前翅长 13.0 ~ 17.0mm。两复眼在头部背中央相接触；后翅较大，无前缘突，呈圆形；尾铗 3 节，第 1、2 节几乎相等，第 3 节短小，阳茎叶几乎完全愈合，只在端部浅分，并几丁质化；尾丝 3 根，长 16.0mm。

采集记录：1♀，佛坪岳坝，2000.Ⅶ.25，谢强、周长发采。

分布：陕西（佛坪），中国中东部广布。

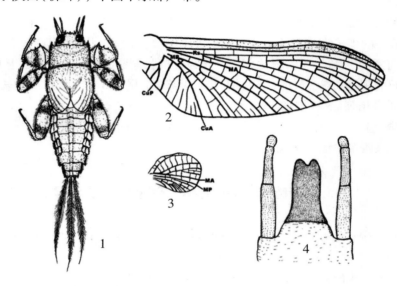

图 61　中华越南蜉 *Vietnamella sinensis*（Hsu）

1. 稚虫形态；2. 前翅；3. 后翅；4. 雄性外生殖器腹面观

七、细蜉科 Caenidae

鉴别特征：稚虫个体小，除触角和尾丝外，体长一般在 5.0mm 以下；身体扁平。后翅翅芽缺如；第 1 腹节上的鳃单枚，2 节，细长；第 2 节上的鳃背叶扩大，呈四方形，将后面的鳃全部盖住，左右两鳃重叠，背表面具隆起分支的脊；3~6 腹节上的鳃片状，单叶，外缘呈缨毛状，缨毛状部分可能再分支；鳃位于体背；3 根尾丝，色淡，不显见，具稀疏长毛。

成虫个体较小，一般在 8.0mm 以下。复眼黑色，左右分离较远，看上去像位于头的侧面；前翅后缘具缨毛，横脉极少；后翅缺如；尾铗 1 节，阳茎合并；3 根尾丝。

生物学：大多数生活于静水水体（如水库、池塘、浅潭、水洼等）的表层基质中，如泥质、泥沙与枯枝落叶混合的底质中，少数生活于急流底部；由于其非常小且不活泼，不易被采到；游泳能力不强，行动缓慢；滤食性和刮食性。

分类：陕西秦岭地区记录 1 属 1 种。

12. 细蜉属 *Caenis* Stephens, 1835

Caenis Stephens, 1835：60. **Type species**：*Caenis macrura* Stephens, 1835.

Oxycypha Burmeister, 1839：796. **Type species**：*Oxycypha luctuosa* Burmeister, 1839.

Ordella Campion, 1923：518. **Type species**：*Caenis macrura* Stephens, 1835.

属征：稚虫体长 2.0~7.0mm。头顶无棘突；上颚侧面具毛，下颚须及下唇须 3 节；前足与中后足长度相差不大，前足腹侧位，使前胸腹板呈三角形状；爪短小，尖端可能弯曲；腹部各节背板的侧后角可能向侧后方突出呈尖锐状，但不向背方弯曲；尾丝 3 根，节间具细毛。

成虫翅长 2.0~5.0mm；触角梗节为柄节长度的 2.0 倍左右；前胸腹板宽是长的 2.0~3.0 倍，三角形。目前已知种类超过百种。

分布：除大洋洲外的各大动物地理区。秦岭地区记录 1 种。

(16) 中华细蜉 *Caenis sinensis* Gui, Zhou *et* Su, 1999（图 62）

Caenis sinensis Gui, Zhou *et* Su, 1999：343.

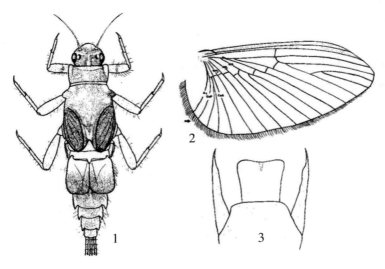

图 62 中华细蜉 *Caenis sinensis* Gui, Zhou *et* Su
1. 稚虫；2. 前翅；3. 雄性外生殖器腹面观

鉴别特征：稚虫体长 2.5mm。体色浅；中胸背板前侧角的略后方向侧方突出呈 1 个明显的耳状突起；腹部 1~2 节背板色较浅，鳃盖前半部分色淡，后半部分为棕黄色；7~9 背板中央部分棕黄色，边缘部分色浅，第 10 节背板色浅；7~9 背板的侧后角向后方略扩展成尖锐的角状；腹部各部分都具细长毛；尾丝节间具稀疏的细毛。

雄成虫体长 2.8mm 左右。触角梗节长度是柄节长度的 2.0 倍，鞭节基部强烈膨大，在膨大部位的外侧具 1 个凹陷的窝状结构；前足腿节、胫节、跗节之比为 3.5：2.5：2.5；尾铗细棒状，表面光滑，顶端强烈几丁质化，形成 1 个几丁质的尖锐帽状结构；生殖下板浅白色，具不明显的色斑；尾丝 3 根，无色丝状。

采集记录： 2 稚虫，华山五龙桥，1993. Ⅶ，鲁亮、孙长海采。

分布： 陕西（华阴）、北京、江苏、安徽、福建、贵州。

八、细裳蜉科 Leptophlebiidae

鉴别特征： 稚虫体长一般在 10.0mm 以下；身体大多扁平。下颚须与下唇须 3 节；鳃 6 或 7 对，除第 1 和第 7 可能变化外，其余各鳃端部大多分叉，具缘毛，形状各异，一般位于体侧，少数位于腹部；3 根尾丝。

成虫虫体一般在 10.0mm 以下。雄成虫的复眼分为上下两部分，上半部分为棕红色，下半部分为黑色；前翅的 C 及 Sc 脉粗大，MA_1 与 MA_2 之间具 1 根闰脉；MP_1 脉与 MP_2 脉之间具 1 根闰脉，MP_2 脉与 CuA 脉之间无闰脉，CuA 脉与 CuP 脉之间具 2 ~8 根闰脉；2 ~3 根臀脉，强烈向翅后缘弯曲；前足跗节 5 节，中后足跗节 4 节，而雌成虫的各足跗节都为 4 节；尾铗 2 ~3 节，一般 3 节，第 2 ~3 节远短于第 2 节；阳茎常具各种附着物；3 根尾丝。

生物学： 本科蜉蝣身体柔软，游泳能力不强，一般生活于急流的底质中或石块表面，在静水中也能采到；以滤食性为主，少数刮食性。

分类： 陕西秦岭地区记录 2 属 3 种。

分属检索表（成虫）

前翅 MP_2 脉与 MP_1 脉的连接点和 Rs 脉的分叉点与翅基的距离相差不大；翅缘明显骨化；尾铗基部强烈膨大；阳茎不具突起 ·· **宽基蜉属 _Choroterpes_**
前翅 MP_2 脉与 MP_1 脉的连接点和 Rs 脉的分叉点更远离翅基；翅缘不骨化；尾铗基部不明显膨大；阳茎腹面具 1 个明显的突起 ······························ **柔裳蜉属 _Habrophlebiodes_**

分属检索表（稚虫）

腹部第 1 对鳃与后面各对鳃在形状和结构上不同，第 1 对鳃单根丝状，2 ~7 对鳃的后缘可能分叉，其他部位完整，2 ~7 对鳃的后缘分裂成三叉状 ·················· **宽基蜉属 _Choroterpes_**
腹部第 1 对鳃与后面各对鳃在形状和结构上相似，都分为二叉状，头部下口式，上唇前缘中央深凹陷，东洋区分布 ·· **柔裳蜉属 _Habrophlebiodes_**

13. 宽基蜉属 *Choroterpes* Eaton, 1881

Choroterpes Eaton, 1881: 194. **Types species**: *Choroterpes lusitanica* Eaton, 1881.

Euthraulus Barnard, 1932: 240. **Type species**: *Euthraulus elegans* Barnard, 1932.

Thraululus Ulmer, 1939: 499. **Type species**: *Thraulus marginatus* Ulmer, 1939.

属征: 稚虫前口式, 鳃7对, 第1对鳃丝状, 单枚; 2~7对鳃相似, 基本呈片状, 后缘分裂为3枚尖突状。

成虫前翅的 Rs 分叉点离翅基的距离为离翅缘的距离的1/3, MA 脉的分叉点近中部, MA 脉呈对称性分叉; Rs 脉与 MP 脉的分叉点离翅基的距离相等; 后翅的前缘突圆钝, 大约位于后翅前缘的中部; 各足具2枚爪, 1枚钝1枚尖; 尾铗的基部一般粗大。本属分为2亚属, 中国种类全部为 *Euthraulus* 亚属的种类。本亚属包括约30种, 缺乏详细总结。

分布: 东洋区, 新热带区, 非洲区, 全北区。秦岭地区发现2种。

(17) 面宽基蜉 *Choroterpes facialis* (Gillies, 1951)(图63: 4)

Cryptopenella facialis Gillies, 1951: 127.

Cryptopenella facialis Peters and Edmunds, 1970, 202; Hubbard, 1986, 251; You and Gui, 1995, 79.

Choroterpes (*Cryptopenella*) *facialis* Zhou, 2006, 298.

鉴别特征: 稚虫前口式; 舌的中叶两侧具侧突; 下颚内缘顶端具1个明显的指状突起; 腿节具2个褐色斑块, 中间的较大; 腹部背板色斑; 鳃7对, 其中第1对鳃丝状, 单枚; 鳃内气管及气管分支明显可见。

雄成虫体长5.0mm, 前翅长5.5mm。外生殖器3节, 基节基部较膨大但不明显膨大成球状; 阳茎短小, 被生殖下板盖住, 只有顶端露出; 尾须白色, 基部具红色环纹。

采集记录: 3♂亚, 华山五龙桥, 1993.Ⅶ, 鲁亮、孙长海采; 2♂, 2♂亚, 3♀亚, 2稚虫, 佛坪岳坝, 2000.Ⅶ.23, 谢强、周长发采。

分布: 陕西(华阴、佛坪)、甘肃、安徽、浙江、福建、香港、贵州; 泰国。

(18) 宜兴宽基蜉 *Choroterpes yixingensis* Wu et You, 1989(图63: 1~3)

Choroterpes (*Euthraulus*) *yixingensis* Wu et You, 1989: 91.

鉴别特征: 稚虫体长6.0mm, 中尾丝长11.0mm, 尾须长8.0mm。下颚内缘顶端具明显的指状突出, 腿节具3个色斑; 鳃7对, 鳃内气管明显可见。

雄成虫体长 6.5mm 左右。腿节具 3 个褐色斑；尾铗基节基部明显膨大，几乎呈球形，膨大部分的端部内侧明显成角状突起；阳茎叶分离，但距离很近；阳茎叶露出生殖下板很长，阳茎叶基本呈管状，基部较端部粗大，端部逐渐变细，端部尖锐。

采集记录： 1♂，宁陕旬阳坝，1982. Ⅶ. 02，归鸿、吴兴永采。

分布： 陕西（宁陕）、江苏、安徽、浙江、江西、湖南。

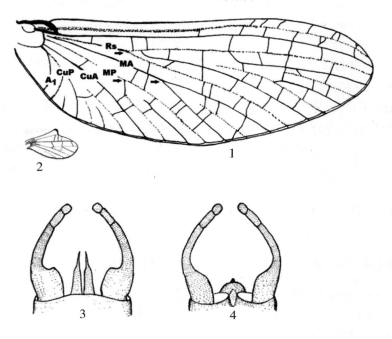

图 63　宽基蜉属 *Choroterpes* 两种的形态

1～3. 宜兴宽基蜉 *Choroterpes yixingensis* Wu et You(1. 前翅；2. 后翅；3. 雄性外生殖器腹面观)；4. 面宽基蜉 *Choroterpes facialis* (Gillies)雄性外生殖器腹面观

14. 柔裳蜉属 *Habrophlebiodes* Ulmer，1920

Habrophlebioides Ulmer，1920b：39. **Type species：** *Habrophlebioides americana Banks*，1920.

属征： 稚虫的鳃位于腹部 1～7 节，单枚，丝状，端部分叉，缘部具细小的缨须。

成虫前翅的 MP_2 脉与 MP_1 脉之间由横脉相连接，连接点比 Rs 脉的分叉点离翅的基部更靠外侧；后翅的前缘突尖，位于前缘中央；爪 2 枚，1 钝 1 尖；尾铗 3 节，阳茎端部腹面具 1 个较长的突起。雌成虫的第 7 腹板后缘具明显的导卵器，第 9 腹板后缘中央强烈凹陷。

分布： 新北区，东洋区。世界已知 4 种。我国已记录 2 种，秦岭地区发现 1 种。

(19) 紫金柔裳蜉 *Habrophlebiodes zijinensis* You et Gui, 1995（图64）

Habrophlebiodes zijinensis You et Gui, 1995：83.

鉴别特征：稚虫体长7.5mm左右；体呈褐色。胸部背板具不规则的褐色斑点；腹部背板的两侧及中央部分黄色，其他部分褐色；鳃7对，形状相似，位于1~7腹节两侧；鳃1枚，分叉，边缘具缨毛；鳃内黑色气管及分支气管明显；尾丝3根。

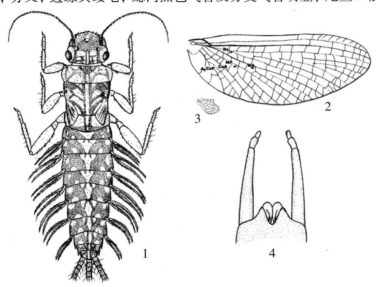

图64　紫金柔裳蜉 *Habrophlebiodes zijinensis* You et Gui
1. 稚虫；2. 前翅；3. 后翅；4. 雄性外生殖器腹面观

雄成虫体长6.5~7.0mm。后翅小于前翅的1/10，具尖的前缘突位于前缘中央部位；腹部的背板的前缘及中部色淡，两侧色深；雄性尾铗3节；生殖下板中央强烈凹陷；阳茎较短粗，端部的突出明显。

采集记录：2稚虫，佛坪岳坝，2000.Ⅶ.25，谢强、周长发采。

分布：陕西（佛坪）、江苏、浙江、福建。

九、河花蜉科 Potamanthidae

鉴别特征：稚虫个体较大，体长7.0~30.0mm；身体扁平，体表常具鲜艳的斑纹，除足外，身体其他部分的背面少毛。上颚一般突出成非常明显至很小的颚牙状；下颚须及下唇须3节；前胸背板向侧面略突出，前足的各部分一般细长，具长而密的细毛；鳃7对，第1对丝状，2节；2~7对鳃分为两叉状，鳃端部成缨毛状，位于体侧；3 根尾丝，侧面具长细毛。

　　成虫属大型种类。前翅的 MP_2 脉和 CuA 脉在基部极度向后弯曲，远离 MP_1 脉；A_1 脉分叉；后翅具明显的前缘突；前后翅常具鲜艳的斑纹；尾铗 3 节，基节最长；3 根尾丝。

　　生物学：Bae & McCafferty(1991)报道本科稚虫生活于流水中的石块或砂石的缝隙中，但据吴兴永(1984)和作者的采集记录来看，流水和静水中都能采到，有时在静水中往往能采到大量的稚虫；滤食性；能用上颚牙作简单的挖掘动作，搬运小的沙石。

　　分类：陕西秦岭地区记录 2 属 2 种。

分属检索表（成虫）

后翅 MP_2 脉发自 CuA 脉 ·· 红纹蜉属 *Rhonanthus*

后翅 MP_2 脉发自 MP_1，前翅的 MP_2 脉在基部与 CuA 脉共柄 ·············· 河花蜉属 *Potamanthus*

分属检索表（稚虫）

上颚牙与头等长或约等长 ·························· 红纹蜉属 *Rhonanthus*

上颚牙短于头长的 1/2，前腿节表面具 1 列横生的齿列 ················ 河花蜉属 *Potamanthus*

15. 红纹蜉属 *Rhoenanthus* Eaton, 1881

Rhoenanthus Eaton, 1881：192. **Type species**：*Rhoenanthus speciosus* Eaton, 1881.

Potamanthindus Lestage, 1930：123. **Type species**：*Potamanthindus auratus* Lestage, 1931.

Rhoenanthopsis Ulmer, 1932：212. **Type species**：*Rhoenanthus amabilis* Eaton, 1931.

Neopotamanthodes Hsu, 1937-1938：221. **Type species**：*Neopotamanthodes lanchi* Hsu, 1938.

Neopotamanthus Wu et You, 1986：401. **Type species**：*Neopotamanthus youi* Wu et You, 1986.

　　属征：稚虫上颚牙明显突出头部之外，前足的胫跗节内缘和背方密生细毛，胫节长度一般为跗节长度的 2.0 倍以上。

　　成虫后翅的 MP_2 脉发自 CuA 脉（MP_2 脉与 MP_1 脉不形成对称的分叉状）；雄成虫生殖下板向后突出。

　　分布：东洋区，全北区。秦岭地区发现 1 种。

(20) 尤氏红纹蜉 *Rhoenanthus youi* (Wu et You, 1986) (图 65)

Neopotamanthus youi Wu et You, 1986：401.

Rhoenanthus (*Potamanthindus*) *youi*：Bae & McCafferty, 1991：28.

鉴别特征：稚虫体长 25.0～40.0mm。上颚牙发达，基部一半三棱形，端部一半上半部浑圆，下半部扁平，向端部逐渐变细、变尖；各足腿节扁平，胫节和跗节细长，略呈圆筒形；爪尖而弯曲；腹部第 1 对鳃不分叉，两节状，第 2～7 对鳃大而明显，分裂至基部；尾须外侧部约 1/5 具短毛，其余部分具长而浓密的细毛。

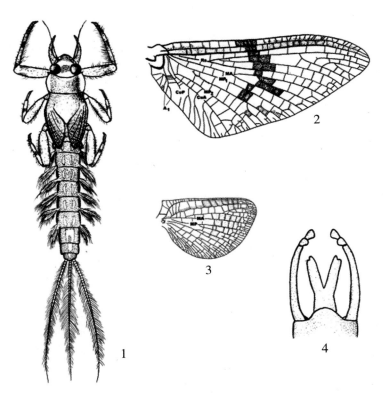

图 65　尤氏红纹蜉 *Rhoenanthus youi*（Wu *et* You）
1. 稚虫形态；2. 前翅；3. 后翅；4. 雄性外生殖器腹面观

雄成虫体长 17.0～20.0mm，前翅长 14.0～16.0mm。身体腹面色浅，中胸背板和腹板黄褐色，其余部分浅橙红色，在前胸背板中央和两侧缘及躯干侧面和背面有深红色条纹；前足红褐色，中后足色浅，跗节末端和爪浅紫红色；前翅中部有 1 个红色横带状色斑，前缘区和亚前缘区大部分为红色，翅面分布有零散红斑；后翅浅红色；尾铗 3 节长度之比为 8∶1∶1；第 1 节近中部有 1 个不明显的凹陷；阳茎基部 1/3 合并，其余的端部分离，阳茎叶末端的生殖孔凹陷明显；尾须红白相间。

雌成虫体长 18.0～31.0mm，前翅长 18.0～26.0mm，尾丝长 22.0～45.0mm；体极大型。体色基本为红褐色，翅上的斑纹较雄成虫略浅；本种的成虫翅面在中部具棕红色斑块，其他地方的斑块色较淡。雄成虫生殖孔在阳茎的背面；阳茎在端部呈浅的二叉状且 2 个阳茎的分叉点明显在生殖下板之外；本种的稚虫上颚牙相对较小，整个外缘都具齿突而可识别。

采集记录：5♂亚，2♀，1♀亚，宝鸡关口，1982. Ⅶ. 16，归鸿、吴兴永采；1♀，留坝张良庙，1982. Ⅷ. 01，沈康采。

分布：陕西（宝鸡、留坝），我国中部地区。

16. 河花蜉属 *Potamanthus* Ulmer, 1920

Potamanthodes Ulmer, 1920：85. **Types species**：*Potamanthus formosus* Eaton, 1920.

Potamanthus（*Potamanthodes*）：Imanishi, 1940：178.

属征：前翅 MP_2 脉在基部与 CuA 连接而非与 MP_1 连接，前翅往往具明显的色斑；稚虫前腿节表面具 1 刺毛列。

分布：古北区，东洋区。秦岭地区发现 1 种。

(21) 大眼河花蜉 *Potamanthus macrophthalmus*（You, 1984）（图 66）

Potamanthus macrophthalmus You, 1984：102.

Potamanthus（*Potamanthodes*）*macrophthalmus*：Bae & McCafferty, 1991：58.

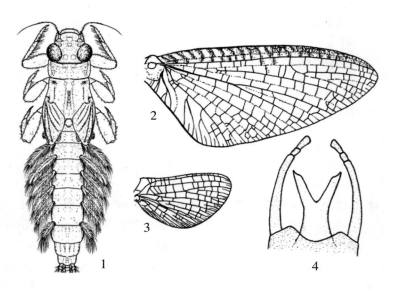

图 66 大眼河花蜉 *Potamanthus macrophthalmus*（You）
1. 稚虫形态；2. 前翅；3. 后翅；4. 雄性外生殖器腹面观

鉴别特征：稚虫体长 13.0mm，尾丝长 5.0～6.0mm；身体基本呈棕黄色至棕红色，腹部背板具明显的棕黄色和浅黄色条纹。上颚牙略突出于头部前缘之前，背面观不显见；眼大而明显；前足腿节背面具 1 列横齿和细毛，腿节、胫节、跗节之比为 2.0：1.5：1.0。

雄成虫复眼大而明显,在头顶几乎接触,另外阳茎叶相对较长,伸出生殖下板外侧较多,末端几乎达到尾铗第1节的末端,且2个阳茎叶分叉后明显向侧后方伸展,即二者分离较开。

采集记录: 2♀,周至厚畛子,2000.Ⅶ.23,谢强、周长发采;2♂1♀,佛坪,1982.Ⅶ。

分布: 陕西(周至、佛坪)、江西、福建、四川、云南。

十、蜉蝣科 Ephemeridae

鉴别特征: 稚虫个体较大,除触角和尾丝外,体长一般在15.0mm以上;身体呈圆柱形,常为淡黄色或黄色。上颚突出成明显的牙状,除基部外,上颚牙表面不具刺突,端部向下弯曲;各足极度特化,适合于挖掘;身体表面和足上密生长细毛;鳃7对,除第1对较小外,其余每鳃分2枚,每枚又为两叉状,鳃缘成缨毛状,位于体背;生活时,鳃由前向后按秩序具节律性地抖动;3根尾丝。

成虫个体较大。复眼黑色,大而明显;翅面常具棕褐色斑纹;前翅 MP_2 脉和 CuA 脉在基部极度向后弯曲,远离 MP_1 脉,A_1 脉不分叉,由许多短脉将其与翅后缘相连;3根尾丝。

生物学: 穴居于泥质的静水水体底质中;滤食性。

分类: 陕西秦岭地区发现1属4种。

17. 蜉蝣属 *Ephemera* Linnaeus, 1758

Ephemera Linnaeus, 1758. **Type species:** *Ephemera vulgata* Linnaeus, 1758.
Nirvius Navás, 1922: 56. **Type species:** *Nirvivus punctatus* Navás, 1922.

属征: 稚虫额突明显,前缘中央凹陷呈不明的二叉状;触角基部强烈凸出,端部呈分叉状;上唇近圆形,前缘强烈凸出;上颚牙明显,横截面呈圆形;前足不明显退化。

成虫翅上横脉密度中等;雄成虫阳茎具或不具阳端突;3根尾丝。

分布: 东洋区,非洲区,全北区,新西兰。秦岭地区记录4种。

分种检索表(成虫)

1. 雄成虫腹部背板7~9节各具1对纵纹 ·· 2
   雄成虫腹部第1节的色斑在后缘中央连接,3~6节背板具2对纵纹 ·············· 3
2. 腹部背板7~9节具明显的条纹状色斑 ···························· **腹色蜉 *E. pictiventris***

分种检索表（稚虫）

（22）徐氏蜉 *Ephemera hsui* Zhang, Gui *et* You, 1995（图 67）

Ephemera hsui Zhang, Gui *et* You, 1995：72.

鉴别特征：稚虫额突长度略大于宽度，侧缘平直或略凸出，前缘的凹陷较宽大；上颚牙突出头部的长度略与头长相等；头顶黄色，色单一；复眼黑色；前胸背板近中央具 1 对较细的纵纹；腹部背板的纵纹与成虫相似，但 3~6 节背板的中央 1 对纵纹较浅，在有些个体尤其是雌性个体不明显。

雄成虫体长 20.0mm 左右，前翅长 17.0mm，后翅长 7.0mm，尾丝长 35.0mm 左右。体呈红棕色；触角柄节端部具 1 个黑色斑点；前胸背板淡黄色，具 1 对较宽的棕黑色纵纹，中胸背板黄色，边缘黑色；前足棕黑色，中后足黄色；前翅透明，前缘区和亚前缘区半透明；纵脉棕色，横脉黄色；Sc、R_2、R_{4+5} 翅脉的脉弱点处、MA 脉分叉处、IMP 脉基部、MP_2 脉近翅缘处具色斑；翅痣区部分横脉分叉；后翅近缘处具 1 圈浅褐色斑纹，其他部位无色斑。腹部第 1~2 节背板各具 1 对"V"形的斜纹，第 3~9 节背板各具 3 对纵纹，其中 3~6 节上的最外侧纵纹在有些个体可能较浅，有时不易分辨，第 9 节上的侧面 2 对条纹加宽而合并在一起；第 10 节背板棕黄色；尾铗 4 节，末 2 节长度之和明显小于第 2 节的 1/2；第 2 节的端部大部分色深；阳茎长度明显长于尾铗第 1 节的长度，2 个阳茎叶端部分离，基部愈合，侧缘骨化。

雌成虫体呈黄色，身体上条纹呈红棕色或黑色；个体较雄成虫大，有些个体达到近 30.0mm。

采集记录：2♀，1♀亚，周至厚畛子，2000. VII.23，谢强、周长发采；2♂亚，2♀亚，周至板房子，1994. VII.07，卜文俊采；5 稚虫，留坝庙台子，2000. VIII.30，周长发采；5♂2♂亚，20♀，10 稚虫，佛坪岳坝，2000. VII.25，谢强、周长发采；1♂亚，1♀，佛坪，1982. VIII.29，归鸿、吴兴永采；4♀，宁陕火地塘，1982. VII.25，归鸿、吴兴永采。

分布：陕西（周至、留坝、佛坪、宁陕）及秦岭以南广大地区。

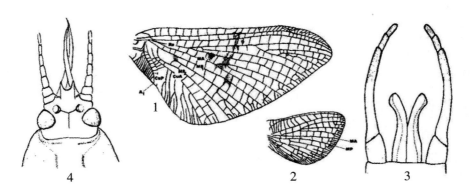

图67　徐氏蜉 *Ephemera hsui* Zhang，Gui *et* You

1. 前翅；2. 后翅；3. 雄性外生殖器；4. 稚虫头部

（23）腹色蜉 *Ephemera pictiventris* McLachlan，1894（图68）

Ephemera pictiventris McLachlan，1894：428.

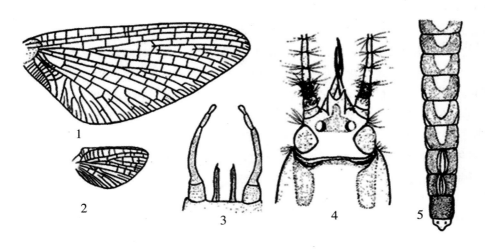

图68　腹色蜉 *Ephemera pictiventris* McLachlan

1. 前翅；2. 后翅；3. 雄性外生殖器；4. 稚虫头部；5. 腹部背板

鉴别特征：稚虫体长17.0mm，尾丝长7.0mm。触角梗节黑色，额突长度略大于宽度，侧缘略凸，前缘凹陷浅，呈明显的弧状；额突与2个单眼之间的区域褐色，复眼黑色；前胸背板前缘具横纹，近中央具1对宽大的黑色纵纹；腹部的斑纹与成虫一致。

雄成虫体长 16.0mm，前翅长 15.0mm，后翅长 5.0mm，尾丝长 40.0mm。体呈红棕色；触角梗节黑色；前胸背板棕红色，前缘具 1 条黑色横脉，背板中央具 1 对宽纵纹；中后胸棕黑色；前后翅透明，纵脉黑色，横脉黄色；MP_2 脉在基部与 CuA 脉之间由横脉相连；前足黄褐色，中后足淡黄色；腹部前 9 节背板和腹板各具 1 对斜向的条纹，第 8 和第 9 节背板的条纹宽，几乎覆盖住整个背板；第 10 节只具 1 对小的黑点。尾铗褐色，4 节，末 2 节各约为第 2 节长度的 1/2；2 个阳茎叶细长，分离较开，侧缘骨化，端部外侧突出呈尖锐状，无阳端突。

雌成虫体长 15.0mm，尾丝长 22.0mm；体呈棕黄色。腹部背腹板上的条纹较雄成虫细而更明显，身体其他部位黑色，第 9 节腹板后缘凹陷。

采集记录： 1♀，周至厚畛子，2000.Ⅶ.31，谢强、周长发采。

分布： 陕西(周至)、宁夏、甘肃、湖北、四川、云南。

(24) 梧州蜉 *Ephemera wuchowensis* Hsu，1937(图 69：5)

Ephemera wuchowensis Hsu，1937：54.

Ephemera hunanensis Zhang，Gui *et* You，1995：74.

鉴别特征： 稚虫体长 14.0mm，尾丝长 6.0mm。体黄色，在头顶和胸部背板上具有不规则的黑色斑块或条纹；额突边缘平直，额突的长度与宽度大体相等，前缘的凹陷浅，具毛；触角梗节密生细毛；鳃 7 对，鳃内气管明显呈褐色。

雄成虫体长 13.0～15.0mm。腹部第 1 节背板后缘具 1 对褐色的纵纹，其他部分棕红色，2 个黑色斑纹在背板后缘靠近；第 2 节背板近中央处具 1 对黑点，外侧具 1 对黑色斑块；3～5 对背板各具 2 对黑色纵纹，其中第 3 节外侧 1 对有时较浅不显见；6～9 对各具 3 对纵纹，中间的 1 对色较浅；第 10 节背板具 2 对纵纹，中间的 1 对很浅；尾铗 4 节，末 2 节长度之和等于或稍短于第 2 节长度的 1/2，在各节的相接处色深；阳茎端部向侧后方延伸，后缘呈弧状隆起，阳端突明显。

采集记录： 1♀，留坝庙台子，2000.Ⅷ.30，周长发采；1♂，宁陕火地塘，1982.Ⅶ.25，归鸿、吴兴永采。

分布： 陕西(留坝、宁陕)、北京、河北、河南、甘肃、安徽、湖北、湖南、贵州。

(25) 绢蜉 *Ephemera serica* Eaton，1871(图 69：1～4)

Ephemera serica Eaton，1871：75.

Ephemera zhangjiajiensis Zhang，Gui *et* You，1995：73.

鉴别特征： 稚虫体长 13.0mm，尾丝长 7.0mm。体呈棕黄色；额突前缘的宽度略大于后缘宽度，长度略长于宽度；前胸背板黄色，不具斑纹。

　　雄成虫体长 13.0mm 左右。腹部第 1 背板无色斑，第 2 节背板侧面具 1 对圆形斑点，第 3 节背板有时具 1 对很浅的黑色条纹，但往往不易辨识，第 4~6 节和 9 节背板各具 1 对黑色纵纹，7~8 节背板各具 2 对纵纹，但外侧 1 对纵纹往往很浅，不容易辨识，因此看上去像 4~9 节各 1 对纵纹；第 10 节背板黄色；尾铗 4 节，3~4 节长度之和略短于第 2 节长度；阳茎端部外半部分向内向后突出，呈三角形，阳端突明显。

　　雌成虫色较雄成虫淡，但前胸背板具 1 对短小的黑色纵纹，后足的黑色斑块分裂为 2 个。

采集记录：1♂5♀，安康坪牛头店红星村，2003.Ⅶ.05，于海丽采。

分布：陕西(安康)、江苏、上海、安徽、浙江、江西、福建、广东、香港、贵州；日本，越南。

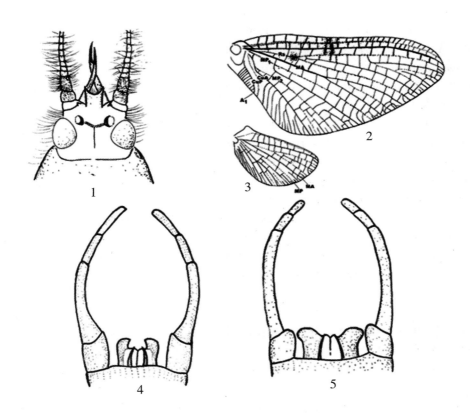

图 69　蜉蝣属 *Ephemera* 两种形态

1~4. 绢蜉 *Ephemera serica* Eaton(1. 稚虫头部形态；2. 前翅；3. 后翅；4. 雄成虫外生殖器腹面观)；5. 梧州蜉 *Ephemera wuchowensis* Hsu 雄成虫外生殖器腹面观

参考文献

Allen, R. K. 1971. New Asian *Ephemerella* with notes (Ephemeroptera: Ephemerellidae). *Canadian Entomologist*, 103(4): 512-528.

Allen, R. K. and Edmunds, G. F. Jr. 1963. New and little known Ephemerellidae from southern Asian, Africa, and Madagascar (Ephemeroptera). *Pacific Insects*, 5: 11-22.

Bae, Y. J. and McCafferty, W. P. 1991. Phylogenetic systematics of the Potamanthidae (Ephemeroptera). *Transactions of the American Entomological Society*, 117(3-4): 1-143.

Bajkova, O. J. 1974. On the study of mayflies (Ephemeroptera) from the basin of the Amur River. *Entomologicheskoe Obozrenie*, 53(4): 815-829.

Barnard, K. H. 1932. South African May-flies (Ephemeroptera). *Transactions of the Royal Society of South Africa*, 20(3): 201-259.

Belov, V. V. 1979. A new mayfly genus (Ephemeroptera, Ephemerellidae) in the USSR fauna. *Doklladi Akademii Nauk Ukrannskoi SSR*, Ser. B, 1979(7): 577-580.

Brodsky, A. K. 1930. Contributions to the fauna of Ephemeroptera of Southern Siberia. *Entomologicheskoe Obozrenie* (In Russian), 24(1-2): 31-40.

Burks, B. D. 1953. The mayflies, or Ephemeroptera, of Illinois. *Bulletin of the Illinois Natural History Survey*, 26 (Art. 1): 1-216.

Burmeister, H. 1839. Ephemerina. *Handbuch der Entomologie*, 2(2): 788-804 (In Berlin).

Campion, H. 1923. On the use of the generic name *Brachycercus*. *Annals and Magazine of Natural History*, 11: 515-518.

Demoulin, G. 1951. About *Metretopus goetghebuer* Lestage, 1938, and Metretopodidae (Insects Ephemeroptera). *Bulletin of the Royal Institute of Natural Sciences of Belgium*, 27(49): 1-20. [Demoulin, G. 1951. A propos de *Metretopus goetghebueri* Lestage, 1938, *et* des Metretopodidae (Insectes Ephéméroptères). *Bulletin de l'Institut Royale des Sciences Naturelles de Belgique*, 27(49): 1-20.]

Demoulin, G. 1964. H. G. Amsel Mission in Afghanistan (1956). Ephemeroptera. *Bulletin Annals of the Entomological Society Royale de Belgique*, 100: 351-363. [Demoulin, G. 1964. Mission H. G. Amsel en Afghanistan (1956). Ephemeroptera. *Bulletin et Annales de la Société Royale Entomologique de Belgique*, 100: 351-363.]

Eaton, A. E. 1868. An outline of a re-arrangment of the genera of Ephemeridae. *Entomologist's Monthly Magazine*, 5: 82-91.

Eaton, A. E. 1871. A monograph of the Ephemeridae. *Transactions of the Linnaeus Society of London*, 1-164.

Eaton, A. E. 1881. An announcement of new genera of the Ephemeridae. *Entomologist's Monthly Magazine*, 17: 191-197; 21-27.

Eaton, A. E. 1883-1888. A revisional monograph of recent Ephemeridae or mayflies. *Transactions of the Linnaeus Society of London*, Second series, Zoology, 3: 1-352, 65pl. 2nd Ser. Zool., pages 1-77 in 1883; pages 77-152 in 1884; pages 153-281 in 1885; pages 281-319 in 1887; pages 320-352 in 1888.

Edmunds, G. F. Jr. 1959. Subgeneric groups within the mayfly genus *Ephemerella* (Ephemeroptera: Ephemerellidae). *Annals of the Entomological Society of America*, 52(5): 543-547.

Gillies, M. T. 1951. Further notes on Ephemeroptera from India and South East Asia. *Proceedings of the Royal Society of London* (*B*), 20: 121-130.

Gose, K. 1963. Two new mayflies from Japan. *Kontyû*, 31: 142-145.

Gui, H. 1985. A catalog of the Ephemeroptera of China. *J. Nanjing Normal Univ.*, 1985(4): 79-97.

Gui, H., Zhou, C. F. and Su, C. 1999. *In*: *Fauna of insects of Fujian Province of China*, vol. 1 *Ephemeroptera*, pp. 324-346.

Hsu, Y. C. 1936. New Chinese mayflies from Kiangsi Province. *Peking Natural History Bulletin*, 10(4): 319-326.

Hsu, Y. C. 1936-1938. The mayflies of China. *Peking Natural History Bulletin*, (1936)11: 129-148, (1937)287-296, 433-440; 12: 53-56, 125-126, (1938)221-224.

Imanishi, K. 1930. Mayflies from Japanese torrents. I. New mayflies of the genera *Acentrella* and *Ameletus*. *Transactions of the Natural History Society of Formosa*, 20: 263-267.

Imanishi, K. 1937. Mayflies from Japanese torrents. VII. Notes on the genus *Ephemerella*. *Annotationes Zoologicae Japonenses*, 16: 321-329.

Imanishi, K. 1940. Ephemeroptera of Manchoukuo, Inner Mongolia and Chosen. *In* Kawamura, T. (ed.). *Report of the limnological survey of Kwantung and Manchoukuo*. Kyoto, Japan (in Japanese), pp. 169-263.

Kimmins, D. E. 1937. Some new Ephemeroptera. *Annals and Magazine of Natural History*, 10(19): 430-440, pl. 11.

Kustareva, L. A. 1978. May-flies of the family Heptageniidae (Ephemeroptera) of the rivers of Issyk-Kul hollow. Communication II. *Entomolicheskoe Obozrenie*, 57: 92-96. *English translation in Entomol.* Review, 1978, 57: 60-63.

Leach, W. E. 1815. Entomology. *Brewster's Edinburgh Encyclopaedia*, 9: 57-172.

Lestage, J. A. 1930. Contribution to the study of the nymph of mayflies. VII. The Potamanthidien Group. *Mémories of the Entomological Society of Belgium*, 23: 73-146. [Lestage, J. A. 1930. Contribution a l'etude des larves des Ephemeropteres. VII. Le Groupe Potamanthidien. *Mémories de la Société Entomologique de Belgique*, 23: 73-146.]

Lestage, J. A. 1940. Contribution to the study of Ephemeroptera. XXIV. A non-agnathisme in the adult of Paleoameletus primitivus Trav. Himalayas. *Bulletin Annals of the Entomological Society of Belgium*, 80: 118-124.

Linnaeus, C. 1761. Svecica de Fauna of Sweden of the kingdom of animals: mammals, birds, reptiles, amphibians, fish, insects, worms. Distributa per classes & ordines, genera, species, with the differences of the species, synonymous names of the authors, the names of the inhabitants, places of birth, the descriptions of the insects. Edition, increased. Stockholmiae: Sumtu & Literis Direct. Kiesewetteri.

Matsumura, S. 1931. Ephemerida. 1465-1480. in 6000 *Illustrated Insects of Japan Empire*, Tokoshoin, Tokyo. 1497 pp.

McLachlan, R. 1894. On two small collections of Neuroptera from Ta-chien-lu, in the province of Szechuen, western China, on the frontier of Tibet. *Annals and Magazine of Natural History*, (6), 13: 421-436.

Navás, L. 1912. Some Neuroptera the southern-eastern Siberia. *Ruski Entomologicheskoe Obozrenie*, 12:

414- 422. [Navás, L. 1912. Quelques Nevroptères de la Sibérie méridionale-orientale. *Russki Entomologicheskoe Obozrenie*, 12: 414-422.]

Navás, L. 1922. Mayflies new or unfamiliar. *Bulletin of the Entomological Society of Spain*, 5: 54-63. [Navás, L. 1922. Efemerópteros nuevos o poco conocidos. *Boletin de la Sociedad Entomológica de España*, 5: 54-63.]

Navás, L. 1931. Neuroptera and neighboring insects. China and surrounding countries. Second series. *Notes Chinese Entomology (Heude Museum)*, 1(7): 1-12. [Navás, L. 1931. Névroptères *et* insectes voisins. Chine *et* pays environnants. Deuxieme serie. *Notes d'Entomologie Chinoise (Musée Heude)*, 1(7): 1-12.]

Needham, J. G. 1905. Ephemeridae. *Bulletin of the New York State Museum*, 86: 17- 62, pl. 4-12.

Quan, Y. T., Bae, Y. J., Jung J. C. and Lee, J. W. 2002. Ephemeroptera (Insecta) fauna of Northeast China. *Insecta Koreana*, 19(3, 4): 241-269.

Stephens, J. F. 1835. Illustration of British Entomology. *Mandibulata*, 6: 54-70.

Traver, J. R. 1935. Two new genera of North American Heptageniidae (Ephemerida). *Canadian Entomologist*, 67: 31-38.

Tshernova, O. A. 1949. Mayfly nymphs of waters flowing into Lake Teletskoe and of the R. Bia. *Trudy Zoologicheskogo Instituta Akademiya Nauk SSSR*, 7: 139-158 (in Russian).

Tshernova, O. A. 1952. Mayflies (Ephemeroptera) of the Amur river basin and adjacent waters and thirrole in the nutrition of Amur fishes. *Trudy Amurskoy Ichtiologicheskogo Ekspeditsii*, 3: 229-360 (in Russian).

Tshernova, O. A. 1972. Some new Asiatic species of mayflies (Ephemera, Heptageniidae, Ephemerellidae). *Entomologicheskoe Obozrenie*, 51: 604-614 (in Russian).

Uéno, M. 1928. Some Japanese mayfly nymphs. Kyoto Imperial University, Series B, *Memoirs of the College of Science*, 4(1): 19- 63, pl. 3-17.

Ulmer, G. 1920. Overview of the genera of Ephemeroptera, along with comments on individual species. *Szczecin Entomological Society*, 81(1-2): 97-144.

Ulmer, G. 1919-1920b. Neue Ephemeropteren. *Archvfür Naturgeschuchte* (A), 85(11): 1-80.

Ulmer, G. 1932. Remarks on the newly established since 1920 genera of Ephemeroptera. *Szczecin Entomological Society*, 93: 204-219. [Ulmer, G. 1932a. Bemerkungen über die seit 1920 neu aufgestellten Gattungen der Ephemeropteren. *Stettiner Entomologische Zeitung*, 93: 204-219.]

Ulmer, G. 1939-1940. Eintagsfliegen (Ephemeropteren) von den Sunda-Inseln. *Archiv für Hydrobiologie*, Supplement, 16: 443- 692, figs. 1- 469, 4 tab.

Wang, T. Q and McCafferty, W. P. 1995. Specific assignments in *Ephemerellina* and *Vietnamella* (Ephemeroptera: Ephemerellidae). *Entomological News*, 1064: 193-194.

Wu, C. F. 1935. Orer VII. Ephemeroptera. *Catalogus Insectorum Sinensium*, 1: 247-253.

Wu, T. and You, D. S. 1986. A new species of the genus *Cinygmina* from China (Ephemeroptera: Ecdyoneuridae). *Acta Zootaxonomica Sinica*, 11(3): 280-282.

Wu, T. and You, D. S. 1989. Two new species of the genus *Choroterpes* from China (Ephemeroptera: Leptophlebiidae). *Acta Zootaxonomica Sinica*, 14(1): 91-95.

You, D. S. and Gui, H. 1995. *Economic Insect Fauna of China*. Fasc. 48. Ephemeroptera. Science Press, Beijing, pp. 152.

You, D. S., Wu, T., Gui, H. and Hsu, Y. C. 1981. Two new species and diagnostic characters of genus *Cinygmina* (Ephemeroptera: Ecdyoneuridae). *Journal of Nanjing Normal University*, 3: 26-31.

Zhang, J., Gui, H and You, D. S. 1995. Studies on the Ephemeridae (Insecta: Ephemeroptera) of China. *Journal of Nanjing Normal University (Nature Science)*, 18(3): 68-76.

Zhou, C. F. and Su, C. R. 1997. A new species of the genus *Serratella* from China (Ephemeroptera: Ephemerellidae). *Journal of Nanjing Normal University (Natural Science)*, 20(3): 42-44 (in Chinese).

Zhou, C. F., Gui, H. and Su, C. R. 1997. Three new species of Ephemeroptera (Insecta) from Henan Province of China. *Entomotaxonomia*, 19: 268-272.

蜻蜓目 Odonata[①]

李虎　　张宏杰

（陕西理工大学，汉中 723001）

蜻蜓目昆虫体长型。头部下口式，咀嚼式。成虫 6 足 4 翅，善飞翔。翅膜质，翅室众多。雄性腹部第 2、3 节腹板形成构造十分复杂的副生殖器官，统称为交合器。幼虫的下唇特化，折叠在头部下方，可以突然伸出捕抓猎物。

大多数蜻蜓体长 30.0~90.0mm，少数种类可达 150.0mm；有的种类甚为纤细，体长不及 20.0mm。

蜻蜓成虫栖息环境与幼虫生活场所有密切关系。许多豆娘成虫生活在幼虫生活的水体附近。例如，豆娘和蜻蜓幼虫可在水稻秧田水中生活，它的成虫也长时间生活在秧田中，捕捉田中的飞虱、叶蝉和螟蛾等为食。生活在小水沟的豆娘，它的幼虫也可在沟中水生植物上找到。幼虫生活在池塘里的种类，它的成虫常在池塘上空不高的地方盘旋。在秋天，常见许多蜻蜓成虫在空旷地方的上空飞翔。春天，许多蜻蜓成虫多半时间停息在植物上。有的种类成虫羽化后飞离幼虫生活的水体附近，飞到很远的地方去，甚至停息在很高的树上，直到性成熟时才回到水体附近交配产卵。

蜻蜓目分差翅亚目（Anisoptera）、束翅亚目（Zygoptera）及特征介于此二亚目之间的间翅亚目（Anlsosygoptora）。全世界蜻蜓种类 6000 多种。中国有 700 多种，隶属 3 亚目 20 科。

通过近年来调查研究和文献记载，陕西秦岭地区分布蜻蜓 74 种，隶属 2 亚目 15 科 49 属，其中包括陕西省新纪录种 2 种，即黄翅迷螅 *Matrona oreades* Hämäläinen，Yu *et* Zhang，2011 和赤基色螅 *Archineura incarnata*（Karsch,1891）。

①　该项目研究得到陕西理工大学科研基金资助（SLGKYQD2 - 17）。

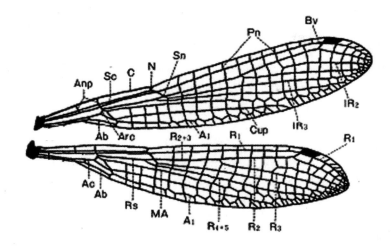

图 70　束翅亚目翅脉

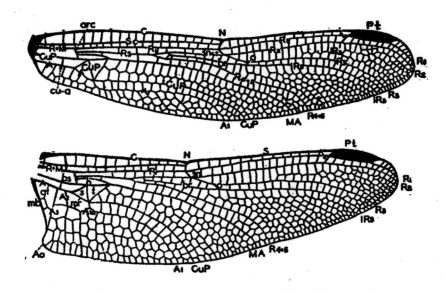

图 71　差翅亚目翅脉（图 70-71 引自赵修复，1999）

A₁. 第 1 条臀脉；Aa. 臀角；Ab(1A). 臀桥脉；Ac. 臀横脉；Anp. 节前横脉；Arc. 弓脉；at. 臀三角室；br. 桥脉；brv. 支持脉；bs. 基室；C. 前缘脉；cu-a. 肘臀脉；CuP. 肘脉；h. 上三角室；mb. 小膜瓣；Ir₂. 第 2 插入径脉；MA. 中脉；N. 翅结；O. 斜脉；Pt. 翅痣；R₁. 第 1 径脉（R₂、R₃、R₄₊₅类似）；Rs. 后径脉；R＋M. 径中脉；s. 下三角室；Sc. 亚前缘脉；sn. 亚翅结；t. 三角室

分科检索表

1. 前后翅形状和脉序不同；中室分为三角室和上三角室（**差翅亚目**）　·················· 9

　　前后翅形状和脉序相似；中室四边形（**束翅亚目**）　······························· 2

2. 翅具有 5 条或 5 条以上节前横脉；翅基常不具柄（**色蟌总科**）　····················· 3

　　　　翅具有 2 条或很少 3 条节前横脉；翅基常具柄 ··· 5

3. 　翅有柄，节前横脉不多于 6 条 ·· 丽螅科 **Philoganggidae**
　　　翅无柄，节前横脉多于 6 条 ··· 4

4. 　径分脉与第 1 径脉几乎接触，雌性翅痣具横脉 ·· 色螅科 **Calopterygodae**
　　　径分脉与第 1 径脉不接触，雌性翅痣无横脉 ·· 溪螅科 **Euphaeidae**

5. 　翅端纵脉之间常无额外的插入脉(螅总科) ··· 6
　　　翅端纵脉之间常有许多额外的插入脉(丝螅总科) ·· 7

6. 　大多数翅室呈四边形，胫节具长刺，刺长大于或等于刺间距 2.0 倍 ····· 扇螅科 **Platycnemidae**
　　　大多数翅室呈五边形，胫节具短刺，刺长小于刺间距 2.0 倍 ·· 螅科 **Coenagriidae**

7. 　无斜脉，叉脉具翅结近，距弓脉远 ·· 山螅科 **Megapodagrionidae**
　　　有斜脉，叉脉具翅结远，距弓脉近 ·· 8

8. 　后翅 CuP 脉的基部在中室端部强烈向前弯曲；大中型种类 ····························· 综螅科 **Synlestidae**
　　　后翅 CuP 脉的基部在中室端部直或稍向前弯曲；中小型种类 ························· 丝螅科 **Lestidae**

9. 　前缘室和亚前缘室横脉上下不连成直线；前后翅三角室形状相似(蜓总科) ············· 10
　　　前缘室和亚前缘室横脉上下连成直线；前后翅三角室形状不相似(蜻总科) ············· 13

10. 头部背面观，两复眼相互接触呈 1 条很长的直线 ··· 蜓科 **Aeschnidae**
　　　头部背面观，两复眼相互远离或仅接触一点 ··· 11

11. 两复眼相距较远，不小于两侧单眼之间距离 ·· 春蜓科 **Gomphidae**
　　　两复眼相距较近，小于两侧单眼之间距离或接触 ··· 12

12. 下唇中叶中部纵裂 ·· 裂唇蜓科 **Chlorogomphidae**
　　　下唇中叶中部不纵裂 ··· 大蜓科 **Cordulegasteridae**

13. 臀圈不明显 ·· 伪蜻科 **Corduliidae**
　　　臀圈明显 ·· 14

14. 臀三角室明显，臀圈趾不发达或无 ·································· 大蜻科 **Macromiidae**
　　　雌性和雄性臀角呈圆形，无臀三角室；臀圈趾发达 ··· 蜻科 **Libellulidae**

图 72　色螅科 Philoganggidae 伪翅痣

图 73　溪螅科 Euphaeidae 真翅痣

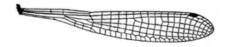

图 74　螅总科后翅

图 75　丝螅总科后翅

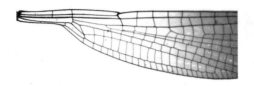

图 76　山螅科 Megapodagrionidae 翅

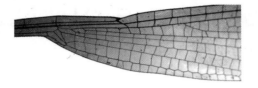

图 77　综螅科 Synlestidae 翅

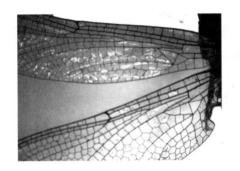

图 78　蜓总科翅

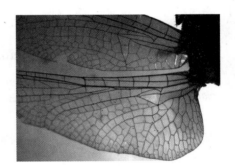

图 79　蜻总科翅

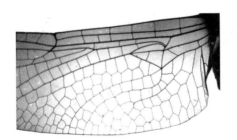

图 80　伪蜻科 Corduliidae 后翅

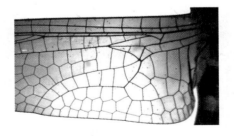

图 81　大蜻科 Macromiidae 后翅

束翅亚目 Zygoptera

一、丽蟌科 Philoganggidae

鉴别特征: 翅细长而有柄, 节前横脉 6 ~ 12 个, 节前横脉常延长到亚前缘区。丽蟌科是蜻蜓目比较原始的 1 个类群。

分类: 全世界仅知 1 属 4 种, 中国分布 2 种, 其余 2 种分别分布于印度北部和缅甸, 陕西秦岭地区记录 1 属 1 种。

1. 丽蟌属 *Philoganga* Kirby, 1890

Philoganga Kirby, 1890: 111. **Type species**: *Philoganga montana* (Hagen, 1859).

属征: 双翅细长, 中室短, 亚前缘室 2 条原始的结前横脉存在, IR$_3$ 从基部大量分叉, R$_2$ 和 IR$_2$ 之间有 1 条横脉。

分布: 东洋区。世界已知 5 种, 我国记录 3 种, 秦岭地区发现 1 种。

(1) 瑛凤丽蟌 *Philoganga robusta infanatua* Yang et Li, 1994 (图 82)

Philoganga robusta infanatua Yang et Li, 1994: 460.

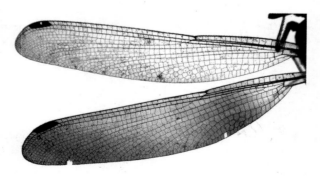

图 82　瑛凤丽蟌 *Philoganga robusta infanatua* Yang et Li 翅

鉴别特征: 大型蟌类。头部绿色, 上唇两侧具黄斑; 合胸侧面黄色, 具黑斑纹;

翅透明，翅痣褐色；第 1 节腹节黄色，具 1 对三角形黑斑；腹部其余各节黑色，第 2 ~ 4 节具 2 条暗黄色纵纹，第 5 ~ 8 节仅 1 条；第 3 ~ 8 节基部具黄色环；肛附器黑色。

采集记录：3♂2♀，略阳两河口，1988. Ⅶ. 30，李树森采。

分布：陕西（略阳）。

二、色蟌科 Calopterygodae

鉴别特征：体大型；常具很浓的色彩和绿的金属光泽。翅宽，有黑色、金黄色或深褐色等；翅脉很密；足长，具长刺；翅痣极不发达或缺；盘室长方形，通常有甚多横脉。幼虫下唇纵裂其深；幼虫尾鳃囊状，或其横切片呈三边形。

生物学：本科包含世界上最美丽的豆娘；雌性和雄性交配后将卵产到水边的植物丛中，或产于沉入水中的树干的缝隙或石头上；幼虫生活在中低海拔的山溪中，它的触角第 1 节特别长，比其他各节之和还长。

分类：世界广布。全世界已记录 16 属 210 多种，我国已知 9 属 30 多种，陕西秦岭地区发现 5 属 7 种。

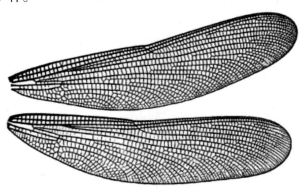

图 83　色蟌科 Calopterygodae 翅

分属检索表（成虫）

1.	翅有柄，可达弓脉水平位置或接近弓脉 ······················	**小色蟌属 _Caliphaea_**
	翅无柄或离弓脉较远 ··	2
2.	翅具真翅痣 ··	4
	翅具伪翅痣或无翅痣 ··	3
3.	基室无横脉 ··	**色蟌属 _Calopteryx_**
	基室有横脉 ··	**迷蟌属 _Matrona_**
4.	基室无横脉 ··	**绿色蟌属 _Mnais_**

基室有横脉 ·· 赤基色蟌属 *Archineura*

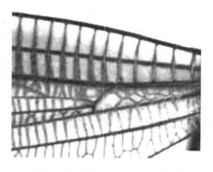 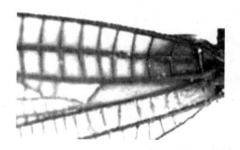

图 84　色蟌属 *Calopteryx* 后翅　　　　　图 85　迷蟌属 *Matrona* 后翅

2. 赤基色蟌属 *Archineura* Kirby, 1894

Archineura Kirby, 1894: 84. **Type species**: *Archineura basilactea* Kirby, 1894.

属征: 体大型。翅长而宽, 端部较窄, 基室具横脉, 翅痣长, 覆盖 7~9 个翅室。
分布: 东洋区。全世界已知 2 种, 中国记录 1 种, 秦岭地区也有分布。

(2) 赤基色蟌 *Archineura incarnata* (Karsch, 1891)

Echo incarnata Karsch, 1891: 455.
Archineura incarnata: Kirby, 1894: 85.

鉴别特征: 雄性腹长(包括肛附器)69.0mm, 后翅长 48.0mm。上唇、下唇黑色, 上唇两侧黄色; 前唇基暗绿色, 后唇基蓝绿色; 额和头顶蓝绿色; 前胸蓝绿色, 合胸绿色, 合胸脊和侧缝黑色; 翅宽大且透明, 翅基具红色斑块; 翅痣长, 覆盖约 7 室, 翅脉黑色; 足细长且呈黑色, 具长刺; 腹部第 1~2 节绿色, 其余各节背面黑褐色, 腹面黑色; 肛附器黑色。
　　雌性与雄性类似, 但上唇黄斑大, 翅基无红色, 翅淡黄色, 翅脉赤褐色, 翅痣较短, 合胸侧缝黄色。
采集记录: 1♂1♀, 略阳白水江, 1988. Ⅷ. 10, 李树森采。
分布: 陕西(略阳)、浙江、湖北、江西、湖南、福建、广东、广西、四川、贵州、云南。

3. 小色蟌属 *Caliphaea* Hagen, 1859

Caliphaea Hagen in Selys, 1859: 439. **Type species**: *Caliphaea confuse* Selys, 1859.

属征：体型细小。翅具柄；中室外端宽于基部且具 1～3 条横脉；R_1 有明显的分叉。

分布：东洋区。全世界记录 5 种，中国已知 3 种，秦岭地区发现 1 种。

(3) 绿小色蟌 *Caliphaea confuse* Hagen，1859（图 87）

Caliphaea confuse Hagen in Selys，1859：440.

Notholestes elwesi McLachlan，1887：32.

Caliphaea nitens Navás，1934：2.

鉴别特征：中型蟌类。具翅柄；下唇黑色，上唇、唇基和颊绿色，上颚基部黄色，额、头顶、后头铜绿色；触角黑色，第 2 节黄色；胸部浅绿色，各节间缝为黑色；后胸后侧片具 2 条黄色横纹；足黑色，基节、转节黄色；翅透明，略带橄榄色；腹部绿色；第 1 腹节侧面、腹面黄色；第 8～10 腹节背面被白粉；肛附器黑色。

采集记录：2♂2♀，凤县南星，2015.Ⅷ.21，张宏杰采；5♂3♀，留坝县庙台子，2015.Ⅷ.20，张宏杰采；2♂1♀，汉中汉台区褒河，2016.Ⅷ.22，张宏杰采。

分布：陕西(凤县、留坝、汉中)、河南、浙江、湖北、江西、广西、四川、贵州、云南。

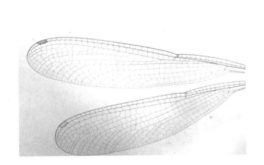

图 86　小色蟌属 *Caliphaea* 翅

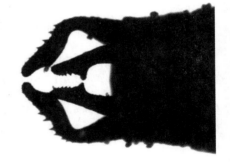

图 87　绿小色蟌 *Caliphaea confuse* Hagen 肛附器背面观

4. 色蟌属 *Calopteryx* Leach，1815

Calopteryx Leach，1815：137. **Type species**：*Libellula virgo* Linnaeus，1758.

属征：体大型。翅带黑色；基室无横脉，脉序浓密；在弓脉之后，径脉和中脉接近但不一定接触；在翅缘主脉之间插入脉是独立的，不表现为主脉的分支。

分布：古北区，东洋区，新北区。全世界已知 30 余种，我国记录 9 种，秦岭地区发现 2 种。

分种检索表

翅黑色 ·· 黑色螅 *C. atrata*

翅基黑色，翅端透明 ······································· 蓝色螅 *C. oberthuri*

（4）黑色螅 *Calopteryx atrata* Selys，1853

Calopteryx atrata Selys，1853：16.

Calopteryx smaragdina Selys，1853：16.

Calopteryx grandaeva Selys，1853：16.

Calopteryx longipennis Selys，1854：50.

鉴别特征：大型螅类。雄性翅完全黑色而雌性褐色具金属绿色光泽，两性均无翅痣，可与色螅属种类区别；上唇、下唇黑色，上唇基部两侧各具 1 个淡褐色斑；前唇基黑色，中央有黄褐色斑，后唇基绿色，颊黑色，额、头顶及后头绿色，后单眼两侧各具 1 个淡褐色斑；触角第 1 节基部具 1 个小黄褐斑；胸部暗绿色，有绿色金属光泽；腹部背面绿色，绿色金属光泽，腹面黑褐色；肛附器黑色。

采集记录：1♂，留坝县闸口，2008.Ⅷ.25，张宏杰采；1♂，汉中市褒河，2007.Ⅶ.29，张宏杰采。

分布：陕西（留坝、宁陕、汉中），中国广布；俄罗斯，韩国，越南。

（5）蓝色螅 *Calopteryx oberthuri* Melachlan，1894

Calopteryx oberthuri Melachlan，1894：433.

Calopteryx grahami Needham，1930：195.

鉴别特征：大型螅类。翅基部黑色，端部透明；下唇黄褐色，上唇黄色，中央具小黑斑；上颚基部黄色，唇基绿色，有光泽；额、头顶、后头暗绿色；触角第 2 节基部黄色；胸部暗绿色；合胸脊及缝黑色，后胸侧缝下半部及后胸后侧片下缘黄色；前后翅基部 3/4 为褐色，端部 1/4 透明；足黑色；腹部绿色，有光泽；肛附器黑色。

雌性下唇、上唇、上颚基部黄色，唇基绿色，有紫色光泽，前唇基中央有黄色斑；额及头顶、后头暗绿色，触角第 1、2 节黄色。

采集记录：宁陕，1988，杨晓燕等采。

分布：陕西（宁陕）、广西、四川、云南。

5．迷螅属 *Matrona* Selys，1853

Matrona Selys，1853：17. **Type species：** *Matrona basilaris* Selys，1853.

属征：体大型。翅黑色或褐色；基室和中室均有横脉；雄性无翅痣，雌性有伪翅痣；主纵脉无分叉。本属分类比较混乱。

分布：东洋区。秦岭地区记录2种。

分种检索表

翅黄色 ·· 黄翅迷蟌 *M. oreades*

翅黑色或黄褐色或褐色 ···································· 透顶迷蟌 *M. basilaris*

(6) 透顶迷蟌 *Matrona basilaris* Selys, 1853

Matrona basilaris Selys, 1853：17.

鉴别特征：大型蟌类。翅基半部横脉奶油色，雄性具浅蓝色斑块，雌性翅褐色；上唇、下唇黑色，唇基具金属蓝绿色光泽，额及头顶暗绿色，侧单眼外侧各具1个不太明显的小黄褐斑；触角第1、2节下侧黄色；胸部暗绿色；翅黑色或暗褐色；腹部背面绿色或暗绿色，腹面第1~6节黑色，从第7~10节，逐渐变为黄褐色；肛附器黑色。

雌性体型与雄性相似，唯体色较浅。上唇黄色，后胸侧缝几乎全为黄色，翅基1/3区域色较淡，有白色的伪翅痣，腹部褐色，翅的颜色变化大。

采集记录：2♂1♀，凤县秦岭，2014.Ⅶ.15，张宏杰采；3♂2♀，略阳县观音寺，2014.Ⅷ.15，张宏杰采；2♂，留坝闸口石，2010.Ⅶ.24，张宏杰采；2♂，洋县金水，2014.Ⅷ.20，张宏杰采；2♂2♀，佛坪县岳坝，2015.Ⅷ.19，张宏杰采；2♂3♀，城固县小河，2014.Ⅷ.26，张宏杰采。

分布：陕西（凤县、略阳、留坝、城固、佛坪、洋县），中国广布；日本，越南，老挝，孟加拉国。

(7) 黄翅迷蟌 *Matrona oreades* Hämäläinen, Yu *et* Zhang, 2011

Matrona oreades Hämäläinen *et al.*, 2011：22.

鉴别特征：雄性腹长（包括肛附器）48.0~58.0mm，后翅长37.0~42.0mm。下唇黄白色；上颚基部、颊部及上唇黄白色，上唇端缘黑色，有些标本上唇基缘也有不规则的黑色线或斑点；唇基和头余部绿色，有蓝色光泽，后唇基有2个横的凹陷。触角1、2节黄白色，第2节内侧和第3节黑色。胸部金属绿色，有蓝色光泽（特别是老熟个体）。足黑色，基节黄色。翅金黄色（干标本为咖啡色），翅端具深黄褐色端斑，该斑大小在不同个体有变异。腹部背面及两侧为绿色,有蓝色光泽(在强光下,蓝色光泽特别明显);腹部腹面除第1腹节为黄色外,其余为深褐色。肛附器黑色;上肛附器端部弯曲,内侧向内扩张,亚端部有齿;下肛附器直。

雌性腹长(连肛附器)50.0~56.0mm,后翅长41.0~46.0mm。与雄性相似,但上唇中央靠基部有1条不规则的褐色纵纹;头部和胸部黄铜绿色。前翅和后翅基部颜色较淡,亚端部具1条不规则而不太明显的暗纹,部分标本后翅也较淡,亚端部暗纹比较明显;伪翅痣白色,较短,个别标本较长。腹部黑褐色,腹部8~10节背面中脊端部具黄色斑纹,该斑纹似三角形,端缘宽;9~10节侧面有黄色斑纹。第8节背中脊基半部细的隆起,第10节背中脊具1个刺状隆起,端部超过第10节,且尖细。

采集记录: 2♂1♀,略阳接官亭镇,2014.Ⅷ.07,张宏杰采;1♂,略阳观音寺镇,2014.Ⅷ.18;1♂,略阳两河口镇,1988.Ⅶ.23,杨祖德采;2♂1♀;城固石槽河,2014.Ⅷ.27,张宏杰采;5♂1♀,商南,2013.Ⅷ,杨祖德采。

分布: 陕西(略阳、城固、商南、宁强)、甘肃、湖南、广西、四川、贵州。

6. 绿色蟌属 *Mnais* Selys, 1853

Mnais Selys, 1853: 20. **Type species:** *Mnais pruinosa* Selys, 1853.

属征: 体中型;体呈绿色或褐色。翅黄绿色或金黄色;基室无横脉;雄性翅痣红色,雌性翅痣白色。该属同种体色和翅颜色变化较大,分类也比较混乱。

分布: 古北区,东洋区。全世界已知9种,中国记录4种,秦岭地区发现1种。

(8) 黄翅绿色蟌 *Mnais tenuis* Oguma, 1913

Mnais tenuis Oguma, 1913: 175.

Mnais decolorata Bratenev, 1913: 35.

Mnais auripennis Needham, 1930: 208.

Mnais pieli Navas, 1936:42.

鉴别特征: 大型蟌类。翅痣红色;上唇、颊部黑色具金属绿色光泽,上颚基部、前唇基中央具黄斑;头部余部黑色;胸部金属绿色,合胸侧面具黄斑纹;老熟个体翅橙色,额、胸部和腹部被白色粉;幼嫩个体翅透明,仅第1腹节和第8~10腹节被白色粉;肛附器黑色。

采集记录: 10♂8♀,留坝闸口石,2013.Ⅶ.27,张宏杰采。

分布: 陕西(留坝),中国中、南部广布。

三、溪螅科 Euphaeidae

鉴别特征：体中型；体以黑色为底色，或混杂有橙色，老熟个体披有白色。翅不具柄状，节前横脉众多（12~20）；中胸侧缝不完整。幼虫尾鳃囊状、腹部第1~7节各具1对腹鳃。

生物学：幼虫生活在河川或山溪中，成虫也常见在这种环境中。

分类：古北区，东洋区。全世界记录10属70多种，我国记录5属20多种，陕西秦岭地区发现1属1种。

7. 尾溪螅属 *Bayadera* Selys，1853

Bayadera Selys，1853：49. **Type species**：*Bayadera indica*（Selys，1853）.

属征：体中等。翅窄，透明，或端部有黑色；后翅不比前翅宽；翅柄到第1节前横脉；肛附器一般长于第10腹节。

分布：东洋区。全世界记录16种，中国记录12种，秦岭地区有1种。

（9）巨齿尾溪螅 *Bayadera melanopteryx* Ris，1912

Bayadera melanopteryx Ris，1912：49.

Bayadera melania Navás，1934：3.

鉴别特征：中型螅类。头部具蓝色"U"形斑纹；下唇黑色，上唇具绿色金属光泽；头部余部黑色；合胸黑色；翅透明，端部具褐斑，翅痣黑褐色；腹部和肛附器黑色。

采集记录：5♂6♀，凤县留凤关，2010.Ⅶ.30，张宏杰采；3♂2♀，略阳县接官亭镇，2009.Ⅷ.10，张宏杰采；8♂5♀，汉中汉台区褒河，2008.Ⅶ.29，张宏杰采。

分布：陕西（凤县、略阳、汉中），中国中、南部广布。

四、螅科 Coenagrionidae

鉴别特征：大多属于小型种类；身形纤细，停息时翅束起于背上方，体色极其多样化，多红色、黄色、绿色、蓝色斑纹，极少数种类具有金属光泽。

生物学：本科多数生活于湖泊、池塘、沼泽等静水水域，适应能力很强。

　　分类：世界性分布，尤以热带、亚热带种类较多。世界已记录 90 多属 1080 余种，中国已知 14 属 60 多种，陕西秦岭地区发现 6 属 12 种。

分属检索表

1. 弓脉明显在第 2 节前横脉外侧（**小螅亚科 Agriocnemidinae**）·· 2
　 弓脉位于第 2 节前横脉之下或很靠近第 2 节前横脉 ··· 3
2. 前翅 Ab 与 Ac 相交处明显成角度 ······························· **小螅属 Agriocnemis**
　 前翅 Ab 与 Ac 相交处平滑 ···································· **摩螅属 Mortonagrion**
3. 雌性第 8 腹节腹板有端刺（**异痣螅亚科 Ischnurinae**）······································ 4
　 雌性第 8 腹节腹板无端刺 ·· 6
4. 前、后翅翅痣颜色、形状相同 ································· **绿螅属 Enallagma**
　 前、后翅翅痣不相同 ·· **异痣螅属 Ischnura**
5. 前翅 Ac 位于 Ab 脉起源处（**斑螅亚科 Pseudagrioninae**）··········· **黄螅属 Ceriagrion**
　 前翅 Ac 位于 Ab 脉起源处后部，否则肛侧板长于尾须。通体蓝黑条纹相间（**螅亚科 Coenagrioninae**）··· 6
6. 尾须具粗壮基刺，末端不呈叉状，多长于下肛附器 ············· **尾螅属 Paracercion**

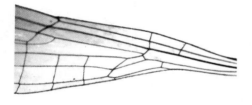

图 88　摩螅属 Mortonagrion 前翅基部

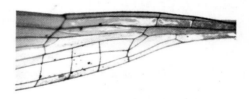

图 89　小螅属 Agriocnemis 前翅基部

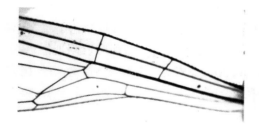

图 90　黄螅属 Ceriagrion 前翅基部

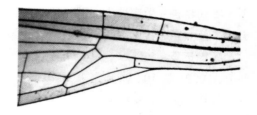

图 91　尾螅属 Paracercion 前翅基部

8. 小螅属 *Agriocnemis* Selys, 1877

Agriocnemis Selys, 1877：135. **Type species**：*Agriocnemis rubescens* Selys, 1877.

属征：螅科个体最小的类群；腹部一般不超过 20.0mm，翅长一般不超过10.0mm。头窄，无额脊，有单眼后色斑；翅透明，翅脉简单，前翅节前横脉多6～8条，弓脉明显位于第2节前横脉之外；足短。雌性存在体色多型现象。

分布：主要分布于欧亚大陆及澳大利亚。全世界记录40余种，我国已知近10种，秦岭地区发现2种。

分种检索表

上肛附器长于下肛附器；腹部末端具黑色斑纹 …………………………… **黄尾小螅 *A. pygmaea***
上肛附器短于下肛附器；腹部末端几乎无黑色斑纹 ………………………… **杯斑小螅 *A. femina***

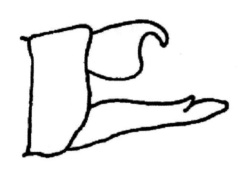 

图92　杯斑小螅 *A. femina* 肛附器侧面观　　　图93　黄尾小螅 *A. pygmaea* 肛附器侧面观

（10）杯斑小螅 *Agriocnemis femina*（Brauer, 1868）（图92）

Ischnura femina Brauer, 1868：554.

Agriocnemis incisa Hagen in Selys, 1877：55.

Agriocnemis pulverulans Selys, 1877：56.

Agriocnemis materna Hagen in Selys, 1877：57.

Agriocnemis femina：Kirby, 1890：158.

鉴别特征：头部黑色，具蓝色横条纹；合胸背面黑色，侧面淡蓝色，肩条纹淡蓝色；翅透明翅痣褐色。足淡黄色；腹部第1～7节淡蓝色，第8～10节红黄色；上肛附器黄色，短于下肛附器。雌性腹部第1～5节红色，背面无黑斑，第6～10节背面具黑纹。

采集记录：3♂5♀，凤县秦岭，1993.Ⅷ.10，杨祖德采；3♂5♀，汉中汉台区褒河，2007.Ⅶ.29，张宏杰采；5♂4♀，洋县金水，2014.Ⅷ.20，张宏杰采；8♂5♀，汉阴县太平乡，1986.Ⅷ.11，杨祖德采；3♂5♀，安康城郊，1985.Ⅷ.12，杨祖德采；3♂2♀，旬阳县龙沟，1985.Ⅷ.24，杨祖德采。

分布：陕西（凤县、汉中、洋县、汉阴、安康、旬阳），中国中南部广布；日本，东南亚，印度，澳大利亚。

(11) 黄尾小蟌 *Agriocnemis pygmaea* (**Rambur, 1842**) (图 93)

Agrionpygmaea Rambur, 1842: 278.

Agriocnemis pygmaea: Selys, 1877: 52.

Agriocnemis velaris Hagen in Selys, 1882: 158.

Agriocnemis hyacinthus Tillyard, 1913: 457.

　　鉴别特征: 下唇黄色，上唇黑色，有光泽；颊、上颚基部基后唇基暗蓝色；额、头顶及后头黑色；赤脚黑色，第 2 节黄色；单眼后淡蓝色斑小而圆；合胸背面黑色，肩前条纹黄色；翅透明，前翅、后翅色彩不同，前翅黄褐色、后翅黑色；足白色，具黑色条纹；腹部黄色，第 1~4 节淡色，第 5~7 节带褐色，第 8~10 节具黑色背中条纹；肛附器红黄色；长肛附器长于下肛附器。

　　采集记录: 2♂1♀，凤县，1993. Ⅷ. 10，杨祖德采。

　　分布: 陕西(凤县、安康、镇巴)、河南、江西、福建、台湾、广东、香港、四川；东南亚，中东，印度，非洲，澳大利亚。

9. 摩蟌属 *Mortonagrion* Fraser, 1920

Mortonagrion Fraser, 1920: 148. **Type species**: *Mortonagrion varralli* Fraser, 1920.

　　属征: 小型种类；雄性多黑色或浅褐色，夹杂蓝色或绿色斑；雌性体色均一。头部较窄，额无脊；前胸背板后缘呈拱形延长；腹部末端微膨大。

　　分布: 古北区。全世界记录 15 种，我国已知 2 种，秦岭地区有 1 种。

(12) 小月摩蟌 *Mortonagrion selenion* Ris, 1916

Mortonagrion selenion: Ris, 1916: 26.

Agriocnemis selenion Ris, 1916: 26.

　　鉴别特征: 下唇淡黄色，上唇淡黄色具小黑斑；上颚、颊、前唇基淡黄色，头部余部黑色；合胸背面黑色，肩前条纹细，淡绿色，合胸侧面淡绿色，有黑色条纹；翅透明，翅痣黄褐色，平行四边形；足腿节外侧和胫节内侧基部有黑斑；腹部第 1~2 节背面黑色，侧面淡绿色；第 3~7 节背面具细的黑斑，第 8~10 节红褐色；肛附器红褐色，下肛附器长度为上肛附器的 2.0 倍。雌性具黄、绿二色型。

　　采集记录: 3♂5♀，安康市区，1989. Ⅶ. 20，杨祖德采。

分布：陕西（安康）、吉林、上海、台湾。

10．黄螅属 *Ceriagrion* Selys，1876

Ceriagrion Selys，1876：525．**Type species**：*Agrion cerinorubellum* Brauer，1865．

属征：体中型；颜色鲜艳，以黄色、红色、绿色、橄榄色为主，少斑纹，额具隆线，无单眼后色斑。

分布：古北区，东洋区。全世界已知 50 余种，我国记录 10 余种，秦岭地区发现 2 种。

分种检索表

腹部朱红色 ·· 褐尾黄螅 *C. rubiae*
腹部淡橘黄色 ··· 长尾黄螅 *C. fallax*

（13）长尾黄螅 *Ceriagrion fallax* Ris，1914

Ceriagrion fallax Ris，1914：47．

鉴别特征：下唇黄色，上唇、上颚、前唇基、后唇基、额鲜黄色；头顶和后头棕褐色；前胸背面绿色，3 叶分界处有黑斑纹，呈工字形；合胸背面绿色，侧面绿色渐变到黄绿色，有黑色条纹；翅透明，翅痣深棕色；腹部第 1～6 节鲜黄色，第 7～10 节背面渐变到黑色，也逐渐扩展到腹侧；肛附器黑色，上肛附器稍短于下肛附器。雌性体色暗淡，腹部以褐色为主。

采集记录：3♂1♀，略阳接官亭镇，2014．Ⅷ.07，张宏杰采；2♂，略阳观音寺镇，2014．Ⅷ.17；2♂1♀，洋县金水，2014．Ⅷ.20，张宏杰采。

分布：陕西（略阳、洋县、南郑、镇安、山阳、商州）、河南、江西、福建、台湾、广东、四川、贵州；印度，孟加拉国。

讨论：陕西曾记录的截尾黄螅 *Ceriagrion aeruginosum*（Brauer，1869）和短尾黄螅（*Ceriagrion melanurum* Selys，1876）可能是错误鉴定，这两种非常类似长尾黄螅。我们在秦岭地区采集大量长尾黄螅标本，发现尾部端部黑斑有变化。

（14）褐尾黄螅 *Ceriagrion rubiae* Laidlaw，1916

Ceriagrion rubiae Laidlaw，1916：132．

鉴别特征：下唇淡黄色，上颚、颊黄色，头部其余部分红棕色；触角黑色，中部黄色；胸部红棕色；翅透明，翅痣褐色；足基部淡黄色，端部红棕色；腹部红色；肛附器红棕色，较短，上肛附器稍等于下肛附器。雌性体色暗淡，褐色或棕色。

采集记录：4♂3♀，洋县金水，2014. Ⅷ. 20，张宏杰采；3♂1♀，汉中汉台区褒河，2010. Ⅷ. 07，张宏杰采。

分布：陕西（汉中、洋县）、北京、河南、浙江、江西、福建、贵州；印度。

讨论：陕西记录的腹部红色的黄螅应该是褐尾黄螅，日本黄螅（*Ceriagrion nipponicum* Asahina，1967）可能是该种的同物异名。

11. 绿螅属 *Enallagma* Charpentier，1840

Enallagma Charpentier，1840：21. **Type species**：*Enallagma cyathigerum* Charpentier，1840.

属征：体短而粗；多呈蓝色、绿色，杂以黑色斑纹。雌性存在体色多型现象。

分布：全北区。全世界已知近50种，我国记录2种，秦岭地区发现1种。

（15）心斑绿螅 *Enallagma cyathigerum*（Charpentier，1840）

Agrion annexum Stephens，1835（nec Charpentier，1825）.

Agrion cyathigerum Charpentier，1840：163.

Agrion pulchrum Hagen，1840：80.

Agrion charpentieri Selys，1840：214.

Enallagma cyathigerum：Selys，1876：505.

鉴别特征：下唇淡黄色，上唇、上颚、前唇基、额蓝色，头部其余部分黑色；单眼后较大，梨形，蓝色；合胸黑色，侧面蓝绿色，有黑色条纹；翅透明，翅痣深褐色；腹部蓝色，第1节背面基部有半月形黑斑，第2节背面具心形黑斑，第3~7节背面端部具黑斑，黑斑向后逐渐扩大，第7节背面基部仅留1个蓝色环，第8~9节背面完全蓝色，第10节背面黑色，端部叉状，上翘；肛附器黑色。雌性粗壮，具蓝、黄二色型，腹部背面黑色斑纹细，不达侧面。

采集记录：3♂1♀，留坝县闸口石，2010. Ⅶ. 20，张宏杰采；3♂2♀，汉中汉台区褒河，2010. Ⅷ. 07，张宏杰采。

分布：陕西（留坝、汉中）、内蒙古、宁夏、新疆、四川、西藏；欧洲，北美洲。

12. 尾螅属 *Paracercion* Weekers *et* Dumont，2004

Paracercion Weekers *et* Dumont，2004：186. **Type species**：*Paracercion hieroglyphicum*（Brauer，1865）.

属征：上肛附器末端不呈叉状，有粗壮的基刺。

分布：全世界已知 10 多种，我国记录近 10 种，秦岭地区发现 3 种。

分种检索表

1. 第 2 腹节背面具 1 个杯形黑斑 ………………………………………………… 显突尾螅 *P. barbatum*

   第 2 腹节背面无杯形黑斑 …………………………………………………………………… 2

2. 下肛附器刺着生于中部，上弯遮盖上肛附器基刺 ……………… 黄纹尾螅 *P. hieroglyphicum*

   下肛附器刺着生于上端背面 ……………………………………… 七条尾螅 *P. plagiosum*

(16) 显突尾螅 *Paracercion barbatum*（Needham，1930）

Coenagrion barbatum Needham，1930：270.

Paracercion barbatum：Weekers & Dumont，2004：186.

鉴别特征：腹部第 2 节具有酒杯型黑色斑纹，可区别于该属其余种。面部蓝色，上唇基部具黑色横纹，后唇基黑色具 1 对黄斑；头顶具宽的黑色条纹；单眼后斑大，黄绿色，楔形；后头缘具 1 条蓝色线；合胸黑色，有绿色光泽，肩前条纹黄色，合胸侧面蓝色；翅透明，翅痣黄褐色；腹部蓝色，第 1 节基部具 1 个黑斑，第 2 节背面具 1 个酒杯形黑斑，其余各节均具有黑色斑纹；上肛附器黄褐色。雌性腹部黑斑较小，第 10 节蓝色。

采集记录：3♂2♀，汉中汉台区褒河，2010.Ⅷ.07，张宏杰采。

分布：陕西（汉中）、河北、山西、河南、江西、福建、四川、云南。

(17) 黄纹尾螅 *Paracercion hieroglyphicum*（Brauer，1865）

Agrion hieroglyphicum Brauer，1865：510.

Paracercion hieroglyphicum：Weekers & Dumont，2004：186.

鉴别特征：下唇淡黄色，上唇和上颚淡绿色，前唇基、额蓝色，头部其余部分黑色，后头缘蓝绿色；眼后斑小，蓝绿色，形状不规则；合胸黑色，有绿色光泽，肩前条纹蓝绿色，合胸侧面蓝绿色；翅透明，翅痣黄褐色；腹部蓝色，第 1 节背面黑色，第 2~6 节背面黑色，基部蓝绿色，第 7 节完全黑色，第 8 节端部具 1 条窄的黑色横纹，第 10 节背面背中脊黑褐色；肛附器淡黄色具褐斑，上肛附器长于下肛附器。雌性粗壮，体色偏黄；眼后斑较大，三角形；腹部黑色斑纹细。秦岭地区常见。

分布：陕西（汉中）、天津、上海、江西、香港；朝鲜，韩国，日本。

（18）七条尾螅 *Paracercion plagiosum* （Needham，1930）

Coenagrion plagiosum Needham, 1930：268.

Paracercion plagiosum：Weekers & Dumont, 2004：186.

鉴别特征：下唇淡黄色，上唇、上颚、前唇基、额蓝绿色，头部其余部分黑色；单眼后较大，三角形，蓝绿色；前胸中叶中央具"Y"形蓝绿色斑。合胸黑色，肩前条纹蓝绿色，合胸侧面蓝绿色，有黑色条纹；腹部蓝色，第1~6节背面基部具较长的黑斑，第7~9节背面黑斑较大，第10节背面具工字形黑斑；肛附器深褐色，下肛附器很短。雌性仅体色偏绿。

采集记录：秦岭地区曾在宁陕县采集到标本。

分布：陕西（宁陕）、吉林、北京、天津、河北；日本。

13．异痣螅属 *Ischnura* Charpentier，1840

Ischnura Charpentier, 1840：20. **Type species**：*Agrion pumilio* Charpentier, 1825.

属征：小型种类；体色多样，多为绿色、蓝色、橙红色，杂以黑色条纹。雌性体色多型现象典型。翅痣颜色变化明显，雄性前、后翅翅痣颜色和形状均不同，腹部末端背板常具帽状突起。

分布：古北区，东洋区。全世界已知60多种，我国记录8种，秦岭地区发现3种。

分种检索表

1. 腹部主体为橙色，腹部第9节全部黑色 ·······································　**红痣异痣螅 *I. rufostigma***
   腹部主体非橙色 ···　2
2. 前胸后叶不延长，腹部第8节全部蓝色 ·······················　**青纹异痣螅 *I. senegalensis***
   前胸后叶延长··　**长叶异痣螅 *I. elegans***

（19）长叶异痣螅 *Ischnura elegans* （Vander-linden，1823）

Agrion elegans Vander-linden, 1823：104.

Ischnura elegans：Selys, 1876：277.

鉴别特征：下唇白色，上唇黄绿色，基部边缘黑色；上颚、颊、前唇基、额黄绿色，头部余部黑色；单眼后斑圆形，蓝绿色；前胸黑色，有黄色斑纹，后叶中央向后突出较长；合胸背面黑色，肩前条纹黄绿色，合胸侧面淡蓝绿色，有黑色条纹；翅透明、翅痣近菱形，前翅翅痣深褐色，后翅翅痣小，淡黄色；足淡黄色，腿节外侧和胫节外上侧黑色；腹部第1～7节背面黑色，第8节蓝色，第9节有些个体黑色，有些个体有蓝色斑纹，第10节黑色；肛附器较短，黑色；第1～3节侧面具蓝色斑纹，第4～6节侧面黄色。雌性具多型现象，常见型类似雄性。秦岭地区常见。

采集记录：5♂3♀，汉中汉台区褒河，2010.Ⅷ.07，张宏杰采。

分布：陕西(留坝、汉中、商州、黄陵、榆林)、北京、天津、山西、河南、新疆、广东；印度，中亚，欧洲。

(20) 红痣异痣螅 *Ischnura rufostigma* Selys，1876

Ischnura rufostigma Selys，1876：283.

鉴别特征：下唇淡黄色，上唇、上颚、颊、前唇基、额蓝绿色，头部余部黑色；单眼后斑近圆形、蓝色；合胸背面黑色，肩前条纹绿色，合胸侧面绿色，有黑色条纹；翅透明，翅痣近菱形，前翅翅痣红褐色，后翅翅痣淡褐色；足黄色，腿节外侧和胫节外侧基部黑色；腹部第1节背面黑色，侧面黄绿色，第2～6节橘红色，端部具黑色环，第2节背面基部具黑斑，第7、9～10节黑色，第8节背面蓝色，侧面黑色，第10节背面后缘中央呈叉状突起。雌性有多型现象，体色棕黄，腹部背面全黑色。

采集记录：3♂2♀，太白三清池，1984.Ⅶ.26，杨祖德采；4♂2♀，佛坪城郊，1984.Ⅷ.03，杨祖德采；2♂1♀，安康市城郊，1986.Ⅶ.30，杨祖德采；5♂2♀，汉阴太平乡，1986.Ⅶ.28，杨祖德采。

分布：陕西(太白、佛坪、洋县、汉中、安康、汉阴、南郑、旬阳)、福建、广西、四川、贵州、云南；东南亚。

(21) 青纹异痣螅 *Ischnura senegalensis*（Rambur，1842）

Agrion senegalense Rambur，1842：276.
Ischnura senegalensis：Selys，1876：273.

鉴别特征：下唇黄色，上唇、上颚和前唇基蓝绿色，上唇基部有黑斑；颊、额绿色，头部余部黑色；单眼后斑小，圆形，蓝绿色；合胸背面黑色，肩前条纹绿色，合胸侧面绿色，有黑色条纹；翅透明，翅痣菱形，前翅翅痣基半部黑褐色，端半部乳白色，后翅翅痣淡褐色；足淡绿色，腿节外侧和胫节内侧基部有黑斑；腹部第1～7节背面黑色，第1～2节侧面和第3节侧面基部绿色，第3节端部到第7节侧面黄色，第8节背面蓝色，第9节背面黑色而侧面蓝色，第10节背面黑色，侧面黄色。雌性有多型现象，体色棕黄或橙黄，腹部背面全黑色。

采集记录：4♂2♀，太白三清池，1984.Ⅶ.26，杨祖德采。

分布：陕西（太白），中国中南部广布；日本，缅甸，印度，斯里兰卡，菲律宾，非洲西部。

五、扇螅科 Platycnemidae

鉴别特征：小型至中型的豆娘；体以黑色为主，杂有红色、黄色、蓝色斑，很少有金属光泽，停息时4翅合并在背上。本科的模式种雄性中足及后足胫节甚为扩大，呈树叶薄片状，故名为扇螅。主要特征为翅具2条原始结前横脉，足具浓密且很长的刚毛，盘室前边比后边短1/5，外角钝；雄性上肛附器通常比下肛附器短。幼虫3片尾鳃叶片状，比腹部长。

生物学：有的种类幼虫生活在静水水域，有的生活在流动水域，成虫多在水旁低矮植物间活动，常见雌性和雄性联成配对，而雌性在水域产卵。

分类：全世界已知近430种，我国记录30多种，陕西秦岭地区发现3属4种。

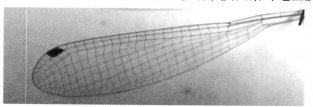

图 94 狭扇螅属 *Copera* 后翅

分属检索表

1. 后翅长约为腹长的1/2 ·· **长腹扇螅属 *Coeliccia***
   后翅长约远超过腹长的1/2 ·· 2
2. 雄性中足胫节稍向两侧扩展，呈剑状 ································ **狭扇螅属 *Copera***
   雄性中足胫节极度向两侧扩展，呈叶片状 ·························· **扇螅属 *Platycnemis***

图 95 狭扇螅属 *Copera* 中足胫节

图 96 扇螅属 *Platycnemis* 中足胫节

14. 长腹扇螅属 *Coeliccia* Kirby, 1890

Coeliccia Kirby, 1890: 128. **Type species**: *Platycnemis membranipes* Rambur, 1842.

属征: 中型螅类; 体色鲜艳, 中室前边较长, 约为后边的 4/5。主要栖息在水源附近浓密的植被种, 不善飞行。

分布: 全世界已知 60 余种, 我国记录 10 余种, 秦岭地区发现 2 种。

分种检索表

前胸中叶具斑纹, 腹部第 3~6 节背中脊具蓝色纵纹 ············ 六斑长腹扇螅 *C. sexmaculatus*

前胸中叶具斑纹, 腹部第 3~6 节背中脊无蓝色纵纹 ················ 四斑长腹扇螅 *C. didyma*

(22) 六斑长腹扇螅 *Coeliccia sexmaculatus* Wang, 1994

Coeliccia sexmaculatus Wang, 1994: 82.

鉴别特征: 中型螅类。头顶具横贯的淡黄色条纹; 下唇黄色, 上唇和后唇基黑色, 前唇基、上颚基部和颊部淡黄色, 头部余部黑色, 头顶具淡黄色横纹, 横贯单眼之间及两侧, 后头具 1 对淡黄色斑纹; 前胸黑色, 侧面具 1 对淡蓝色斑点; 背条纹中间间断, 合胸侧面具淡蓝色条纹; 翅透明, 翅痣深褐色; 腹部黑色, 第 1 节淡蓝色, 背面中央褐色, 第 2 节背面具淡蓝色纵纹, 但不达端部, 第 3~6 节具蓝色背中脊, 第 8 节端半部、第 9~10 节均为蓝绿色, 第 9 节基部侧面各具 1 个褐斑; 上肛附器背面淡蓝色。雌性类似, 但斑纹为黄色, 腹部第 8~9 节端半部淡蓝色, 第 10 节黑褐色。

采集记录: 5♂2♀, 佛坪县城郊, 1984.Ⅷ.03, 杨祖德采。

分布: 陕西(佛坪)、河南。

(23) 四斑长腹扇螅 *Coeliccia didyma* (Selys, 1863)

Trichocnemis didyma Selys, 1863: 155.

Coeliccia didyma: Kirby, 1890: 322.

鉴别特征: 中型螅类。与六斑长腹扇螅非常类似, 但头顶淡黄色条纹仅位于两侧单眼两侧, 在中单眼前不相连, 阳茎端节不相同。

采集记录: 3♂1♀, 洋县金水, 1984.Ⅷ.08, 杨祖德采。

分布: 陕西(洋县)、河南、四川、贵州、云南; 东南亚。

讨论：秦岭地区曾记录的青脊长腹扇螅（*Coeliccia cyanomelas* Ris, 1912）属错误鉴定。

15. 狭扇螅属 *Copera* Kirby, 1890

Copera Kirby, 1890: 191. **Type species**: *Copera marginipes* (Rambur, 1842).

属征：小型到中型螅；体色多样。雄性中后足胫节有所扩展，呈剑状。

分布：全世界已知近 10 种，我国记录 6 种，秦岭地区有 1 种。

(24) 白狭扇螅 *Copera annulata* (Selys, 1863)

Psiocnemis annulata Selys, 1863: 172.
Copera annulata: Needham, 1930: 251; Fraser, 1933b: 203.

鉴别特征：中型螅类。雄性中、后足胫节扩展为白色剑状；下唇淡黄色，上唇、前后唇基、颊、上颚基部蓝色，上唇基部中央具短黑色纵纹；头余部黑色；触角黑色，第 2、3 节连接处淡蓝色侧单眼与触角之间各具 1 个淡黄色斑点，单眼后色斑蓝色，小；前胸黑色，侧面具蓝色条纹，该条纹与合胸肩前条纹相连；合胸黑色，有黄色斑纹；翅透明，翅痣棕褐色；足淡黄色，有黑斑纹；腹部背面黑色，侧面淡蓝色，第 3～6 腹节侧面淡蓝色扩展到背面，形成基环，第 8 节端部白色，第 9～10 节蓝色；肛附器蓝色。雌性斑纹黄色，足褐色。

采集记录：2♂1♀，汉中汉台区褒河，2010. Ⅷ. 07，张宏杰采。

分布：陕西（汉中）、北京，秦岭以南地区；韩国，日本。

16. 扇螅属 *Platycnemis* Burmeister, 1839

Platycnemis Burmeister, 1839: 187. **Type species**: *Libellula pennipes* Pallas, 1771.

属征：小型螅；体色多以黄白色和浅蓝色为底色，杂以黑色斑纹。雄性中足、后足胫节极度扩展为叶片状，雌性前胸后叶特化为囊状。

分布：全世界已知 30 余种，我国记录 2 种，秦岭地区有 1 种。

(25) 白扇螅 *Platycnemis foliacea* Selys, 1886

Platycnemis foliacea Selys, 1886: 138.

鉴别特征：小型螅类。雄性中、后足胫节极度扩展为白色叶片状；上唇、前唇基、颊、上颚基部黄绿色，后唇基端半部黑色而基半部黄绿色；额中部黑色，两侧黄绿色；头顶、后头黑色具淡黄色横纹；触角黑色；前胸黑色，侧面具黄绿色条纹，该条纹与合胸肩前条纹相连；翅透明，翅痣棕褐色；腹部背面黑色，侧面淡黄色，第1～7腹节侧面淡黄色扩展到背面，第1节宽大，到第7节逐渐变窄。雌性类似，但足淡黄色，腹部侧面棕色。

采集记录：2♂1♀，留坝县闸口石，2010.Ⅶ.20，张宏杰采；2♂1♀，留坝县留侯镇，2016.Ⅶ.21，张宏杰采；3♂4♀，汉台区褒河，2010.Ⅷ.07，张宏杰采。

分布：陕西（留坝、汉中）、北京、天津、河北、山东、上海、浙江；日本。

六、丝螅科 Lestidae

鉴别特征：小型到中型螅。中室后角很尖锐，翅端的主要纵脉间有插入脉，亚翅结附近有斜脉，具金属绿色光泽。

生物学：停栖时翅多展开。主要分布在静水或溪流附近。

分类：温带到热带广布。全世界记录9属150多种，我国记录4属16种，陕西秦岭地区发现2属2种。

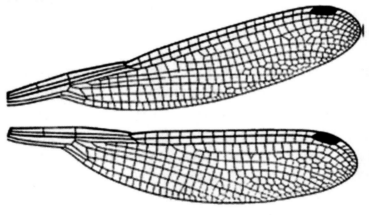

图97　丝螅科 Lestidae 翅

分属检索表

后翅中室形状与前翅相同 ······································· **丝螅属** *Lestes*

后翅中室比前翅长 ··· **印丝螅属** *Indolestes*

17. 丝螅属 *Lestes* Leach, 1815

Lestes Leach, 1815: 137. **Type species**: *Agrion sponsa* Hansemann, 1823.

Puella Brulle, 1832: 104. **Type species**: *Libellula puella* Linnaeus, 1758.

Anapates Charpentier, 1840: 18. **Type species**: *Agrion forcipula* Charpentier, 1825.

Africanlestes Kennedy, 1920: 84. **Type species**: *Agrion virgatum* Burmeister, 1839.

Paralestes Schmidt, 1951: 124. **Type species**: *Lestes* (*lestes*) *praemorsus* Hagen, 1862.

Xerolestes Fraser, 1951: 69. **Type species**: *Lestes pallidus* Rambur, 1842.

Pseudochalcolestes Pinhey, 1980: 31. **Type species**: *Lestes auripennis* Fraser, 1955.

Icterolestes Pinhey, 1980: 31. **Type species**: *Lestes intericus* Gerstaecker, 1869.

Malgassolestes Pinhey, 1980: 31. **Type species**: *Lestes simulator* M'Lachlan, 1895.

属征：翅脉比较复杂，翅痣较长，翅柄达臀横脉。生活在静水中，停栖时翅展开。

分布：全世界记录 80 余种，我国记录 10 种，秦岭地区有 1 种。

(26) 桨尾丝螅 *Lestes sponsa* (Hansemann, 1823)

Agrion sponsa Hansemann, 1823: 148.

Agrion paedisca Eversmann, 1836.

Lestes sponsa: Selys, 1840: 140.

鉴别特征：雄性腹长（包括肛附器）28.0～30.0mm，后翅长 18.0～21.0mm。下唇淡黄色，上唇、前唇基淡蓝绿色，上颚基部、颊淡黄色，后唇基黑色，额、头顶、后头金属光泽绿色；触角黑色，第 1 节端部淡蓝色；单眼后色斑及后头缘条纹缺失；前胸金属光泽绿色。合胸中缝以上金属光泽绿色，中缝以下淡黄色，沿肩缝有 1 条细黑线纹，无肩前条纹，合胸脊呈黑线纹，前胸和合胸侧面常被白霜；翅透明，翅痣黑褐色，近平行四边形，占 2～3 个翅室，前翅、后翅翅痣相同，前翅结后横脉 13～14 条，后翅 12 条；足腿节除弯曲面为黄褐色外，其余为黑色；胫节弯曲面黑色，伸展面黄褐色，跗节、足刺及爪黑色；腹部各节背面具金属光泽绿色，侧面淡蓝色，背面的绿色向腹末逐渐扩大变深，第 1～2 节及 9～10 节常被白霜，第 10 节端部两侧具黄斑；上肛附器黑色，稍长于第 10 腹节，外侧和内侧具黄褐色斑；内侧扩展叶长于上肛附器长度的 1/2，扩展叶基部具齿，端部凹陷而下缘齿状；下肛附器等于第 10 腹节长度，深褐色，尖端扁平，向前直伸。

雌性腹长（包括肛附器）29.0～30.0mm，后翅长 22.0～24.0mm。体色和斑纹与雄性相同，只是腹部比雄性粗壮，体表通常不被霜；前翅结后横脉 11～14 条，后翅 11～12 条。

采集记录：2♂1♀，凤县秦岭，1987. Ⅷ.08，杨祖德采。

分布：陕西（凤县）、黑龙江、吉林、新疆；欧亚大陆广布。

18．印丝螅属 *Indolestes* Fraser，1922

Indolestes Fraser，1922：58．**Type species**：*Indolestes indica* Fraser，1922．

　　属征：本属种类多为蓝色或褐色，杂以黑色斑纹，停栖时翅竖立在背上方，不同于该科其他类群。前翅中室明显短于后翅，前胸后叶不分叶。

　　分布：全世界记录 30 余种，我国已知 5 种，秦岭地区发现 1 种。

(27) 奇印丝螅 *Indolestes peregrinus*（Ris，1916）

Lestes peregrina Ris，1916：15．

Lestes extranea Needham，1930：233．

Lestes coerulea Needham，1930：235．

Indolestes peregrinus：Asahina，1976：2；Wilson and Xu，2007：104．

　　鉴别特征：中型螅类；体呈蓝色，有黑色条纹。下唇淡黄色，上唇、前唇基、颊浅色，头部余部黑色且具金属绿色光泽；侧单眼后方具 1 对浅色小斑点；触角黑色，有浅色斑纹；前胸黑色，侧面蓝色；合胸背面中央具北字形黑色斑纹，侧面浅色，有黑色斑纹；翅透明，翅痣深褐色；腹部蓝色，杂以黑色斑纹，第 1 节背面具 1 个矩形黑斑，第 2 节具独特的不规则斑纹，第 3~6 腹节基部和端部各具 1 对对称的黑斑，第 8 节背面黑色，第 9~10 节蓝色，第 9 节基部黑色；肛附器蓝色。雌性腹部黄褐色，具黑色斑纹。

　　采集记录：5♂6♀，略阳县郭镇，1986．Ⅴ.28，杨祖德采；1♂，留坝县闸口石，2010．Ⅶ.28，张宏杰采；3♂2♀，留坝县庙台子，1987．Ⅵ.15，杨祖德采。

　　分布：陕西（略阳、留坝）、浙江、湖北、江西、福建；日本。

　　讨论：陕西曾记录印度赭丝螅 *Indolestes indicus* Fraser，1922（分布：宁陕），可能是错误鉴定，该种分布于印度，我国其他地区均无该种记录。

七、山螅科 Megapodagrionidae

　　鉴别特征：中型到大型螅。翅痣常无支持脉，叉脉靠近翅结，翅结靠近翅基部，翅痣外较尖锐。雄性尾须较长，肛侧板相对退化。

　　分类：分布于热带和亚热带。全世界已知近 290 种，我国记录 25 种，陕西秦岭地区发现 2 属 2 种。

分属检索表

主要纵脉间插入脉短，不超过翅痣位置，第10腹节无突起 ·················· **华扇螅属** *Sinocnemis*

主要纵脉间插入脉长，有些超过翅痣位置，第10腹节有突起 ····· **凸尾山螅属** *Mesopodagrion*

19. 凸尾山螅属 *Mesopodagrion* McLachlan, 1896

Mesopodagrion McLachlan, 1896：365. **Type species**：*Mesopodagrion tibetanum* Malachlan, 1896.

属征：中型螅类。第10腹节背面有突起。主要分布于高海拔山地。停栖时翅展开，飞行能力差。

分布：中国；缅甸。秦岭地区记录1种。

(28) 雅州凸尾山螅 *Mesopodagrion yacohwensis* Chao, 1953

Mesopodagrion yacohwensis Chao, 1953：330.

鉴别特征：中型螅类；体呈黑色，杂以黄色条纹。上唇、前唇基、上颚基部、颊及额的两侧淡黄色，头部余部黑色；侧单眼两侧具1对黄色小斑点；触角黑色；前胸黑色，背面具黄色斑纹；合胸黑色，肩前条纹黄色、宽，合胸侧面具黄色斑纹；翅透明，翅痣褐色；腹部背面黑色，侧面黄色，第3~5节基部具黄色大斑点；肛附器黑色。

采集记录：8♂6♀，留坝县闸口石，2010.Ⅶ.28，张宏杰采；5♂7♀，留坝县闸口石，2011.Ⅶ.24，张宏杰采；10♂7♀，留坝县闸口石，2012.Ⅶ.26，张宏杰采；2♂5♀，留坝县庙台子，2016.Ⅶ.22，张宏杰采。

分布：陕西(留坝、宁陕)、河南、甘肃、浙江、四川。

讨论：赵修复(1953)描述了该种，1987年又将该种作为藏凸尾山螅(*Mesopodagrion tibetanum* Malachlan, 1896)的同物异名。于昕(2008)又恢复该种为有效种。

20. 华山螅属 *Sinocnemis* Wilson et Zhou, 2000

Sinocnemis Wilson et Zhou, 2000：173. **Type species**：*Sinocnemis yangbingi* Wilson et Zhou, 2000.

属征：中国特有属，记录3种。本属主要特征是纵脉间插入脉较短，不超过翅痣位置。该属曾隶属于扇螅科，后因主要纵脉间有插入脉，该属种类停栖时翅展开等特点移入山螅科。但该属的分类地位仍有争议。

分布：中国。秦岭地区发现1种。

(29) 河南华山蟌 *Sinocnemis henanensis* Wang, 2003

Sinocnemis henanensis Wang, 2003：1.

鉴别特征：体中型蟌类，粗壮。下唇黑色，上颚基部黄色，上唇蓝绿色，头余部黑色，侧单眼侧面有黄斑；触角黑色；前胸黑色，背面具黄色斑纹；合胸黑色，条纹黄色；翅透明，翅痣黑褐色，停栖时四翅平展；腹部背面黑色，具黄色斑纹，第2节侧面具宽的纵纹，第3～7节基部两侧具半圆形黄斑，第8～10节背面蓝绿色，侧缘黑色；肛附器黑色。

采集记录：2♂，佛坪县岳坝，1989.Ⅷ.10，杨祖德采。

分布：陕西(佛坪)、河南。

八、综蟌科 Synlestidae

鉴别特征：体中等至大型。腹部都有绿色金属光泽，静止时翅在身体背面张开。最主要的特征是 CuP 的基部由盘室生出处强度向前弯拱。

分类：全世界已知30多种，我国记录10多种，陕西秦岭地区发现1属2种。

21. 绿综蟌属 *Megalestes* Selys, 1862

Megalestes Selys, 1862：293. **Type species**：*Megalestes major* Selys, 1862.

属征：大型蟌。体表多具金属绿色光泽，无肩条纹和肩前条纹，停栖时翅平展，不善飞行。

分布：全世界已知15种，中国记录11种，秦岭地区发现2种。

分种检索表

后头中央有黄斑 ·························· **细腹绿综蟌** *M. micans*
后头中央无黄斑 ·························· **褐尾绿综蟌** *M. distans*

(30) 细腹绿综蟌 *Megalestes micans* Needham, 1930

Megalestes micans Needham, 1930：231.
Megalestes chengi Chao, 1947：15.

鉴别特征： 体大型螅类。下唇黑色、上颚基部和颊淡黄色，前唇基黑褐色，头余部具金属绿色光泽；侧单眼侧面有黄斑；触角黑色；前胸具金属绿色光泽，仅下缘黄色；合胸黑金属绿色光泽，腹面黄色；翅透明，翅痣黑褐色，腹部第1~2节背面具金属绿色光泽，侧面和腹面黄色，第3~10节深褐色，腹面具不明显的黄褐色斑。腹部最后2节和肛附器常被白粉。

采集记录： 2♂，留坝县庙台子，1987.Ⅵ.15，杨祖德采。

分布： 陕西（留坝）、浙江、福建、四川、云南；越南。

（31）褐尾绿综螅 *Megalestes distans* Needham，1930

Megalestes distans Needham，1930；231.

鉴别特征： 体大型螅类。下唇黑色、上颚基部和颊黄色，上唇、后唇基黑褐色，后头黑色，头余部具金属绿色光泽；侧单眼侧面有黄斑；触角黑色；前胸具金属绿色光泽，仅下缘黄色；合胸黑金属绿色光泽，腹面黄色；翅透明，翅痣黑色；腹部第1~2节背面具金属绿色光泽，侧面和腹面黄色，第3~9节黑褐色，背面有少许金属绿色光泽，第10节背面黑色，侧缘、腹面黄色，腹部最后2节和肛附器常被白粉。该种在秦岭中山区常见。

采集记录： 3♂1♀，汉台区褒河，2009.Ⅷ.15，张宏杰采。

分布： 陕西（汉中）、湖北、江西、广东、广西、四川、贵州；越南。

讨论： 秦岭的大绿综螅（*Megalestes major* Selys，1862）属错误鉴定，大绿综螅分布于印度，中国其他地区无记录。

差翅亚目 Anisoptera

九、蜓科 Aeschnidae

鉴别特征： 体大型至甚大型。头部在背观，两眼互相接触呈1条很长的直线；翅的中室有或无横脉，前后翅三角室形状相似，距离弓脉也一样远，在翅痣内端常有1条支持脉，有1条径增脉。本科种类体呈蓝色、绿色或褐色，有的种类单眼很大。

生物学： 多在黄昏时出没，捕吃蚊子；有的种类趋光性颇强。

分类： 全世界记录460多种，我国记录40余种，陕西秦岭地区发现3属5种。

分属检索表

1. Rs 位于弓脉区的中部，R₃ 在翅痣基缘向前缘弯曲 ·· 2
   Rs 处位于弓脉区的前部，R₃ 在翅痣处或外缘处急剧向前缘弯曲 ··················· **伟蜓属 Anax**
2. 前翅第 1 节前横脉与亚前缘脉垂直；小瓣膜小，不明显 ····················· **长尾蜓属 Gynacantha**
   前翅第 1 节前横脉与亚前缘脉不垂直；小瓣膜明显 ················· **多棘蜓属 Polycanthagyna**

22. 伟蜓属 *Anax* Leach, 1815

Anax Leach, 1815: 137. **Type species**: *Anax imperator* Leach, 1815.

属征: 大型蜓类。上肛附器粗壮，长而内侧具毛，合胸常无肩条纹和肩前条纹，合胸侧面条纹不明显。

分布: 世界广布。全世界已知 33 种，中国记录 8 种，秦岭地区有 2 种。

分种检索表

面部绿色，额具 1 个黑色"T"形斑，胸侧第 1 和第 3 条纹完全 ······ **黑纹伟蜓 A. nigrofasciatus**
面部绿色，额具 1 条黑色宽横带，胸侧第 3 条纹仅上方存在 ············ **碧伟蜓 A. parthenope**

(32) 黑纹伟蜓 *Anax nigrofasciatus* Oguma, 1915

Anax nigrofasciatus Oguma, 1915: 78.

鉴别特征: 体大型。下唇、上唇黄色，上唇前缘黑色，前、后唇基黄绿色，额绿色具 1 个黑色"T"形斑，头余部具黑色；触角黑色；合胸背面绿色，合胸脊黄色，合胸侧面黄绿色，具黑色条纹；翅透明，前缘脉黄色，翅痣黄褐色；腹部黑色，具蓝色斑点，第 1~2 腹节膨大，第 1 节和第 2 节基部绿色，第 3~7 侧面各具 3 个蓝斑和 1 条蓝色纵纹，第 8~10 节各具 1 个蓝斑；上肛附器黑色，下肛附器黄褐色。

采集记录: 2♂，留坝闸口石，2009.Ⅶ.19，张宏杰采。

分布: 陕西(留坝)；东亚。

(33) 碧伟蜓 *Anax parthenope* (Selys, 1839)

Aeshna (*Anax*) *parthenope* Selys, 1839: 389.
Anax parthenope: Selys, 1840: 119.

鉴别特征：体大型。下唇、上唇黄色，上唇基缘有 3 个小黑斑，前、后唇基黄色，额黄色具 1 个黑色横斑和 1 条淡蓝色横斑；头顶具黑色条纹，后头黄色；触角黑色；合胸绿色，具褐色条纹；翅透明，略带黄色，前缘脉亮黄色，翅痣黄褐色；腹部黑色，具蓝色斑点，第 1~2 腹节膨大，第 1 节和第 2 节基部绿色，第 2 节端部褐色，第 4~8 节背面黑色，第 3 节和第 9~10 节背面褐色，侧面具淡色斑纹；上肛附器褐色，下肛附器黄色。

采集记录：3♂1♀，洋县金水，1984.Ⅷ.08，杨祖德采。

分布：陕西(洋县)，中国广布；欧亚大陆南部，非洲。

23. 长尾蜓属 *Gynacantha* Rambur，1842

Gynacantha Rambur，1842：29. **Type species**：*Gynacantha nervosa* Rambur，1842.

属征：该属种类肛附器长，黄昏和阴天活动比较频繁。
分布：全球广布。秦岭地区记录 2 种。

分种检索表

翅基具黄色斑块，腹部第 3~7 节背面仅基部有黄斑 ⋯⋯⋯⋯⋯ **细腰长尾蜓 *G. subinterrupta***
翅基无黄色斑块，腹部第 3~7 节背面基部和端部各具 1 对黄斑 ⋯⋯ **日本长尾蜓 *G. japonica***

(34) 日本长尾蜓 *Gynacantha japonica* Bartenef，1909

Gynacantha japonica Bartenef，1909：7.

鉴别特征：体大型。下唇、上唇、前唇基和颊橙黄色，头部余部暗黄色，额具显著的"T"形斑，头顶黑色；触角暗黄色；前胸暗黄色，合胸褐色，无斑纹；翅透明，翅痣黄褐色；腹部褐色具黄色斑纹，第 1~2 腹节膨大，第 2 节背面中部具蓝绿色横纹，第 3~8 节背面中部具 1 对黄色条纹，第 3~7 节背面端部具 1 对斑点，第 10 节具黄色斑块；上肛附器深褐色，下肛附器亮黄色。

采集记录：5♂2♀，略阳县观音寺，1988.Ⅶ.30，杨祖德采；3♂2♀，汉台区褒河，2009.Ⅷ.15，张宏杰采；1♂，洋县茅坪，1984.Ⅷ.08，杨祖德采。

分布：陕西(略阳、洋县、汉中)、福建、台湾、广东、香港、云南；韩国，日本。

(35) 细腰长尾蜓 *Gynacantha subinterrupta* Rambur，1842

Gynacantha subinterrupta Rambur，1842：212.

　　鉴别特征：体大型。下唇黄色，面部黄褐色，唇基和额不具黑色毛，额和头顶稍隆起，具显著的"T"形斑，头顶黑色；触角黄色；合胸黄褐色，无斑纹；翅透明，前缘脉淡黄色，翅痣黄褐色；腹部黑褐色，第1~2腹节膨大，第2节背面具3条黑色横纹，第2节基部缩小，第3~7节背面中部及末端两侧各具1个褐斑；上肛附器褐色，下肛附器黄色，端部褐色。

　　采集记录：2♂1♀，汉台区褒河，2009.Ⅷ.15，张宏杰采。

　　分布：陕西（汉中）、福建、广东、海南、香港、广西、四川；东南亚及印度尼西亚。

24．多棘蜓属 *Polycanthagyna* Fraser，1933

Polycanthagyna Fraser，1933：463．**Type species**：*Aeschna erythromelas* McLachlan，1896．

　　属征：雌性外生殖器的齿状板上有许多粗壮的刺，后翅翅痣明显短于前翅，R_3弯向翅痣。

　　分布：中国；日本。全世界已知4种，我国记录3种，秦岭地区有1种。

（36）黄绿多棘蜓 *Polycanthagyna melanictera*（Selys，1883）

Aeschna melanictera Selys，1883：119．
Polycanthagyna melanictera：Fraser，1936：119．

　　鉴别特征：体大型。下唇黄色，上唇蓝绿色具黄斑，前唇基蓝绿色具黄色和黑色斑各1个，头部余部黑色；前胸黑色，合胸黑色具黄色条纹；翅透明，翅痣黑褐色；腹部黑色具黄色斑纹；第1~2腹节膨大，第2节具耳状突，第3~7节背面中部具1对黄色条纹，第3~7节背面具2对黄斑点，第8~9节黑色，第10节端部黄色；肛附器黑色。

　　采集记录：2♂，洋县茅坪，1984.Ⅷ.08，杨祖德采。

　　分布：陕西（洋县、商南）、河南、浙江、台湾、香港、四川；日本。

十、裂唇蜓科 Chlorogomphidae

　　鉴别特征：大型蜻蜓；体呈黑色，具有黄色斑纹。下唇中叶具纵裂；翅基室具横脉，臀套宽大。雄性胫节有膜质隆线。雌性产卵器退化严重。

　　分类：全世界已知50余种，我国记录10多种，陕西秦岭地区发现1属1种。

25. 华裂唇蜓属 *Chlorogomphus* Selys, 1854

Chlorogomphus Selys, 1854：99. **Type species**：*Chlorogomphus magnificus* Selys, 1854
Orogomphus, Selys, 1878：681. **Type species**：*Orogomphus splendidus* Selys, 1858.

属征：合胸背上的黄色肩条纹线形，有的类群该条纹上端虽有一定的扩大，但整个条纹不成楔形，中胸上前侧片具有完整的肩前条纹，中胸后侧片上的黄色条纹窄或退化，后胸前侧片上的条纹充分扩展，后胸侧片上具有的条纹窄或退化或缺如。雌性下生殖板宽大于长，无腹中脊。

分布：东洋区。全世界已知 43 种，我国记录 14 种，秦岭地区有 1 种。

(37) 铃木华裂唇蜓 *Chlorogomphus suzukii* (Oguma, 1926)

Orogomphus suzukii Oguma, 1926：88.
Chlorogomphus suzukii：Kobayashi, 1940：326.
Sinorogomphus suzukii：Carle, 1995：390.

鉴别特征：体大型。下唇黄褐色，上唇和上颚黑色，前唇基黑色而周缘黄褐色，后唇基黄色而前缘具 2 个黑色斑点，头部余部黑色，上额具黄色横斑；合胸黑色具黄色条纹，肩条纹和肩前条纹不相连；翅透明，翅痣黑色；腹部黑色，第 1~7 腹节具黄色条纹；肛附器黑色。

采集记录：1♂，佛坪县城郊，1989. Ⅷ. 10，杨祖德采；1♂，洋县华阳，1984. Ⅷ. 07，杨祖德采。

分布：陕西（佛坪、洋县）、浙江、台湾；日本。

十一、大蜓科 Cordulegasteridae

鉴别特征：大型蜻蜓，体粗壮；体呈黑色，常有黄色或黄绿色条纹。两复眼在头顶甚接近或仅接触；翅基室无横脉。雄性胫节无隆线。雌性产卵器极度伸长。
生物学：生活在山谷溪流。
分类：全世界已知 50 余种，我国记录 10 多种，陕西秦岭地区发现 2 属 2 种。

分属检索表

无耳突，雄性臀角圆，缺臀三角室 ································· 圆臀大蜓属 *Anotogaste*

有耳突，雄性臀角直角形，具臀三角室 ······························ **角臀大蜓属** *Neallogaster*

26. 圆臀大蜓属 *Anotogaster* Selys，1854

Anotogaster Selys，1854：82. **Type species**：*Anotogaster nipalensis* Selys，1854.

属征：翅半透明，具黄色条纹；结前横脉多，其中 2 条粗脉相距较远；雌性和雄性臀部圆形，额部明显隆起不明显。

分布：古北区，东洋区。全世界已知 14 种，中国记录 8 种，秦岭地区发现 1 种。

(38) 双斑圆臀大蜓 *Anotogaster kuchenbeiseri*（**Foerster，1899**）

Cordulegaster kuchenbeiseri Foerster，1899：68.

Anotogaster kuchenbeiseri：Needham，1930：103.

鉴别特征：体大型。下唇黄色，上唇黑色具 1 对黄色斑块，前唇基黑色，后唇基黄色而中央具 2 个黑色小斑点，头部余部黑色，上额具黄色横线；前胸黑色具黄斑，合胸黑色具黄色条纹；翅透明，翅痣黑色；腹部黑色，第 2～8 腹节基部具 1 对黄色环状斑纹，第 9 节基部具 1 个小黄斑；肛附器黑色。雌性产卵器特长。

采集记录：1♂1♀，略阳两河口，1992.Ⅷ.10，杨祖德采。

分布：陕西(略阳、留坝、洋县)、北京、河北、山西、山东、河南、四川。

讨论：该属德国学者 Lohmann（1993）依据 E-Suenson 于 1936 年在陕西南部采集的 2 头雄性和 1 头雌性标本(标本保存在荷兰国家自然博物馆，莱登市)曾描述新种角额圆臀大蜓 *Anotogaster cornutifrons* Lohmann，1993。但是 van Pelt（1994）（荷兰国家自然博物馆工作人员）却查看 3 头标本均是雌性，其中 1 头为亚成体标本，她认为该种可能是双斑圆臀大蜓的个体变异。该种值得进一步研究。

27. 角臀大蜓属 *Neallogaster* Cowley，1934

Allogaster Selys，1878：684（nec Thompson，1864）. **Type species**：*Allogaster latifrons* Selys，1878.

Neallogaster Cowley，1934：201. **Type species**：*Allogaster latifrons* Selys，1878.

属征：头部宽大于长，体多毛；额部明显隆起，雄性臀部角形。

分布：东洋区。全世界已知 7 种，中国记录 5 种，秦岭地区发现 1 种。

(39) 周氏角臀蜓 *Neallogaster zhoui* Yang *et* Li，1994

Neallogaster zhoui Yang *et* Li，1994：459.

鉴别特征：腹部长 52.0～60.0mm，后翅长 42.0～50.0mm；体大型。下唇黄色，上唇黄色具黑褐色窄边缘，前唇基暗褐色具浅褐色"工"字纹；后唇基、前额、上额黄绿色；头顶黑色，后头黄绿色，后部具黄色斑；前胸黑色，中叶具 1 对三角形黄斑；合胸黑色具黄绿色条纹，楔形，合胸侧面 2 条黄色条纹，2 条纹中间具几个小黄斑；翅透明，翅痣黑褐色；足黑色，基节具黄斑；腹部黑色具黄色斑纹，腹部第 1 节背面具 1 对大的方形黄斑，第 2 节背面具 5 个黄斑，第 3～8 节中部和端部各具 1 对半圆形斑纹，第 9 节背面基部仅 1 对斑纹，第 10 节背面中部具 1 对椭圆形斑。雌性类似雄性，第 2 节中部斑点合并。

采集记录：5♂2♀，留坝闸口石，2007.Ⅶ.25，张宏杰采。

分布：陕西(留坝、勉县、南郑)。

十二、春蜓科 Gomphidae

鉴别特征：身体中型至大型；体呈黑色，具黄色花纹。两眼距离甚远，下唇中叶完整，不纵裂；前后翅三角室形状相向，并且距离弓脉一样远；雄性后翅臀角呈一个角度(少数圆形)；基中室无横脉；臀圈缺如，甚少具少数翅室。雌性无产卵器。幼虫触角只有 4 节，第 3 节最大，第 4 节细小，前足和中足的跗节只有 2 节。

生物学：常见于溪边及池塘边；早春最为常见。

分类：世界广布。全世界已知 970 多种，我国有 160 多种，陕西秦岭地区发现 6 属 9 种。

分属检索表

1. 除后翅三角室外，其余三角室、上三角室和下三角室均无横脉 ················· 3
   上三角室和下三角室均有横脉 ·· 2
2. 臀圈缺如，雄性臀三角室通常 3 室 ··············· **环尾春蜓属 _Lamelligomphus_**
   臀圈 2～3 室，雄性臀三角室通常 4 室或更多 ······· **新叶春蜓属 _Sinictinogomphus_**
3. 雄性下肛附器短而阔，端缘圆弧形内凹。臀三角室多于 4 室 ······· **棘尾春蜓属 _Trigomphus_**
   雄性下肛附器非上述特征 ·· 4
4. 足长，后足腿节可伸达或超过腹部第 2 节中央。上肛附器末端腹面具 1 个黑色突起或齿 ······
   ·· **异春蜓属 _Anisogomphus_**
   足短 ··· 5
5. 阳茎末端具鞭 1 对 ······························· **华春蜓属 _Sinogomphus_**
   阳茎末端圆盘状，无鞭。后翅三角室常有 1 条横脉 ············· **戴春蜓属 _Davidius_**

28. 异春蜓属 *Anisogomphus* Sely, 1858

Anisogomphus Sely, 1858：451. **Type species**：*Gomphus occipitalis* Selys, 1854.

Temnogomphus Laidlaw, 1922：394. **Type species**：*Gomphus bivittatus* Selys, 1854.

属征：雄性腹部第 7~9 节向两侧扩大，臀三角室基边甚斜，臀角不明显。足细长多短刺；上肛附器几乎平行，下肛附器端部中央凹陷甚宽而深；前钩片末端钩曲，后钩片末端前方有鸟喙状突起。

分布：东洋区，古北区。全世界已知 20 种，中国记录 9 种，秦岭地区发现 1 种。

(40) 马奇异春蜓 *Anisogomphus maacki*（Selys, 1872）

Gomphus maacki Selys, 1872：33.

Anisogomphus maacki：Kirby, 1890：69.

鉴别特征：上唇几乎完全黄色，前缘黑色，后唇基黑色，两侧各有 1 个淡色斑点；合胸背条纹不与肩前上点相连，而与领条纹相连，合胸侧面大部分黄色；第 1 腹节背面具 1 个大的三角形斑，第 2 腹节背中条纹中间膨大，第 3~7 节具背中条纹。

采集记录：1♂，周至，1986.Ⅶ.18，杨祖德采；1♂，周至，1984.Ⅶ.30，杨祖德采；1♂，镇安，1989.Ⅷ.20，杨祖德采。

分布：陕西（周至、镇安）、辽宁、内蒙古、河北、山西、河南、宁夏、湖北、四川、云南；朝鲜，日本。

29. 戴春蜓属 *Davidius* Selys, 1878

Davidius Selys, 1878：667. **Type species**：*Davidius davidi* Selys, 1878.

属征：小型春蜓。后翅三角室较长，约为前翅三角室长的 2.0 倍，内有 1 条横脉；前钩片末端分为 2 枝，后钩片端部向后倾斜或后缘端部扩大。雌性腹部第 9 节扩大部分为膜质，在下生殖板下方有 1 对骨片，腹部第 10 节腹板短。

分布：古北区。全世界已知 22 种，中国记录 13 种和亚种，秦岭地区发现 3 种。

分种检索表

1. 合胸侧面第 2 条纹完整，并与第 3 条纹合并；雌性头顶有 1 对角状突 ·····························
·· 双角戴春蜓 *D. bicornutus*

合胸侧面第 2 条纹在气门上方的一段消失，并与第 3 条纹合并 ·············· 2

2.　有肩前上点 ·· 赵氏戴春蜓 *D. chaoi*

　　无肩前上点 ····························· 戴氏戴春蜓陕西亚种 *D. davidus shaanxiensis*

(41) 双角戴春蜓 *Davidius bicornutus* Selys，1878

Davidius bicornutus Selys，1878：670.

鉴别特征：背条纹下端与领条纹不相连；合胸侧面第 2 条纹完整，并与第 3 条纹合并，后胸后侧片黄色斑块前缘直；雄性无肩前上点；雌性头顶有 1 对角状突，腹部第 2 节背条纹长三角形。

采集记录：1♂，留坝县闸口石，2006.Ⅶ.18，张宏杰采；1♂1♀，留坝县庙台子，2016.Ⅶ.19，张宏杰采；1♀，宁陕县旬阳坝，1987.Ⅶ.14，杨祖德采。

分布：陕西（西安、留坝、宁陕）、北京；日本

(42) 赵氏戴春蜓 *Davidius chaoi* Cao *et* Zheng，1988

Davidius chaoi Cao *et* Zheng，1988：407.

Davidius miaotaiziensis Zhu，Yang *et* Li，1988：429.

鉴别特征：背条纹下端与领条纹不相连；合胸侧面第 2 条纹不完整，并与第 3 条纹合并，后胸后侧片黄色斑块前缘不规则；雄性有肩前上点。雄性第 1 腹节背面具大黄斑，第 2 腹节背面为 1 条纵纹。雌性头顶无角状突，腹部第 2 节无背条纹。

采集记录：2♂，2005.Ⅵ.23，凤县，张宏杰采；5♂3♀，留坝庙台子，1987.Ⅵ.16，杨祖德采；4♂4♀，宁陕旬阳坝，1983.Ⅵ.14，曹勇采。

分布：陕西（凤县、留坝、宁陕）。

(43) 戴氏戴春蜓陕西亚种 *Davidius davidius shaanxiensis* Zhu，Yang *et* Li，1988

Davidius davidius shaanxiensis Zhu，Yang *et* Li，1988：432.

Davidius qinlingensis Cao *et* Zheng，1989：1.

鉴别特征：类似赵氏戴春蜓。但无肩前上点，雄性第 1 腹节背面和侧面全黄色，第 2～7 腹节基部具 1 对黄斑。雌性第 2 腹节背面黄色，第 3～7 腹节背面具 1 对长斑。

采集记录：1♂1♀，留坝闸口石，2011.Ⅶ.23，张宏杰采。

分布：陕西（留坝）。

30. 华春蜓属 *Sinogomphus* May，1935

Sinogomphus May，1935：90. **Type species**：*Sinogomphus nigrofasciatus* May，1935.

属征：背条纹不与领条纹相连，上肛附器象牙色，手指形，基部腹面具 1 个齿突，下肛附器长度约为上肛附器长度的 1/2；前钩片小，构造简单，后钩片甚大，向后倾斜。

分布：古北区，东洋区。世界已知 10 种，中国记录 9 种，秦岭地区有 1 种。

(44) 修氏华春蜓 *Sinogomphus suensoni*（Lieftinck，1939）

Gomphus suensoni Lieftinck，1939：285.
Sinogomphus suensoni：Chao，1954：55.

鉴别特征：合胸脊无黄条纹，合胸侧面第 2 条纹和第 3 条纹完全，第 2 条纹上端弯曲略呈波浪形。雄性上肛附器向末端逐渐变细，上肛附器黄色而端部黑色，下肛附器铲形，端部中央略凹陷。雌性头顶具 1 对隆起。

采集记录：10♂2♀，留坝闸口石，2011. Ⅶ. 14-23，张宏杰采；12♂2♀，留坝闸口石，2013. Ⅶ. 16-20，张宏杰采；1♂1♀，留坝庙台子，2016. Ⅶ. 19，张宏杰采。

分布：陕西(留坝、宁陕)、山西。

31. 棘尾春蜓属 *Trigomphus* Bartenev，1911

Trigomphus Bartenev，1911：432. **Type species**：*Trigomphus anormolobatus* Bartenev，1912.
Xenogomphus Needham，1941：146. **Type species**：*Gomphus agricola* Ris，1916.
Gastrogomphus Needham，1944：148. **Type species**：*Gomphus abdominalis* McLachlan，1884.

属征：叉脉不对称。雄性臀三角室 5～6 室；上肛附器近端部有 1 个棘状突起。前钩片比后钩片略短，向后弯曲；后钩片粗大，末端具强钩。

分布：古北区，东洋区。全世界已知 13 种，中国记录 8 种，秦岭地区发现 1 种。

(45) 斯氏棘尾春蜓 *Trigomphus svenhedini*（Sjoestedt，1933）

Gomphus svenhedini Sjoestedt，1933：11.
Xenogomphus svenhedini：Needham，1941：146.
Trigomphus svenhedini：Chao，1954：33.

鉴别特征：上唇具 1 个横行黄斑，仅端缘黑色；后头黑色，中央有 1 个小黄斑；有肩上点，无肩前条纹；背条纹甚宽，向下方扩大，与领条纹相连，相连处内角呈圆弧形。

采集记录：2♂1♀，留坝庙台子，1987. Ⅵ. 16，杨祖德采。

分布：陕西（留坝）、四川。

32. 环尾春蜓属 *Lamelligomphus* Fraser，1922

Lamelligomphus Fraser，1922：426. **Type species**：*Onychogomphus biforceps* Sélys，1878.

属征：上、下肛附器末端极度弯曲，并相交；臀圈 2 室。雌性后头缘有 1 对角状突起，腹部第 7 腹板末端突然缩小。合胸背条纹不与领条纹相连。

分布：古北区，东洋区。秦岭地区发现 2 种。

(46) 环纹环尾春蜓 *Lamelligomphus ringens*（Needham，1930）

Onychogomphus ringens Needham，1930：40.
Lamelligomphus ringens：Fraser，1942：340.

鉴别特征：前钩片无后枝，有肩前上点；上唇大部分黄色，具甚细的黑色边缘，前唇基黑色，后唇基黄色；后头黑色，具 1 个方形黄色斑块；第 1 腹节背面具三角形黄斑，尖端向前，第 2 腹节背面类似第 1 腹节，但尖端向后，第 3~7 节基部具甚宽的横纹。

采集记录：1♂，略阳接官亭，2014. Ⅷ. 18，张宏杰采；2♂，佛坪城郊，1984. Ⅷ. 03，杨祖德采；2♂，洋县，1984. Ⅷ. 09，杨祖德采；1♂，汉中汉台区褒河，2016. Ⅷ. 18，张宏杰采；1♂，石泉，1984. Ⅷ. 07，杨祖德采。

分布：陕西（略阳、佛坪、洋县、汉中、石泉）、吉林、河北、山西、山东、河南、新疆、浙江、台湾、香港、广西、四川、贵州；朝鲜。

(47) 汉中环尾春蜓 *Lamelligomphus hanzhongensis* Yang *et* Zhu，2001

Lamelligomphus hanzhongensis Yang *et* Zhu，2001：157.

鉴别特征：雌性体长 45.0mm，后翅长 39.0mm。头顶黑色，后头黑色，上半部黄色；上颚、上唇、前唇基及额横纹黄色，具黑边；前胸背板褐色具黄斑，前叶有 1 对侧斑，中叶中央一并联双斑；中后胸褐色，具黄色条斑；合胸脊上半部褐色；翅透明，基部及前缘淡黄色。

采集记录：1♀（正模），汉中，1981. Ⅶ，杨祖德采。

分布：陕西（汉中）。

33. 新叶春蜓属 *Sinictinogomphus* Fraser, 1939

Sinictinogomphus Fraser, 1939：22. **Type species**：*Aeshna clavatus* Fabricius, 1775.

Ictinus Rambur, 1842：171. **Type species**：not given.

Ictinogomphus Lieftink, 1942：568. **Type species**：*Ictinus ferox* Rambur（1842）

属征：该属仅1种。大型春蜓。下三角室仅2室，中室区仅2列翅室，臀三角室3室；腹部第8节背板极度扩大；前钩片前枝钩状。

分布：中国；朝鲜，日本，越南。世界已知1种，中国有分布，秦岭也有发现。

（48）大团扇春蜓 *Sinictinogomphus clavatus*（**Fabricius, 1775**）

Aeshna clavatus Fabricius, 1775：425.

Ictinus clavatus：Selys, 1854：93.

Sinictinogomphus clavatus：Fraser, 1940：548.

Ictingonphus clavatus：Asahina, 1948：58.

鉴别特征：上唇黄色，具甚细的黑色边缘，前、后唇基黄色，头顶黑色，后头黄色；前胸背板黄色，两侧具半圆形斑点，合胸黑色，具黄色条纹；腹部黑色，具黄色斑纹，第1腹节背面具大的三角形黄斑，与第2节背中条纹相连，第3~7节背面基部具三角形黄斑，第8节两侧具大的斑纹，第9~10节侧面具斑点；肛附器黑色。

采集记录：2♂，洋县，1984. Ⅷ.09，杨祖德采。

分布：陕西（洋县）、浙江、湖北、江西、福建、广东、四川；朝鲜，日本，越南。

十三、伪蜻科 Corduliidae

鉴别特征：身体中型至大型；常具金属蓝色或绿色。头部在背面观两眼互相接触较长的距离；眼的后缘中央常有1个小型波状突起；臀圈明显，四边形或六边形，或稍为长形；足常较长。

分类：全世界记录160多种，我国已知约20种，陕西秦岭地区发现1属1种。

34. 金光伪蜻属 *Somatochlora* Selys, 1871

Somatochlora Selys, 1871：25. **Type species**：*Libellula metallica* Linden, 1825.

Chlorosoma Charpentier, 1840：180. **Type species**：*Libellula aenea* Linnaeus, 1758.

属征：中型蜻蜓。胸部蓝绿色；翅透明，臀套很发达，后翅常 2 条肘臀脉。

分布：古北区。全世界记录 44 种，中国已知 6 种，秦岭地区有 1 种。

（49）矛尾金光伪蜻 *Somatochlora uchidai* Förster，1909

Somatochlora uchidai Förster，1909：233.

Somatochlora dido Sun，1964：119.

鉴别特征：上唇黑色，上唇基黄色，额具 1 对黄色条纹，头部余部墨绿色；胸部墨绿色，合胸侧面具 2 条黄色条纹；前后翅三角室各有 1 条横脉；腹部黑色，第 2～3 节基部具黄斑；肛附器较长。雌性腹部第 9～10 节膨大，其余类似雄性。

采集记录：3 ♂，周至厚畛子，1984. Ⅶ. 26，杨祖德采；1 ♂ 1 ♀，留坝闸口石，2007. Ⅷ. 16，张宏杰采；2 ♂ 1 ♀，留坝闸口石，2011. Ⅶ. 16，张宏杰采；1 ♂ 1 ♀，留坝闸口石，2013. Ⅶ. 18，张宏杰采；2 ♂ 1 ♀，宁陕旬阳坝，1987. Ⅷ. 14，杨祖德采。

分布：陕西（周至、留坝、宁陕）、黑龙江、山西、河南、四川；日本。

讨论：隋敬之等（1984）记述的黑龙江的绿金光伪蜻和王治国（2007）记述的河南的绿金光伪蜻均不是该种，因为黑龙江和河南标本合胸侧面无黄色条纹，上肛附器的特征也不同于绿金光伪蜻。

十四、大蜻科 Macromiidae

鉴别特征：大型蜻蜓。一般具有鲜明的色彩，飞翔力强。复眼后缘中部稍稍突出；基室有横脉；臀套圆形，无中肋；肘横脉 3 条或更多；腹部第 2 节两侧各具有 1 个耳状突；足特长。雄性后翅臀角突出。

分类：全世界记录 120 余种，我国记录 20 余种，陕西秦岭地区已知 2 属 2 种。

分属检索表

前翅三角室有横脉 ·· 丽大蜻属 *Epophthalmia*

前翅三角室无横脉 ··· 弓蜻属 *Macromia*

35. 弓蜻属 *Macromia* Rambur，1842

Macromia Rambur，1842：137. **Type species**：*Macromia cingulata* Rambur，1842.

属征：体呈黑色，具绿色或蓝色金属光泽，斑纹鲜黄色。肘脉 2～3 条，臀套方形，6～12 室，前翅 A_1 脉强烈弯曲，后翅臀角直角形。

分布：全世界记录 78 种，中国已知 21 种和亚种，秦岭地区有 1 种。

(50) 北京弓蜻 *Macromia beijingensis* Zhu et Chen, 2005

Macromia beijingensis Zhu et Chen, 2005：161.

鉴别特征：上唇基部具有 1 枚鲜黄色圆斑，上额背面缺斑纹。雄性第 10 腹节背面具有 1 对棘突，后钩片的"颈部"及"头部"粗壮，"头部"的端爪长而尖削。雌性第 2 腹节的背斑与侧斑不并接，第 3、4 腹节上此两斑并接。

采集记录：1♂，汉阴，1984.Ⅷ.10，杨祖德采；1♂，石泉，1984.Ⅷ.07，杨祖德采。

分布：陕西（汉中、汉阴、石泉）、北京。

36. 丽大蜻属 *Epophthalmia* Burmeister, 1839

Epophthalmia Burmeister, 1839：844. **Type species**：*Epophthalmia vittata* Burmeister, 1839.
Azuma Needham, 1904：698. **Type species**：*Epophthalmia elgans* Brauer, 1865.

属征：类似弓蜻属。但前翅三角室有横脉，臀套 10 室以上；上肛附器黑色，前胸前叶具 1 个小的黄色斑点；前钩片端部弓形，腹面具弯曲的齿；阳茎端部具 3 个长鞭。

分布：全世界已知 7 种，我国记录 2 种，秦岭地区发现 1 种。

(51) 闪蓝丽大蜻 *Epophthalmia elegans* Brauer, 1865

Epophthalmia elegans Brauer, 1865：903.
Azuma elegans Needham, 1930：108.

鉴别特征：头顶有深蓝色光泽；腹部第 1 节黑色，第 2～8 节背面有横纹，第 7 节最大，第 8 节最小；上肛附器背面基部黄褐色，端部黑色，下肛附器黄褐色。雌性翅中部黄褐色。

采集记录：1♂1♀，留坝庙台子，1987.Ⅵ.16，杨祖德采。

分布：陕西（留坝），中国广布。

十五、蜻科 Libellulidae

鉴别特征: 体中型。前缘室与亚缘室的横脉常连成直线;翅痣无支持脉;前后翅三角室所朝方向不同,前翅三角室与翅的长轴垂直,使其离弓脉远;后翅三角室与翅的长轴同向,通常它的基边与弓脉连成直线;臀圈足形,趾突出,具中肋。

分类: 全世界已知 1010 多种,我国记录约 110 余种,陕西秦岭地区分布 13属23 种。

分属检索表

1. 臀套中肋的起点到 A2 基部距离与距 A1 基部距离比值不到2.0 倍 ··· 斑小蜻属 *Nannophyopsis*
   臀套中肋的起点到 A2 基部距离与距 A1 基部距离比值不小于2.0 倍 ························· 2
2. 翅痣的内缘、外缘平行 ·· 3
   翅痣的内缘、外缘不平行,外缘倾斜 ··· 12
3. R3 脉呈强烈弯曲,呈波浪状 ·· 4
   R3 脉略有弯曲,不呈波浪状 ·· 5
4. 肘横脉多于 1 条 ··· 蜻属 *Libellula*
   肘横脉只有 1 条 ··· 灰蜻属 *Orthetrum*
5. 中肋近乎直线;翅痣前方或下方的横脉强烈倾斜 ·································· 6
   中肋有角度;翅痣前方的横脉不强烈倾斜 ·· 8
6. 最末 1 条结前横脉上、下接连 ··· 多纹蜻属 *Deielia*
   最末 1 条结前横脉上、下不接连 ·· 7
7. 翅具 1 条红黄色宽带;面和腹部非红色,前翅结前横脉6～8 条 ········· 黄翅蜻属 *Brachythemis*
   前翅基部具 1 个黄色小斑,面和额红色,前翅结前横脉9～12 条 ········· 红蜻属 *Crocothemis*
8. 后翅具 2 条肘臀横脉 ··· 宽腹蜻属 *Lyriothemis*
   后翅具 1 条肘臀横脉 ··· 9
9. 桥横脉多于 1 条,结前横脉 14～16 条 ·· 玉带蜻属 *Pseudothemis*
   桥横脉只有 1 条 ·· 10
10. 前胸后叶 2 裂 ·· 11
    前胸后叶完全 ··· 褐蜻属 *Trithemis*
11. 最后 1 条结前横脉上、下接连 ·· 锥腹蜻属 *Acisoma*
    最后 1 条结前祸脉上、下不接连 ·· 赤蜻属 *Sympetrum*
12. R3 不呈波浪形 ··· 斜痣蜻属 *Tramea*
    R3 呈波浪形 ··· 黄蜻属 *Pantala*

37. 锥腹蜻属 *Acisoma* Rambur, 1842

Acisoma Rambur, 1842: 26. **Type species**: *Acisoma panorpoides* Rambur, 1842.

属征：体小型；淡蓝色；腹部自中部缩小成锥状。

分布：全世界记录 4 种，我国记录 1 种，秦岭地区发现 1 种。

（52）锥腹蜻 *Acisoma panorpoides* **Rambur，1842**

Acisoma panorpoides Rambur，1842：28.

鉴别特征：体小型；腹部第 6 节以后缩小成长锥形；身体黑色，有淡蓝色斑纹。

采集记录：1♂1♀，汉台区褒河，2013.Ⅷ.20，张宏杰采。

分布：陕西（汉中），中国中、南部广布；东南亚，非洲。

38．黄翅蜻属 *Brachythemis* **Brauer，1868**

Brachythemis Brauer，1868：367. **Type species**：*Libellula contamina* Fabricius，1793.

Cacergates Kirby，1889：263. **Type species**：*Libellula leucosticta* Burmeister，1839.

Zonothrasys Karsch，1890：297. **Type species**：*Zonothrasys partitus* Karsch，1890.

Termitophorba Forster，1906：305. **Type species**：*Termitophorba rufina* Forster，1906.

属征：体小型；黄色或带红色。前翅三角室 2 室，长为宽的 2 倍；翅痣长，覆盖 2 翅室；中肋几乎是直的；A_2 脉始于臀横脉之后。

分布：全世界记录 6 种，我国记录 1 种，秦岭地区发现 1 种。

（53）黄翅蜻 *Brachythemis contaminata*（**Fabricius，1793**）

Libellula contaminata Fabricius，1793：382.

Libellula truncotula Rambur，1842：95.

Brachythemis contaminata：Brauer，1868：736.

鉴别特征：体小型；黄褐色；翅和翅痣黄褐色。

采集记录：2♂1♀，安康城郊，1985.Ⅷ.12，杨祖德采。

分布：陕西（安康）、江苏、浙江、福建、台湾、广东、云南；东南亚，印度，菲律宾。

39．红蜻属 *Crocothemis* **Brauer，1868**

Crocothemis Brauer，1868：367. **Type species**：*Libellula servilia* Drury，1773.

Beblicia Kirby，1900：71. **Type species**：*Beblecia adolescens* Kirby，1900.

属征：体中型；红色；翅痣长，覆盖 1~2 翅室；足形的臀套跟部很宽。

分布：全世界记录 10 种，我国记录 2 种，秦岭地区有 1 种。

(54) 红蜻 *Crocothemis servilia*（Drury，1773）

Libellula servilia Drury，1773：112.

Libellula soror Rumbur，1842：82.

Libellula ferruginea Fabricius，1781：521.

Crocothemis servilia：Brauer，1868：737

鉴别特征：头部红色；前胸褐色，合胸红色；翅透明，翅基具红斑，翅痣黄色；腹部红色，第 8~9 节背中脊黑色。雌性以黄色为主，合胸背面黄褐色，翅基具黄斑。平川、低山、丘陵地带常见。

采集记录：3♂，略阳接官亭，2014.Ⅷ.08，张宏杰采；3♂1♀，洋县金水，2014.Ⅷ.19，张宏杰采；4♂2♀，汉台区褒河，2006.Ⅷ.12，张宏杰采。

分布：陕西（略阳、洋县、汉中），中国广布；东南亚，印度，菲律宾，欧洲，澳大利亚。

注：曾记录采集于陕西的透翅红蜻 *Crocothemis erythraea*（Brulle，1832）属错误鉴定。

40. 多纹蜻属 *Deielia* Kirby，1889

Deielia Kirby，1889. **Type species**：*Trithemis phaon* Selys，1883.

属征：体中型。前胸后叶第而圆；翅后缘翅脉密集，前方稀疏；前翅三角室 2 室，后翅 3 室；翅痣前方横脉很斜；臀套发达，跟部宽，中肋稍成角度；A2 始于臀横脉之后。

分布：亚洲。全世界仅记录 1 种，秦岭地区也有发现。

(55) 异色多纹蜻 *Deielia phaon*（Selys，1883）

Trithemis phaon Selys，1883：106.

Deielia phaon：Kirby，1889：281.

鉴别特征：雄性灰色，雌性黄色。雄性额蓝黑色，合胸侧面条纹多，腹部第 2~7 节侧面具黄色纵斑。雌性腹部黄色，腹部第 2~7 节侧面具黑色纵斑。

采集记录：2♂，石泉，1984.Ⅷ.07，杨祖德采。

分布：陕西（石泉），中国广布；日本，东南亚。

41. 蜻属 *Libellula* Linnaeus, 1758

Libellula Linnaeus, 1758：543. **Type species**：*Libellula depressa* Linnaeus, 1758.

Belonia Kirby, 1889：260. **Type species**：*Belonia foliata* Kirby, 1889.

Holotania Kirby, 1889：288. **Type species**：*Libellula axilena* Westwood, 1837.

Ladona Needham, 1897：146. **Type species**：*Libellula exusta* Say, 1839.

属征：体中型。前胸中叶小而完全；翅宽，前翅三角室长，分数室；R_3 强烈弯曲呈波浪状；臀套发达，跟部宽。

分布：全世界已知近 30 种，中国记录 5 种，秦岭地区发现 1 种。

(56) 基斑蜻 *Libellula depressa* Linnaeus, 1758

Libellula depressa Linnaeus, 1758：544.

鉴别特征：体中型，粗壮；褐色。腹部短粗；翅痣具褐色斑，翅结处无褐色斑。

采集记录：2♂，2014.Ⅶ.20，宝鸡秦岭，张宏杰采；1♂1♀，2007.Ⅷ.16，留坝闸口石，张宏杰采；2♂，2016.Ⅶ.19，留坝庙台子，张宏杰采。

分布：陕西（宝鸡、留坝）、河南、新疆、四川、贵州；亚洲北部，欧洲。

42. 宽腹蜻属 *Lyriothemis* Brauer, 1868

Lyriothemis Brauer, 1868：180. **Type species**：*Lyriothemis cleis* Brauer, 1868.

Calothemis Selys, 1878：305. **Type species**：*Calothemis meyeri* Selys, 1878.

属征：体小型而粗壮。具短而宽的腹部。雌性腹部两侧缘平行。腹部两侧具黄斑；翅透明，后翅具 2 条肘臀横脉。

分布：全世界记录 15 种，我国记录 5 种，秦岭地区有 1 种。

(57) 闪绿宽腹蜻 *Lyriothemis pachygastra*（Selys, 1878）

Calothemis pachygastra Selys, 1878：310.

Lyriothemis pachygastra：Kirby, 1890：25.

鉴别特征：体小型而粗壮。腹部宽短；头顶蓝绿色，并具有金属光泽。雄性体色灰黑色。雌性和幼体体色黄色，有黑褐色斑纹。

　　采集记录：4♂6♀，汉台区褒河，2006.Ⅶ.12，张宏杰采。

　　分布：陕西(汉中)，中国广布。

43．斑小蜻属 *Nannophyopsis* Lieftinck，1935

Nannophyopsis Lieftinck，1935：184. **Type species**：*Nannophyopsis chalcosoma* Lieftinck，1935.

　　属征：体小型。前胸后叶竖立，2 裂；前翅、后翅三角室无横脉，前翅三角室稍呈四边形；臀套足部发达，趾稍长于跟。

　　分布：全世界记录 2 种，中国记录 1 种，秦岭地区有 1 种。

(58) 膨腹斑小蜻 *Nannophyopsis clara* (Needham，1930)

Nannodiplax clara Needham，1930：120.

Nannophyopsis clara：Davies & Tobin，1985：87.

　　鉴别特征：体小型。额蓝绿色；后翅基部具大的金黄色斑块；腹部 5 ~ 8 节膨大。

　　采集记录：标本采集于留坝县、佛坪。

　　分布：陕西(留坝、佛坪)、江苏、浙江、福建、台湾、海南、香港。

44．灰蜻属 *Orthetrum* Newman，1833

Orthetrum Newman，1833：511. **Type species**：*Libellula coerulescens* Fabricius，1798.

　　属征：体中型到大型。前胸后叶大，直立，且长 2 裂；前翅三角室具横脉，三角室外侧有 3 行翅室；R_3 脉强烈弯曲呈波浪状。

　　分布：全世界记录 60 多种，我国记录 20 多种，秦岭地区发现 5 种。

分种检索表

1. 第 1 ~ 3 腹节粗大，第 4 腹节突然变细 ……………………………… 狭腹灰蜻 *O. sabina*
   　腹部不突然变细 ………………………………………………………………………… 2
2. 后翅三角室通常无横脉 ………………………………………………… 白尾灰蜻 *O. albistylum*
   　后翅三角室具无横脉 …………………………………………………………………… 3
3. 肩前具有宽的褐色条纹，该条纹常被白色粉 ………………………… 褐肩灰蜻 *O. internum*
   　肩前无宽的褐色条纹 …………………………………………………………………… 4

4. 翅基具有较大的三角形黑斑 ……………………………………… **异色灰蜻** *O. melania*
  翅基具有极小的三角形黄斑 ……………………………………… **青灰蜻** *O. triangulare*

(59) 白尾灰蜻 *Orthetrum albistylum*（Selys,1848）

Libellula albistylum Selys, 1848：15.

Libellula speciosa Uhler, 1858：129.

Orthetrum albistylum：Kirby, 1890：38.

鉴别特征：体中型；淡黄带绿色。腹部具白色斑纹，上肛附器白色；肩条纹褐色；合胸侧面淡蓝色，具黑色条纹；腹部第1~6节淡黄色，具黑色条纹，其余各节黑色。

采集记录：3♂1♀，洋县金水，2014.Ⅷ.19，张宏杰采；2♂2♀，汉台区褒河，2006.Ⅷ.12，张宏杰采；1♂1♀，汉台区褒河，2016.Ⅷ.22，张宏杰采。

分布：陕西（洋县、汉中），中国广布；古北区广布。

(60) 褐肩灰蜻 *Orthetrum internum* Maclachlan,1894

Orthetrum internum Maclachlan, 1894：431.

鉴别特征：体中型，粗壮；褐色。合胸背面淡色，具黑色条纹；上唇黑色，两侧具黄斑；颜面暗黄色；肩条纹暗黄色，宽；翅透明；腹部褐色，第1~2节无斑纹，第3~4节侧面有黑斑，第9~10节和上肛附器黑色。雌性腹部黑色，斑纹发达，第8节侧下缘突出成片状。

采集记录：2♂1♀，洋县金水，2014.Ⅷ.19，张宏杰采。

分布：陕西（洋县），中国广布；东亚广布。

(61) 狭腹灰蜻 *Orthetrum sabina*（Drury,1770）

Libellula sabina Drury, 1770：114.

Orthetrum sabina：Drury, 1889：302.

鉴别特征：体中型。腹部第1~3节膨大如球形，第4节以后缩细呈棍棒形；胸侧条纹较多4~5条。

生物学：秦岭地区低山、丘陵和平川常见。

采集记录：3♂，略阳接官亭，2014.Ⅷ.08，张宏杰采；3♂1♀，洋县金水，2014.Ⅷ.19，张宏杰采；2♂1♀，汉台区褒河，2016.Ⅷ.22，张宏杰采。

分布：陕西（略阳、洋县、汉中），中国广布；古北区广布。

(62) 青灰蜻 *Orthetrum triangulare*（Selys,1878）

Libellula triangularis Selys, 1878：314.

Libellula delesserti Selys, 1878：314.

Orthetrum triangulare：Kirby, 1886：327.

鉴别特征：前翅翅基具小的淡橘黄色斑块；胸部黑褐色，不被粉；腹部第 1～7 节被粉，腹部侧面具黄色斑块；肛附器黑色。

采集记录：3♂，洋县金水，2006.Ⅶ.19，张宏杰采。

分布：陕西（洋县）、河北、山西、河南、四川。

(63) 异色灰蜻 *Orthetrum melania*（Selys, 1883）

Libellula melania Selys, 1883：103.

Orthetrum melania：Davies & Tobin, 1985：105.

鉴别特征：类似青灰蜻，但翅基具三角形黑斑。

采集记录：2♂，略阳接官亭，2014.Ⅷ.08，张宏杰采；4♂1♀，留坝庙台子，2016.Ⅶ.22，张宏杰采；3♂，洋县金水，2014.Ⅷ.19，张宏杰采；3♂1♀，汉台区褒河，2016.Ⅷ.22，张宏杰采。

分布：陕西（略阳、留坝、洋县、汉中），中国广布；日本。

注：曾记录采集于宁陕的金灰蜻 *Orthetrum chrysis*（Selys, 1891）属于错误鉴定，该种仅分布于东南沿海省份。

45. 黄蜻属 *Pantala* Hagen, 1861

Pantala Hagen, 1861：141. **Type species**：*Libellula flavescens* Fabricius, 1798.

属征：体中型。翅色淡、透明且尖，后翅肘臀横脉 2 条，臀套窄而长，中肋较直。飞翔力强。

分布：全世界记录 2 种，中国记录 1 种，秦岭地区也有发现。

(64) 黄蜻 *Pantala flavescens*（Fabricius,1798）

Libellula flavescens Fabricius, 1798：285.

Libellula viridula Palisot de Beauvois, 1805：69.

Libellula analis Burmeister, 1839：852.

Libellula terminalis Burmeister, 1839：852.

Pantala flavescens：Hagen，1861：142.

鉴别特征：体中型；赤黄色，复眼较大。分布广，常见种类。头黄色，带有红色；翅痣赤黄色；腹部第1节、第4～10节背面具黑褐色横斑；肛附器基部赤褐色、端部黄褐色。

分布：陕西（秦岭广布），中国广布；东半球热带，亚热带地区广布。

46．玉带蜻属 *Pseudothemis* Kirby，1889

Pseudothemis Kirby，1889. **Type species**：*Libellula zonata* Burmeister，1839.

属征：体中型。翅基具深褐色斑。雄性腹部第3～4节白色，雌性黄色。前翅三角室具横脉，长为宽的2.0倍，后方有翅室3行。

分布：全世界记录2种，中国记录1种，秦岭地区也有发现。

（65）玉带蜻 *Pseudothemis zonata*（Burmeister，1839）

Libellula zonata Burmeister，1839：859.
Pseudothemis zonata：Kirby，1889：270.

鉴别特征：雄性腹部第3～4节白色，雌性黄色可与其他蜻蜓种类区别。
生物学：该种主要活动在池塘及附近，善于在水面飞翔。
采集记录：1♂1♀，汉台区褒河，2016.Ⅷ.22，张宏杰采。
分布：陕西（汉中），中国广布；日本。

47．赤蜻属 *Sympetrum* Newman，1833

Sympetrum Newman，1833：511. **Type species**：*Libellula vulgatum* Linnaeus，1758.
Diplax Charpentier，1840：12. **Type species**：*Libellula pedemontana* Allioni，1776.
Thecadiplax Selys，1883：140. **Type species**：*Diplax erotica* Selys，1883.

属征：体中小型。前胸后叶大、直立并分裂为2叶，后缘具长毛；前翅节前横脉7～9条，最末1条上下不相连；前翅三角室2室，其后方翅室2～3行。雄性体色以赤红色为主，雌性多为黄色。

分布：全世界记录63种，中国记录35种和亚种，秦岭地区发现7种。

分种检索表

(66) 夏赤蜻 *Sympetrum darwinianum*（Selys，1883）

Diplax darwinianum Selys，1883：94.

Diplax sinensis Selys，1883：140.

Sympetrum darwinianum：Kirby，1890：16.

鉴别特征：体中小型；黄色。合胸背面无清晰的条纹；下唇黄色；腹部黄褐色或赤褐色。

采集记录：3♂，汉台区褒河，2016.Ⅷ.22，张宏杰采。

分布：陕西（汉中、西乡），中国广布。

(67) 秋赤蜻 *Sympetrum depressiusculum*（Selys，1841）

Libellula depressiuscula Selys，1841：244.

Sympetrum depressiusculum：Meyer & Dur，1874：327.

鉴别特征：体小型；赤黄色。下唇中叶黑色，易于辨认；合胸背面无条纹，侧面 3 条黑色条纹；翅透明，翅痣金黄色；腹部红褐色或黄褐色，第 1 腹节背面黑褐色，第 2 节背面基部具黑褐色横斑，第 3～8 节背面末端各具 1 对褐色小斑；上肛附器黄色，末端黑色、尖锐。

采集记录：1♂，丹凤县庚家河，1985.Ⅷ.15，杨祖德采。

分布：陕西（丹凤）、北京、山西、河南、福建。

注：我国曾记录 *Sympetrum frequens*（Selys，1883）为错误鉴定，该种仅分布于日本。

(68) 竖眉赤蜻 *Sympetrum eroticum*（Selys,1883）

Diplax erotica Selys, 1883：90.

Sympetrum eroticum：Selys, 1889：249.

Sympetrum ignotum Needham, 1930：16.

鉴别特征：体中型。额有显著的黑色眉斑和发达的黑色交合器，易辨认；头部赤黄色，额上面具1对显著的黑色眉斑或2斑相连；合胸背面肩条纹与肩前条纹相连，合胸侧面黑色条纹相连；翅痣赤黄色；腹部红色，第4~8腹节侧面具黑色斑；肛附器赤黄色。

采集记录：3♂2♀，略阳接官亭，2014.Ⅷ.08，张宏杰采；4♂2♀，留坝庙台子，2016.Ⅶ.22，张宏杰采；3♂，洋县金水，2014.Ⅷ.19，张宏杰采；6♂2♀，汉台区褒河，2016.Ⅷ.22，张宏杰采。

分布：陕西（略阳、留坝、洋县、汉中），中国广布；东亚。

(69) 陕西赤蜻 *Sympetrum shaanxiensis* Zhang, 2012

Sympetrum shaanxiensis Zhang, 2012：748.

鉴别特征：上唇橘黄色，下唇柠檬黄色。前胸中叶黑色或具黑斑，合胸背上无条纹。翅透明；基部具橘黄色斑，前翅的橘黄色到达臀横脉，翅痣亮黄色，上下边框黑色。第1~3腹节侧面香橼黄色，背面以及其余所有腹节背腹面均为褐红色；第1腹节背面黑色，其黑色向侧面延伸；第2腹节基部具1条窄黑条纹，该条纹在背中脊上形成1个黑色三角；侧面有1条短粗黑条纹，似成"Y"形；3~7节背面无任何条纹，仅第3节腹侧亚缘有1条细长的黑条纹，向端部逐渐扩大；4~7节腹侧亚缘具细黑线，第7节在该黑色的腹侧缘上还有1条短的不规则黑条纹，与黑线几乎接触；8~9节背面各有1对长椭圆形黑斑，几乎贯穿于背板整个长度，被黄色背中脊所分开，腹侧亚缘各具1个大黑斑，只是第8节上的黑斑中包裹1个黄斑；第10节无明显斑纹，仅在近基部有少许界限模糊的暗色斑。腹部腹面暗黄色，侧缘黑色。上肛附器深黄色，上肛附器侧面观时，亚端部圆钝，其上无锥突。

采集记录：1♂，留坝县闸口石，2007.Ⅶ.15，张宏杰采。

分布：陕西（留坝）。

(70) 褐顶赤蜻 *Sympetrum infuscatum*（Selys,1883）

Diplax infuscatum Selys, 1883：90.

Sympetrum infuscatum：Kirby, 1890：17.

鉴别特征：体中型；黄褐色。翅端具褐色斑；胸侧第 2 条纹宽，易辨认；头顶具 1 条黑色横纹，后头具 1 对黄斑；合胸背面赤褐色，侧面黄褐色，具有黑色条纹；翅透明，翅痣褐色，翅端具褐色斑；腹部红褐色，第 1 节背面褐色，第 2 节背面基部具褐色横斑，后半部中央具 1 个褐斑，两侧各具 1 个褐斑，第 3~9 节腹侧具黑色纵条纹，向腹部端部逐渐扩大；上肛附器赤褐色，具细毛，末端尖锐。

采集记录：1♂1♀，洋县茅坪，1984.Ⅷ.08，杨祖德采。

分布：陕西(洋县)、吉林、河南、浙江、江西、湖南、福建、四川；日本。

(71) 里氏赤蜻 *Sympetrum risi* Bartenef，1914

Sympetrum risi Bartenef，1914：5.

鉴别特征：额不具有黑色眉纹，合胸侧面第 2 条黑色条纹窄，上端消失，不与其他条纹相连。易辨认。

采集记录：2♂，留坝闸口石，2010.Ⅶ.20，张宏杰采。

分布：陕西(留坝)、四川；东亚。

(72) 双脉赤蜻 *Sympetrum ruptum* Needham，1930

Sympetrum ruptum Needham，1930：160.

鉴别特征：体小型；黄色。臀横脉 2 条，易于识别；头部黄色，头顶具 1 条黑色横条纹，两端分别向前、后延伸；肩条纹宽，合胸侧面黄色，具黑色条纹；翅透明，翅痣黄色；腹部黄褐色，有褐色斑纹；上肛附器黄色。

采集记录：1♂，留坝县闸口石，2010.Ⅶ.20，张宏杰采。

分布：陕西(太白、留坝)、山西、浙江、江西、福建、四川。

48. 斜痣蜻属 *Tramea* Hagen，1861

Tramea Hagen，1861：114. **Type species**：*Libellula carolina* Linnaeus，1763.

属征：体中大型；赤褐色，飞翔能力较强。翅痣内外缘不平行；翅基具红褐色斑；前翅三角室狭窄，具 2 条横脉；后翅臀角区域扩大，具许多小翅室。

分布：全世界已知 20 多种，我国记录 3 种，秦岭地区发现 1 种。

(73) 中华斜痣蜻 *Tramea virginia*（Rambur，1842）

Libellula virginia Rambur，1842：33.

Libellula chinensish de Geer, 1773：556.

Tramea chinensis：Hagen, 1861：144.

Tramea virginia：Kirby, 1890：3.

鉴别特征：体中型；赤褐色。后翅基部宽，具明显的红褐色斑，易于识别；额前面白色，上面黑色，头顶褐色，具 1 条黑色横纹；前胸黑色，合胸红褐色，具黑色条纹；翅黄色且透明，基部具红褐色斑；腹部第 1~7 节背面红褐色，其余各节黑色而侧面具黄斑；肛附器基部红褐色，端部黑褐色。

采集记录：1♂，汉台区褒河，2007.Ⅶ.18，张宏杰采。

分布：陕西(周至、华县、汉中)，中国中南部；东南亚，印度。

49．褐蜻属 *Trithemis* Brauer, 1868

Trithemis Brauer, 1868：176. **Type species**：*Libellula aurora* Burmeister, 1839.

Stoechia Kirby, 1898：235. **Type species**：*Stoechia distanti* Kirby, 1898：236.

属征：体中小型。翅脉密集，最后 1 条节前横脉上下不相连；前翅三角室具横脉，臀套较长，跟部稍宽，种类很弯曲。

分布：全世界记录 40 余种，我国记录 4 种，秦岭地区有 1 种。

(74) 晓褐蜻 *Trithemis aurora*（Burmeister, 1839）

Libellula aurora Burmeister, 1839：859.

Trithemis aurora：Brauer, 1868：177.

Trithemis soror Brauer, 1868：179.

Trithemis adelpha Selys, 1878：315.

Trithemis fraterna Albarda, 1881：4.

Trithemis congener Kirby, 1890：18.

鉴别特征：体小型；红色或褐色。前、后翅基部具黄褐色斑，节前横脉超过 10 条，易识别；颜面红色，合胸赤褐色，有黑色条纹；翅透明，翅痣黄色，翅基具赤黄色斑，该斑前翅小而后翅大；腹部赤褐色，第 1~2 腹节背面具黑色横斑，第 9~10 节侧下缘具黑斑；肛附器基部黄色，端部褐色。

采集记录：2♂，安康城郊，1985.Ⅷ.12，杨祖德采。

分布：陕西(宁陕、安康)，中国中南部广布；东南亚，印度。

参考文献

曹勇，郑哲民. 1989. 陕西台箭蜓属一新种(蜻蜓目：箭蜓科). 昆虫分类学报，11（1-2）：1-4.

苗文明，郝宝卿，郑哲民. 1983. 关中地区蜻蜓的初步调查. 陕西师范大学学报，11（2）：92-99.

隋敬之，孙洪国. 1984, 中国习见蜻蜓. 北京：农业出版社，315.

王治国. 2007, 中国蜻蜓名录(昆虫纲：蜻蜓目). 河南科学，25(2)：219-238.

杨晓燕，郑哲民. 1988. 陕西省蜻蜓目的初步调查. 陕西师范大学学报，16(1)：60-68.

杨祖德，李树森. 1986. 陕西蜻蜓的分科鉴定. 汉中师范学院学报(自然科学版)，4（4）：48-59.

杨祖德，李树森. 1988. 陕西螁科新记录. 四川动物，7(2)：24-25.

杨祖德，李树森. 1990. 陕西螁类的生境、分布及鉴定(蜻蜓目：螁科). 汉中师范学院学报(自然科学版)，8(2)：67-76.

杨祖德，李树森. 1992. 陕西差翅类蜻蜓新记录. 汉中师范学院学报(自然科学版)，10(2)：71-73.

杨祖德，李树森. 1994. 大巴山多棘蜓属一新种记述(蜻蜓目：蜓科). 动物分类学报，19(4)：445-447.

杨祖德，李树森. 1994. 陕西蜻蜓一新种及一新亚种记述(蜻蜓目：大蜓科、丽螁科). 昆虫学报，37（4）：458-462.

杨祖德，李树森. 1995. 陕西原螁一新种记述. 动物分类学报，20(3)：339-341.

于昕. 2005. 中国蜻蜓目螁科分类学研究(蜻蜓目：均翅亚目). 南开大学，84.

于昕. 2008. 中国蜻蜓目螁总科和丝螁总科分类学研究(蜻蜓目：均翅亚目). 南开大学，167.

张大治，张志高. 2006. 陕西蜻蜓目昆虫资源概述. 农业科学研究，27(1)：44-50.

张宏杰. 2012. 中国赤蜻属一新种记述(蜻蜓目：蜻科). 动物分类学报，37(4)：747-750.

张宏杰，李星星. 2011. 中国长尾蜓属研究(蜻蜓目：蜓科). 安徽农业科学，39（13）：7562-7564，7566.

张宏杰，杨祖德，霍科科，等. 2009. 陕西蜻蜓目昆虫资源. 安徽农业科学，37(24)：11565-11567.

赵修复. 1990. 中国春蜓科分类. 福州：福建科学技术出版社，428.

赵修复，杨祖德. 1995. 陕西戴春蜓属 *Davidius Selys* 一新种(蜻蜓目：春蜓科). 武夷科学，12：48-50.

周忠会. 2007. 中国色螁总科区系分类研究. 贵州大学，71.

周文豹，任国栋. 1991. 宁夏、陕西部分地区蜻蜓的初步调查. 宁夏农学院学报，12（4）：88-90.

朱慧倩. 1991. 陕西南部戴箭蜓属一新种(蜻蜓目：箭蜓科). 昆虫分类学报，13（3）：175-177.

Zhu, H. Q., Yang, Z. D. and Li, S. S. 1988. Description of Three new Taxa in the Genus *Davidius* Selys from Shaanxi, China (Anisoptera：Gomphidae). *Odonatologica*, 7（4）：429-434.

Zhu, H. Q. and Yang, Z. D. 1998. *Rhipidolestes bastiaani* spec. nov., A new damselfly from Shaanxi, China (Zygoptera：Megapodagrionidae). *Odonatologica*, 27(1)：121-123.

Zhang, H. j. and Yang, Z. D. 2008. *Calicnemia zhuae* species nov. Shaanxi China (Zygoptera；Platycnemididae). *Odonatologica*, 37(4)：375-379.

蜚蠊目 Blattodea

王宗庆　邱鹭

（西南大学植物保护学院，重庆 400716）

　　蜚蠊俗称蟑螂。体通常较扁平，呈长椭圆形；口器咀嚼式，复眼发达，触角丝状；前胸背板半圆形或椭圆形，常盖住头部；一般具 2 对翅，前翅通常革质，后翅膜质，也有的类群无翅；足发达，基节宽大，跗节 5 节；腹部 10 节，有 1 对多节的尾须；腹背常有腺体，多开口于第 6、7 腹节背面。雌性产卵管短小。

　　蜚蠊的适应性很强，多数蜚蠊生活在亚热带和热带地区，少数种类喜欢冷湿环境，生活在高海拔或高纬度地区（隐尾蠊和部分地鳖）。蜚蠊通常白天藏在枯枝落叶下或夹缝中，夜间出来活动；部分体色艳丽的种类也喜在阳光下活动；还有一些穴居型蜚蠊，部分种类也可以与白蚁或蚂蚁共生。

　　世界已知蜚蠊约 8 科，4400 种左右，中国目前已记录 6 科 300 余种，陕西秦岭地区分布 3 科 3 属 4 种。

分科检索表

1. 体中型，一般黑褐色，具光泽，体壁坚硬，无翅，前胸背板具许多瘤突，肛上板和下生殖板隐藏在第 7 背板和腹板间 ·········· 隐尾蠊科 Cryptocercidae
   非上述特征 ·········· 2
2. 体通常明显被毛，具翅或无，具翅的个体后翅臀域仅向腹面折叠一次，无翅个体通常后唇基发达，占据面部大面积 ·········· 地鳖蠊科 Corydiidae
   体通常不被毛，前后翅发育完全，退化或缺失，具翅的个体后翅臀域呈扇形折叠或有其他特殊折叠方式 ·········· 姬蠊科 Ectobiidae

一、姬蠊科 Ectobiidae

　　鉴别特征：体微小至中型；黄褐色至黑色。唇基不加厚，通常与额间没有明显界限；前胸背板近椭圆；前后翅通常发育完全，少数种类退化，后翅臀域折叠呈扇状；爪对称或不对称，内侧齿状或简单，前足腿节刺式 A、B 或 C 型；雄性腹部背板若特化，具 1 对腺体或毛簇；下生殖板特化或简单，尾刺 1 ~2 个或无；阳茎分为左中右三部分，有些具附属结构。

分类：隶属于硕蠊总科 Blaberoidea，包括 5 亚科。世界已知 222 属 2300 种左右。我国分布 2 个亚科 24 属 200 种左右。陕西秦岭地区分布 1 属 1 种。

1. 亚蠊属 *Asiablatta* Asahina，1985

Asiablatta Asahina，1985：7. **Type species**：*Parcoblatta kyotensis* Asahina，1976.

属征：体中小型，雌性和雄性稍异型。前足腿节腹缘刺式 B₃ 型，跗节 1～4 节具跗垫，爪对称，具中垫；前翅 M、CuA 径向，后翅 CuA 分支，具完全分支和不完全分支，M 不分支，翅顶三角区小。雄性背板不特化，肛上板短小。下生殖板对称，尾刺近圆柱形，钩状阳茎位于下生殖板左侧。

分布：中国；日本，韩国。世界仅知 1 种，我国秦岭地区有分布。

(1) 京都亚蠊 *Asiablatta kyotensis*（Asahina，1976）（图 98）

Parcoblatta kyotensis Asahina，1976：116.

Asiablatta kyotensis：Asahina，1985：7.

Discalida pallidimarginia Woo, Guo et Li，1985：215.

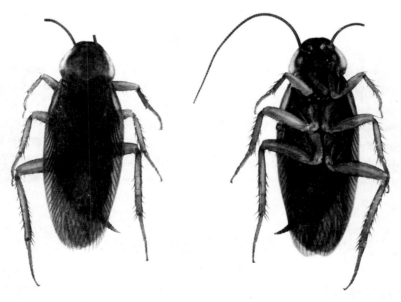

图 98　京都亚蠊 *Asiablatta kyotensis*（Asahina）

鉴别特征：雄性前后翅发育完全，伸过腹部末端，后翅 M 不分支，CuA 具 3～4 条完全分支和 1～3 条不完全分支，翅顶三角区小；腹部背板不特化；前足腿节腹缘刺式 B$_3$ 型，跗节具跗垫，爪对称，不特化，具中垫。雄性肛上板较短，后缘弧形。下生殖板对称，后缘近平直，两侧各着生 1 个圆柱形尾刺；钩状阳茎位于下生殖板左侧，粗壮；中阳茎基部膨大，端部分支；右阳茎较大。

雌性和雄性稍异型，雌性体粗短；前胸背板颜色均一。下生殖板后缘阔，钝圆。

分布：陕西（周至）、辽宁、山东、上海、江苏、浙江、广西；韩国，日本。

二、地鳖蠊科 Corydiidae

鉴别特征：体微型至大型。体表被毛，绝大多数种类具雌性和雄性二型现象。雄性身体扁平，前胸背板多横阔；前后翅发达，后翅臀域仅向后折叠一次；足细长，刺发达；肛上板横阔；下生殖板近对称或特化；雄性外生殖器复杂，左阳茎一般具 1 个明显钩状的阳茎，右阳茎骨化程度较高。雌性多无翅，或翅较短；体多呈卵圆形。

生物学：该科昆虫生长发育缓慢，喜干燥和群集生活，隐蔽性强，通常躲藏于疏松的腐殖质内；可见于树根部、落叶层、石块下、朽木内和树洞中，部分种类也喜欢生活在山区房屋周围；该科昆虫的中华真地鳖 *Eupolyphaga sinensis*、冀地鳖 *Polyphaga plancyi* 等种类是著名的中药材，具有一定药用价值。

分类：世界已知 39 属 216 种，中国记录 20 多种，陕西秦岭地区发现 1 属 1 种。

2. 地鳖属 *Polyphaga* Brullé，1835

Polyphaga Brullé，1835：57. **Type species**：*Polyphaga aegyptiaca*（Linnaeus，1758）.

属征：该属雌性和雄性异型，雄性具翅，雌性无翅；雄性前胸背板前缘总是具白边，前翅臀域缘部总是白色，亚前缘脉基部无叶片状突起。

分布：古北区。目前世界已知 5 种，中国分布 1 种，秦岭地区也有发现。

（2）冀地鳖 *Polyphaga plancyi* Bolívar，1882（图 99）

Polyphaga plancyi Bolívar，1882：462.

鉴别特征：雄性具翅，体连翅长 32.1～33.2mm；体呈深褐色，被毛少。复眼发达，两眼间距较宽，单眼鼓圆，唇基凸出；前胸背板横椭圆形，前缘具黄白色带，中部凸出，略呈屋脊状，两侧稍呈一角；前后翅发育完全，前翅革质，深褐色，臀脉白色；后翅褐色，臀域，中脉和肘脉周围近透明；足深褐色，腹部深褐色，肛上板横向，端缘中间凹陷，尾须较短；下生殖板端缘密被棕色短毛，两尾刺短小。

雌性无翅，体长 32.0～35.2mm；椭圆形，体型宽大；深褐色具黄色斑纹。头较雄性宽大，复眼小，单眼退化成 1 个白斑，唇基凸出；前胸背板宽大，近半圆形，前缘和两侧为棕黄色，棕黄色区域宽；中、后胸背板以及背板各节两侧具棕黄色大斑；足和腹板深褐色；肛上板深褐色，中间具 1 条纵向刻痕，端缘被刻痕分割成两部分，尾须短小，隐藏于肛上板两侧；下生殖板宽大，中部凸出。

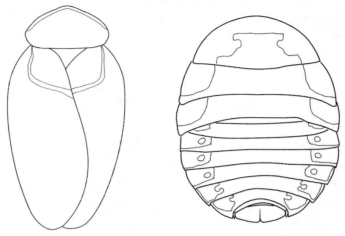

图 99　冀地鳖 *Polyphaga plancyi* Bolívar 雄成虫（左）和雌成虫（右）

采集记录：1♂，周至楼观台，1962. Ⅷ. 13，杨集昆采；1♀，周至楼观台，1962. Ⅷ. 16，李法圣采；1♂，"Taipaishan, Shense Prov."（太白山），1905. Ⅷ. 22，采集人不详。

分布：陕西（周至、太白）。

三、隐尾蠊科 Cryptocercidae

鉴别特征：体中型；体壁坚硬，呈黑褐色至黑色。雄性和雌性成虫均无翅；前胸背板增厚，具 2 个隆起，散布许多小瘤突；足短且粗，具粗壮的刺，适于挖掘；腹部每节背板边缘均略上翘，第 7 背腹板具微毛，第 7 背板向后延伸覆盖住第 8、9 背板及肛上板；尾须短小，刺状；雄性腹部末节不可见，尾刺隐藏，因此雌性和雄性有时难以辨别。

分类：世界已知 1 属 22 种，中国记录 1 属 16 种，陕西秦岭地区分布 1 属 2 种。

3. 隐尾蠊属 *Cryptocercus* Scudder, 1862

Cryptocercus Scudder, 1862：419. **Type species**：*Cryptocercus punctulatus* Scudder, 1862.

属征：复眼退化，黄褐色，间距大于触角窝间距；前足腿节腹缘刺式 D_4 型（具有 4 个大刺）；跗节具爪垫，爪对称，不特化。

　　分布：主要分布于北美洲和亚洲。全世界目前已知22种，中国已记录16种，秦岭地区分布2种。

（3）角胸隐尾蠊 *Cryptocercus hirtus* **Grandcolas** *et* **Bellés，2005**（图100）

Cryptocercus hirtus Grandcolas *et* Bellés，2005：727.

　　鉴别特征：背板中域具4个明显的突起；第7背板向后延伸覆盖住第8、9背板及肛上板。

　　采集记录：2♂，太白山阳坪沟，2600m，2011.Ⅶ.15，王董采。

　　分布：陕西（太白）、甘肃。

图100　角胸隐尾蠊 *Cryptocercus hirtus* Grandcolas *et* Bellés

（4）宁陕隐尾蠊 *Cryptocercus ningshanensis* **Che** *et al.***，2016**（图101）

Cryptocercus ningshanensis Che *et al.*，2016：201.

图101　宁陕隐尾蠊 *Cryptocercus ningshanensis* Che *et al.*

鉴别特征：雄性体长 23.5～25.0mm，雌性体长 24.0～24.5mm；雄性前胸背板长为 8.5～9.2mm，宽为 6.0～6.4mm，雌性前胸背板长为 9.0～9.3mm，宽为 6.5～7.0mm；染色体数量 2n = 31。

采集记录：2♂2♀，宁陕天华山萝卜峪沟，2000m，2011.Ⅶ.20，王董采。

分布：陕西（宁陕）。

参考文献

Asahina, S. 1976. Taxonomic notes on Japanese Blattaria, Ⅶ. A new *Parcoblatta* species found in Kyoto. *Japanese Journal of Sanitary Zoology*, 27(2): 272-280.

Asahina, S. 1985. Taxonomic notes on Japanese Blattaria, ⅩⅤ. A revision of three blattellid species. *ChôChô*, 8(5): 1-10.

Bey-Bienko, G. Y. 1950. *Fauna of the USSR. Insects. Blattodea*. Institute of Zoology, Academy of Sciences of the URSS, Moscow 40, 343pp.

Bolívar, M. I. 1882. Descriptions d′Orthopteres *et* Observations synonymiques diverses. *Annales de la Société Entomologique de France*,6 (2): 459-464.

Brullé, M. A. 1835. Histoire Naturelle des Insectes, Orthoptères *et* Hémiptères, FD Pillot. Paris, 415 pp.

Che, Y. L., Wang, D., Shi, Y., Du, X. H., Zhao, Y. Q., Lo, N. and Wang, Z. Q. 2016. A global molecular phylogeny and timescale of evolution for *Cryptocercus woodroaches*. *Molecular Phylogenetics and Evolution*, 98: 201-209.

Chopard, L. 1929. Orthoptera palaearctica critica. Ⅶ. Les Polyphagiens de la faune paléarctique (Orth., Blatt.). *Eos*. 5: 223-358.

Feng, P. Z., Guo, Y. Y. and Woo, F. C. 1997. *Cockroaches of China, Species and Control*. China Science & Technology Press, Beijing, 1-206. [冯平章，郭予元，吴福桢. 1997. 中国蟑螂种类及防治. 北京：中国科学技术出版社，1-206.]

Grandcolas, P., Legendre, F., Park, Y. C., Bellés, X., Murienne, J. and Pellens, R. 2005. The genus *Cryptocercus* in East Asia: Distribution and new species (Insecta, Dictyoptera, Blattaria, Polyphagidae). *Zoosystema*, 27(4): 725-732.

Princis, K. 1962. Blattariae: Subordo Polyphagoidea: Fam. Polyphagidae. *In*: Beier, M. (Ed.), Orthopterorum Catalogus. Pars 3. Uitgeverij Dr. W. Junk, 's-Gravenhage, 3-74.

Roth, L. M. 2003. Systematics and Phylogeny of cockroaches (Dictyoptera: Blattaria). *Oriental Insects*, 37: 1-186.

Woo, F. C., Guo, Y. Y. and Li, Y. C. 1985. Description of a new genus and a new species of pseudomo. pidae (Blattaria). *Acta Entomologica Sinica*, 28(2): 215-218. [吴福桢，郭予元，李裕嫦. 1985. 蜚蠊一新属新种记述. 昆虫学报，28(2): 215-218.]

Woo, F. C. 1987. Investigations on domiciliary cockroaches from China. *Acta Entomologica Sinica*, 30(4): 430-438. [吴福桢. 1987. 中国常见蜚蠊种类及其为害、利用与防治的调查研究. 昆虫学报，30(4): 430-438.]

等翅目 Isoptera

邢连喜

（西北大学，西安 710069）

　　等翅目昆虫俗称白蚁。体长型，柔软，具多态性，个体分为由原始生殖蚁和多种类型的补充生殖蚁组成的生殖品级和由工蚁、兵蚁及未分化个体等组成的非生殖品级。长翅成虫头部骨化强烈，复眼发达，单眼 2 个，触角念珠状，口器咀嚼式；前后翅狭长，相似；腹部细长，具 1 对尾须。等翅目昆虫营社会性生活，行为复杂多样，分不同类型，多栖息于地下或木材中，主要以死亡的植物质材料为食，有些种类能培养真菌供其食用。

　　白蚁起源于三叠纪，距今已有 2 亿多年的历史，是世界上最古老的社会性昆虫，但根据白蚁化石只能推断白蚁有不到 1.5 亿年的历史（Engel *et al*., 2009）。白蚁的分类地位和名称经历了 200 多年的变化，最早是瑞典的科学家林奈于 1758 年将白蚁归属为无翅目，1781 年 Fabricius 将白蚁列入脉翅目，1832 年 Brulle 将白蚁重新列为等翅目 Isopteres，1895 年 Comstock 将 Isopteres 改为等翅目 Isoptera。自此，等翅目被确定下来，直到现在仍被承认和使用。等翅目科的划分主要分为两个阶段，2009 年之前一般认可 7 科系统，分别为澳白蚁科（Mastotermitidae）、白蚁科（Termitidae）、原白蚁科（Termopsidae）、齿白蚁科（Serritermitidae）、草白蚁科（Hodotermitidae）、鼻白蚁科（Rhinotermitidae）和木白蚁科（Kalotermitidae）（Eggleton，2001；Inward *et al*.，2007；Korb，2008）。2009 年以后，通过对白蚁化石以及现存白蚁的生物学和形态学特征进行了重新研究后，将现存白蚁分为 9 科，分别为白蚁科（Termitidae）、澳白蚁科（Mastotermitidae）、胄白蚁科（Stolotermitidae）、木白蚁科（Kalotermitidae）、杆白蚁科（Stylotermitidae）、草白蚁科（Hodotermitidae）、鼻白蚁科（Rhinotermitidae）、古白蚁科（Archotermopsidae）和齿白蚁科（Serritermitidae）（Engel *et al*.，2009；Krishna *et al*.，2013）。

　　依据起源，等翅目是网翅总目的成员，与网翅总目的蜚蠊目和螳螂目关系最近。对于等翅目、蜚蠊目和螳螂目的关系，目前仍然存在争议，主要有 3 种观点：一是认为蜚蠊目和螳螂目是姐妹群（Thorne and Carpenter，1992；DeSalle，1992；Kambhampati，1995），二是认为等翅目和蜚蠊目是姐妹群（Klass，1998），三是认为网翅目是单系群，由螳螂、白蚁和蜚蠊组成（Grimaldi，1997）。2013 年《世界等翅目论述》（Treatise on the Isoptera of the World）一书将白蚁并入蜚蠊目（Krishna *et al*.，2013）。世界已记录等翅目种类 3000 余种（含化石种），我国记录约 480 种，陕西秦岭地区目前仅发现鼻白蚁科散白蚁属 *Reticulitermes* 6 种白蚁。

一、鼻白蚁科 Rhinotermitidae

鉴别特征：头部有囟，跗节4节；触角13~25节，尾须2节；前胸背板扁平，窄于头。有翅成虫和工蚁左上颚有缘齿3枚，右上颚有缘齿2枚，其第1缘齿有亚缘齿，第2缘齿后缘长于臼齿板长度，有翅成虫有单眼，前翅鳞一般远大于后翅鳞，并相互重叠。膜翅有横脉，呈网状。

分类：中国目前已记录7属186种，陕西秦岭地区发现1属6种。

1. 散白蚁属 *Reticulitermes* Holmgren，1913

Reticulitermes Holmgren，1913：60. **Type species**：*Reticulitermes flavipes*（Kollar，1837）.

属征：兵蚁头长方形，两侧平行或近平行，头后缘宽圆或稍平直，额平坦至强隆起，额缝间平坦或具沟，囟小，点状，很少突出，上唇舌状，唇端半圆形，具长端毛1对，亚端毛细小或稍长，侧端毛较长、或短或缺；上颚细弱至粗强，军刀状，或弯曲，几乎成钩状，触角14~19节，后颏腰区狭长；前胸背板扁平，足细长，胫距式3:2:2，跗节4节；腹刺单节，尾须2节。

有翅成虫体多深色，少数淡色，头、前胸背板和足不同类群颜色差异较大。头近圆形，囟小，点状，后唇基弱或强突出，单眼明显，触角16~19节，上颚第2缘齿一般与第1缘齿近等长；前翅鳞稍盖及后翅鳞，翅色深，少毛或针刺，缺点斑，多横脉，构成明显网状，足胫距式3:2:2，跗节4节。雄性具单节腹刺，雌性缺腹刺，尾须2节。

分布：东洋区，澳洲区，古北区，新北区。世界已知138种，中国记录111种，秦岭地区发现6种。

兵蚁分种检索表

1. 头部额区微隆起，大致与头后水平相等，前胸背板被毛较少 ⋯⋯⋯⋯ 2
   头部额区隆起为额峰，额峰显著高出于头后水平，前胸背板被毛较多 ⋯⋯⋯⋯ 黄胸散白蚁 *R. flaviceps*
2. 上唇舌状，唇端透明端圆钝 ⋯⋯⋯⋯ 3
   上唇矛状，唇端透明尖锐 ⋯⋯⋯⋯ 尖唇散白蚁 *R. aculabialis*
3. 头壳不具"U"型头盖缝 ⋯⋯⋯⋯ 4
   头壳具"U"型头盖缝，有单眼和复眼迹 ⋯⋯⋯⋯ 周氏散白蚁 *R. choui*
4. 头两侧平行，中后部不向外扩 ⋯⋯⋯⋯ 5

　　　　头两侧中后部外扩，后缘宽圆，前胸背板后缘凹刻明显 ·············· **扩头散白蚁 _R. ampliceps_**
5.　前胸背板前缘较平直，凹入浅，中区毛 10～16 根 ·················· **圆唇散白蚁 _R. labralis_**
　　　前胸背板前缘呈"V"形凹入，中区毛 20 余根 ·················· **似暗散白蚁 _R. paralucifugus_**

（1）尖唇散白蚁 _Reticulitermes aculabialis_ **Tsai _et_ Hwang, 1977**（图 102）

Reticulitermes aculabialis Tsai _et_ Hwang, 1977：472.

Heterotermes aculabialis（Tsai _et_ Hwang），1983：435.

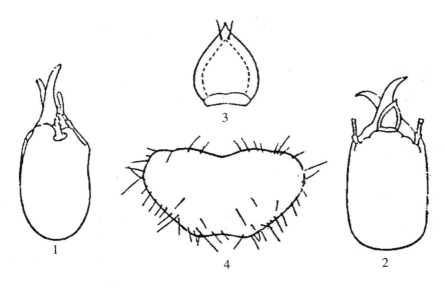

图 102　尖唇散白蚁 _R. aculabialis_ Tsai _et_ Hwang（仿蔡邦华等）
兵蚁：1. 头部侧面观；2. 头部背面观；3. 上唇；4. 前胸背板

　　鉴别特征：兵蚁头黄褐色，上颚深褐色。头壳被毛稀疏，头壳长方形，头阔指数 0.62～0.66，两侧近平行，中段稍外扩，头后缘稍突出；额区微隆，额间几近平坦；上唇尖矛状，唇端透明区呈针状尖出，长约 0.046mm，端毛长，亚端毛和侧端毛细短；上颚长强，颚端颇弯，颚基峰可见，上颚长约为头壳长的 0.6 倍，为头宽的 0.93 倍；触角 16～17 节；后颏宽区位于前段 1/5 处，前侧边梯形后扩，中段稍凹，腰区较细长，两侧近平行，腰缩指数 0.28～0.31；前胸背板肾形，宽为长的 1.66 倍，前缘宽 "V"形浅凹入，两侧连同后缘呈宽弧形，后缘中央稍凹，前缘宽为后缘宽的 2.0 倍多，中区长毛约 2 根。

兵蚁量度（mm）

项目	范围	正模兵蚁	项目	范围	正模兵蚁
头长至上颚基	1.80~2.00	2.00	后颏宽	0.46~0.53	0.53
头最宽	1.25~1.39	1.28	后颏狭	0.14~0.17	0.165
头高	0.96~1.07	1.02	前胸背板长	–	0.56
上唇长	–	0.55	前胸背板中长	0.50~0.53	0.50
上唇宽	–	0.40	前胸背板宽	0.93~1.00	0.93
左上颚长	–	1.19	后胫长	–	1.02
后颏长	–	1.52			

分布：陕西（西安）、河南、甘肃、江苏、安徽、浙江、湖北、江西、湖南、福建、广东、广西、四川、贵州、云南。

（2）扩头散白蚁 *Reticulitermes ampliceps* **Wang** *et* **Li**, **1984**（图103）

Reticulitermes ampliceps Wang *et* Li, 1984：67.

图103　扩头散白蚁 *Reticulitermes ampliceps* Wang *et* Li（仿黄复生等）
兵蚁：1. 头部背面观；2. 头部侧面观；3. 上唇；4. 上颚；5. 后颏；6. 前胸背板
成虫：7. 头部背面观；8. 头部侧面观；9. 上颚；10. 前胸背板；11. 前、后翅

鉴别特征：兵蚁头黄褐色，上颚赤褐色，头壳被毛稀疏；头壳介于长方形和椭圆

形之间，头阔指数 0.62 ~ 0.64，两侧在中后段稍扩，头后缘宽圆，头阔指数 0.82 ~
0.85；额峰微隆，额间浅凹，额后稍凹；上唇钝矛状，唇前段狭三角形，唇端钝圆，端
毛，亚端毛，侧端毛接近等长，唇背具几根长毛；上颚前段较细直，后段粗壮，额端
尖细而略弯，上颚长为头壳长的 0.53 ~ 0.54 倍，为头宽的 0.84 ~ 0.87 倍；后颏宽区
位于前段 1/5 处，前侧边近梯形后扩，腰区较宽，两侧宽弧状，腰缩指数 0.41 ~
0.43；前胸背板似肾形，宽为长的 1.56 ~ 1.63 倍，前后缘呈两宽弧状相交，中央均凹
入，前深于后，中区毛近 20 根。

兵蚁量度（mm）

项目	范围	平均	项目	范围	平均
头长至上颚基	1.78 ~ 1.96	1.84	后颏宽	0.42 ~ 0.47	0.43
头最宽	1.14 ~ 1.23	1.19	后颏狭	0.18 ~ 0.20	0.19
头高	0.87 ~ 1.00	0.92	前胸背板长	0.56	
上唇长	0.33 ~ 0.46	0.38	前胸背板中长	0.48 ~ 0.50	
上唇宽	0.31 ~ 0.38	0.33	前胸背板宽	0.81 ~ 0.91	0.85
左上颚长	0.98 ~ 1.11	1.03	后胫长	0.91 ~ 1.02	0.94
后颏长	1.18 ~ 1.34	1.22			

有翅成虫头壳近圆形，囟点黄色，距额前缘 0.48mm；复眼扁圆形，突出率
2% ~ 3%，其长径等于或稍大于其至头下缘间距，单眼长圆形，其长径大于复眼间
距；头背缘在额顶处稍高再向后倾，后唇基弱突出，但几乎与头顶平，高于单眼；触
角 17 节；前胸背板宽约为长的 1.58 倍，前缘平直，中央浅缺切，后缘呈两弧形，中
央深切入。前翅长 6.88 ~ 7.04mm，宽 1.84mm；后翅长 6.58 ~ 6.73mm，宽 1.84mm。
Cu 脉 10 余分支。

成虫量度（mm）

项目	范围	项目	范围
体长连翅	9.05 ~ 9.78	单眼	0.05 - 0.09
体长	5.95 ~ 6.58	单复眼间距	(0.055)
头长至上唇端	1.32,1.39	复眼距头下缘	0.18 ~ 0.20
头长至上颚基	0.91 ~ 1.02	前胸背板长	0.52 ~ 0.57
头连复眼宽	0.98 ~ 1.02	前胸背板宽	0.82 ~ 0.88
头宽	0.95 ~ 1.00	前翅鳞长	0.64 ~ 0.70
复眼	0.17 ~ 0.21	后胫长	1.00 ~ 1.06

分布：陕西（太白、佛坪、洋县）、河南。

(3) 周氏散白蚁 *Reticulitermes choui* **Ping et Zhang，1989**（图 104）

Reticulitermes choui Ping et Zhang，1989：5.

鉴别特征：兵蚁头淡黄褐色，额区稍深；上颚褐色带红，颚基黄褐色；上唇黄褐色；前胸背板及足淡黄白色；头壳被毛稀疏，头壳长方形，头阔指数 0.61～0.64，两侧平行，后侧角宽圆，后缘中央近平直；侧面观，额峰稍隆，额顶平坦；囟点后具淡黄色的"U"形头缝伸达眼斑处，将额区明显分开，复眼和单眼点均可见；上唇矛状，唇端钝圆，具端毛和亚端毛，侧端毛萎缩或缺；上颚坚强，颚端较弯，颚基峰明显，右上颚内缘在中点后具小齿迹，上颚长为头壳长的 0.52～0.56 倍，为头宽的 0.85～0.9 倍；触角 16 节，节 3 最短；后颏宽区位于前段 1/5 处，腰区宽长，两侧近平行，腰缩指数 0.39～0.43；前胸背板宽为长的 1.5～1.7 倍，前缘呈两宽弧状相交，后缘中央凹入甚浅；中区毛 10 余根。

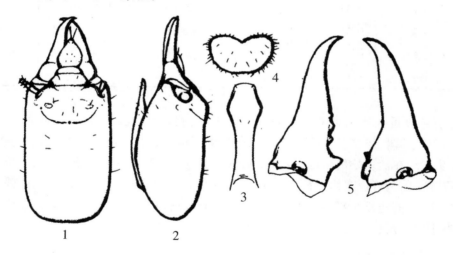

图 104　周氏散白蚁 *Reticulitermes choui* Ping et Zhang（仿平正明等）
兵蚁：1. 头部背面观；2. 头部侧面观；3. 后颏；4. 前胸背板；5. 上颚

兵蚁量度（mm）

项目	范围	平均	项目	范围	平均
头长至上颚基	1.75～1.91	1.87	后颏宽	0.44～0.48	0.47
头最宽	1.08～1.17	1.15	后颏狭	0.18～0.20	0.19
头高	0.91～0.99	0.97	前胸背板长	0.51～0.61	0.56

续表

项目	范围	平均	项目	范围	平均
上唇长	0.44 ~ 0.48	0.47	前胸背板中长	0.47 ~ 0.54	0.51
上唇宽	0.34 ~ 0.38	0.38	前胸背板宽	0.82 ~ 0.92	0.89
左上颚长	0.97 ~ 1.01	0.99	后胫长	0.94 ~ 0.99	0.98
后颏长	1.18 ~ 1.28	1.26			

分布: 陕西(周至、太白)。

(4) 黄胸散白蚁 *Reticulitermes flaviceps* (Oshima, 1911)(图 105)

Termes flaviceps Oshima, 1911: 356.

Leucotermes flaviceps Oshima, 1912: 74.

Leucotermes speratus Holmgren, 1912: 124.

Leucotermes (*Reticulitermes*) *speratus* Holmgren, 1913: 61.

Reticulitermes flaviceps (Oshima), Snyder, 1949: 72.

Reticulitermes speratus: Ahmad, 1958: 72.

Reticulitermes flaviceps Morimoto, 1968: 67.

Reticulitermes (*Frontotermes*) *flaviceps*: Tsai *et al.*, 1977: 469.

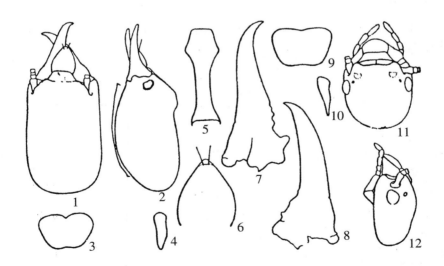

图 105 黄胸散白蚁 *Reticulitermes flaviceps* (Oshima)(仿黄复生等)

兵蚁:1. 头部背面观;2. 头部侧面观;3. 前胸背板背面观;4. 前胸背板侧面观;5. 后颏;6. 上唇;7. 左上颚;8. 右上颚

成虫:9. 前胸背板背面观;10. 前胸背板侧面观;11. 头部背面观;12. 头部侧面观

鉴别特征: 兵蚁头黄褐色,上颚紫色;头壳被毛较稀;头壳长方形,头阔指数

0.60～0.71，观察标本 0.64，两侧近平行，向后稍扩，头后缘宽圆；额峰略隆，额间近平；上唇矛状，唇端狭圆至尖圆，具端毛，亚端毛和侧端毛；上颚军刀状，颚体较直，右颚端几乎未弯，左颚端稍弯，上颚长为头壳长的 0.59 倍，为头宽的 0.93 倍；触角 16 节；后颏宽区位于前段 1/5 处，前侧边近梯形，腰区较宽，两侧近宽弧形，腰缩指数0.36～0.44；前胸背板宽约为长的 1.57 倍，前缘呈两宽弧状相交，中央浅凹，后缘近平直，中央稍凹，两侧缘近倒梯形，中区毛 20 余根。

兵蚁量度（mm）

项目	观察标本	范围（森本桂 1968）	项目	观察标本	范围（森本桂 1968）
头长至上颚基	1.80	1.71～2.02(1.89)	后颏宽	0.46	0.43～0.49(0.47)
头最宽	1.15	1.10～1.16(1.11)	后颏狭	0.18	0.18～0.21(0.19)
上唇长	0.43	0.41～0.46(0.45)	前胸背板长	0.51	0.43～0.50(0.48)
上唇宽	0.33	0.31～0.35(0.33)	前胸背板中长	0.45	—
左上颚长	1.07	1.04～1.10(1.06)	前胸背板宽	0.80	0.82～0.91(0.82)
后颏长	1.27	1.04～1.34(1.22)	后胫长	0.93	0.80～0.89(0.82)

有翅成虫头壳栗褐色，前胸背板灰黄色，后颏灰黄色，上唇褐色，后唇基黄褐色，足腿节深黄色，胫节黄褐色；头壳圆形而稍长；囟小点状，距额前缘约 0.48mm；复眼近圆形，突出率 3%；复眼和头下缘间距约和复眼短径相等；单眼近圆形，单复眼间距约为单眼直径的 1/2；触角 16～17 节；头背缘缓拱起，后唇基稍突出，低于头顶，高于单眼；前胸背板宽约为长的 1.54 倍，前后缘近平直，前缘中央凹入甚浅，后缘中央凹入略深。

成虫量度（mm）

项目	观察标本	范围（森本桂 1968）	项目	观察标本	范围（森本桂 1968）
体长不连翅	6.53	4.7～5.4	单眼	0.07	0.08
前翅鳞长	0.69	—	单复眼间距	0.035	0.024～0.048
头长至上唇端	1.35	1.24～1.34	复眼距头下缘	0.18	—
头长至上颚基	0.97	0.96～1.00	前胸背板长	0.56	—
头宽连眼	1.02	0.98～1.03	前胸背板中长	0.51	—
头宽不连眼	0.99	—	前胸背板宽	0.86	0.81～0.91
复眼	0.21×0.19	0.21～0.24	后胫长	1.15	—

分布：陕西（西安、略阳、留坝、勉县、佛坪、洋县、宁陕、旬阳、柞水、镇安、山阳、丹凤）、江苏、浙江、湖北、江西、湖南、福建、台湾、广东、海南、广西、重庆、四川、云南。

(5) 圆唇散白蚁 *Reticulitermes labralis* Hsia et Fan，1965（图 106）

Reticulitermes labralis Hsia et Fan, 1965：372.

Reticulitermes（*P.*）*chinensis* Snyder, Tsai *et al.*, 1977：468.

鉴别特征： 兵蚁头浅黄色，上颚赤褐色；头壳毛稀疏；头壳长方形，头阔指数 0.62～0.65，两侧近平行，后缘宽圆，额区微隆，额间浅凹；上唇矛状，唇端狭圆，具端毛、亚端毛和侧端毛；上颚较弱细而直，颚端尖细而稍直，上颚长为头壳长的 0.54～0.56 倍，为头宽的 0.83～0.88 倍；触角 15～16 节；单眼状小白点间或可见；后颊宽区位于前 1/5～1/4 段间，腰区宽短，两侧略呈宽弧状，腰指数 0.4～0.5，约为头宽的 1/6；前胸背板宽为长的 1.5～1.59 倍，前后缘较平直，凹入均浅，两侧宽弧形；中区毛在 10～16 根之间。

兵蚁量度（mm）

项目	范围	平均	项目	范围	平均
头长至上颚基	1.58～1.81	1.67	后颊宽	0.40～0.44	0.43
头最宽	1.02～1.12	1.06	后颊狭	0.16～0.19	0.18
头高	0.84～0.92	0.89	前胸背板长	0.44～0.55	0.49
上唇长	0.33～0.41	0.39	前胸背板中长	0.39～0.47	0.44
上唇宽	0.30～0.36	0.32	前胸背板宽	0.73～0.84	0.77
左上颚长	0.89～0.98	0.92	后胫长	0.84～0.91	0.87
后颊长	1.05～1.33	1.13			

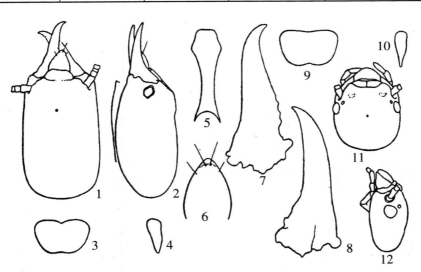

图 106　圆唇散白蚁 *Reticulitermes labralis* Hsia et Fan（仿黄复生等）

兵蚁：1. 头部背面观；2. 头部侧面观；3. 前胸背板背面观；4. 前胸背板侧面观；5. 后颊；6. 上唇；7. 左上颚；8. 右上颚

成虫：9. 前胸背板背面观；10. 前胸背板侧面观；11. 头部背面观；12. 头部侧面观

　　有翅成虫头壳、后颊、前胸背板和足腿节均为黑褐色；上唇、后唇基和足胫节均为灰褐色（胫节较淡）；头壳圆形；囟点状，距额缘约 0.48mm；复眼圆三角形，突出率 1%～5%，其长径大于与头下缘间距，单眼近圆形，长径大于和复眼间距；头顶丘状拱起，额坡稍凹，后唇基突起稍低于头顶，稍高于单眼；触角 17～18 节；前胸背板前缘宽平，中央凹入宽浅，侧缘略呈弧形，后缘中央凹入明显。

成虫量度（mm）

项目	量度	项目	量度
体长连翅	8.11～10.51(9.36)	单眼	0.08×0.06
体长	4.17～6.17(5.175)	单复眼间距	0.024～0.059
头长至上唇端	1.16～1.37(1.26)	复眼距头下缘	0.165～0.212
头长至上颚基	0.97～0.98	前胸背板长	0.48～0.59
头连复眼宽	0.92～1.04(1.00)	前胸背板宽	0.76～0.89(0.84)
头宽	0.90～1.03(0.97)	前翅鳞长	0.60～0.83(0.69)
复眼	0.189～0.224×(0.18～0.19)	后胫长	1.00～1.17(1.095)

　　分布：陕西（西安、蓝田、周至、户县、太白、凤县、华县、华阴、潼关、韩城、铜川、扶风）、山西、山东、河南、江苏、上海、浙江、安徽。

（6）似暗散白蚁 *Reticulitermes paralucifugus* **Zhang** *et* **Ping，1989**（图 107）

Reticulitermes paralucifugus Zhang *et* Ping，1989：7.

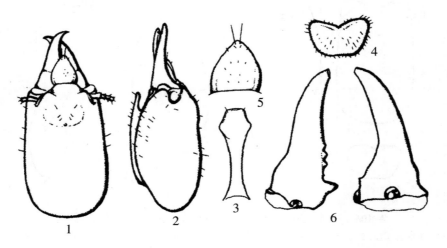

图 107　似暗散白蚁 Reticulitermes paralucifugus Zhang et Ping（仿平正明等）
兵蚁：1. 头部背面观；2. 头部侧面观；3. 后颊；4. 前胸背板；5. 上唇；6. 上颚

鉴别特征：兵蚁头淡黄褐色，上颚紫褐色，前胸背板色淡于头；头壳被毛稀疏；头壳长方形，头阔指数 0.61~0.64，两侧稍向后扩，后缘宽圆；额平，额间稍凹；上唇宽矛状，唇端伸达上颚中点前，唇长约为其宽的 1.13 倍，唇端狭圆出，半透明，具端毛，亚端毛和侧端毛细短；上颚端略弯，颚基峰可见，左上颚长为头宽的 0.83~0.87倍，为头壳长的 0.53~0.55 倍；触角 16 节，节 4 最短；后颏前段 1/5 处最宽，后颏长为腰狭的 6.75~7.35 倍，腰缩指数 0.41~0.43，头宽为腰狭的 5.9~6.4 倍；前胸背板前缘呈宽"V"形凹入，后缘中央几近平直，中凹率约为 12%，中区长短刚毛 20 余根。

分布：陕西（宁陕、旬阳、柞水、镇安、山阳、丹凤）。

兵蚁量度（mm）

项目	范围	项目	范围
头长至上颚基	1.90~1.95	后颏宽	0.46~0.47
头最宽	1.18~1.21	后颏狭	0.19~0.20
头高	1.01~1.04	前胸背板长	0.54
上唇长	0.44~0.47	前胸背板中长	0.47~0.48
上唇宽	0.38~0.42	前胸背板宽	0.84~0.91
左上颚长	1.01~1.05	后胫长	0.94~1.01
后颏长	1.35~1.47		

参考文献

DeSalle, R., Gatesy, J., Wheeler, W. *et al.* 1992. DNA sequences from a fossil termite in Oligo-Miocene amber and their phylogenetic implications. *Science*, 257(5078): 1933-1936.

Eggleton P. 2001. Termites and trees: a review of recent advances in termite phylogenetics. *Insectes Sociaux*, 48(3): 187-193.

Engel, M. S., Grimaldi, D. A. and Krishna, K. 2009. Termites (Isoptera): their phylogeny, classification, and rise to ecological dominance. *American Museum Novitates*, 3650: 1-27.

Grimaldi, D. A. 1997. A fossil mantis (Insecta, Mantodea) in Cretaceous amber of New Jersey: with comments on the early history of the Dictyoptera. *American Museum Novitates*, 3204: 1-11.

Huang, F. H., Zhu, S. M., Ping, Z. M. *et al.* 2000. *Fauna Sinica Insecta vol.* 17 Isoptera. Science Press, Beijing. 961pp. [黄复生，朱世模，平正明，等. 2000. 中国动物志昆虫纲第十七卷等翅目. 北京：科学出版社，961.]

Inward, D. J. G., Vogler, A. P. and Eggleton, P. 2007. A comprehensive phylogenetic analysis of termites (Isoptera) illuminates key aspects of their evolutionary biology. *Molecular Phylogenetics and E-*

volution, 44(3): 953-967.

Kambhampati, S. 1995. A phylogeny of cockroaches and related insects based on DNA sequence of mitochondrial ribosomal RNA genes. *Proceedings of the National Academy of Sciences*, 92 (6): 2017-2020.

Korb, J. and Hartfelder, K. 2008. Life history and development-a framework for understanding developmental plasticity in lower termites. *Biological Reviews*, 83(3): 295-313.

Krishna, K., Grimaldi, D. A., Krishna, V. *et al.* 2013. Treatise on the Isoptera of the World: Volume 4 Termitidae (Part One). *Bulletin of the American Museum of Natural History*, 377(4): 973-1495.

Ping, Z. M. and Zhang, Y. J. 1989. Two new species of the genus *Reticulitermes* from Shaanxi, China. *Entomotaxonomia*, 11(1-2): 5-8. [平正明, 张英俊. 1989. 陕西网蜚属二新种. 昆虫分类学报, 11(1-2): 5-8.]

Thorne, B. L. and Carpenter, J. M. 1992. Phylogeny of the Dictyoptera. *Systematic Entomology*, 17 (3): 253-268.

Tsai, B. H., Huang, F. S. and Li, G. X. 1977. Notes on the genus of *Reticulitermes* (Isoptera) from China, with descriptions of new subgenera and new species. *Acta Entomologica Sinica*, 22(1): 95-98. [蔡邦华, 黄复生, 李桂祥. 1977. 中国的散白蚁属及新亚属新种. 昆虫学报, 22(1): 95-98.]

Tsai, P. H. and Chen, N. S. 1964. Problems on the classification and fauna of termites in China. *Acta Entomologica Sinica*, 13(1): 25-37. [蔡邦华, 陈宁生. 1964. 中国白蚁分类和区系问题. 昆虫学报, 13(1): 25-37.]

Tsai, P. H. and Huang, F. S. 1983. A taxonomy of the subfamily Heterotermitinae. *Acta Entomologica Sinica*, 26(4): 431-436. [蔡邦华, 黄复生. 1983. 异白蚁亚科的系统分类. 昆虫学报, 26(4): 431-436.]

Wang, Z. G. and Li, D. S. 1984. A collection of termites from Henan province, with descriptions of new species. *Journal of Henan Academic Science*, (1): 67-83. [王治国, 李东升. 1984. 河南省蜚类调查及新种记述. 河南科学院学报, (1): 67-83.]

Xia, K. L. and Fan, S. D. 1965. Notes on the genus *Reticulitermes* Holmgren of China (Isoptera, Rhinotermitidae). *Acta Entomologica Sinica*, 14(4): 360-382. [夏凯龄, 范树德. 1965. 中国网蜚属记述. 昆虫学报, 14(4): 360-382.]

Xing, L. X., Hu, C. and Cheng, J. A. 1999. Investigation on termites in northwest China. *Journal of Zhejiang Agricultural University*, 25(1): 81-85. [邢连喜, 胡萃, 程家安. 1999. 西北地区白蚁调查. 浙江农业大学学报, 25(1): 81-85.]

襀翅目 Plecoptera

杜予州　　陈志腾

（扬州大学应用昆虫研究所，江苏扬州 225009）

　　襀翅目 Plecoptera 昆虫，又称石蝇、襀翅虫，简称襀（音：吉），英文名 stonefly、perlids。襀翅虫一般小型至中型，体软且长，略扁平。体色多为浅褐色、黄褐色、褐色和黑褐色，少数种类有色彩艳丽的斑纹。头部较宽阔；复眼发达，单眼 2~3 个或无；触角丝状多节；口器咀嚼式，其构造完整，下颚须 5 节，下唇须 3 节，口器退化的种类上唇小、上颚退化成软弱的片状物，无取食功能。前胸大且可动，背板发达，中胸、后胸等大，构造相似，有的类群在胸部的腹侧面有残余气管鳃（remnant gill）；翅 2 对，膜质、后翅臀区发达，翅脉多，中肘脉间多横脉，静止时翅折扇状，平叠在胸腹背面，一些种类有短翅型，极少数种类无翅；足的跗节 3 节。腹部有完整的 10 节，第 11 节分为 3 块骨片，即中背面的肛上板（epiproct）或称肛上叶（supra-anal lobe）和 1 对腹面的肛侧板（paraprocts）或称肛下叶（subanal lobes）；雄性腹部变化较大，常着生有一些特殊构造，第 10 背板完整或分裂形成外生殖器，大多数类群的第 11 节特化为外生殖器，即肛上突（supra-anal process）和肛下突（subanal process），但一些类群的肛上叶退化，肛下叶不特化；大多数襀翅虫的阳茎膜质且简单，但某些类群的阳茎明显特化为阳茎管和阳茎囊；雌性腹部变化不大，无特殊的附器和产卵器，肛上叶退化，肛下叶不特化，但常有特化的下生殖板；一般在肛下叶的基部上着生有 1 对多节或仅 1 节的尾须，有的尾须可特化为外生殖器的组成部分。稚虫蜗型，似成虫，有气管鳃；半变态。

　　襀翅目成虫多数不取食，少数种类可危害农作物及果树。稚虫大多生活在通气良好的水域中，以水中的蚊类幼虫、小型动物及植物碎片、藻类等为食，对维持水生生态平衡以及水体净化具有一定的作用；同时也是一些珍稀鱼类的食料；此外，该类昆虫对水中的化学物质反应较为敏感，可用于监测水资源的污染状况。

　　目前，襀翅目全世界已知 16 科 3800 多种，我国已知 10 科 500 余种，本文记述陕西秦岭地区襀翅目 6 科 21 属 49 种。

分科检索表

2.　前翅无 Sc_2，前后翅的翅脉不形成"X"形；静止时翅向腹部卷折……………… **卷襀科 Leuctridae**
　　前后翅的 Sc_1，Sc_2，R_{4+5} 及 r-m 脉共同组成 1 个明显的"X"形 …………… **叉襀科 Nemouridae**

3.　中唇舌短于侧唇舌，上颚相对较发达；头部短宽、窄于前胸，其后部陷入前胸背板内；前胸背
　　板宽于头部，扁平，宽大于长；稚虫扁宽、呈蜚蠊状……………………… **扁襀科 Peltoperlidae**
　　中唇舌不明显，上颚退化；稚虫不呈蜚蠊状 …………………………………………………… 4

4.　胸部的腹侧面无残余气管鳃 …………………………………………………………………… 5
　　胸部的腹侧面有残余气管鳃 ……………………………………………………… **襀科 Perlidae**

5.　后翅臀区发达，在 1A 后有 5 条或更多的臀脉达翅缘，2A 有 1~3 条分支…… **网襀科 Perlodidae**
　　后翅臀区很小，在 1A 后能到达翅缘的臀脉不多于 3 条，2A 无分支…… **绿襀科 Chloroperlidae**

一、卷襀科 Leuctridae

鉴别特征：体小型，一般不超过 10mm；呈深褐色或黑褐色。头宽于前胸，单眼 3
个；前胸背板横长方形或亚正方形；翅透明或半透明，无"X"形的脉序，前翅在 Cu_1
和 Cu_2 以及 M 和 Cu_1 之间的横脉多条，后翅臀区狭；在静止时，翅向腹部包卷成筒
状。雄性肛上突及肛下叶特化，与第 10 背板上的一些骨化的突起构成外生殖器，有
的在第 5~9 背板上还形成一些特殊构造，尾须第 1 节无变化或特化为外生殖器的组
成部分。雌性第 8 腹板形成较明显的下生殖板，尾须第 1 节无变化。

分布：古北区，东洋区，新北区。世界已知 13 属 340 种，中国记录 4 属 50 种，
陕西秦岭地区发现 2 属 11 种。

分属检索表（雄性）

前胸的前腹片与基腹片部分愈合；尾须高度骨化………………………… **拟卷襀属 Paraleuctra**
前胸的前腹片与基腹片完全分开；尾须不高度骨化 ………………………… **诺襀属 Rhopalopsole**

1. 拟卷襀属 *Paraleuctra* Hanson，1941

Paraleuctra Hanson，1941：57. **Type species**：*Leuctra occidntalis* Banks，1907.
Leuctra（*Paraleuctra*）Ricker，1943：75.

属征：体小型；褐色至黑褐色。单眼 3 个；前胸背板横长方形或亚正方形；前胸
的前腹片与基腹片不完全分开，基腹片后面的叉腹片分离为 2 块；后翅中肘横脉位于
肘脉分叉之后，并与 Cu_1 相连。雄性腹部第 1~9 背板正常，第 10 背板被 1 条膜质缝
分为 2 块骨片，即半背片；肛上突细、较长，反曲；两肛下叶中后部愈合为 1 根细长、

向后上方弯曲的尖突；第9腹板形成的殖下板短宽；有腹叶；尾须高度骨化，形成齿状突起。雌性第10腹板不完整，第8腹板形成各种形状的殖下板，第9腹板常有一些骨化区；尾须1节，无变化。

　　分布：古北区，东洋区，新北区。秦岭地区发现1种。

（1）东方拟卷襀 *Paraleuctra orientalis*（Chu，1928）（图108）

Leuctra orientalis Chu，1928：87.

Rhopalopsole orientalis：Illies，1966：118.

Paraleuctra orientalis：Zwick，1973：430.

　　鉴别特征：雄性腹部1~9节黑色，均强烈骨化；第10背板中部部分裂开，后缘两侧各有1个三角形凸起；肛上突下弯，端部有1个细钩；第9腹板中部形成明显的肛下突，端部有凹缺，囊状突小，长约等于宽；尾须形成骨化的凸起，腹面和端部各有1个大的钩状突，钩突之间有小齿。

　　采集记录：1♀，周至厚畛子，1995.Ⅴ.26，杜予州采；4♀，宝鸡，1995.Ⅴ.16，杜予州采。

　　分布：陕西（周至、宝鸡）、河南、甘肃、浙江、湖南、福建、四川、云南；俄罗斯。

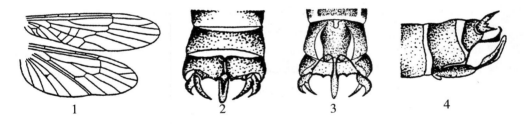

图108　东方拟卷襀 *Paraleuctra orientalis*（Chu）（引自 Chu，1928）
1. 前后翅；2. 雄性背面观；3. 雄性腹面观；4. 雄性侧面观

2. 诺襀属 *Rhopalopsole* Klapálek，1912

Rhopalopsole Klapálek，1912：348. **Type species**：*Rhopalopsole dentata* Klapálek，1912.

　　属征：体小型；呈浅褐色至黑褐色。单眼3个；前胸背板横长方形或亚正方形；前胸的前腹片与基腹片完全分开，基腹片后面的叉腹片明显分为2块；后翅中肘横脉位于肘脉分叉之后，并与 Cu_1 相连；后翅臀区小。雄性腹部第1~8背板正常，第9背板正常或略有一些变化，第10背板分裂为3块骨片，在两侧边有各种形状的骨化突起；肛上突短小，反曲；两肛下叶基部愈合，并特化各种形状的短突；第9腹板形成的殖下板短宽；有腹叶；尾须1节，略有变化，但不高度骨化。雌性第10腹板不完整，第8腹板形成各种形状的殖下板，第9腹板常形成一些骨化区；尾须1节，无变化。

分布：古北区，东洋区。秦岭地区记录10种。

分种检索表（雄性）

（2）双刺诺襀 *Rhopalopsole apicispina* **Yang *et* Yang, 1991**（图109）

Rhopalopsole apicispina Yang *et* Yang, 1991：369.

鉴别特征：雄性腹端第10背板侧有1个骨化钝突；尾须粗大，明显向上弯，端部略缩小；肛上突为1个细而软的钩突；肛下叶较发达，末端有1对刺突。

采集记录：9♂，宝鸡天台山嘉陵江源头，1800m，1998.Ⅵ.10，杜予州采。

分布：陕西（宝鸡）、湖北。

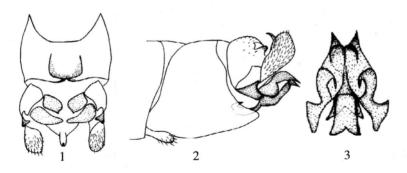

图 109　双刺诺襀 *Rhopalopsole apicispina* Yang et Yang（引自 Yang & Yang，1991）

1. 雄性背面观；2. 雄性侧面观；3. 肛侧突尾面观

（3）叉突诺襀 *Rhopalopsole furcata* **Yang** *et* **Yang，1994**

Rhopalopsole furcata Yang *et* Yang，1994：190.

鉴别特征：头部暗黄色；触角及下颚须黄色；胸部黄色；前胸背板有不明显的浅褐色斑纹，中后胸无显著的斑纹；足黄色；翅白透明，脉黄色；腹部黄色。雄性腹端第 10 背板侧有 1 个长的骨化刺突且末端分叉；尾须略向上弯曲，基部较粗、渐向末端缩小，端部有 1 个极小的刺突。

采集记录：7♂，宝鸡天台山嘉陵江源头，1700～1900m，1998. Ⅵ. 09，杜予州采。

分布：陕西（宝鸡、宁陕）、甘肃。

（4）叉刺诺襀 *Rhopalopsole furcospina*（**Wu，1973**）

Leuctra furcospina Wu，1973：106.

Rhopalopsole furcospina：Du，2001：72.

鉴别特征：雄性第 10 背板不分裂，在其后侧角各有 1 个叉刺状的侧突；肛上突小，反曲；尾须 1 节，长，锥状。肛侧突 1 对，愈合为一，后缘微凹，末端尖锐，向上弯曲；第 9 腹板延伸成 1 个大的肛下突，其后缘中部形成圆形凸出；囊状突小，卵形。

采集记录：2♂，宝鸡天台山嘉陵江源头，1998. Ⅵ. 09，杜予州采。

分布：陕西（宝鸡）、浙江、四川。

（5）陕西诺襀 *Rhopalopsole shaanxiensis* **Yang** *et* **Yang，1994**

Rhopalopsole shaanxiensis Yang *et* Yang，1994：189.

鉴别特征：雄性腹部黄色，端褐色。第 10 背板侧有 1 个较小的骨化刺突；尾须明显向上弯曲且末端较钝圆。

采集记录：1♂，宝鸡天台山嘉陵江源头，2050m，1998.Ⅵ.09，杜予州采；23♂，宁陕火地塘，1900～1950m，1998.Ⅵ.05，杜予州、马云、杨莲芳、孙长海、Mores 采。

分布：陕西（宝鸡、宁陕）。

(6) 浙江诺襀 *Rhopalopsole zhejiangensis* **Yang** *et* **Yang, 1995**

Rhopalopsole zhejiangensis Yang et Yang, 1995：21.

鉴别特征：雄性腹端第 9 背板中央有 1 个较小的骨化区，有 1 根短小的刺；腹后中部略延伸呈近瓣状；第 10 背板侧各有 1 个极细长而弯曲的刺突；尾须明显向上弯曲，末端有 1 根极小的刺；肛上突明显向背前方弯曲，背视端缘略凹缺。

采集记录：1♂，周至厚畛子，1300m，1998.Ⅵ.03，杜予州采。

分布：陕西（周至）、浙江、江西。

(7) 秦岭诺襀 *Rhopalopsole qinlinga* **Sivec** *et* **Harper, 2008**

Rhopalopsole qinlinga Sivec et Harper, 2008：77.

鉴别特征：雄性第 9 腹板基部具囊状突。第 9 背板大部分骨化，在宽阔的中间带两侧微骨化。中带上覆盖有横向线和微小的瘤。第 10 背板有 1 个狭窄的中板，上面覆盖有少数的刚毛；侧面有 1 个膨大的叶突；横向带稍微膨大。第 10 背板上的侧突，通常向上和向后延伸，在结尾处形成 1 个向上或向下弯曲末端尖锐的刺。肛上突较粗，侧视可见其逐渐变细形成尖刺，顶视较扁平，形成五角形的圆板。肛侧突大型，侧视可见，被基腹叶和末叶分隔开，两边都具有黑色的钩状凸起。尾须短，向上弯曲明显，无刺。

采集记录：3♂，留坝庙台子，1400m，1998.Ⅵ.08，杜予州采。

分布：陕西（留坝）。

(8) 三尖诺襀 *Rhopalopsole tricuspis* **Qian** *et* **Du, 2012**

Rhopalopsole tricuspis：Qian et Du. 2012：6.

鉴别特征：第 9 背板中后部有 1 个脊突，后边缘中部有 1 个小缺刻，缺刻前方有 1 个小刺突；第 9 腹板基部舌状腹叶宽扁；第 10 背板中骨片四边形，2 个侧骨片隆起呈球形，下方横向骨片三角形，外侧两角钝圆，里侧一角略尖；背板两侧后缘各形成

1 个刺突，背面观细短，侧面观刺突呈三角形，末端钝圆；肛上突宽扁，末端有 3 个小尖；肛下页腹面观基部略窄，端部膨大，末端有 2 个形似蝌蚪状的黑斑；尾须细，端部上翘且无小刺。

    采集记录： 1♂5♀，留坝庙台子，1400m，1998. Ⅵ.08，杜予州采。

    分布： 陕西（留坝）。

（9）基黑诺襀 *Rhopalopsole basinigra* Yang *et* Yang, 1995

Rhopalopsole basinigra Yang *et* Yang. 1995：20.

Rhopalopsole duyuzhoui Sivec *et* Harper. 2008：111.

    鉴别特征： 雄性腹端第 9 背板中央有 1 根明显的骨化区，近后缘有 1 根短小的刺，腹后中部略延伸成近瓣状；第 10 背板两侧各有 1 个极长而弯曲的刺突；尾须明显向上弯曲，端无小刺；肛上突向背前方弯曲，末端近钩状，背视可见端缘中央较隆突。

    采集记录： 23♂，周至县厚畛子，500m，1995. Ⅴ.24-26，杜予州采；1♂，宝鸡，1995. Ⅴ.15，杜予州采；3♂，宝鸡天台山嘉陵江源头，1800m，1998. Ⅵ.10，杜予州采。

    分布： 陕西（周至、宝鸡）、浙江。

（10）峨眉山诺襀 *Rhopalopsole emeishan* Sivec *et* Harper, 2008

Rhopalopsole emeishan Sivec *et* Harper, 2008：16.

    鉴别特征： 雄性第 9 腹板基部具囊状突；第 9 背板后缘形成 1 个球形隆起的带，中间连接处较窄。逐渐向两边扩大；第 10 背板有中板，其三部分之边缘多相连，其上被长毛，但没有明显的特化；侧突两侧平行，末端形成 1 个小而锐利的尖；尾须侧视向上弯曲明显，无刺。

    采集记录： 11♂，宝鸡天台山嘉陵江源头，1998. Ⅵ.10，杜予州采；14♂，宁陕火地塘，1998. Ⅵ.05，John C. M.，杜予州采。

    分布： 陕西（宝鸡、宁陕）、四川。

（11）霍氏诺襀 *Rhopalopsole horvati* Sivec *et* Harper, 2008

Rhopalopsole horvati Sivec *et* Harper, 2008：75.

    鉴别特征： 雄性第 10 背板中骨片分裂为 3 个小骨片，下方横向骨片强骨化，形似棒球棍，背板两侧各形成 1 个尖细强烈骨化的刺突；肛上突基部较粗，端部尖细；肛下叶基部较窄，逐渐膨大，端部又变尖细形成 2 个较粗的刺突；尾须柱状，端无小刺。

分布：陕西、四川。

二、叉䏝科 Nemouridae

鉴别特征：体小型，一般不超过 15.0mm；褐色至黑褐色。头略宽于前胸，单眼 3 个。在颈部两侧各有 1 条骨化的侧颈片，在侧颈片的内外侧有颈鳃或仅留有颈鳃的残迹；前胸背板横长方形；前后翅的 Sc_1、Sc_2（有的称为端横脉），R_{4+5} 及 r-m 脉共同组成 1 个明显的"X"形，前翅在 Cu_1 和 Cu_2 以及 M 和 Cu_1 之间的横脉多条；第 2 跗节短，第 1、3 跗节长而相等。雄性肛上突发达并特化为各种形状的反曲突起，肛下叶简单或特化，与第 10 背板上的一些骨化突起共同组成外生殖器；第 9 腹板向后延伸形成殖下板，在其前缘正中处有 1 片腹叶，尾须 1 节，简单或特化为外生殖器构造。雌性第 7 腹板无变化或向后延伸形成前生殖板；第 8 腹板上的下生殖板发达或不发达；生殖孔位于第 8 腹板中部，通常有 1 对阴门瓣，尾须 1 节无变化。稚虫颈部均有颈鳃。

分类：东洋区，古北区，新北区。世界已知 20 属 670 余种，中国记录 7 属 165 种，陕西秦岭地区发现 4 属 12 种。

分属检索表（雄性）

1. 肛下叶分为 3 叶，在中叶或外叶上有刺或叉刺 ⋯⋯⋯⋯⋯⋯⋯ **叉䏝属 Nemoura**
   肛下叶不分叶或仅分为 2 叶，在外叶上无刺 ⋯⋯⋯⋯⋯⋯⋯⋯⋯⋯⋯⋯ 2
2. 侧颈片外侧有 1 根香肠状的短颈鳃，侧颈片内侧无颈鳃；第 8 或 9 节背板后缘不形成突起；肛上突的端鞭细长 ⋯⋯⋯⋯⋯⋯⋯⋯⋯⋯ **中叉䏝属 Mesonemoura**
   肛上突端部无鞭突 ⋯⋯⋯⋯⋯⋯⋯⋯⋯⋯⋯⋯⋯⋯⋯⋯⋯⋯⋯⋯⋯ 3
3. 侧颈片内外侧有许多分支细长的颈鳃 ⋯⋯⋯⋯⋯⋯⋯ **倍叉䏝属 Amphinemura**
   在侧颈片内侧有 1 根香肠状的颈鳃，在外侧的颈鳃分为 2 支 ⋯⋯⋯ **原叉䏝属 Protonemura**

3. 倍叉䏝属 *Amphinemura* Ris, 1902

Nemoura（*Amphinemura*）Ris, 1902：184. **Type species**：*Nemoura cinerea* Olivier, 1811 = *Amphinemura sulcicollis*（Stephens, 1836）.

Amphinemura：Claassen, 1940：47.

属征：体长一般为 5.0~10.0mm；体呈浅黄褐色至深褐色；翅透明，烟褐色或有色斑。在侧颈片内外侧有分支细长的颈鳃，颈鳃分支最多的有 16 条，最少的有 5 条。雄性腹部第 9 背板骨化，通常在边缘有突起；第 10 背板骨化，有时着生有一些刺或突起。第 9 腹板的下生殖板基部宽，近端部变狭，向后延伸超过肛下叶的内叶并达到肛上突的基部，有时向背面弯曲；在生殖板的前缘中部着生有腹叶。肛下叶分为三叶，内叶略骨化且短，常常被遮盖在下生殖板后；中叶大部分骨化，但在内面有一些膜质部分，其大而长，紧靠下生殖板，并与肛上突平行向上弯曲，着生有毛或刺；外叶大部分骨化，有时有一些膜质部分，其形状变化大，常常沿尾须向上弯曲，在外叶上着生有一些毛或刺。肛上突短，背面宽，腹面窄而形成脊状，向背面反曲，常着生有刺。尾须膜质且短，无变化。雌性腹部第 7 腹板略向后突而形成一个小的前生殖板；第 8 腹板形成明显的下生殖板。稚虫尾须不膨大。

分布：古北区，东洋区，新北区。秦岭地区发现 3 种。

分种检索表（雄性）

1. 肛上突端部中间有突起 ·· 环形倍叉襀 *A. annulata*
   肛上突端部中间无突起 ··· 2
2. 肛上突侧缘有特化的突起，前端侧缘的突起小三角形，呈舌状 ········ 舌突倍叉襀 *A. ingulata*
   肛上突侧缘无特化的突起 ·· 细齿倍叉襀 *A. spinellosa*

（12）环形倍叉襀 *Amphinemura annulata* **Du et Ji, 2014**（图 110）

Amphinemura annulata Du *et* Ji, 2014：23.

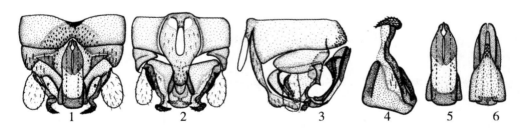

图 110　环形倍叉襀 *Amphinemura annulata* Du et Ji（引自 Ji *et al*., 2014）
1. 雄性背面观；2. 雄性腹面观；3. 雄性侧面观；4. 肛侧突尾面观；5. 肛上突背面观；6. 肛上突腹面观

鉴别特征：雄性腹骨片呈三角形，骨片腹侧具黑刺；肛侧片中部基本为膜质，外缘骨化形成长骨化带，并形成环形突起。

采集记录：1♂，周至厚畛子后沟河中上游，1995. V. 26，杜予州采；1♂，佛坪保护区东河，1240m，1996. Ⅸ. 25，邢连喜采。

分布：陕西（周至、佛坪）、山西、宁夏、四川、贵州。

(13) 舌突倍叉襀 *Amphinemura lingulata* **Du** *et* **Wang，2014**

Amphinemura lingulata Du *et* Wang，2014：23.

鉴别特征：雄性肛侧片分为三部分，内部细长且弱骨化，具短黑的骨化中线；中部基部弱骨化，具长且大的刺，端部膜质且强烈弯曲；外部强骨化且细长，端部三角形，具4~5个大刺。

采集记录：1♂，周至厚畛子后沟河中上游，1995.Ⅴ.26，杜予州采；2♂，宝鸡，1995.Ⅴ.15，王敏采。

分布：陕西(周至、宝鸡)、四川。

(14) 细齿倍叉襀 *Amphinemura spinellosa* **Du** *et* **Ji，2014**

Amphinemura spinellosa Du *et* Ji，2014：695.

鉴别特征：肛侧叶分为3叶，内叶弱骨化，细长，近端部着生长骨化中线；中叶弱骨化，基部宽，中部细长，弯曲到背面，在顶端和内侧膜质处着生数根骨化刺；外叶骨化，基部细长，端部膨大呈橄榄形，并布满成排的小刺。肛上突细长，端部收细，背骨片大部分膜质，基部宽，向端部变窄，顶端中间有小缺口；侧骨片细长，骨化，端部向腹面延伸，形成近梯形的骨化片。

采集记录：8♂，周至厚畛子后沟，1466m，1998.Ⅵ.03，杜予州采；5♂，凤县嘉陵江源头管理站东，1575m，1988.Ⅵ.08，杜予州采；1♂，南郑黎坪国家森林公园，2012.Ⅶ.15，吴海燕、王吉锐采。

分布：陕西(周至、凤县、南郑)、四川、云南。

4. 中叉襀属 *Mesonemoura* **Baumann，1975**

Mesonemoura Baumann，1975：14. **Type species：** *Nemoura vaillanti* Navás，1922.

属征：体长一般为7.0~12.0mm；体呈浅褐色至深褐色；翅透明或烟褐色。在侧颈片外侧有1根短椭圆形或香肠状的颈鳃，内侧无颈鳃。雄性腹部第9背板骨化，通常在后缘中部向前形成凹突，有时凹陷的两侧下形成向后的角突，在凹陷的边缘上着生有刺或毛；第10背板大部分骨化，从前缘到肛上突的基部为1块大的平坦区域，有时着生有一些毛或刺。第9腹板的下生殖板基部宽，近端部变狭，向后延伸，并覆盖肛下叶的部分内叶；在生殖板的前缘中部着生有腹叶。肛下叶分为3叶，其内叶宽大且略骨化，有时着生有黑色骨化的突起；中叶部分骨化且宽大，并向肛上突的基部方向弯曲，在内面及端部较大部分的膜区上着生有许多毛，在骨化区上着生有刺；外叶大部分骨化，狭长，并围绕尾须弯曲，常着生有一些小刺。肛上突大部分骨化，背面短宽，侧面窄且弯曲，腹面骨化区在基部宽大，向端部变窄，并着生有一些小刺，末端形成1根细长的鞭。尾须膜质，长，近端部变细，一般超过肛下叶。雌性腹部第7腹板有明显或发达的前生殖板；第8腹板形成发达的下生殖板。稚虫的尾须不膨大。

分布：古北区，东洋区。秦岭地区发现1种。

(15) 膜质中叉襀 *Mesonemoura membranosa* Du et Zhou，2007

Mesonemoura membranosa Du et Zhou，2007：49.

鉴别特征：雄性第9背板后缘明显突起；肛侧片外片宽大，鞭毛具小缺刻且端部完整。

采集记录：2♂，凤县秦岭火车站，1995．Ⅴ．17，杜予州采。

分布：陕西(凤县、留坝)。

5．叉襀属 *Nemoura* Latreille，1796

Nemoura Latreille，1796：101. **Type species**：*Perla cinerea* Retzius，1783.

属征：体长一般为5.0～15.0mm；体呈浅褐色至深褐色；翅透明，烟褐色或有色斑。无颈鳃，或在侧颈片外侧有1个膜质且似颈鳃的小瘤突。一些种类的雄性腹部第8背板延长或有其他变化；第9背板骨化，但不延长，沿后缘强骨化，并着生有细毛和刺；第10背板大部分骨化，形成1个大的平面，或从前到肛上突基部形成1个凹陷区，通常着生有细毛和小刺，但一些特殊种类会着生大刺或突起。第9腹板的下生殖板基部宽，近端部变狭，向后延伸达到肛下叶的基部，常常覆盖肛下叶的内叶；在生殖板的前缘中部着生有腹叶。肛下叶分为2叶，其内叶骨化且又短又窄，常常向内弯，有时完全被下生殖板遮盖；外叶很大，一般呈三角形，其腹面骨化、背面膜质。肛上突短，背面宽，侧面观弯曲，腹骨板强骨化，其基部宽，每边有1排刺。尾须大部分骨化或完全骨化，形状变化大，有的着生有刺或在端部有钩突。雌性腹部第7腹板增大，向后延伸形成前生殖板，其完全或大部分盖住第8腹板，延伸的部分略骨化；第8腹板窄，大部分膜质，在生殖孔周围有一些骨化区。

分布：古北区，新北。秦岭地区发现7种。

分种检索表（雄性）

1.　整个尾须高度骨化，末端向内侧延伸，端部圆，近端部有细长的黑刺 ………………………………

(16)斧状叉𧈢 *Nemoura securigera* Klapálek,1907

Nemour securigera Klapálek,1907:63.

Nemoura(*Nemoura*)*securigera*:Wu,1935:185.

鉴别特征:雄性第9背板无变化。肛下突粗短,长约等于宽,基部宽,末端被肛侧突盖住;囊状突略短于肛下突,基部略细,顶端平截。肛侧突分2叶:内叶小,膜质;外叶大,近三角形。尾须外侧骨化,顶端膨大,末端圆,侧视斧头状。肛上突短粗,基部和中部呈方形,顶端尖。

分布:陕西(秦岭)。

(17)大刺叉𧈢 *Nemoura magnispina* Du et Zhou,2008(图111)

Nemoura magnispina Du *et* Zhou,2008:72.

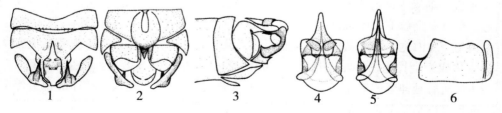

图111　大刺叉𧈢 *Nemoura magnispina* Du *et* Zhou(引自 Du & Zhou,2008)
1.雄性背面观;2.雄性腹面观;3.雄性侧面观;4.肛上突背面观;5.肛上突腹面观;6.肛侧突腹面观

鉴别特征:尾须外缘端部具长刺,尾须仅外部骨化。

采集记录:2♂,宝鸡天台山嘉陵江源头管理站东3km支河及主间道,1900～

2050m，1998. Ⅵ.08，杜予州采；13♂，宁陕火地塘火地沟，1900～1950m，1998. Ⅵ. 05，孙长海、杨莲芳采。

　　分布：陕西(宝鸡、宁陕)、河南、宁夏、四川。

(18) 乳突叉襀 *Nemoura papilla* Okamoto，1922

　　Nemoura papilla Okamoto，1922：1.

　　Nemoura denticulate Kawai，1954：53.

　　Nemoura levanidovae Zwick，1974：75.

　　鉴别特征：雄性肛下突粗短，长略大于宽，基部宽，末端尖，顶端伸至肛上突的基部，并向背面弯曲；囊状突比肛下突的1/2长，基部略细，顶端圆。肛侧突只1叶，基部宽，顶端钝，大部分膜质，外缘有1个骨化条。尾须外侧骨化，向后延伸，并向背面弯曲；顶端的外侧具有向下弯曲的尖钩。肛上突细，背面顶端的基垫为1个圆形的膜质区；侧瘤突小；腹骨片在腹面近顶端具4或5根大的刚毛。

　　采集记录：3♂，周至厚畛子黑河主干右分支，1995. Ⅴ.24，杜予州采；2♂，周至厚畛子安沟，1250m，1998. Ⅵ.03，杜予州采；1♂，宝鸡天台山嘉陵江源管理站南分支，1800m，1998. Ⅵ.10，杜予州采。

　　分布：陕西(周至、宝鸡)、河南、宁夏、甘肃、四川；俄罗斯，日本。

(19) 黑刺叉襀 *Nemoura atristrigata* Li *et* Yang，2007

　　Nemoura atristrigata Li *et* Yang，2007：65.

　　鉴别特征：雄性第9背板轻微骨化，前缘深度骨化，中部有宽而浅的凹缺，后缘中央有数根黑刺。第10背板轻微骨化，前缘深度骨化，前缘略向后凹入。肛下突粗短，长约等于宽，基部宽大，向末端逐渐变窄，顶端伸至肛上突的基部，并向背面弯曲；囊状突比肛下突的1/2长，基部略细，顶端圆。肛侧突分2叶：内叶近长方形，较外叶短小；外叶大，近四方形，端部微凹。尾须大部分骨化，末端向内侧延伸，端部圆，近端部有细长的黑刺。肛上突背面具弧形的基垫，背骨片端部呈三角形；侧瘤突小；腹骨片在中部近末端有1排黑刺。

　　分布：陕西(宁陕)、河南。

(20) 细钩叉襀 *Nemoura meniscata* Li *et* Yang，2007

　　Nemoura meniscata Li *et* Yang，2007：66.

　　鉴别特征：雄性第9背板轻微骨化，前缘明显骨化，中部有1个浅的三角形凹缺。肛下突粗短，长略等于宽，中基部宽大，末端突尖，顶端伸至肛上突的基部；囊状突比肛下突的1/2长，基部略细，顶端平截。第10背板轻微骨化，侧后缘骨化明显，中部有1个深的纵向凹入，其前侧缘各有许多小的黑刺。尾须外侧深度骨化，端半部骨化部分逐渐变窄，末端尖锐呈钩状；尾须端半部内侧有1个较大的膜质区。肛上突较长；侧瘤突较大；侧臂背面观为2对斜向的骨化条；腹骨片在顶端超过背骨片向前方延伸，形成3个凸起，中间凸起略短，两边凸起骨化明显，末端尖细。肛侧突分2叶：内叶细长，末端变尖，膜质；外叶很宽大，大部分膜质，顶端向后延伸形成根茎状凸起。

分布：陕西(秦岭)、河南。

(21) 有刺叉𫗧 *Nemoura spinosa* Wu，1940

Nemoura spinosa Wu，1940：155.

鉴别特征：雄性第9背板前缘向后延伸，两侧呈2个尖角；后缘为1个骨化条，向前凹入，在肛上突前方两侧向后侧方凸出形成2个锐刺。第10背板前缘明显向后凹入。肛下突粗短，长约等于宽，基部宽，末端窄小，顶端伸至肛上突的基部，并向背面弯曲；囊状突长于肛下突的1/2，基部略细，顶端平截。肛侧突分2叶：内叶小，膜质；外叶大，基部宽，大部分膜质，外缘有1个骨化条。尾须外侧显著骨化，末端呈细钩状并向内侧延伸；内部有1个膜质区。肛上突很小，平伸，侧面不可见，侧瘤突小；腹骨片在肛上突的顶端向前延伸为3个分支，中间的细长，两端的粗短。

采集记录：1♂2♀，秦岭，1961.Ⅷ.07，杨集昆采。

分布：陕西(秦岭)、贵州、云南；印度。

(22) 陆氏叉𫗧 *Nemoura lui* Du et Zhou，2008

Nemoura lui Du et Zhou，2008：69.

鉴别特征：肛侧突分2叶，内叶、外叶均骨化，外叶向外延伸，形成逐渐变细的骨化条。

分布：陕西(秦岭)、河南、四川。

6. 原叉𫗧属 *Protonemura* Kempny，1898

Nemoura (*Protonemura*) Kempny，1898：51. **Type species**：*Protonemura meyeri* (Pictet，1841).
Protonemura：Illies，1966：221.

属征：体长一般为 7.0 ~ 15.0mm；体一般呈浅褐色至深褐色。翅透明或半透明，烟褐色或有色斑，翅脉明显。颈侧片内侧有 1 支香肠状的颈鳃，外侧有分支为 2 支的香肠状颈鳃。雄性第 9 背板后缘常着生刺或毛，有时会形成一些特殊的形状。第 10 背板在肛上突下方形成 1 个大的平面或凹陷，常着生小刺或毛。肛下突基部宽，端部窄，常盖住肛侧叶的内叶。肛侧叶分为 3 叶；内叶轻微骨化，短；中叶基部宽，往端部渐窄，常分支，内支端部常为尖刺或突起，膜质部分覆盖许多细毛；外叶高度骨化，末端常有 1 至多根尖刺。肛上突背端部中间有时会有来自腹骨片的指状突；腹骨片近端部着生小刺。尾须膜质，被毛。雌性第 7 腹板略向后延伸。第 8 腹板形成发达的下生殖板，并有 1 对发达的阴门瓣。

分布：古北区，东洋区。秦岭地区发现 1 种。

（23）指突原叉襀 *Protonemura macrodactyla* **Du et Zhou，2007**（图 112）

Protonemura macrodactyla Du *et* Zhou，2007：97.

鉴别特征：雄性第 9 背板略微骨化，边缘具小刺。肛上突端部膨大且大部分骨化；背面骨片顶端较宽，前中部具有 1 个大的"V"形凹刻，肛上突前缘具成排的黑刺。

分布：陕西（秦岭）、宁夏、甘肃、湖北。

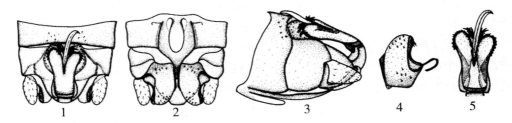

图 112　指突原叉襀 *Protonemura macrodactyla* Du *et* Zhou（引自 Du & Zhou，2007）

1. 雄性背面观；2. 雄性腹面观；3. 雄性侧面观；4. 肛侧突侧面观；5. 肛上突背面观

三、扁襀科 Peltoperlidae

鉴别特征：体小型至中型；体形扁平，呈黄褐色至黑褐色。头部短宽，窄于前胸，其后部陷入前胸背板内；颚唇基沟不明显；口器相对发达，下颚的外颚叶端部圆，有很多乳突；单眼 2 个，少数 3 个，两后单眼较近复眼。前胸背板宽于头部，扁平，宽大于长，盾形或横长方形；足的第 1 ~2 跗节短，等长，第 3 跗节极长，远长于第 1、2 节之和；翅的径脉区很少有横脉，后翅无成列的肘间横脉。腹部略扁，背板无变化；尾须短，一般不超过 15 节。雄性腹部肛上突退化，肛下叶三角形，正常；第 9

腹板向后延长而成殖下板，在其前缘正中处有1个小叶突，多数种类从小叶突基部有1对纵缝向后及两侧分歧而出，达后缘，无刷毛丛；第10背板多数无变化，但一些种类的第10背板后缘向上翘起；尾须较短，大多数种类的尾须第1节长而特化，并着生有一些特殊构造或长的鬃毛。雌性腹部第8腹板通常向后延伸形成圆形或有凹陷的殖下板，尾须无变化。稚虫扁宽，呈蜚蠊状。

分布：东洋区，古北区，新北区。世界已知10属69种，中国记录3属15种，陕西秦岭地区发现2属2种。

分属检索表（雄性）

单眼2个；翅的前缘横脉多（扁䗂亚科 Peltoperlinae）…………………… 刺扁䗂属 *Cryptoperla*

单眼3个；翅的前缘横脉少（小扁䗂亚科 Microperlinae）………………… 小扁䗂属 *Microperla*

7. 小扁䗂属 *Microperla* Chu, 1928

Microperla Chu, 1928：197. **Type species**：*Microperla geei* Chu, 1928.

属征：体小型，略扁，大多不超过10.0mm；体呈深褐色至黑褐色。头短宽，单眼小，3个，前单眼极小，两后单眼到复眼的距离比其二者间的距离短；前胸背板宽大于长，呈横长方形，其后缘直；前翅、后翅的亚前缘横脉少。尾须短，6～9节，无变化。雄性第9腹板特别发达，向后延伸将第10腹板完全盖住并超过腹末，在其前缘中部有1个叶突；第10背板后缘中部向上翘起；肛上突退化，肛下叶小。雌性第8腹板向后延伸形成近方形的下生殖板。有长翅型和短翅型。

分布：中国；日本。秦岭地区发现1种。

(24) 翘叶小扁䗂 *Microperla retroloba*（**Wu, 1937**）（图113）

Isoperla retroloba Wu, 1937：58.

Microperla retroloba：Du & Shen, 1999：227.

鉴别特征：雄性第8腹节后缘中间有1个圆球形的突起，向后延至第9腹节的前端；第9腹节的后端延长呈三角形；第10腹节的后端向上翘起成叶突；肛下叶小。

采集记录：4♂8♀，周至厚畛子，1998. Ⅵ.03，杜予州采；5♂2♀，宝鸡，1995. Ⅴ.17，杜予州、王敏采；宝鸡天台山嘉陵江源头，1998. Ⅵ.09，杜予州采；1♂，秦岭太白山，1982. Ⅴ.13，冯纪年采；1♂，秦岭太白山，1982. Ⅵ.15，西北林学院采；1♀，宁陕旬阳坝，1995. Ⅴ.10，王敏采；1♀，宁陕旬阳坝，1998. Ⅵ.06，杜予州采；1♂4♀，宁陕火地塘，1998. Ⅵ.05，杜予州、Morse 采；7♂6♀，丹凤，1995. Ⅴ.20，王江峰采。

　　分布：陕西（周至、宝鸡、太白、宁陕、丹凤）、河南、甘肃、湖北。

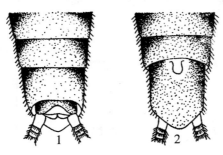

图 113　翘叶小扁襀 *Microperla retroloba*（Wu）（引自 Wu，1937）
1. 雄性背面观；2. 雄性腹面观

8. 刺扁襀属 *Cryptoperla* Needham，1909

Cryptoperla Needham，1909：189. **Type species**：*Cryptoperla torva* Needham，1909.

Nogiperla Okamoto，1912：135. **Type species**：*Nogiperla formosana* Okamoto，1912.

Neopeltoperla Kohno，1945：12. **Type species**：*Peltoperla naka* Uéno，1946.

Peltoperlodes Kawai，1968：107. **Type species**：*Peltoperlodes bisaeta* Kawai，1968.

　　属征：体小型至中型，扁平；体呈浅黄褐色至深褐色。头短宽，单眼大且有 2 个；前胸背板宽于头部，扁平，宽大于长，盾形；前翅、后翅有多条前缘横脉；腹部短宽且略扁，背板无变化。雄性腹部第 9 腹板向后延长而成殖下板、但不超过腹末，在其前缘正中处有 1 个小叶突，从小叶突基部有 1 对纵缝向后及两侧分歧而出，达后缘；肛上突退化，肛下叶三角形，正常；尾须较短，第 1 节长而特化，并着生有一些特殊构造或长的鬃毛。雌性腹部第 8 腹板略向后延伸形成宽圆的下生殖板；第 9 腹板无不向后延伸；尾须无变化。

　　分布：古北区（东部），东洋区。秦岭地区发现 1 种。

（25）尖刺刺扁襀 *Cryptoperla stilifera* Sivec，1995

Cryptoperla stilifera Sivec，1995：4.

　　鉴别特征：本种与有刺刺扁襀 *Cryptoperla aculeata*（Wu，1973）相似。雄性第 9 腹节上有个"V"形的膜质纵缝将其分成三部分。前缘中部后方有 1 个囊泡，包围流苏状的刚毛。肛侧板简单。尾须 1 节较长端部形成 1 个尖锐长刺突，与尾须平行，长至尾须第 6 节。基节的中部到顶部内生有 1 排长绒毛。尾须的其他节不具有刚毛。

　　采集记录：1♂，太白山蒿坪寺，1982. Ⅵ. 13，西北林学院采；1♂2♀，宁陕旬阳坝响潭沟, 1998. Ⅵ.06, 杜予州采。

分布: 陕西(太白、宁陕)、河南、甘肃、江西、湖南、福建、贵州。

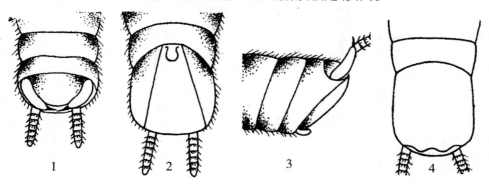

图 114   有刺刺扁襀 *Cryptoperla aculeate*（Wu）（引自 Wu, 1973）
1. 雄性背面观; 2. 雄性腹面观; 3. 雄性侧面观; 4. 雌性腹面观

四、绿襀科 Chloroperlidae

鉴别特征: 体小型; 体呈绿色或黄绿色, 但大多数在体背常有黑褐色斑或纵带。头较宽, 单眼 3 个; 触角长丝状。胸部无气管鳃残余; 前胸背板多为横长方形, 但四角宽圆, 在其中部常有黑褐色的纵带或无, 有的延伸到头部或腹部; 足的第 1、2 跗节短, 等长, 第 3 节长; 翅透明, 翅脉减少而简单; 后翅臀区很小, 在 1A 后能到达翅缘的臀脉不多于 3 条, 2A 无分支。尾须细长多节, 极少数尾须较短。雄性胸部、腹部腹面无刷毛丛; 腹部 1 ~8 背板无特殊变化, 第 9 背板有时后缘突起, 第 10 背板中纵向凹陷或分裂; 肛上突较发达, 常特化为外生殖器; 肛下叶小三角形, 无变化; 第 9 腹板向后伸达腹末, 形成明显的殖下板。雌性腹部第 8 腹板通常向后延伸而成 1 个相当明显的殖下板, 肛上突退化, 肛下叶呈三角形且正常。稚虫胸部腹侧面无发达的气管鳃, 有的类群有臀鳃。

生物学: 稚虫适宜于生活在海拔较高、水温冷凉的较大河流中, 食性复杂。成虫一般在 5 ~7 月羽化, 常在杂草丛中活动, 有趋光性; 大多数种类不取食, 但有取食小麦的报道。

分布: 古北区, 新北区, 东洋区。世界已知 21 属 190 余种, 中国记录 5 属 10 余种, 陕西秦岭地区发现 3 属 3 种。

分属检索表（雄性）

1. 后翅臀区很小, 无臀折 ·· 简襀属 *Haploperla*

2. 肛上突长，达第9背板后缘，在第7~9节的侧面后缘有黑色的缘刺 ········ **长绿襀属 *Sweltsa***

   肛上突短，不达第9背板后缘，在第7~9节的侧面后缘无刺 ·············· **异襀属 *Alloperla***

9. 异襀属 *Alloperla* Banks，1906

Alloperla Banks，1906：175. **Type species**：*Sialis imbecilla* Say，1823.

　　属征：体小型；体呈灰白色至浅黄白色，在体背常有褐色至黑褐色斑或纵带。头较宽，有时有浅褐色斑，单眼3个；前胸背板横卵圆形，在其中部有或无褐色的纵带，中、后胸背板上有山形的黑褐色骨化斑；翅透明，翅脉减少而简单，后翅臀区很小，有臀折；腹部背面有浅褐色纵带。雄性腹部第1~9背板无特殊变化，在第7~9节的侧面后缘有黑色的缘刺；第10背板中纵向分裂，并形成凹槽，凹槽内有时有骨化斑；肛上突短小且简单，着生在第10背板后缘中部；肛下叶三角形，无变化；第9腹板向后伸达腹末，形成明显的殖下板。雌性腹部第8腹板通常向后延伸而成1个相当明显的殖下板，其后缘中部常形成钝尖的突起；肛上突退化，肛下叶三角形，正常。

　　分布：古北区，新北区。秦岭地区发现1种。

(26) 竖刺异襀 *Alloperla erectospina*（Wu，1938）（图115）

Alloperla erectospina Wu，1938：152.

Chloroperla erectospina：Wu，1973：100.

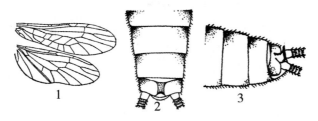

图115　竖刺异襀 *Alloperla erectospina* Wu(引自 Wu，1938)
1. 前后翅；2. 雄性背面观；3. 雄性侧面观

　　鉴别特征：第10背板分裂，两半背片后缘无突起；肛上突短，不达第9背板后缘，在第7~9节的侧面后缘无刺；肛上突端部呈扁三角形突起，其边缘无毛。

　　采集记录：5♂5♀，宝鸡天台山嘉陵江源头，1900~2050m，1998.Ⅵ.08，杜予州、孙长海、马云采；1♂1♀，富县，1951.Ⅴ.14，周尧采。

　　分布：陕西(宝鸡、富县)、甘肃、湖北、四川。

10. 长绿襀属 *Sweltsa* Ricker, 1943

Alloperla (*Sweltsa*) Ricker, 1943: 135. **Type species**: *Alloperla oregonensis* Frison, 1935.
Sweltsa: Illies, 1966: 450.

属征: 体小型至中型; 体呈浅黄褐色, 在体背常有黑褐色斑或纵带。头较宽, 常有黑褐色纵带, 单眼3个; 前胸背板横卵圆形, 在其中部常有黑褐纵带, 中、后胸背板上有"U"形的黑褐色骨化斑; 翅透明, 翅脉减少而简单, 呈褐色, 后翅臀区较大且有臀折; 腹部背面有深褐色纵带。雄性腹部第1~9背板无特殊变化, 但在第7~9节的侧面后缘有黑色的缘刺, 有时第9背板后缘中部隆起或凹突; 第10背板分裂, 在分裂处形成凹槽, 肛上突常嵌在凹槽内; 肛上突着生在第10背板后缘中部, 长达第9背板后缘; 肛下叶三角形, 无变化; 第9腹板向后伸达腹末, 形成明显的殖下板。雌性第8腹板通常向后延伸而成1个相当明显的殖下板, 其末端常形成缺刻; 肛上突退化, 肛下叶三角形, 正常。

分布: 古北区, 东洋区, 新北区。秦岭地区发现1种。

(27) 长突长绿襀 *Sweltsa longistyla* (Wu, 1938)（图116）

Alloperla longistyla Wu, 1938: 152.
Sweltsa longistyla: Zwick, 1973: 94.

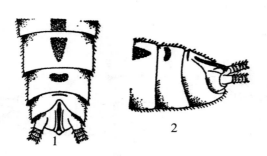

图116　长突长绿襀 *Sweltsa longistyla* (Wu)（引自Wu, 1938)
1. 雄性背面观; 2. 雄性侧面观

鉴别特征: 头和前胸背板浅黄色, 但在两后单眼到额唇基区有1条黑褐色的宽带, 前胸背中部也有1条黑褐色的宽带; 第9背板近前缘中部有1条弧形的骨化突起。

采集记录: 1♂1♀, 周至厚畛子, 1995. V. 20, 杜予州采; 1♀, 周至厚畛子, 1600~2500m, 1999. VI. 23, 姚建采; 6♂19♀, 宝鸡天台山嘉陵江源头, 1900~

2050m，1998. Ⅵ.08，杜予州、孙长海、马云采；1♂3♀，宁陕火地塘火地沟，1900m，1998. Ⅵ.05，杜予州采；2♀，宁陕旬阳坝响潭沟，1650m，1998. Ⅵ.06，杜予州采。

分布：陕西（周至、宝鸡、宁陕）、河南、甘肃、湖北。

11. 简襀属 *Haploperla* Navás，1934

Haploperla Navás，1934：10. **Type species**：*Haploperla ussurica* Navás，1934.

属征：体小型；体呈灰白色至浅黄白色，在体背常有褐色至黑褐色斑或纵带。头较宽，有时有浅褐色斑，单眼3个；前胸背板横卵圆形，在其中部有或无褐色的纵带，中、后胸背板上有"W"形的黑褐色骨化斑；翅透明，翅脉减少而简单，后翅臀区很小且无臀折；腹部背面有浅褐色纵带。雄性腹部1~9背板无特殊变化，在第7~9节的侧面后缘有黑色的缘刺；第10背板不完全分裂，在中后部的分裂处形成凹槽，凹槽内有弱骨化斑；肛上突着生在第10背板后缘中部，短小且简单，其基部为宽带状的膜质；肛下叶三角形，无变化；第9腹板向后伸达腹末，形成明显的殖下板。雌性腹部；第8腹板通常向后延伸而成1个相当明显的殖下板，其末端较宽圆；肛上突退化，肛下叶三角形，正常。

分布：古北区，新北区。秦岭地区发现1种。

(28) 周氏简襀 *Haploperla choui* Li *et* Yao，2013（图 117）

Haploperla choui Li *et* Yao，2013：550.

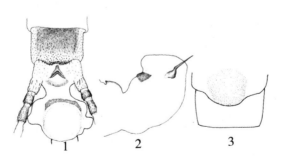

图 117　周氏简襀 *Haploperla choui* Li *et* Yao（引自 Li *et al*.，2013）
1. 雄性背面观；2. 雄性侧面观；3. 雌性腹面观

鉴别特征：头和前胸背板大部分深色，第2~7腹板中部各有1个方形标记，形成1条连续的长带；阳茎近端部具1片细刺和1对尖针。

采集记录：2♂1♀，宁陕火地塘，2012. Ⅶ.12，李卫海采。

分布：陕西（宁陕）。

五、襀科 Perlidae

鉴别特征：体小型至大型；体呈浅黄色至褐色、深褐色或黑褐色。口器退化，下颚须呈锥状且端节短小；单眼 2 ~3 个；触角长丝状。胸部腹面有发达的残余气管鳃；前胸背板多为梯形或横长方形，中纵缝明显，表面粗糙；足的第 1、2 跗节极短，第 3 节很长；翅的中部至前端无横脉。尾须发达，丝状多节。襀亚科雄性第 10 背板分裂形成左、右两半背片，半背片常特化成 1 对弯曲且前伸的骨化突起，即半背片突；肛上突退化为膜质的小突起，肛下叶呈小三角形且无变化；腹部背板上常有各种特化的构造；许多种类在后胸腹板、第 5 ~8 腹板上有棕褐色的刷毛丛；有的第 9 腹板略向后伸形成殖下板，极少数在其中部有 1 个光滑的圆钮。钮襀亚科雄性第 10 背板不分裂形成半背片；肛上突完全退化，肛下叶特化为向后上方弯曲的骨化突起，即生殖钩；腹部背板无变化，腹板无刷毛丛；第 9 腹板发达，向后伸形成明显的殖下板，绝大多数在其中部有 1 个光滑的圆钮。雌性第 8 腹板通常向后延伸而成 1 个相当明显的殖下板；肛上突退化，肛下叶呈三角形且正常。稚虫胸部腹侧面有发达的气管鳃，有的类群有臀鳃。

分布：东洋区，古北区，新北区，非洲区，新热带区。世界已知 50 属 580 余种，中国记录 18 属 170 余种，陕西秦岭地区发现 8 属 19 种。

分属检索表（雄性）

1. 第 10 背板分裂为左右两半背片，其内侧形成 1 对前伸的半背片突，肛下叶不特化 ………… 5
   第 10 背板完整，无半背片突，肛下叶特化为向上或向后弯曲的生殖钩 ……………………… 2
2. 第 9 腹板有 1 个隆起的圆形或圆锥状的钮 ……………………………………………………… 3
   第 9 腹板无钮，第 10 背板后缘呈叶状后突 …………………………… 拟襀属 *Perlesta*
3. 单眼 2 个，头略延长且近长方形 ………………………………………… 扣襀属 *Kiotina*
   单眼 3 个，头正常或短宽 …………………………………………………………………………… 4
4. 头短宽，略窄于前胸，其后部陷入前胸背板下，单眼极小 ………………… 梵襀属 *Brahmana*
   头正常，略比前胸宽，单眼较大，第 9、10 背板上有锥状感觉器 ………… 钮襀属 *Acroneuria*
5. 阳茎管骨化、弱骨化或背面有较大的骨化斑，阳茎囊膜质且有各种刺斑或小骨片，半背片横条形，半背片突无锥状感觉器 ………………………………………………… 新襀属 *Neoperla*
   阳茎膜质且上面有小的骨化斑或各种形状的刺斑，半背片突有锥状感觉器 ………………… 6
6. 第 5 背板有叶突或锥状感觉器 …………………………………… 纯襀属 *Paragnetina*
   第 5 背板无变化 …………………………………………………………………………………… 7
7. 半背片突简单指状且无圆丘形基胛，第 8 背板无突起，第 9 背板中部骨化且常有锥状感觉器
   …………………………………………………………………………… 钩襀属 *Kamimuria*
   半背片突内侧近基处有发达的圆丘形基胛，其上有锥状感觉器 ………… 瘤襀属 *Tyloperla*

12. 钮襀属 *Acroneuria* Pictet, 1841

Perla (*Acroneuria*) Pictet, 1841：144. **Type species**：*Perla arenosa* Pictet, 1841.

Acroneuria：Klapálek, 1909：226.

Nosatura. Navás, 1918：6. **Type species**：*Perla carolinensis* Banks, 1905.

　　属征：体中型至大型；通常呈黄褐色或褐色。头形正常，略比前胸宽；"M"隆起脊及侧瘤明显；单眼3个，单眼较大，2个后单眼间的距离比其到复眼的距离近；前胸背板两侧边下折，其形状变化大；全部为长翅型种类。雄性腹部第1~8背板无变化；第9背板上常常有锥状感觉器；第10背板宽整，无特殊突起等构造，有的种类背板中央有膜质纵带，在背板上多数都有锥状感觉器，有的背板略向后突；肛下叶骨化、呈向上弯曲的突起，即生殖钩，其形状变化大；第9腹板近后缘中部有1个较大的卵圆形钮；阳茎膜质，常常有黄褐色的刺，无骨片。雌性腹部第8腹板略后突或明显后突形成下生殖板，在下生殖板的中央常有各种形状的缺刻；雌性较雄性体色深。

　　分布：古北区，东洋区，新北区。秦岭地区发现1种。

(29) 多锥钮襀 *Acroneuria multiconata* **Du et Chou**, **2000**（图118）

Acroneuria multiconata Du et Chou, 2000：81.

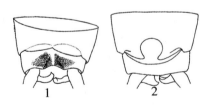

图118　多锥钮襀 *Acroneuria multiconata* Du et Chou（引自 Du, 2000）
1. 雄性背面观；2. 雄性腹面观

　　鉴别特征：第9背板上的锥状感觉器稀少，明显分为左右两部分，第10背板上的锥状感觉器很多；腹部毛多；头部单眼区及两侧不形成面具形的黑褐色斑；肛下叶端腹面有小锥。

　　采集记录：1♂3♀，周至厚畛子，1350m，1999. Ⅵ. 21-24，朱朝东、章有为采；4♂4♀，太白山蒿坪寺，1982. Ⅵ. 10，采集人不详；4♂，宁陕火地塘，1985. Ⅵ. 19，刘兰采。

　　分布：陕西（周至、太白、宁陕）、甘肃。

13. 梵襀属 *Brahmana* Klapálek，1914

Brahmana Klapálek，1914：67. **Type species**：*Perla suffusa* Walker，1852.

属征：体中型；体呈深褐色至黑褐色，常有金属光泽和黄色斑或边。头短宽，略窄于前胸，其后部陷入前胸背板下；单眼 3 个且极小，前单眼常退化为 1 个小亮点；两后单眼相距较其到复眼的距离近，而且着生位置接近前胸前缘；头部的侧瘤不明显；前胸背板略比头部宽，前缘、后缘直，两侧缘常呈弧形；翅烟褐色，前后翅有多数前缘横脉。雄性腹部第 1～9 背板无变化；第 10 背板不分裂，沿中央纵向微凹陷，有的中央有纵向的膜质带，有的背板有短刺；肛下叶特化为向上弯曲的扁三角形突起，即生殖钩；第 9 腹板向后延伸而成 1 个大的殖下板，其中部有 1 个近圆形的钮。雌性腹部第 8 腹板向后延伸形成 1 个大的殖下板，其后缘中部常有凹陷。

分布：中国；印度，尼泊尔。秦岭地区发现 1 种。

(30) 黄边梵襀 *Brahmana flavomarginata* Wu，1962（图 119）

Brahmana flavomarginata Wu，1962：150.

鉴别特征：头部黄色有黑褐色斑，前胸背板两侧边缘及前后翅的前缘域黄色，第 10 背板上无黑刺，钮圆形。

采集记录：6♂3♀，周至厚畛子，1995. V. 25；2♂，宁陕火地塘，1998. VI. 05，杜予州采；2♀，宁陕旬阳坝，1998. VI. 06，杜予州采。

分布：陕西(周至、宁陕)、广西、云南。

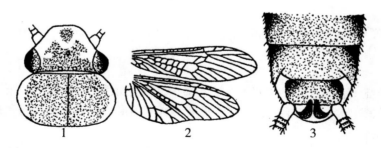

图 119　黄边梵襀 *Brahmana flavomarginata* Wu(引自 Wu，1962)
1. 雄性头及前胸；2. 前后翅；3. 雄性背面观

14. 扣襀属 *Kiotina* Klapálek, 1907

Acroneuria（*Kiotina*）Klapálek, 1907: 9. **Type species**: *Kiotina pictetii* Klapálek, 1907.

Kiotina: Klapálek, 1909: 2.

Hemacroneuric Enderlein, 1909: 395. **Type species**: *Hemacroneuria violacea* Enderlein, 1909.

Gibosia Okamoto, 1912: 140. **Type species**: *Acroneuria angusta* Klapálek, 1912.

Flavoperla Chu, 1929: 90. **Type species**: *Flavoperla biocellata* Chu, 1929.

属征：体小型至中型，略细长；体呈浅黄色至黑褐色。头较长，略呈长方形，较前胸窄；侧瘤明显；单眼 2 个且较大，二者间的距离与其到复眼的距离略等或比其到复眼的距离远；前胸背板两侧不下折，其形状变化大；全部为长翅型种类。雄性腹部第 1~9 背板无变化；第 10 背板中后部常有膜区，其后缘两侧常形成小刺突或在背板上形成瘤突；肛下叶特化为向上弯曲的突起（生殖钩），其形状变化大；第 9 腹板中后部隆起或略后突，其上有 1 个明显突起的圆钮或小锥突；阳茎膜质，无固定形状和特殊的刺或骨片。雌性腹部第 8 腹板常后延；形成各种形状的下生殖板。

分布：中国；日本，印度，俄罗斯。秦岭地区发现 1 种。

(31) 黄色扣襀 *Kiotina biocellata*（**Chu, 1929**）（图 120）

Flavoperla biocellata Chu, 1929: 91.

Gibosia biocellata: Wu, 1935: 310.

Kiotina bicocellata: Wu, 1973: 99.

Gibosia ovalolobata Wu, 1948-1949: 147.

Gibosia bispinata Wu, 1962: 151.

图 120　黄色扣襀 *Kiotina biocellata*（Chu）（引自 Wu, 1973）

1. 雄性背面观；2. 雄性侧面观；3. 雄性腹面观

鉴别特征：第 10 背板中后部有 1 个膜区，其两侧的背板后缘形成 1 对尖刺，肛下叶呈向上弯曲的细长钩突。

分布：陕西（凤县、眉县）、浙江、湖北、江西、福建、广西、四川、贵州、云南。

15. 拟襀属 *Perlesta* Banks, 1906

Perlesta Banks, 1906: 222. **Type species**: *Perla placida* Hagen, 1861.

属征: 体小型; 体呈褐色至黑褐色, 常有黄色的边。头形正常, 略比前胸宽; 单眼3个, 两后单眼到复眼的距离较其二者的距离近; 前胸背板两侧不折, 近方形或横长方形; 全部为长翅形种类。雄性腹部第1~9背板无变化; 第10背板后缘呈叶状后突, 有的在中央有膜质纵带或锥状感觉器; 肛下叶骨化为向后延伸或略上微弯的爪状突; 第9腹板不后延或强烈后延, 无钮; 阳茎有1对侧骨片, 端部背面有金黄褐色的细刺。雌性腹部第8腹板后延形成殖下板, 其后缘中部平截或微凹。

分布: 中国; 美国。秦岭地区发现1种。

(32) 赵氏拟襀 *Perlesta chaoi* Wu, 1947

Perlesta chaoi Wu, 1947-1948: 271.

鉴别特征: 体黄褐色, 第10背板无变化, 第9腹板不超过腹末, 肛下叶呈细长的爪状突。

采集记录: 1♂, 宝鸡天台山, 1998.Ⅵ.08, 杜予州采。

分布: 陕西(宝鸡)、甘肃、福建。

16. 钩襀属 *Kamimuria* Klapálek, 1907

Perla (*Kamimuria*) Klapálek, 1907: 13. **Type species**: *Perla tibialis* Pictet, 1841.
Kamimuria: Klapálek, 1912: 84.

属征: 体中型至大型; 通常为灰褐色、黄褐色或褐色至黑褐色。单眼3个; 中后头结缺; 雄性后胸腹板通常有刷毛丛, 极少数种类无; 翅透明, 微褐色或浅烟褐色; 雄性长翅型或短翅型, 雌性长翅型。雄性腹部第1~8背板无变化; 第6~8背板有时具有锥状感觉器; 第9背板常形成一些隆突或侧褶(干标本尤为明显), 在中部常有各种形状的骨化斑, 其上着生有锥状感觉器; 第10背板分裂为左右两块半背片, 在两半背片之间常有1个形状各异的膜区, 在两半背片的内端后缘背面各形成1个前伸的突起, 即半背片突, 其形状、粗细及长短因种而异, 在半背片突的端部或端腹面有锥状感觉器, 有的在半背片突的基腹面着生有锥状感觉器, 但无圆丘状的基胛; 肛上突不特化, 膜质略后突, 其上有时着生有毛, 在肛上突两侧上方常有1对前端相连的骨化斑; 一般第4~7腹板上常有明显的刷毛丛, 极少数无; 阳茎膜质, 通常由阳茎套、阳茎管及阳茎囊组成。阳茎套膜质,其基部着生在阳茎管的近基部,并将阳茎包起;阳茎管一般粗管或粗囊状,在其基部的背面和腹面有很深凹缺,有的在两侧后缘也有小缺刻,有的在管的基腹面或端腹面有骨片或骨化斑,在管上常有环纹或极小的刺或颗粒;阳茎囊是在阳茎管前端的膨大或收细,有的二者界限不清,阳茎囊通常收缩在阳茎管内,其上的刺斑形状,大刺的有无及排列是鉴定种类的主要依据。雌性腹部第 8 腹板后缘中部略后突,形成较小的下生殖板,在其后缘中部常常小缺刻。

分布:古北区,东洋区。秦岭地区发现 4 种。

分种检索表(雄性)

1. 第 7 背板无锥状感觉器 ··· 2
   第 7 背板有锥状感觉器 ··· 3
2. 阳茎基部腹面凹缺两侧形成的叶突及凹缺前缘骨化 ················ **刘氏钩襀 K. liui**
   阳茎管腹面前端中部有 1 个近长方形的骨化斑,阳茎囊近圆球形 ······ **陈氏钩襀 K. cheni**
3. 半背片突圆指状,阳茎管端腹面有 1 个长条形骨化斑 ······· **终南山钩襀 K. chungnanshana**
   半背片突内面平扁平,阳茎管端腹面中央有 1 个近舌形骨化斑 ········· **王氏钩襀 K. wangi**

(33) 终南山钩襀 *Kamimuria chungnanshana* Wu, 1938

Kamimuria chungnanshana Wu, 1938: 197.
Perla chungnanshana: Illies, 1966: 288.

鉴别特征: 半背片突圆指状,阳茎管端腹面有 1 个长条形骨化斑。
采集记录: 1♂,宁陕火地塘,1998. VI. 05,杜予州采。
分布: 陕西(长安、宁陕)。

(34) 陈氏钩襀 *Kamimuria cheni* Wu, 1948

Kamimuria cheni Wu, 1948: 266.
Perla cheni: Illies, 1966: 288

鉴别特征: 阳茎管腹面前端中部有 1 个近长方形的骨化斑,阳茎囊近圆球形。
采集记录: 8♂5♀,周至、眉县,采集时间、采集人不详。
分布: 陕西(长安、周至、眉县)、福建、广西、四川。

(35) 刘氏钩襀 *Kamimuria liui* (Wu, 1941)

Perla liui Wu, 1941: 331.

Kamimuria brevata Wu, 1948：265.

Perla spinulata Wu, 1948：271.

Kamimuria liui：Sivec *et al.*, 1988：32.

鉴别特征：雄性第 9 背板中部有 1 个三角形骨化斑，其中后部有锥状感觉器；第 10 背板分裂，两半背片间的膜区近长方形，两半背片内缘后部各有 1 个向内生的细骨片，半背片突极短、宽扁、较厚，有时近似呈三角形，其形状个体间略有差异，半背片突基腹面微隆或不明显、其上有锥状感觉器，在半背片突的端背面有锥状感觉器；肛上突膜质后突且有毛，在其两侧上方各有 1 条有前端相连的骨化斑，其相连处似将两半背片连在一起；尾须褐色或深褐色；第 5～6 腹板上有明显的棕褐色刷毛丛，第 4、7 腹板上的刷毛丛不明显成丛；阳茎管状，端部略收细；在阳茎管的基部背、腹面后缘中部凹缺，在腹面凹缺两侧形成的叶突及凹缺前缘骨化；阳茎囊与阳茎管无明显界限，端部略弯，在囊上有刺，在背面端部常形成 1 个三角形的无刺区，该区下有极细的小刺带与两侧较大刺相连。

采集记录：1♂1♀，周至厚畛子，1350m，1999.Ⅵ.24，姚建采；2♀，周至厚畛子，1350m，1999.Ⅵ.24，朱朝东采；1♂1♀，周至厚畛子，1350m，1999.Ⅵ.22，章有为采；1♂，周至厚畛子，1320m，1999.Ⅵ.23，章有为采；1♂，宁陕火地塘，1580～1650m，1999.Ⅵ.29，袁德成采；1♀，宁陕火地塘，1580m，1998.Ⅶ.27，张学忠采。

分布：陕西（周至、宁陕）、湖北、广西、四川、贵州、云南、西藏。

(36) 王氏钩䗱 *Kamimuria wangi* Du, 2012（图 121）

Kamimuria wangi Du, 2012：65.

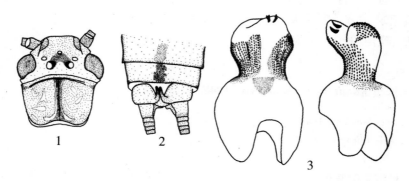

图 121　王氏钩䗱 *Kamimuria wangi* Du（引自 Sun & Du, 2012）

1. 雄性头及前胸；2. 雄性背面观；3. 阳茎

鉴别特征：半背片突内面平扁平，阳茎管端腹面中央有 1 个近舌形骨化斑，阳茎囊端腹面有 1 对较大的刺。

采集记录：11♂，宝鸡天台山嘉陵江源头，1650m，2006.Ⅷ.30-31，王志杰采；

1♂，太白，1994. Ⅶ. 23，王敏采；2♂，太白蒿坪寺，1981. Ⅷ. 13-15，采集人不详；3♂，凤县秦岭火车站，1994. Ⅶ. 21，杨芳采。

分布：陕西（宝鸡、太白、凤县）。

17. 新襀属 *Neoperla* Needham，1905

Pseudoperla Banks，1892：342.（nec Brown，1848）. **Type species**：*Perla occipitalis* Pictet，1841 = *Chloroperla clymene* Newman，1839.

Neoperla Needham，1905：108. **Type species**：*Perla occipitalis* Pictet，1841.

Ochthopetina Enderlein，1909：324. **Type species**：*Ochthopetina aeripennis* Enderlein，1909.

Javanita Klapálek，1909：224. **Type species**：*Perla caligata* Burmeister，1839.

Tropidogynoplax Enderlein，1910：141. **Type species**：*Tropidogynoplax fuscipes* Enderlein，1910.

Formosina Klapálek，1913：117（nec Becker，1911）. **Type species**：*Neoperla hatakeyamae* Okamoto，1912.

Formosita klapálek，1914：118（new name for *Formosina* Klapálek，1913）.

Oodeia Klapálek，1921：321. **Type species**：*Neoperla dolichocephala* Klapálek，1909.

Sinoperla Wu，1948：78. **Type species**：*Sinoperla nigroflavata* Wu，1948.

Simpliperla Wu，1962：149. **Type species**：*Simpliperla obscurofulva* Wu，1962.

属征：体小型至中型；通常呈灰褐色或黄褐色，少数黑褐色。单眼2个，二者间的距离较其到复眼的距离近或略相等；中后头结缺；雄性后胸腹板无刷毛丛；翅透明或半透明，微褐或浅烟褐色，前翅 Rs 一般3~4分支，极少2分支或5分支。全部为长翅型种类。雄性腹部第1~6背板无变化，有的种类第6背板中后部有锥状感觉器；第7背板典型的是具有隆起区、骨化斑、半圆形或三角形后突，并有锥状感觉器，但极少数（仅知3种）无变化；第9背板无变化，有圆丘状突起或侧褶，但常有长毛或锥状感觉器；第10背板分裂为左右2个横条形的半背片，在半背片近内端背面着生有细指状前伸的骨化突起，即半背片突（外生殖器）；腹板典型无刷状刚毛丛，极少数第7或第8腹板上有明显的刷状刚毛；圆或平截。该属的阳茎由三部分组成，即阳茎套、阳茎管以及收缩在阳茎管内的阳茎囊；阳茎套膜质；阳茎管细管状、细长的三棱状、粗管状以及粗短丰满的短管或囊状，其基部背面有2个隆起的小叶，其间开口，在开口前端有1条向腹面弯曲的弱骨化的鞭状突起，在阳茎管上有刺斑、膜质的突起、骨化突起或无突起，有时管上有环纹或极细的颗粒，阳茎管骨化或仅背面及基部腹面骨化；阳茎囊膜质，平常收缩在阳茎管内，其形状变化大，在囊上有刺斑、刺突等构造，其中刺的排列形式、刺的形状，刺斑及刺突的着生位置等均是该属鉴定种类的主要依据。雌性腹部第8腹板不形成明显后突的下生殖板或仅形成微突的下生殖板，但在第8腹板上常有褐色斑，在背板后缘正中处有的有缺刻。

分布：古北区，东洋区，新北区，非洲区。秦岭地区发现9种。

分种检索表（雄性）

1. 阳茎管骨化或弱骨化，在其近基部腹面有1个略扁圆的柔软膜区，阳茎囊膜质管状 ⋯⋯⋯ 2
   阳茎管粗短、柔软膜质或细长，在管的背面有大的骨化斑，该骨化斑向基腹面扩展，在管的近
   基部腹面有1个长方形的骨片，阳茎囊呈粗大的囊管状或细短的管状 ⋯⋯⋯⋯⋯⋯⋯⋯ 4
2. 阳茎囊上有较大的钩刺 ⋯⋯⋯⋯⋯⋯⋯⋯⋯⋯⋯⋯⋯⋯⋯⋯ **卡氏新襀** *N. cavaleriei*
   阳茎囊上仅有小刺 ⋯⋯⋯⋯⋯⋯⋯⋯⋯⋯⋯⋯⋯⋯⋯⋯⋯⋯⋯⋯⋯⋯⋯⋯⋯⋯⋯ 3
3. 阳茎囊短，基部粗大，向前突然收小为细管状，在基部背面有小刺斑，腹面有纵向的2排小刺
   ⋯⋯⋯⋯⋯⋯⋯⋯⋯⋯⋯⋯⋯⋯⋯⋯⋯⋯⋯⋯ **短囊新襀** *N. breviscrotata*
   阳茎囊长，细管状 ⋯⋯⋯⋯⋯⋯⋯⋯⋯⋯⋯⋯⋯⋯⋯⋯⋯ **浅黄新襀** *N. flavescens*
4. 阳茎管腹面的突起端部分叉 ⋯⋯⋯⋯⋯⋯⋯⋯⋯⋯⋯⋯⋯ **钳突新襀** *N. forcipata*
   阳茎管腹面的突起端部不分叉 ⋯⋯⋯⋯⋯⋯⋯⋯⋯⋯⋯⋯⋯⋯⋯⋯⋯⋯⋯⋯⋯⋯⋯ 5
5. 第7背板前中部有骨化的隆起脊、叶突或瘤突 ⋯⋯⋯⋯⋯⋯⋯⋯⋯⋯⋯⋯⋯⋯⋯⋯⋯ 6
   第7背板前中部无明显的骨化隆起脊或其他突起 ⋯⋯⋯⋯⋯⋯⋯⋯⋯⋯⋯⋯⋯⋯⋯⋯ 8
6. 阳茎囊端部有1对爪状骨片 ⋯⋯⋯⋯⋯⋯⋯⋯⋯⋯⋯⋯⋯ **茂兰新襀** *N. maolanensis*
   阳茎囊端部无爪状骨片 ⋯⋯⋯⋯⋯⋯⋯⋯⋯⋯⋯⋯⋯⋯⋯⋯⋯⋯⋯⋯⋯⋯⋯⋯⋯⋯ 7
7. 阳茎囊基部背面有1个"V"形的刺斑 ⋯⋯⋯⋯⋯⋯⋯⋯⋯⋯ **大斑新襀** *N. latamaculata*
   阳茎囊基部两背侧面各有1个着生有较大三角形刺组成的刺斑 ⋯⋯ **太白新襀** *N. taibaina*
8. 阳茎管端部两侧有刺斑 ⋯⋯⋯⋯⋯⋯⋯⋯⋯⋯⋯⋯⋯⋯ **师周新襀** *N. magisterchoui*
   阳茎管端部两侧无刺斑 ⋯⋯⋯⋯⋯⋯⋯⋯⋯⋯⋯⋯⋯⋯⋯ **秦岭新襀** *N. qinlingensis*

（37）短囊新襀 *Neoperla breviscrotata* Du，1999

Neoperla breviscrotata Du，1999：312.

鉴别特征：阳茎囊短，基部粗大，向前突然收小为细管状，在基部背面有小刺斑，腹面有纵向的2排小刺。

采集记录：1♂1♀，佛坪龙草坪，1980.Ⅷ，魏建华采；1♂，佛坪，950m，1998.Ⅶ.23，姚建采；1♂，佛坪凉风垭，2100～1900m，1998.Ⅶ.24，张学忠采；4♀，佛坪，890m，1999.Ⅵ.26-27，章有为、朱朝东采；1♂1♀，汉中（天台），1980.Ⅷ，魏建华采。

分布：陕西（佛坪、汉中）、山东、安徽、福建、贵州。

（38）卡氏新襀 *Neoperla cavaleriei* （Navás，1922）

Ochthopetina cavaleriei Navás，1922：49.

Neoperla kachin Stark et Szczytko，1980：221.

Neoperla cavaleriei：Sivec & Zwick，1987：395.

鉴别特征：阳茎囊中部腹面有几个大的三角形钩刺，背面中部有 1 排大的三角形刺。

分布：陕西（秦岭）、台湾、广东、贵州、云南；越南，泰国。

(39) 浅黄新襀 *Neoperla flavescens* Chu，1929

Neoperla flavescens Chu，1929：89.

鉴别特征：阳茎囊长，细管状，阳茎囊上仅有小刺；阳茎管骨化或弱骨化，在其近基部腹面有 1 个略扁圆的柔软膜区。

分布：陕西（秦岭）、浙江、福建。

(40) 钳突新襀 *Neoperla forcipata* Yang *et* Yang，1992

Neoperla forcipata Yang *et* Yang，1992：62.

鉴别特征：第 7 背板中后部有 1 大块近梯形的骨化隆突，阳茎管腹面上的突起在分叉处向腹面弯曲。

分布：陕西（秦岭）、湖北、湖南。

(41) 大斑新襀 *Neoperla latamaculata* Du，2005

Neoperla latamaculata Du，2005：48.

鉴别特征：阳茎囊基部背面有 1 个"V"形刺斑，中部背面有 1 个大刺斑，从中腹面到端部有 1 排刺，近端部背面有 1 个隆突。

采集记录：2♂，周至厚畛子，1350m，1999. Ⅵ. 22，章有为采；1♂，周至厚畛子，1350m，1999. Ⅵ. 24，刘缠民采；3♂，宁陕平河梁，1989. Ⅷ. 20，艾尔肯斯采；1♂，宁陕火地塘，1985. Ⅷ. 28，李国华采；2♂，宁陕火地塘，1580m，1998. Ⅶ. 27，张学忠采；1♂，宁陕火地塘，1580m，1998. Ⅶ. 27，姚建采；1♂，宁陕火地沟，1850～2000m，1998. Ⅷ. 18，袁德成采。

分布：陕西（周至、宁陕）、湖北。

(42) 师周新襀 *Neoperla magisterchoui* Du，2000

Neoperla magisterchoui Du，2000：1.

鉴别特征：阳茎囊基部的 1 对突起，阳茎囊中部膨大，背面形成宽带状刺斑，从中部腹面到端部有 1 排三角形刺，近端部无较大的刺，末端不突然收缩成细管状。

采集记录：1♂，宁陕旬阳坝，1981.Ⅵ.25，姜云泽（NWFC）采；1♂，陕西，无采集标签（NWAU）。

分布：陕西（宁陕）。

(43) 茂兰新襀 *Neoperla maolanensis* Yang *et* Yang, 1993

Neoperla maolanensis Yang *et* Yang, 1993：235.

鉴别特征：前胸背板无黄色边，中、后胸腹板无深褐色带，阳茎囊端部有 1 对爪状骨片。

采集记录：1♂，宁陕旬阳坝，1983.Ⅵ.18，郁银金采；1♂，宁陕，1981.Ⅴ.30，向龙成采。

分布：陕西（宁陕）、贵州。

(44) 秦岭新襀 *Neoperla qinlingensis* Du, 1999（图 122）

Neoperla qinlingensis Du, 1999：219.

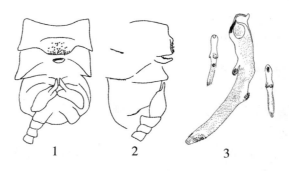

图 122　秦岭新襀 *Neoperla qinlingensis* Du（引自 Du, 2005）
1. 雄性背面观；2. 雄性侧面观；3. 阳茎

鉴别特征：该种与庐山新襀 *Neoperla lushana* Wu 相近似，但该种的阳茎囊的近基部 1/3 处的背面有 1 个着生有较大三角形刺的膜质突起；阳茎管背面的骨化斑较短、且窄。

采集记录：1♂6♀，宝鸡，1995.Ⅶ.27，采集人不详。

分布：陕西（宝鸡）。

(45) 太白新襀 *Neoperla taibaina* Du, 2005

Neoperla taibaina Du, 2005: 50.

鉴别特征: 该种与白水江新襀 *Neoperla baishuijiangensis* Du, 2005 相近似, 但二者阳茎囊基上的刺斑有所不同。

采集记录: 1♂, 太白山, 1984. Ⅸ. 05, 采集人不详。

分布: 陕西(太白)、湖北。

18. 纯襀属 *Paragnetina* Klapálek

Perla (*Paragnetina*) Klapálek, 1907: 17. **Type species**: *Perla tinctipennis* McLachlan, 1875.

Tylopyge Klapálek, 1913: 114. **Type species**: *Tylopyge planidorsa* Klapálek, 1913.

Paragnetina: Klapálek, 1923: 67.

Banksiella Klapálek, 1921: 147(nec Muir, 1971). **Type species**: *Paragnetina lacrimosa* Klapálek, 1921.

Banksiana Claassen, 1936: 622 (new name for *Banksiella* Klapálek, 1921).

Caucasoperla Zhiltzova, 1967: 850. **Type species**: *Caucasoperla spinulifera* Zhiltzova, 1967.

属征: 体中型至大型; 呈灰黄色至黑色。头短而宽, 单眼 3 个, 中后头结缺; 前胸背板呈梯形, 前缘与头约等宽, 雄性后胸腹板无棕褐色的刷状刚毛丛; 翅灰褐色、烟褐色或黑色, 翅脉褐色到黑色; 全部为长翅型种类。雄性腹部第 5 腹板一般高度骨化, 向后延伸形成圆形、横截且具缺刻的叶突, 后缘深裂成 2 个小叶突, 有的种类则背板膜质无叶突, 在叶突末端或膜质的背板上有锥状感觉器; 第 6 ~ 9 背板的前缘及侧面骨化, 中后部膜质; 第 6 ~ 7 背板中部膜区有的种类有骨化斑, 或锥状感觉器; 第 8 背板膜区有 1 个大的骨化斑和锥状感觉器, 骨化斑在背板后缘形成 1 个小的叶突, 有的种类无叶突; 第 9 背板中部膜区有的种类有骨化斑或锥状感觉器, 有的种类后缘有小叶突; 第 10 背板分裂, 半背片突为反曲前伸的、短指状、三角形、耳形、宽叶形的突起, 在其内侧近基部有 1 个圆丘状的基胛, 在半背片突及基胛上有锥状感觉器; 第 3 ~ 7 腹板上有棕褐色刷状刚毛丛; 第 9 腹板发达, 向后延伸盖住第 10 腹板, 并有侧褶、凹陷、隆起等变化。雌性腹部第 8 腹板通常向后延伸形成生殖板, 其后缘常有缺刻。

分布: 古北区, 东洋区, 新北区。秦岭地区发现 1 种。

(46) 黄头纯襀 *Paragnetina ochrocephala* Klapálek, 1921

Paragnetina ochrocephala Klapálek, 1921: 1923.

Paragnetina esquiroli, Navás, 1926: 105.

Kamimuria olivieri Navás, 1926: 107.

Paragnetina burmata Navás, 1931: 78.

Paragnetina rubriceps Navás, 1932: 923.

鉴别特征: 头部呈均匀的黄色, 有时额唇基区前端有 1 条细窄的褐色条, 半背片突呈宽带状的前伸突起。

分布: 陕西(秦岭)、广西、贵州、云南; 越南, 缅甸。

19. 瘤襀属 *Tyloperla* Sivec *et* Stark, 1988

Tyloperla Sivec, Stark *et* Uchida, 1988: 14. **Type species**: *Tylopyge attenuata* Wu *et* Claassen, 1934.

属征: 体中型至大型; 呈黄褐色至褐色。单眼 3 个; 雄性后胸腹板有刷毛丛; 翅透明或微烟褐色; 全部为长翅型种类。雄性腹部第 1～7 背板无变化; 第 8 背板上有骨化的隆起区, 其上有锥状感觉器; 第 9 背板两侧面骨化, 中部较大的区域膜质, 在膜区中部有弱骨化斑或其他变化, 其上有锥状感觉器; 第 10 背板分裂为左右两半背片, 在其内端近后缘背面各形成 1 个扁宽的或指状的前伸突起, 其端部尖锐、基腹面有 1 个圆丘状的基胛, 其上有极小的刺; 肛上突不特化, 膜质略后突, 在其背前方常有骨片; 一般第 4～7 腹板上有刷毛丛, 其中第 6 腹板上的刷毛最长; 阳茎套膜质; 阳茎管膜质, 其基腹面有骨化斑, 在管的背面常有 1 对膜质叶突, 在近端部腹面有 1 对瘤突, 其表面骨化并着生有极细的颗粒, 管的近端部常有小刺; 阳茎囊短锥状, 并密生有小刺。雌性腹部第 8 腹板后缘中部略后突, 中央常有 1 个小缺刻。

分布: 古北区, 东洋区。秦岭地区发现 1 种。

(47) 双凹瘤襀 *Tyloperla bihypodroma* Du, 2007 (图 123)

Tyloperla bihypodroma Du, 2007: 241.

鉴别特征: 第 8 背板近后缘形成 1 个隆起脊, 其中部有 1 个凹陷; 第 9 背板中央微凹, 其前缘骨化明显, 极小的锥状感觉器稀少; 翅透明。

分布: 陕西(佛坪)。

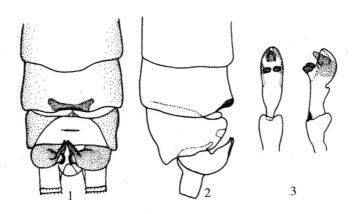

图 123 双凹瘤襀 *Tyloperla bihypodroma* Du（引自 Du，2007）
1. 雄性背面观；2. 雄性侧面观；3. 阳茎

六、网襀科 Perlodidae

鉴别特征：体小型至大型；呈黄绿色或褐色至黑褐色。口器退化，下颚须尖锥状且端节极小；复眼后有明显的后颊；单眼 3 个，常排列成等边三角形，后单眼较近复眼；触角长丝状。胸部无气管鳃残余；前胸背板多为横长方形或梯形，在其中部常有黄或黄褐色的纵带，并延伸到头部，在两后单眼间形成 1 个黄褐色斑；足的第 1、2 跗节极短，第 3 节很长；翅端部在径脉和中脉之间常有网状横脉，径脉向前弯曲并发出几条分支；后翅 Rs 和 M 脉的愈合部分很短，臀区发达，在 1A 后有 5 条或更多的臀脉达翅缘，2A 有 1 ~3 条分支。尾须发达且细长多节。雄性第 10 背板分裂或不分裂，有的特化为隆突；肛上突发达或退化；肛下叶发达，常特化为外生殖器；腹部第 1 ~8 背板无变化；胸部、腹部无刷毛丛；第 9 腹板向后伸形成明显的殖下板。雌性第 8 腹板通常向后延伸而成 1 个相当明显的殖下板，肛上突退化，肛下叶三角形，正常。稚虫胸部腹侧面无发达的气管鳃，有的类群有臀鳃。

分布：古北区，新北区。世界已知 46 属 260 余种，中国记录 8 属 30 余种，陕西秦岭地区发现 2 属 2 种。

20. 同襀属 *Isoperla* Banks，1906

Isoperla Banks，1906：175. **Type species**：*Sialis bilineata* Say，1823.

Suzukia Okamoto，1912：109. **Type species**：*Isogenus motonis* Okamoto，1912.

Megahelus Klapálek，1923：24. **Type species**：*Isoperla bellona* Banks，1911.

Clioperla Needham *et* Claassen，1925：137. **Type species**：*Isogenus clio* Newman，1839.

Nanoperla Banks，1947：280. **Type species**：*Chloroperla minuta* Banks，1947.

Perliola Banks, 1947：283. **Type species**：*Chloroperla 5-punctata* Banks, 1947.

Perliphanes Banks, 1947：283. **Type species**：*Dictyogenus phaleratus* Needham, 1948.

Walshiola Banks, 1947：284. **Type species**：*Perlinella signata* Banks, 1948.

属征：体小型至中型；呈黄绿色或浅黄褐色至褐色。头略比前胸宽，单眼3个，在单眼三角区常有黑褐色斑，两后单眼间的距离略比它们到复眼的距离大。前胸背板横形，宽比长大，表面粗糙；翅无网状脉，后翅无一系列的肘横脉；雄性腹部第8腹板近后缘中部有1个较厚的叶突；第9腹板形成发达的殖下板，并向后延伸超过腹末；第10背板完整，不分裂，后缘也不隆起；肛下叶特化为向后上弯曲的钩突；肛上突退化。雌性第8腹板形成较发达的殖下板；肛下叶正常；肛上突退化。

分布：古北区，新北区。秦岭地区发现1种。

（48）弯刺同襀 *Isoperla curvispina* **Wu，1938**（图124）

Isoperla curvispina Wu，1938：243.

Mesoperlina curvispina：Claassen，1940：126.

鉴别特征：第8腹板近后缘处的腹叶小，肛下叶呈尖刺向上弯曲。雌性下生殖板呈后缘较窄且平截，其中部微凹。

采集记录：1♂，安康，1980.Ⅳ.22，向龙成、马宁采。

分布：陕西（安康）、吉林。

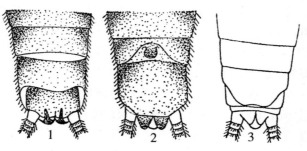

图124　弯刺同襀 *Isoperla curvispina* Wu（引自 Wu，1938）

1. 雄性背面观；2. 雄性腹面观；3. 雌性腹面观

21．新胡襀属 *Neowuia* Li *et* Murányi，2017

Neowuia Li *et* Murányi，2017：96. **Type species**：*Neowuia qinlinga* Li *et* Murányi，2017.

Wuia Li *et* Murányi，2015：41. **Type species**：*Wuia qinlinga* Li *et* Murányi，2015.（Preoccupied）

属征：体小型；呈浅黄褐色。无气管鳃。雄性第7腹板瘤突发达，7～10背板具成片的锥状感觉器，第10背板不分裂但中部有浅长的凹陷；肛上突缺少基柱和侧臂，下殖板和肛上突末端巨大复杂。雌性下殖板巨大，汤匙状，覆盖4～5腹板。

分布：古北区，新北区。秦岭地区发现1种。

(49)秦岭新胡襀 *Neowuia qinlinga* Li *et* Murányi, 2017(图125)

Neowuia qinlinga Li *et* Murányi, 2017：96.

Wuia qinlinga Li *et* Murányi, 2015：41.(Preoccupied)

鉴别特征：雄性肛上突缺少基柱，下殖板和肛上突末端巨大，7～10背板具密集锥状感觉器。雌性下殖板巨大。

采集记录：1♂3♀，宁陕火地塘，2012.Ⅱ.02，李卫海采。

分布：陕西(宁陕)。

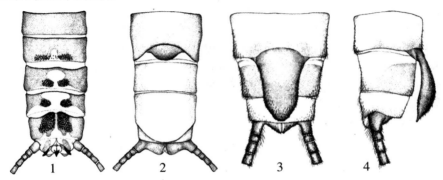

图125　秦岭新胡襀 *Neowuia qinlinga* Li *et* Murányi(引自 Li & Murányi, 2017)

1. 雄性背面观；2. 雄性腹面观；3. 雌性腹面观；4. 雌性侧面观

参考文献

Du, Y. 2007. A new species of the genus *Tyloperla* (Plecoptera：Perlidae) from China. *Entomotaxonomia*, 29：241-243.

Du, Y. Z. and Sivec, I. 2005. Plecoptera. 38-54. *in* Yang, X. K. (ed). *Insect fauna of middle-west Qinling Range and south mountains of Gansu Province.* Science Press, Beijing. [杜予州, Sivec. 2005. 襀翅目. 38-54. 见：杨星科主编. 秦岭西段及甘南地区昆虫. 北京：中国林业出版社, 1-1055]

Du, Y. Z., Wang, Z. J. and Zhou, P. 2007. Two new species of Protonemura (Plecoptera：Nemouridae) from China. *Aquatic Insects*, 29(2)：97-102.

Du, Y. Z., Zhou, P. and Wang, Z. J. 2008. Four new species of the genus Nemoura (Plecoptera：Nemouridae) from China. *Entomological News*, 119(1)：67-76.

Ji, X. Y., Du, Y. Z. and Wang, Z. J. 2014. Two new species of the stonefly genus *Amphinemura* (Insecta, Plecoptera, Nemouridae) from China. *ZooKeys*, 404: 23-30.

Li, W. H. and Yang, D. 2006. New species of Nemoura (Plecoptera: Nemouridae) from China. *Zoot axa*, 1137: 53-61.

Li, W. H. and Yang, D. 2007. Two new species of Nemoura (Plecoptera: Nemouridae) from China. *Zootaxa*, 1511: 65-68.

Li, W. H. and D. Murányi. 2015. A remarkable new genus of Perlodinae (Plecoptera: Perlodidae) from China, with remarks on the Asian distribution of Perlodinae and questions about its tribal concept. *Zoologischer Anzeiger*, 259: 41-53.

Li, W. H. and D. Murányi. 2017. Neowuia, a replacement name for preoccupied *Wuia* Li & Murányi, 2015 (Plecoptera: Perlodidae). *Illiesia*, 13(9): 96-97.

Wu, C. F. 1938. *Plecopterorum sinensium. A monograph of stoneflies of China (Order Plecoptera).* Yenching University, 225 pp.

Wu, C. F. 1962. Results of the zoologico-botanical expedition to southwest China, 1955-1957 (OrderPle-coptera). *Acta Entomologica Sinica* (Supplement), 11: 139-160. [胡经甫. 1962. 云南生物考察报告. 昆虫学报(增刊), 11: 139-160]

Wu, C. F. 1973. New species of Chinese stoneflies (Order Plecoptera). *Acta Entomologica Sinica*, 16(2): 97-118. [胡经甫. 1973. 中国襀翅目新种. 昆虫学报, 16(2): 97-118]

Yang, D., Li, W. H. and Zhu, F. 2015. *Fauna Sinica Insecta vol. 58 Plecoptera Nemouroidea.* Science Press, Beijing. 1-503. [杨定, 李卫海, 祝芳. 2015. 中国动物志 昆虫纲 第58卷 襀翅目 叉襀总科. 北京: 科学出版社, 1 – 503]

螳螂目 Mantodea

魏朝明　廉振民

（陕西师范大学生命科学学院，西安 710119）

鉴别特征：螳螂为陆栖捕食性昆虫。本目昆虫除极冷地带外，分布于热带、亚热带和温带的大部分地区。螳螂的形态特异，有幅广如马首的头和镰刀状捕捉性的前足，并有独特的拟态，如绿叶状、花状、竹叶状等等。成虫与若虫均为捕食性，以其他昆虫及小动物为食，以捕食性有益著名，为重要的天敌昆虫。螳螂的卵产于卵鞘内，也称螵鞘，其卵可入中药，又是重要的药用资源昆虫。

螳螂为中型至大型昆虫，一般在 10.0 ~ 110.0mm。体色有绿色，也有褐色、灰色及金属色或具花斑者。体细长或略呈圆筒状，也有扁平呈叶状的。头呈三角形或近五角形，活动自如，不盖于前胸下。口器发达，上颚强劲。复眼发达，较凸出，通常较光滑，少数具刺或呈尖锥状。单眼 3 个，排成倒三角形。复眼之间着生 1 对触角，触角形状各异，有丝状、念珠状或栉状等，分节较多；通常雄性触角较粗，雌性触角较细。前胸极度延长，成细颈状，一般长为宽的 2.0 倍以上，能活动。有的侧缘扩张，呈叶状或盾状，背面有 1 条横沟，将前胸背板分为前区和后区。中胸、后胸短而阔。前翅为覆翅，前缘域较窄，前缘具齿、刺、纤毛或光滑；后翅膜质，臀域发达，扇状，飞翔力不强，静止时折叠于腹背上；雌性后翅通常退化。前足搜捕式，基节甚长，能动，腿节腹面有槽，胫节可折嵌于腿节的槽内，形如折刀，腿节和胫节具强刺，当捕到猎物时，可阻止猎物的逃脱，胫节端部还具有弯曲的端爪；中足、后足细长，适应于步行；跗节 4 节或 5 节，缺中垫。腹部肥大，共 11 节，第 11 节退化，仅剩下 1 对附肢，即尾须，尾须呈锥状或棒状，有时扁平呈明显的叶状，短而分节。第 1 腹板较小。雌性第 7 腹节（或雄性第 9 腹节）腹板扩大而构成下生殖板；第 8、9、10 腹板退化，部分构成膜质结构；产卵器较退化，由 3 对骨片构成，并有第 7 腹板包住。雄性外生殖器不对称，起明显的抱握作用。尾须呈锥状或棒状，有时扁平而呈明显的叶状，短而分节。雄性下生殖板末端常具尾刺。雄性外生殖器骨化部分形状的差异是分类学上重要的依据。

分类：世界性分布。世界已知 20 科约 430 属 2400 余种，我国已记载 8 科 45 属 100 余种，陕西秦岭地区分布 2 科 6 属 10 种。

分科检索表

头顶光滑或具锥状突起；前足胫节外列刺紧密排列或倒伏状，相互靠近愈合 ……………………………

‥‥‥‥‥‥‥‥‥‥‥‥‥‥‥‥‥‥‥‥‥‥‥‥‥‥‥‥‥‥‥‥‥‥‥‥‥‥‥ **花螳科 Hymenopodidae**

头顶缺粗大的锥形突起，如头顶锥形突起较大，则两眼附近各具 1 个小突起；前足胫节外列刺不倒伏，相互分离 ‥‥‥‥‥‥‥‥‥‥‥‥‥‥‥‥‥‥‥‥‥‥‥‥‥‥‥‥‥‥ **螳科 Mantidae**

一、花螳科 Hymenopodidae

鉴别特征：本科种类头顶光滑或具锥状突起；前足股节具 3~4 枚中刺，4 枚外列刺，内列刺大小相间排列；前足胫节外列刺紧密排列或倒伏状，相互靠近愈合；中后足股节较光滑或具叶状扩展。

分类：分布于非洲热带区、古北区、东洋区、澳洲区。世界已知 40 余属 220 余种，中国记录 10 属 40 余种，陕西秦岭地区分布 1 属 2 种。

1. 齿螳属 *Odontomantis* Saussure，1871

Odontomantis Saussure，1871：32. **Type species**：*Odontomantis javana* Saussure，1871.

属征：中小型种类。复眼内侧具 1 个圆形小瘤突；额盾片横行，两侧各具 1 个隆起，上缘呈角状，通常角端具有 1 枚小齿；前胸背板较扁平，前翅不透明，后翅具色泽，前足腿节非强扩展，具 4 枚中刺，4 枚外列刺；前足胫节外列刺排列紧密倒伏，爪沟靠近腿节的基部，中后足腿节缺叶状突起。

分布：东洋区，古北区。世界已知近 20 种，我国共记载 12 种，秦岭地区分布 2 种。

分种检索表

额盾片横行，具顶端角，其尖端具 1 个凹刻 ‥‥‥‥‥‥‥‥‥‥‥‥‥‥‥‥‥‥ **凹额齿螳 *O. foveafrons***

额盾片横行，上缘向后呈三角形，角端部具小齿，两侧具较明显的隆线‥‥‥‥‥ **郑氏齿螳 *O. zhengi***

(1) 凹额齿螳 *Odontomantis foveafrons* **Zhang，1985**（图 126）

Odontomantis foveafrons Zhang，1985：329.

鉴别特征：体长 19.0mm；前胸背板长 5.0mm，宽 3.0mm；前翅长 11.0mm，宽 5.0mm；前足腿节长 6.0mm。雌性体绿色。头顶直而宽，头顶后方具 2 条明显纵沟。额盾片横行，宽为高的 2.5 倍，具顶端角，其尖端具 1 个凹刻。前胸背板宽，长为宽的 1.6 倍，着生前足基节处较宽。前翅宽短呈绿色，翅脉的翅室小而不规则，后翅臀域除基部外均为深褐色，前足基节内缘具微齿。

分布：陕西（秦岭）、甘肃、四川。

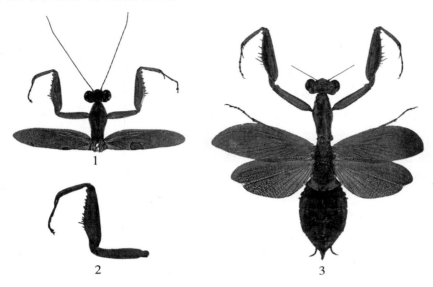

图 126　凹额齿螳 *Odontomantis foveafrons* Zhang（仿朱笑愚等，2012）
1. 雄性头、胸部背面观；2. 前足；3. 雌性整体背面观

（2）郑氏齿螳 *Odontomantis zhengi*（**Ren** *et* **Wang，1994**）（图 127）

Anaxarcha zhengi Ren *et* Wang，1994：69.
Odontomantis zhengi：Chen & Xu，2012：49.

鉴别特征：体小型。体长 16.74mm；头宽 3.59mm；前胸背板长 5.32mm（沟前区 1.98mm，沟后区 3.34mm），宽 2.40mm；前翅长 11.45mm，宽 2.69mm；后翅长 9.1mm，宽 5.12mm。体呈绿色或近墨绿色；头顶、复眼及触角绿色，前胸背板基半部 褐色，端半部墨绿色，胸部腹面黄褐色，腹部腹面深褐色（不及雌性颜色深），前足腿 节、胫节齿的端部，端爪端部黑褐色，跗节褐色，各节端部黑褐色；前翅深绿色，后翅 前缘黄褐色，中、肘脉域的基部透明，端半部烟灰色。雄性头顶明显凹陷，具 4 条纵 沟（不及雌性明显），两侧纵沟长且深，几乎到达单眼基部，中部 2 条纵沟缩短。复眼 明显突出，卵圆形，内侧无突起。单眼较大，近红色。触角丝状；额盾片横行，长为 宽的 2.0 倍，上缘向后呈三角形，角端部具小齿，两侧具较明显的隆线。唇基长方 形，具隆起的横脊。前胸背板较扁平，细长，与前足基节近似等长，在近中部向两侧 扩展，侧缘边缘黑褐色，有黑褐色细齿；背板中央中纵沟很深，达到背板前、后缘；中 横沟细短，不及中纵沟深，不达侧缘，向前弧形弯曲，前方具不明显斜沟，与中纵沟、 中横沟共同组成一个"♀"形，沟后区略等于沟前区的 2.0 倍，沟后区中横沟后两侧 各具 1 个小凹点。前胸腹板棕绿色，沟前区具深棕色横褶皱。前后翅发达，超出腹部端部。前翅尖卵圆形，较直长，不透明，密布网状小翅室，Cu_1脉端部分3支；后翅不及前翅长，透明，翅室较前翅疏且大，Cu_1脉端部分2分支。前足腿节具外列刺4枚，内列刺12枚，且为1枚大刺1枚小刺相交排列，中列刺4枚(刺不及雌性发达)，胫节短，具外列刺10～11枚，刺端弯曲，向前倒伏，内列刺10枚，无中列刺。跗基节长于跗节剩余部分总和，无黑色斑，内侧黄绿色。中足、后足腿节细长，光滑，无刺，关节具刺。腹部每一腹节腹面后部中间区域具1个小黑斑，较光滑(雌性布满微毛，小斑不明显)。肛上板横行，似宽扁的等腰三角形，角较钝圆。尾须较细长，锥状，具短毛，稍伸出于体端。下阳茎叶的端部钝圆，右上阳茎叶呈三角形，端突具微毛。

采集记录：4♂2♀，旬阳坝，2011. Ⅷ.15，黄年君采。

分布：陕西(宁陕)。

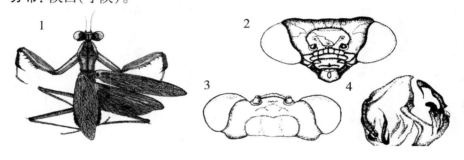

图127　郑氏齿螳 *Odontomantis zhengi* Ren et Wang（雄性）（仿黄年君、陈振宁等，2012）
1. 整体背面观；2. 头部正面观；3. 头部背面观；4. 外生殖器背面观

二、螳科 Mantidae

鉴别特征：体型多样。头顶缺粗大的锥形突起，如头顶锥形突起较大，则两眼附近各具1个小突起。前胸背板侧缘具不明显扩展；如有明显扩展，则前足腿节第1、2刺之间具凹窝。雌性和雄性非同时为短翅。前足腿节外列刺一般超过5枚；如外列刺不超过5枚，则前足胫节背面端爪之前具1~2枚内列刺或雌性具翅。前足腿节内列刺的排列为1枚大刺和1枚小刺相交替。雌性下生殖板末端通常缺刺。尾须锥状或稍扁，不扩展呈叶状。

分类：世界性分布。世界已知185属1116种，中国记录16属50余种，陕西秦岭地区分布5属8种。

分属检索表

1. 头顶具较长的锥状突起，基部锥状，端部屏状；两性翅均发达，雄性超过腹端，雌性略达腹端
·· 屏顶螳属 *Phyllothelys*

2. 屏顶螳属 *Phyllothelys* Wood-Mason，1877

Phyllothelys Wood-Mason，1877：18. **Type species**：*Phyllocrania westwoodi* Wood-Mason，1877 = *Kishinouyea sinensis* Ôuchi，1938.

　　属征：体中型至大型；通常呈褐色，少数苔绿色。头顶通常延长，延长部分基部锥状，端部屏状；复眼椭圆形较突出，前胸背板细长，甚至占体长之半以上；两性翅均发达，雄性超过腹端，雌性略达腹端；前足股节具中刺4枚，外列刺4枚；中后足股节具明显叶状扩展，中后足胫节基半部略扩展；部分种类腹板具叶状扩展。

　　Kishinouyeum 属旧时称为屏顶螳属，而 *Phyllothelys* 旧时称为奇叶螳属，现将屏顶螳属种类归入奇叶螳属后，笔者沿用了屏顶螳属这个中文名称，此中文名称在国内种类中使用甚广，也标明了主要属征。

　　分布：东洋区，古北区。世界已知约18种，中国记录11种，秦岭地区分布2种。

分种检索表

体较小，头顶突起较短，额盾片不具3条脊 ⋯⋯⋯⋯⋯⋯⋯⋯ 壮屏顶螳 *Ph. robusta*
体较大，头顶突起较长，额盾片具3条脊 ⋯⋯⋯⋯⋯⋯⋯⋯ 陕西屏顶螳 *Ph. shaanxiense*

(3) 壮屏顶螳 *Phyllothelys robusta* Niu et Liu，1998（图128）

Phyllothelys robusta Niu et Liu，1998：145.

　　鉴别特征：雌性体长45.5mm（不包括头顶突起）；前胸背板长17.3mm，宽1.8～3.8mm；前胸背板沟后区长12.6mm；前翅长28.5mm；前足胫节长11.9mm；头顶突起长7.3mm。体呈褐色。前胸背板腹面黑褐色。前足基节内侧淡棕色，端部黑褐色；前足腿节内侧黑色，近基部、中部、端部有3个棕黄色斑，中部的斑较大。前翅褐色透明，具黑褐色斑点，中部黑褐色斑较集中；后翅前缘域浅黄色，端部具褐色斑点，臀域淡烟色,横脉无色透明。头宽于前胸背板。头顶突出,基部呈锥状,端部呈长薄片状,背面中央具1条片状中脊,量侧边缘各具4个钝角形的齿突,腹面平坦,末端钝三角形;头顶突出基部较宽,不收缩,相端部略窄。复眼大,长椭圆形突出,单眼小。触角丝状,长度接近头顶突出长的2.0倍。额盾片宽为高的1.8倍,中央具明显的纵隆线,上缘中央钝三角形突出。前胸背板较光滑,横沟处向两侧呈弧形扩展,沟后区前后两端具中脊,中部不明显;前胸背板背面隆起,侧缘具许多小钝齿。前翅微超出腹端。前足基节前缘具12~13枚小黑刺,中间夹杂更多黄色小刺;前足腿节上缘较直,除膝叶处着生1枚小刺外,还具4枚外列刺(中间夹杂着许多黄色小刺),4枚中刺及15枚内列刺,第1、2外列刺间具较浅的凹窝;前足胫节具13个外列刺,14个内列刺。中后足腿节后缘具2个叶状突起,近端部的较宽大;中后足胫节基半部膨大;后足跗基节略短于其余各跗节之和。腹部第5、6腹节背板侧后角略扩大呈叶状。尾须短锥状具纤毛。

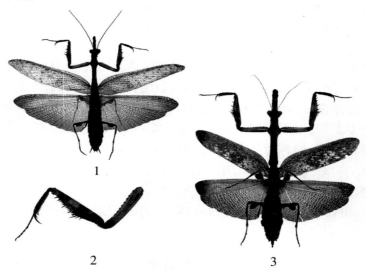

图128　壮屏顶螳 *Phyllothelys robusta* Niu *et* Liu(仿朱笑愚等,2012)
1. 雄性整体背面观;2. 前足;3. 雌性整体背面观

雄性未知。
采集记录:1♀,陕西秦岭,黄灏采。
分布:陕西(秦岭)、河南。

(4)陕西屏顶螳 *Phyllothelys shaanxiense* Yang,1999(图129)

Phyllothelys shaanxiense Yang,1999:30.

鉴别特征:雄性体长41.0~42.0mm,达翅端49.0~52.0mm,屏顶长4.0~

5.0mm，前胸背长 13.0～14.0mm，前翅长 34.0～35.0mm；体呈黄褐色，多暗斑。头顶膨凸，前伸一长条黑色的屏顶，其两侧波曲且不对称，背面具脊；额盾片横宽，有 3 条纵脊；触角细长，可达 30.0mm。前胸背板狭长，横沟后扩展呈菱形，沟前具中纵沟，沟后具中纵脊，两侧多刺突；前胸腹板暗褐，密布小黑点。前足外侧污黄，具大褐斑；内侧基节红黄，背缘具 1 列黑刺突。腿节黄色，有 3 段黑斑，外列刺 4 根长刺，中列刺 4 根，内列刺 13～14 根。胫节外列刺 11 根，内列刺 13～14 根，均黑色。中后足腿节腹面各具 2 个叶突，端部者大而圆；胫节背侧基部隆凸。翅淡烟色半透明，前翅沿纵脉多小褐纹；后翅前缘黄褐多小褐斑点，臀域白色横脉呈网状，腹部背板黄褐色，两侧具黑斑；腹板后缘中央及侧角突出，4～5 节两侧的叶突显著。

雌性体型较粗壮而色暗，触角短小（约 10.0mm 长）；前翅伸达腹端，翅多具不规则的大褐斑，后翅的褐色更浓。

屏顶螳属为中国特有的属，已知 7 种。此种额盾片具 3 条脊，腹板多叶突以及雄性外生殖器而不同于其他种。

采集记录：1♂，太白山蒿坪寺，1985.Ⅷ.14，李宽胜采。

分布：陕西（太白、宁陕）、山西、河南。

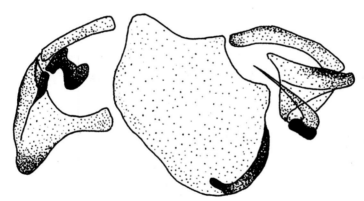

图 129　陕西屏顶螳 *Phyllothelys shaanxiense* Yang（仿 Roger Roy，2009）
雄性外生殖器腹面观

3. 薄翅螳属 *Mantis* Linnaeus，1758

Mantis Linnaeus，1758：426. **Type species**：*Mantis religiosa* Linnaeus，1758.

属征：体大型。额盾片宽略大于高；复眼卵圆形；前足基节内侧常具深色斑，爪沟位于前足股节中部；后翅 Cu_1 脉至少 2 次分支，缺色带；中后足膝部内侧片缺刺，各节平滑无扩展物。

分布：新北区，古北区，非洲热带区，东洋区，澳洲区。世界已知约 15 种，中国记录 2 种，秦岭地区分布 1 种。

（5）薄翅螳 *Mantis religiosa* **Linnaeus，1758**（图 130）

Gryllus（*Mantis*）*religiosa* Linnaeus，1758：426.

Mantis religiosa：Linnaeus，1767：690.

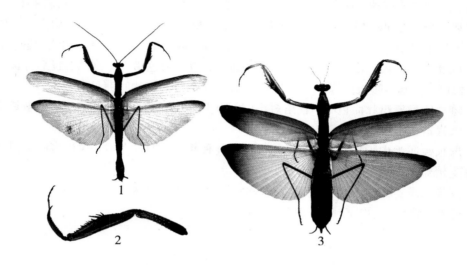

图 130　薄翅螳 *Mantis religiosa* Linnaeus（仿朱笑愚等，2012）

1. 雄性整体背面观；2. 前足；3. 雌性整体背面观

鉴别特征：雄性体长 34.0～45.0mm，雌性体长 49.0～63.0mm；体色多为淡绿色，也有褐色的。头部三角形，中间稍凹平；单眼 3 个，呈三角形排列；复眼褐色、圆形，向两侧突出；触角丝状，雄性长而扁粗，雌性细而短。雄性前胸背板狭长，中部膨大，为宽的 3.0 倍以上，前半侧缘有钝形小齿。腹部细长，体节黄褐色，雄性亚生殖板宽大于长。前翅淡褐色，较薄，但雌性较厚而色变深，前缘区革质带狭，浅绿色，并有细而不明显的分支脉，脉纹淡灰色；后翅宽大成扇形，停息时折叠于前翅下，其长度略超出前翅。前足基节内侧有 1 个椭圆形黑斑，斑的中央色浅，腿节爪沟位于中部，中间有刺 4 根，后足腿节无端刺，胫节中央内侧有暗黄色圆斑。

采集记录：1♂，太白山蒿坪寺，1985.Ⅷ.14，李宽胜采。

分布：陕西（太白）、黑龙江、吉林、辽宁、北京、河北、山西、山东、河南、新疆、江苏、上海、福建、广东、海南、四川、云南；欧洲，非洲，澳洲。

4. 静螳属 *Statilia* Stål，1877

Statilia Stål，1870：36. **Type species**：*Statilia nemoralis*（Saussure，1870）.

属征：本属种类额盾片宽略大于高，上缘弧形并具尖角。复眼卵圆形。两性翅均发达,后翅第1肘脉(Cu_1)至少2次分支。前足股节内侧爪沟处附近具1个淡色斑,淡色斑前后两侧常有深色区域,使前足股节内侧斑纹近乎眼斑状。前足股节爪沟位于中部之前,前足胫节具5~7枚外列刺;中后足股节膝叶内侧片缺刺突。

分布:古北区,东洋区,澳洲区,非洲热带区。世界已知14种。我国记录10种,秦岭地区分布2种。

分种检索表

前翅棕褐色或黄褐色,臀膜烟色,前翅棕褐色后半不透明 ……………………… **棕静螳 S. maculata**
前翅后半透明,后翅前缘域红褐色,下阳茎叶末端钝角形凹入 ……………… **杨氏静螳 S. yangi**

(6)棕静螳 *Statilia maculata*(**Thunberg et Lundahl, 1784**)(图131)

Mantis maculata Thunberg *et* Lundahl, 1784:61.

Statilia maculata:Bolívar, 1897:309.

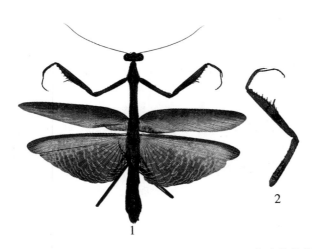

图131　棕静螳 *Statilia maculata*(Thunberg *et* Lundahl)(仿朱笑愚等, 2012)
1. 雌性整体背面观;2. 前足

鉴别特征:体通常呈或深或浅的褐色,部分个体呈黄色或绿色。前胸腹板黑带的有无及后翅臀域的烟色深浅直至无色的特征,随体色从深褐色至浅褐色至绿色正向过渡;本种个体间变异较大,所采获最小雌性体长仅为正常雌性的1/2,饲养的同卵块后代中,最小雄性仅为最大雄性体长的2/5;前胸背板与前翅长度的比例随体长反相关;前足特征符合属征;前足股节刺基部不连续黑线。

采集记录:1♂,陕西师范大学(长安校区),2000.Ⅶ.18,魏朝明采。

分布:陕西(长安)、北京、山东、上海、安徽、浙江、江西、湖南、福建、台湾、广东、海南、广西、重庆、四川、贵州、云南、西藏；日本，东亚，东南亚。

（7）杨氏静螳 *Statilia yangi* Niu，Hou *et* Zheng，2005（图 132）

Statilia yangi Niu，Hou *et* Zheng，2005：246.

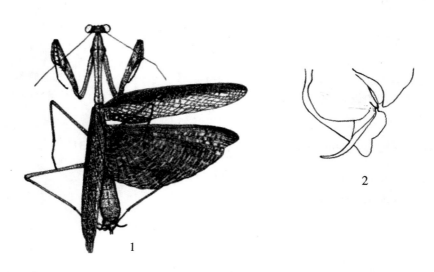

图 132　杨氏静螳 *Statilia yangi* Niu，Hou *et* Zheng（仿牛瑶、郑哲民等，2005）
1. 整体背面观；2. 雄性外生殖器

鉴别特征：雄性体长 40.0~42.5mm，达翅端 44.0~46.0mm，前胸背板长 14.0~14.6mm，前翅长 27.0~28.0mm；体中型，细长；呈棕褐色，具黑色斑点。头部额盾片横形，宽为高的 3.0 倍，两侧平行，顶部钝角形，无纵脊；单眼大，棕黄色，头顶灰白色，有暗褐色至黑色横带及连斑。前胸背板侧缘的齿列大小齿交错，大齿黄色，小齿黑色，背板具少许黑色斑，排列不规则；前胸背板在基节后方具黑色宽带斑，长方形，长大于宽。前足多暗斑，基节背脊上有 1 列 6 个黄色刺突，腿节的内刺列 14 个，大刺黑色，小刺基部和末端黑色，大小刺相间排列；胫节内刺列 11 个，外刺列 7 个。前翅黄褐色具黑褐色斑点，黑褐色斑点在翅中部大至排成纵条形，翅后半透明，臀膜烟色具透明斑；后翅前缘红褐色，臀域烟黑色，具整齐的白色横脉列，Cu 脉 2 分支。腹部黄褐色。雄性外生殖器的左上阳茎叶端突细长而上翘，拟阳茎明显突出；下阳茎叶端部骨化而色暗，中间呈钝角形凹陷。

雌性未知。

采集记录：2♂，周至楼观台，2003.IX.12，牛瑶采。

分布：陕西（周至）。

5. 刀螳属 *Tenodera* Burmeister, 1838

Tenodera Burmeister, 1838: 534. **Type species**: *Tenodera fasciata* (Olivier, 1772).

属征：大型种类，复眼侧观略呈卵圆形。额盾片略窄，宽为高的 2.0~3.0 倍。前胸背板沟后区长于前足基节，两侧扩展不明显，沟后区至少与前足基节等长。前翅较窄长，前缘光滑，缺齿或刺；翅端较尖。两性后翅第 1 肘脉（Cu_1 脉）3~4 分支，前缘域和中域缺黑色或红色横带。前足基节顶端内侧叶状突起邻接。前足腿节具 4 枚中刺、4 枚外列刺，外列刺基部缺隆起，爪沟位于中部之后；前足胫节具 8~13 枚外列刺。中、后足腿节具顶端刺。尾须较细长。

分布：古北区，东洋区，非洲热带区，澳洲区，新热带区。全世界已知 30 余种。我国记录 10 种，秦岭地区分布 2 种。

分种检索表

前胸背板较宽，沟后区与前足基节长度之差是前胸背板的 0.3~1.0 倍（雄性约为 1.0 倍，雌性为 0.3~0.6 倍）⋯⋯⋯⋯⋯⋯⋯⋯⋯⋯⋯⋯⋯⋯⋯⋯⋯⋯⋯ **中华大刀螳 *T. sinensis***
前胸背板较狭长，沟后区与前足基节长度之差是前胸背板最大宽度的 1.0~1.5 倍（即雄性约为 1.5 倍，雌性约为 1.0 倍）⋯⋯⋯⋯⋯⋯⋯⋯⋯⋯⋯⋯⋯⋯⋯ **枯叶大刀螳 *T. aridifolia***

(8) 中华大刀螳 *Tenodera sinensis* Saussure, 1842（图 133）

Tenodera sinensis Saussure, 1871: 72.

鉴别特征：雄性体长 82.0mm，前翅长 58.0mm；体型较大。前胸背板相对较宽，其沟后区与前足基节长度之差是前胸背板最大宽度的 0.3~1.0 倍（雄性约为 1.0 倍，雌性为 0.3~0.6 倍）。雌性前胸背板侧缘具较密的细齿，雄性多无细齿。雄性前缘域为绿色，其余为烟黑色，半透明，后翅基部有 1 块大的黑斑，雄性下阳茎叶端突明显长于左上阳茎叶端突之长。

采集记录：1♂，陕西师范大学（长安校区），2016. Ⅶ.07，叶飞采。

分布：陕西（长安）、辽宁、北京、山东、江苏、上海、安徽、浙江、湖北、江西、福建、台湾、广东、广西、四川、贵州、西藏；朝鲜，日本，美国。

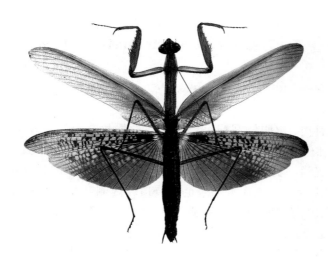

图 133　中华大刀螳 *Tenodera sinensis* Saussure(仿朱笑愚等, 2012)
雄性整体背面观

(9)枯叶大刀螳 *Tenodera aridifolia* (Stoll, 1813)(图 134)

Mantis aridifolia Stoll, 1813: 65.

Tenodera aridifolia: Burmeister, 1838: 534.

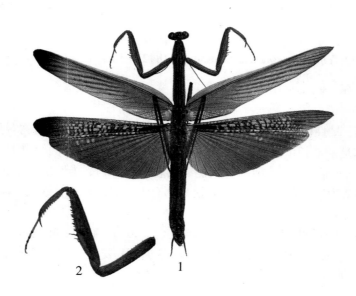

图 134　枯叶大刀螳 *Tenodera aridifolia* (Stoll)(仿朱笑愚等, 2012)
1. 雄性整体背面观; 2. 前足

鉴别特征: 体型较大。与中华大刀螳 *Tenodera sinensis* Saussure 较为相似, 但其沟后区与前足基节长度之差是前胸背板最大宽度的 1.0~1.5 倍，雄性为 1.5 倍，雌性为 1.0 倍。前胸背板较平直，雌性前胸背板侧缘具细齿；雄性缺齿或仅于沟前区两侧具少量细齿；通常后翅臀域烟色斑界限较明显，不成浑浊连斑状。雄性下阳茎叶端突明显长于左上阳茎叶端突。

采集记录：1♂，商洛，2014.IX.21，叶飞采。

分布：陕西（商洛）、江苏、浙江、福建、广东、海南、广西、四川、贵州、云南、西藏；东南亚。

6. 斧螳属 *Hierodula* Burmeister, 1838

Mantis (*Hierodula*) Burmeister, 1838: 536. **Type species**: *Hierodula membranacea* (Burmeister, 1838).

属征：体大型。额盾片宽略大于高，前胸背板向两侧扩展，但不明显宽于头部；前翅前缘域具密集的小翅室，Cu$_1$ 脉至少 2 次分支，前翅缺花纹，后翅无色透明；前足基节具刺突，或宽大成疣突状；前足股节外列刺基部略隆起，爪沟位于中部之后；中后足股节膝部内侧片具刺。

分布：东洋区，古北区。世界已知超过 110 种，我国记录 10 余种，秦岭地区分布 1 种。

(10) 广斧螳 *Hierodula patellifera* (Serville, 1839)（图 135）

Mantis patellifera Serville, 1839: 185.
Hierodula patellifera: Rehn, 1903: 709.

鉴别特征：体大型；体常呈绿色或棕色，少数个体呈蜡黄色。雌性通常明显大于雄性，分布在我国北方的个体明显小于南方个体。头部额盾片宽度小于高度的 1.5 倍；前胸背板两侧侧缘具明显的 1 排小齿；前胸腹板基部常具红褐色带斑；前足基节具 3~5 个明显的疣突，其中基部 2 个疣突相距宽度远大于疣突本身的宽度；前足腿节内列刺第 4、5 大刺间具 1 枚小刺；中后足胫节膝部内侧片具刺，雄性前翅翅痣两端暗色明显，其翅痣后纵脉间具有 1 排小翅室，中域翅室稀疏。

采集记录：1♂1♀，陕西师范大学（长安校区），2015.IX.15，叶飞采。

分布：陕西（长安、华阴）、北京、河北、山东、江苏、上海、浙江、福建、广东、海南、四川、贵州；日本，菲律宾，印度尼西亚，中美洲。

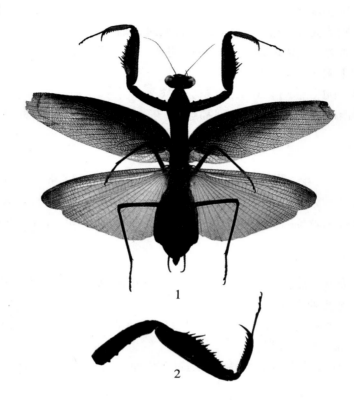

图 135   广斧螳 *Hierodula patellifera*（Serville）（仿朱笑愚等，2012 年）
1. 雌性整体背面观；2. 前足

参考文献

Beier, M., 1934. Mantodea Fam. Mantidae. *Genera Insectorum*, de P. Wytsman, Subfam. Hymenopodi-
    nae. Fascicule, 196, 37pp. 2plus.

Beier, M., 1935. Mantodea, Fam. Mantidae. *Genera Insectorum*, de P. Wytsman, Subfam. Thespinae.
    200Fascicule, 32pp, 2pls.; Subfam. Orthoderinae, Choeradodinae-Deroplatynae. 201 Fascicule, 9pp,
    1pl.; Subfam. Mantinae. 203 Fascicule, 154 pp.

GiglioTos, EGiglio-Tos, E. 1927. Orthoptera Mantidae. Das Tierreich, Berlin. 707 pp.（In French）

Huang, N. J., Chen, Z. N. and Xu, S. Q. 2012. Discovery of the male of *Anaxarcha zhengi*（Mantodea：
    Hymenopodidae）. *Journal of Qinghai Normal University*（Natural Science），4：49-51.［黄年君，陈
    振宁，许升全. 2012. 郑氏原螳雄性的新发现（螳螂目，花螳科）. 青海师范大学学报（自然科
    学版），4：49-51.］

Niu, Y., Liu, J. D. 1997. A New Species of Phyllothelys Wood-Mason（Mantodea：Mantidae）from Funiu
    Mountains. pp. 14-15. *In*：Shen, X. C. and Shi, Z. Y.（eds.）：Insects in Funiu Mountains. China
    Agriculture Press, Beijing, 368pp.［牛瑶，刘集东. 1997. 伏牛山屏顶螳属一新种，14-15. 见：申

效成，时振亚主编：河南省昆虫分类区系研究 第二卷. 伏牛山区昆虫(一). 北京：中国农业出版社，368.]

Niu, Y., Hou, L. Z. and Zheng, Z. M. 2005. A New Species of *Statilia* Stål (Mantodea：Mantidae) from Qinlin Mountains. *Entomotaxonomia*, 27(4)：246-248. [牛瑶，侯林洲，郑哲民. 2005. 秦岭山区静螳属一新种. 昆虫分类学报，27(4)：246-248.]

Reinhard, E. and Roger R., 2009. Taxonomy and synonymy of *Phyllothelys* Wood-Mason (Dictyoptera：Mantodea). *Annales de la Société entomologique de France* (N. S.), 45 (1)：67-76.

Tinkham, E. R. 1937. Studies in Chinese Mantidae (Orthoptera). *Lingnan Science Journal*, 16(4)：551-572.

Wang, H., Zhang, D. L. and Han, P. J. 2015. Identification of *Hierodula patellifera* (Serville, 1839) (Mantodea, Mantidae) in Tianjin based on morphological and molecular data. *Journal of Tianjin Normal University* (Natural Science), 35(3)：58- 60. [王浩，张丹丽，韩佩瑾，等. 2015. 天津地区广斧螳基于形态和分子数据的鉴定. 天津师范大学学报(自然科学版)，35(3)：58-60.]

Wang, T. Q. 1993. Synopsis on the classification of Mantodea from China. Shanghai Scientific and Technological Literature Publishing House, Shanghai, 1-137. [王天齐. 1993. 中国螳螂目分类概要. 上海：上海科技文献出版社，1-137.]

Wang, T. Q. 1995. Resesrch on the Chinese *Tenodera* (Mantodea：Mantidae). *Acta Entomologica Sinica*, 38(2)：191-195. [王天齐. 1995. 中国大刀螳属研究(螳螂目：螳科). 昆虫学报，38(2)：191-195.]

Wang, Z. G. and Zhang, X. J. 2007. Mantodea, pp. 6-19. *In*：Wang, Z. G. and Zhang, X. J. (eds.)：The Fauna Orthopteroidea of Hennan. Henan Science and Technology Press, Zhengzhou, 556pp. [王治国，张秀江. 2007. 第一章 螳螂目，6-19. 见：河南直翅类昆虫志. 郑州：河南科学技术出版社，556.]

Zhang, G. Z. 1985. Notes on Chinese *Odontomantis* Saussare, with descriptions of two new species (Mantodea：Hymenopodidae). *Entomotaxonomia*, 7(4)：329-331. [张国忠. 1985. 中国大齿螳属新种记述. 昆虫分类学报，7(4)：329-331.]

Zhu, X. Y., Wu, C. and Yuan, Q. 2012. *Mantodea In China*. XiYuan Publishing House, Beijing, 1-321. [朱笑愚，吴超，袁勤. 2012. 中国螳螂. 北京：西苑出版社，1-321.]

革翅目 Dermaptera

孙美玲[1]　李恺[2]　刘宪伟[3]

（1.上海田家炳中学，上海 200435；2.华东师范大学，上海 200062；

3.中国科学院上海昆虫博物馆，上海 200032）

鉴别特征：革翅目昆虫统称为"蠼螋"。俗称"搜夹子"（《本草纲目》），疑其有匿入人耳的可能，或因其后翅展开时形如耳状而得名。蠼螋是一类体狭长而扁平的中小型陆栖性昆虫。头部较扁，口器咀嚼式，触角节细长，10～50 节。前胸背板发达，方形或长方形。有翅者前翅革质，缺翅脉；后翅膜质，翅脉放射状。足缺刺。具爪，爪间通常缺中垫。雄性尾须发达不分节，呈铗形。雌性产 7 卵瓣退化（郑乐怡，1999）。革翅目昆虫通常喜夜间活动，白天通常隐藏于土壤、石块、枯枝、腐木中。杂食性，以植物的花粉、嫩叶及动物的腐败物质为食，也有肉食性种类，取食小型昆虫。腹部第 3、4 节的腺褶能分泌特殊臭气以驱赶入侵者。尾铗是防御的有力武器，受惊吓时，常反举腹部，张开两铗，以示威吓状，而遇劲敌则往往装死不动。雌性具有护卵育幼的特殊习性。

分类：主要分布于东洋区和古北区。中国已知 8 科 56 属 231 种，陕西秦岭地区分布 2 科 9 属 16 种。

分科检索表

尾铗短粗，体粗壮；雄性外生殖器具 2 个阳茎叶 ……………………………… **蠼螋科 Labiduridae**
尾铗的形状变化较大，基部内缘常扩宽或扩呈齿突；雄性外生殖器具 1 个阳茎叶 ……………
…………………………………………………………………………… **球螋科 Forficulidae**

一、蠼螋科 Labiduridae

鉴别特征：体狭长。头部圆隆，复眼小。触角 15～36 节。前胸背板近方形，鞘翅发达，后翅短缩或不发育；中胸背板后缘截形。足发达。末腹背板宽大，臀板三角形。尾铗基部远离，端部尖。雄性外生殖器具 2 个阳茎叶。

分类：世界已知 10 属 79 种，中国记录 3 属 9 种，陕西秦岭地区分布 1 属 1 种。

1. 蠼螋属 *Labidura* Lench, 1815

Labidura Lench, 1815: 118. **Type species**: *Forficula riparia* Pallas, 1773.

Forficula Serville, 1831: 32, 34. **Type species**: information not available.

Demogorgon Kirby, 1891: 513. **Type species**: information not available.

属征: 体型长且大。头部较宽, 额部圆隆, 冠缝明显; 复眼小而突出; 触角细长, 通常20~36节, 多呈圆柱形, 基节长大, 圆锥形, 第2节短小, 长宽几乎相等, 第3节较长。前胸背板长宽几乎相等, 后缘弧形, 背面前部圆隆。鞘翅发达, 侧隆线显著; 后翅发达或不发育。前胸背板后缘狭缩, 端部为截形; 腹部狭长, 两侧多少平行; 末腹背板短宽, 后缘中央多呈弧凹形。尾铗长大, 稍呈弧形, 基部粗, 内缘通常具小齿突; 雌性尾铗简单, 向后直伸, 内缘无齿突。

分布: 世界广布。世界已知9种, 我国已知记录1种, 秦岭地区分布1种。

(1) 蠼螋 *Labidura riparia* (Pallas, 1773) (图136)

Forficula riparia Pallas, 1773: 727.

Forficula flavipes Fabricius, 1793: 2.

Forficula pallipes Fabricius, 1775: 270.

Forficula maxima Villers, 1780: 427.

Forficula bilineata Herbst, 1786: 103.

Forficula bidens Olivier, 1791: 466.

Forficula crenata Olivier, 1791: 467.

Forficula gigantean Fabricius, 1793: 1.

Forficula erythrocephala Fabricius, 1793: 4.

Forficula rufescena Palisot de Beauvois, 1805: 35.

Psalis moevida Serville, 1831: 35.

Forficula suturalis Burmeister, 1838: 752.

Forficesila bivittata Klug, 1838: 751.

Forficula icterica Serville, 1839: 25.

Forficula terminalis Serville, 1839: 25.

Forficula bicolor Motschulsky, 1846: 42.

Forficula figcheri Motschulsky, 1846: 354.

Forficula affinis Guerin-Meneville, 1856: 330.

Forficula amurensis Motachulsky, 1858: 499.

Labidura servillei Dohrn, 1863: 316.

Labidura audiator Scudder, 1878: 252.

Labidura granulosa Kirby, 1891: 511.

Labidura pluvialis Kirby, 1891: 511.

Labidura riparia: Kirby, 1891: 510.

Labidura distincta Rodzianko, 1897: 153.

Apterygida huseinae Rehn, 1901: 253.

Labidura dubronii Borg, 1904: 565.

Labidura karschi Borg, 1904: 563.

Tomopygia sinensis Burr, 1904: 288.

Labidura mongeliea Rehn, 1905: 503.

Labidura confuss Capra, 1928: 157.

Labidura cryptera Liu, 1946: 20.

Labidura elegans Liu, 1946: 21.

Diplatys himelayanus Bajial et Singh, 1954: 455.

Spongiphora nainitalensis Bajial et Singh, 1954: 456.

Erotesis jeolikotensis Bajial et Singh, 1954: 458.

Elaunon nainitalensis Bajial et Singh, 1954: 460.

鉴别特征：体型长且大。触角基节短于触角窝间距；前胸背板宽窄于长；腹部短粗，两侧无刺突；雄性尾铗短粗，稍弯曲，中部之后具 1 对齿突；雄性外生殖器长大，阳茎基侧突外缘较直。

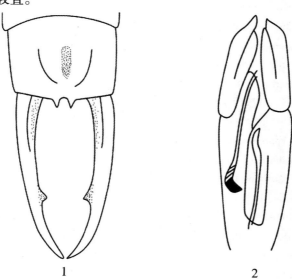

图 136　蠼螋 *Labidura riparia*（Pallas）（仿 Ma & Chen, 1992）
1. 雄性尾铗背面观；2. 雄性外生殖器背面观

分布：陕西（秦岭）、黑龙江、吉林、辽宁、河北、山西、山东、河南、宁夏、甘肃、江苏、湖北、江西、湖南、四川；亚洲，欧洲，非洲北部，美国。

二、球螋科 Forficulidae

鉴别特征：体小型到中型，狭长或粗壮。头部较扁，接近三角形；无单眼，复眼大小不一。触角 10 ~50 节。前胸背板方形、长方形、椭圆形，多少具刻点或皱纹。鞘翅和后翅发达。足通常较短，部分种类较细长。腹部狭长，通常 11 节组成，第 11 节为臀板，末腹背板宽大，中央有时具中凹；臀板置于两尾铗之间，其长短、宽窄和形状变化较大，雌性多二型。雌性尾铗结构简单，雄性尾铗发达，形状变化较大，内缘和上缘具齿突或刺突。雄性外生殖器结构简单，主要由阳茎、阳茎基侧突、阳茎叶和阳茎端刺组成。

分类：世界已知 66 属 465 种，中国分布 22 属 112 种，陕西秦岭地区发现 8 属15 种。

分属检索表

1. 触角节细长，柄节长于触角窝间距，第 4 节不短于第 3 节 ························· 2
   触角节粗短，柄节不长于触角窝间距，第 4 节短于第 3 节 ························· 5
2. 后足跗基节短于第 2~3 节之和 ················· 3
   后足跗基节长于或等于第 2~3 节之和 ················· 4
3. 触角柄节圆柱形，无侧隆线 ················· 乔螋属 *Timomenus*
   触角柄节背面扁平，具侧隆线 ················· 敬螋属 *Cordax*
4. 雄性尾铗基部远离 ················· 绔螋属 *Kosmetor*
   雄性尾铗基部毗连或几乎毗连 ················· 慈螋属 *Eparchus*
5. 鞘翅无侧隆线 ················· 6
   鞘翅具明显的侧隆线 ················· 异螋属 *Allodahlia*
6. 中胸腹板短宽，腹部较宽 ················· 7
   中胸腹板长宽相等，腹部较狭缩················· 球螋属 *Forficula*
7. 尾铗基部内缘具扁平齿突，稍弯曲 ················· 山球螋属 *Oreasiobia*
   尾铗基部内缘无扁平齿突，通常呈强波弯形 ················· 张球螋属 *Anechura*

2. 乔螋属 *Timomenus* Burr, 1907

Timomenus Burr, 1907：96. **Type species**：*Opisthocosmia oannes* Burr, 1900.

属征：体狭长。头部稍肿起，额缝和冠缝稍明显或不明显；复眼突出；触角 12 ~ 13 节，棍棒状，基节长于触角窝间距，第 2 节短小，第 3 节短于第 4 节；前胸背板明显窄于头部，近方形，两侧平行，后缘弧形；鞘翅和后翅发达，鞘翅肩角稍圆，后缘近横直，后翅革片突出；足细长，后足跗基节短于第 2~3 节之和；腹部狭长，第 3~4 节背部两侧各具 1 个瘤突，末腹背板狭缩；臀板短小。雄性尾铗细长，内缘和背侧通常具齿突；雌性尾铗简单，较直，无齿突。

分布：东洋区。世界已知 23 种，中国记录 14 种，秦岭地区分布 1 种。

（2）耳乔螋 *Timomenus amblyotus* Ma *et* Chen，1992（图 137）

Timomenus amblyotus Ma *et* Chen，1992：93，figs. 267a-b.

鉴别特征：体型较大。触角基节长于触角窝间距；前胸背板长宽几乎相等；鞘翅和后翅发达；后足跗基节短于第 2~3 节之和；尾铗基部远离，端部渐尖并内弯，内缘中部之前具 1 个较大的齿，后方具 3 个小齿；阳茎基侧突针状，阳茎端刺弯钩形。

分布：陕西（秦岭）、湖北、湖南、四川。

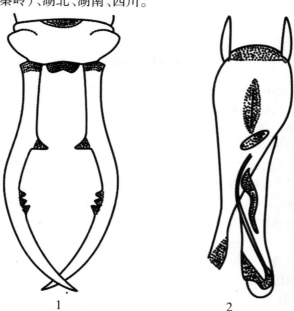

图 137 耳乔螋 *Timomenus amblyotus* Ma *et* Chen（仿 Ma & Chen，1992）

1. 雄性尾铗背面观；2. 雄性外生殖器背面观

3. 绔螋属 *Kosmetor* Burr，1907

Kosmetor Burr，1907：123. **Type species**：*Opisthocosmia annandalei* Burr，1904.

Paratimomenus Steinmann，1974：200. **Type species**：*Opisthocosmia flavocapitata* Shiraki，1905.

属征：体型中等，稍粗壮。头部隆起，冠缝不明显，复眼小而突出，明显短于后颊；触角 11～12 节，柄节等于或稍微长于触角窝间距；前胸背板几乎等宽于头部，前缘截形，后缘圆形，沟前区微隆起，中沟不明显；鞘翅发达，侧缘无隆线，端缘平截，后翅发达；足较细长，后足跗基节长于或等于第 2～3 节之和；腹部第 3～4 节背板腺褶明显，雄性末腹背板近方形，后部具 1 对低的隆丘；臀板小，端部具浅缺刻；尾铗基部远离，内缘具 1～3 个齿。

分布：东洋区。世界已知 18 种，中国记录 5 种，秦岭地区分布 2 种。

分种检索表

前胸背板约等宽于头部；雄性尾铗近乎无毛，具 1 个内齿或无齿　…………………　**威绐螋 *K. vishnu***
前胸背板狭于头部；雄性尾铗多毛和具 2～3 个内齿　…………………　**札幌绐螋 *K. yezoensis***

（3）威绐螋 *Kosmetor vishnu*（**Burr，1904**）（图 138）

Apterygida vishnu Burr, 1904：318.

Kosmetor vishnu：Burr, 1907：213.

Pterygida vishnu：Steinmann, 1989：782.

鉴别特征：触角 10 节，第 4 节短于第 3 节；前胸背板长宽几乎相等，接近方形；鞘翅和后翅发达，后翅具 1 个黄色大斑；末腹背板短宽，两侧各具 1 个瘤凸；臀板较小；尾铗细长，基部远离，在中部之前内缘具 1 个齿突。阳茎基侧突较短，外缘弧形，端部较圆，阳茎叶端部较窄，基囊较小，骨质化，阳茎端刺细长。

分布：陕西（秦岭）、云南；印度。

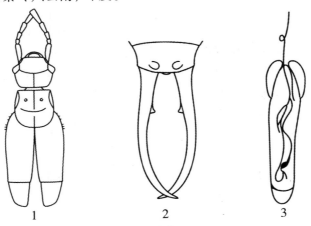

图 138　威绐螋 *Kosmetor vishnu*（Burr）（仿孙美玲，2016）
1. 雄性头部和胸部背面观；2. 雄性尾铗背面观；3. 雄性外生殖器背面观

（4）札幌绣螋 *Kosmetor yezoensis*（**Matsumura** *et* **Shiraki**，1905）

Labia yezoensis Matsumura *et* Shiraki，1905：80.

Eparchus yezoensis：Shiraki，1928：25.

Kosmetor yezoensis：Sun，2016：59.

鉴别特征：雄性体型中等，细长。头部隆起，额缝和冠缝明显，复眼小而突出，明显短于后颊。触角12节，第4节约等长于第3节，短于第5节。前胸背板长几乎不大于宽，明显狭于头部，前缘和侧缘较直，后缘圆形，沟前区微隆起，中沟不明显。鞘翅发达，侧缘无隆线，端缘平截。后翅发达。足较细长，后足跗基节约为第3节的1.5倍，第2节适度扩展。腹部第2~3节背板腺褶明显，雄性末腹背板稍横宽，近方形。臀板突出，端部具凹缺。尾铗细长，较直，具短毛，基部远离，内缘具2~3个小齿和一些细小颗粒。

雌性尾铗简单，细长，端部微内弯。

体呈亮黑褐色。触角褐色，第10~11节黄白色，鞘翅和后翅革片黄褐色，通常鞘翅肩部较淡，后翅革片端部具1个黄斑，足和尾铗赤褐色。

采集记录：1♀，留坝，1980. Ⅷ，魏建华采。

分布：陕西（留坝）；朝鲜，日本。

4. 慈螋属 *Eparchus* Burr，1907

Eparchus Burr，1907：120. **Type species**：*Forficula insignis* Haan，1842.

属征：头部光滑，额缝和冠缝明显。触角12节，柄节明显长于触角窝间距，第3和第4节约等长。前胸背板长宽相等，约等宽于头部，前缘截形，后缘圆形。鞘翅和后翅发达，鞘翅光滑，肩部圆，侧缘无隆线。足细长，后足跗基节长于第2~3节之和。腹部近纺梭形，基部稍狭，中部扩宽，第5~9节背板两侧常具小瘤突。末腹背板长大于宽，强向后趋狭。臀板小。雄性尾铗基部近乎毗连，细长，圆柱形，近基部内侧具1个结节，近端部背面常具1个直立的突起或齿；雌性尾铗简单，细长，圆锥形。

分布：东洋区，古北区。世界已知17种，中国记录5种，秦岭地区分布1种。

（5）杜慈螋 *Eparchus dux*（**Bormans**，1894）（图139）

Opisthocosmia dux Bormans，1894：395.

Eparchus dux：Burr，1907：121.

鉴别特征：体型中等。触角基节明显长于触角窝间距；前胸背板长大于宽；鞘翅发达，长度大于前胸背板长的 2.0 倍，端缘平截，侧缘无隆线，后翅发达；足细长，后足跗基节约为第 3 节的 1.5 倍；腹部第 6~7 节背板两侧具突出的钝角形叶，第 8 节背板两侧具 1 个长刺。末腹背板向后趋狭和倾斜，两侧具细齿。臀板不突出。尾铗基部几乎毗连，端部 1/3 处内侧具 1 个小结节，端部渐尖和强内弯；侧面观从基部至中部向上强弯曲，阳茎基侧突扁宽，外缘弧形，阳茎叶端部波曲形，基囊较小，形状不规则，阳茎端刺细长。

分布：陕西(秦岭)、福建、云南；朝鲜，日本。

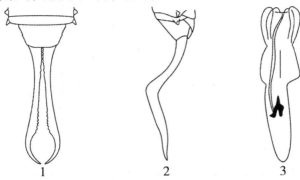

图 139　杜慈螋 *Eparchus dux*（Bormans）(仿孙美玲，2016)
1. 雄性尾铗背面观；2. 雄性尾铗侧面观；3. 雄性外生殖器背面观

5. 敬螋属 *Cordax* Burr，1910

Cordax Burr，1910：184. **Type species**：*Forficula armata* Haan，1842.

Eutimomena Bey-Bienko，1970：1819. **Type species**：information not available.

属征：头部肿起，冠缝明显。触角 10~12 节，细长，柄节扁平状，其余各节圆柱形，第 4 节稍长于第 3 节，第 5 节长于第 4 节；前胸背板狭长，约等宽于头部；鞘翅光滑，肩角稍圆，后翅发达；足细长；腹中部较宽，基部和端部稍狭，侧缘瘤凸发达。雌性和雄性末腹背板向后趋狭和后倾。臀板不外露。雄性尾铗细长，两支基部远离或接近。雌性尾铗简单，较直，基部接近。

分布：东洋区。世界已知 11 种，中国记录 5 种，秦岭地区分布 1 种。

(6) 单齿敬螋 *Cordax unidentatus*（**Borelli，1915**）(图 140)

Timomenus komarovi Borelli，1915：3（nec Semenov，1901）.

Timomenus unidentatus Borelli，1915：4.

Timomenus inermis Borelli，1915：5.

Timomenus aesculapius Borelli，1927：112（nec Burr，1905）.

Timomenus simplicis Shiraki, 1928：23.

Timomenus cuneatus Zhang, 1991：291.

Cordax unidentatus：Sun, 2016：86.

鉴别特征：体中型。触角柄节长于触角窝间距；前胸背板长宽几乎相等；鞘翅和后翅发达；足细长，后足跗基节短于第 2～3 节之和；末腹背板横宽；臀板较小，具纵沟。尾铗多变异，基部远离，端部渐尖和内弯，近基部具 1 个直立的背齿，有时中部具 1 个小的内齿，或完全无背齿和内齿。阳茎基侧突细长，针状，阳茎叶长大，阳茎端刺弯钩形。

分布：陕西（秦岭）、山西、浙江、江西、湖南、福建、台湾、广东、广西、贵州、云南。

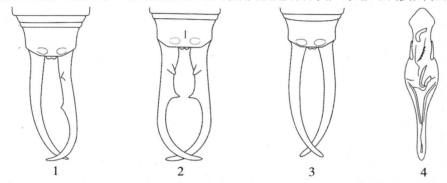

图 140　单齿敬螋 *Cordax unidentatus*（Borelli）（仿孙美玲，2016）

1. 雄性尾铗背面观（1 个齿）；2. 雄性尾铗背面观（2 个齿）；3. 雄性尾铗背面观（无齿）；4. 雄性外生殖器背面观

6. 张球螋属 *Anechura* Scudder，1876

Anechura Scudder, 1876：289. **Type species**：*Forficula bipunctata* Fabricius, 1781.

属征：体中型。头部肿起，冠缝明显。复眼小而突出；触角 13 节，第 4 节短于第 3 节。前胸背板横宽，后缘弧形，前面背部圆隆，具中沟。鞘翅长大或短缩，后翅通常较短或消失。足细长，第 2 节短宽，向两侧扩展为叶状。腹部扁平，第 3～4 节背面两侧各有 1 个瘤凸；末腹背板短宽，近后缘两侧各有 1 个隆凸；雄性尾铗基部两支远离，强度弯曲或波曲形，具小齿或简单。

分布：亚洲，欧洲，非洲，美洲。世界已知 20 种，中国记录 16 种，秦岭地区分布 2 种。

分种检索表

后翅翅柄具 1 个浅黄色大斑，尾铗内缘中央具 1 个大齿突　·················· **日本张球螋 *A. japonica***

后翅翅柄无斑，尾铗内缘无齿突，稍呈波形弯曲，顶端尖 ………… **直铗张球蠼 A. rectiforcipata**

(7) 日本张球蠼 *Anechura japonica*（**Bormans，1880**）（图 141）

Forficula japonica Bormans，1880：512.

Apterygida japonica：Bormans & Krauss，1900：110.

Odontopsalis japonica：Burr，1904：315.

Spningolabis japonica：Kirby，1904：45.

Anechura japonica：Burr，1911：72.

Anechura querparta Okamoto，1924：53.

Anechura nigrescens Shiraki，1936：8.

Anechura eoa Semenov，1902：100.

Apterygida athymia Rehn，1904：540.

　　鉴别特征：体较扁。触角 12 节，相对较粗，第 4 节短于第 3 节；前胸背板横向，鞘翅狭长，约为前胸背板的 2.0 倍，表面密布小刻点；后翅翅柄约为鞘翅的 1/3，表面具 1 个大黄斑；足较短，第 1 跗节等于或大于第 2 节和第 3 节的和；末腹背板短宽，近背面后缘两侧各有 1 个隆凸；臀板较短；尾铗基部分开较宽，内缘中部稍前具 1 个宽齿突。雄性外生殖器的阳茎基侧突长大，阳茎端刺细长。

　　采集记录：2♂2♀，秦岭天台山保护区，1999.Ⅸ.02-03，刘宪伟、章伟年、殷海生采。

　　分布：陕西（宝鸡）、吉林、河北、山西、山东、宁夏、甘肃、浙江、湖北、江西、湖南、福建、广西、四川、西藏；俄罗斯，朝鲜，日本。

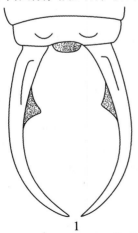

图 141　日本张球蠼 *Anechura japonica*（Bormans）（仿 Ma *et* Chen，2004）

1. 雄性尾铗背面观；2. 雄性外生殖器背面观

(8)直铗张球螋 *Anechura rectiforcipata* Zhang et Yang，1988（图 142）

Anechura rectiforcipata Zhang et Yang，1988：193，figs. 10A-F.

鉴别特征：体狭长。触角 12 节，基节长大，第 4 节稍长于第 3 节；前胸背板稍短宽；鞘翅发达，长为前胸背板的 2.0 倍，后翅翅柄较宽；足的腿节较粗，第 1 跗节较长，约为第 3 节长的 1.5 倍。腹部第 4 节背面两侧的瘤凸较明显；末腹背板横向；臀板短宽；尾铗细长，向后直伸，内缘无齿突；雄性阳茎基侧突较宽，基囊发达。

采集记录：2♂21♀，户县桦树坪，2007. VI. 23-28，周顺采。

分布：陕西（户县）、湖北。

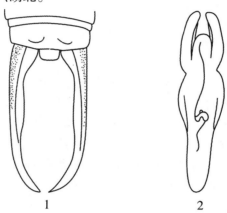

直铗张球螋 *Anechura rectiforcipata* Zhang et Yang（仿 Zhang et Yang，1995）
1. 雄性尾铗背面观；2. 雄性外生殖器背面观

7. 山球螋属 *Oreasiobia* Semenov，1936

Oreasiobia Semenov，1936：158，228. **Type species**：*Forficula fedtschenkoi* Saussure，1874.

属征：体狭长。头部稍扁平，后缘横直或稍呈弧形，冠缝明显；复眼小。前胸背板通常长大于宽，接近矩形，后缘弧形，背面前部圆隆，中沟明显，后部平。鞘翅发达，两侧接近平行；后翅翅柄突出。腹部狭长，两侧稍呈弧形，第 3～4 节背面两侧各有 1 个明显隆凸；末腹背板短宽，背面接近后缘两侧各有 1 个长短不一的隆凸；臀板发达。尾铗长大，弧弯形，基部内缘多少扩展。足细长。

分布：古北区，东洋区。世界已知 6 种，中国记录 4 种，秦岭地区分布 1 种。

(9)中华山球螋 *Oreasiobia chinensis* Steinmann，1974（图 143）

Oreasiobia chinensis Steinmann，1974：196，figs. 26-28.

鉴别特征：体型长且大。触角 12 节，基节长且大，第 5 节长于第 3 节；前胸背板近方形，后缘弧形，具明显中沟；鞘翅发达，表面散布小刻点；后翅翅柄稍突出；足较粗壮，跗节短粗；腹部遍布小刻点和皱纹；末腹背板短宽，背面近后缘两侧各有向后上方伸的圆锥形长角突；臀板发达；尾铗长且大，基部内扩为大齿状；阳茎基侧突较长，阳茎端刺基囊较小。

分布：陕西(佛坪、宁陕)、甘肃、湖北、湖南、福建、四川、贵州。

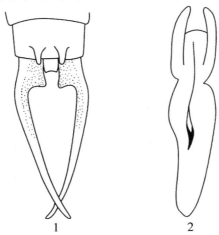

图 143　中华山球螋 *Oreasiobia chinensis* Steinmann(仿 Ma *et* Chen, 2004)

1. 雄性尾铗背面观；2. 雄性外生殖器背面观

8. 异螋属 *Allodahlia* Verhoef, 1902

Allodahlia Verhoef, 1902：194. **Type species**：*Forficula brachynota* Haan, 1842 (= *Forficula scabriuscula* Serville, 1839).

属征：体型粗壮。冠缝较深，复眼圆突形，触角 13 节。前胸背板长小于宽，前缘截形或弧凹形。鞘翅宽大，肩部圆突形，后缘截形或微凹，表面平，密布颗粒状小瘤突或刻点；后翅翅柄突出，表面通常光滑或散布小刻点。足细长。腹部扁平，中部扩展，侧瘤突明显，雄性末腹背板甚短宽，雌性的相对狭窄。雄性的臀板短而宽，多少扩展，有时具刺突，雌性的小而简单。雄性的尾铗长大，弯曲，两支基部分开较宽，中后部下缘常具刺突；雌性的尾铗简单，向后直伸，细长。

分布：东洋区。世界已知 12 种，中国记录 9 种，秦岭地区分布 1 种。

(10) 异螋 *Allodahlia scabriuscula* (Serville, 1839)（图 144）

Forficula scabriuscula Serville, 1839：38.

Allodahlia scabriuscula：Verhoeff, 1902：194.

鉴别特征：体型宽大。前额中央有 2 个深坑；复眼小而突出；触角 13 节，基节棒状，第 4 节稍短于第 3 节。前胸背板短宽，表面遍布粗刻点和皱纹，前部具 3 条纵向沟纹。鞘翅宽大，后翅翅柄短小。足长大，第 1 跗节较长，约为第 2~3 节之和。尾铗长大，基部内缘具小齿，后部内缘 1/3 处各具 1 个较大的刺突。

分布：陕西（佛坪、宁陕）、甘肃、湖北、湖南、台湾、广东、广西、四川、云南、西藏；越南，缅甸，印度，不丹，印度尼西亚。

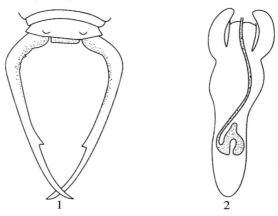

图 144　异螋 *Allodahlia scabriuscula*（Serville）（仿 Ma *et* Chen, 2004）

1. 雄性尾铗背面观；2. 雄性外生殖器背面观

9. 球螋属 *Forficula* Linnaeus, 1758

Forficula Linnaeus, 1758：423. **Type species**：*Forficula auricularia* Linnaeus, 1758

属征：体稍扁平。头部光滑，圆隆，冠缝明显；复印突出；触角 10~15 节，近圆柱形，第 3 节长于第 4 节。前胸背板近方形，后缘横直或圆弧形，背面前部圆隆，具中沟。鞘翅发达，表面光滑；后翅突出、短缩或不发育。足发达。腹部稍扁，第 3~4 节背面两侧各有 1 个瘤状突；雄性的末腹背板较短宽，近后缘两侧各有 1 个隆凸；雌性的末腹背板两侧向后收缩。臀板小。雄性尾铗基部较宽，内缘长具扁扩和齿突；雌性尾铗简单，向后直伸，2 支内缘接近。

分布：世界广布。世界已知 75 种，中国记录 33 种，秦岭地区分布 6 种。

分种检索表

2. 臀板较短小 ·· **迭球螋 F. vicaria**
　　臀板突出，长大于宽 ·· 3
3. 臀板后缘截形 ··· **辉球螋 F. spelendida**
　　臀板后缘圆弧形 ··· **曲囊球螋 F. curvivesica**
4. 臀板三角形或几乎呈三角形，后缘圆弧形 ················· **质球螋 F. ambigua**
　　臀板较长，基部宽，向后稍变窄，后缘弧凹形 ························ 5
5. 末腹背板接近后缘的隆突稍突出，雄性外生殖器基囊二弯形 ········· **齿球螋 F. mikado**
　　末腹背板接近后缘的隆突较高，雄性外生殖器基囊稍弯曲 ·············· **达球螋 F. davidi**

(11) 迭球螋 *Forficula vicaria* **Semenov, 1902**（图 145）

Forficula vicaria Semenov, 1902：99，fig. 1.
Forficula burriana Semenov, 1907：232.

鉴别特征：体狭长。冠缝明显；复眼小而突出；触角基节棍棒形；前胸背板方形，散布小刻点和皱纹；鞘翅和后翅密布小刻点；末腹背板短宽，后缘中央稍呈弧凹形；臀板较小，后缘圆弧形；雄性尾铗基部扁扩，内扩后有 1 个小齿突；雄性基囊沟形。

采集记录：1♂1♀，华阳，1978.Ⅷ.23-24，金根桃采。

分布：陕西（洋县）、黑龙江、吉林、辽宁、内蒙古、河北、山东、江苏、湖北、四川、云南、西藏；蒙古，俄罗斯，朝鲜，日本。

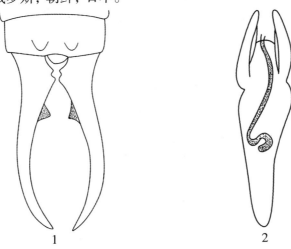

图 145　迭球螋 *Forficula vicaria* Semenov（仿 Ma *et* Chen，2004）
1. 雄性尾铗背面观；2. 雄性外生殖器背面观

(12) 辉球螋 *Forficula spelendida* **Bey-Bienko, 1933**

Forficula spelendida Bey-Bienko, 1933：7，pl. 1，fig. 4.

　　鉴别特征：体狭长。头部扁平，散布小刻点，冠缝不明显；复眼小；触角基节约为第2节和第3节长之和。前胸背板方形；鞘翅发达，后翅翅柄长短不一；足较细弱；腹部狭长，密布刻点，末腹背板横宽，两侧近后缘各有1个扁隆凸；臀板长大；尾铗内缘扁扩部分为全长的2/5，具小齿突；雄性外生殖器基囊呈蛇头形。

　　分布：陕西（秦岭）、甘肃、湖北、四川、云南。

（13）曲囊球螋 *Forficula curvivesica* Ma *et* Chen，1992（图146）

Forficula curvivesica Ma *et* Chen，1992：95，fig. 274a-b.

　　鉴别特征：体狭长。头部较宽，冠缝不明显；复眼突出，触角基节长大，棍棒形；前胸背板近方形，散布刻点和皱纹；鞘翅和后翅翅柄较短；足粗壮，腿节较扁宽；腹部狭长，遍布小刻点，第3~4节背面两侧各有1个瘤凸，末腹背板甚短宽，表面具黄色绒毛，近后缘两侧具1个扁隆凸；臀板腹面后缘弧凹形；尾铗基部内缘扁扩部分占1/3。

　　分布：陕西（秦岭）、湖南、四川。

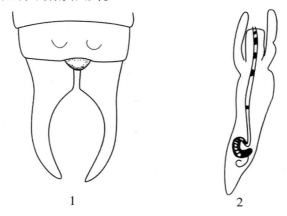

图146　曲囊球螋 *Forficula curvivesica* Ma *et* Chen（仿 Ma *et* Chen，2004）
1. 雄性尾铗背面观；2. 雄性外生殖器背面观

（14）质球螋 *Forficula ambigua* Burr，1904

Forficula ambigua Burr，1904：321.

　　鉴别特征：体狭长。头部冠缝明显；复眼小而突出；触角基节长大，棍棒形；前胸背板短宽；鞘翅狭长，长为前胸背板长的2.0倍，后翅发达，翅柄约为鞘翅长的1/2；腹部遍布小刻点和皱纹，末腹背板短宽，近后缘两侧各有1个隆凸；臀板较小，呈圆锥形；尾铗基部内缘扁扩较短。

分布：陕西（秦岭）、湖南、福建、台湾、云南；越南，印度。

（15）齿球蝼 *Forficula mikado* **Burr，1904**（图 147）

Forficula mikado Burr，1904：319.

Apterygida longipygi Matsumura *et* Shiraki，1905：84，figs. 2a-b.

Chelidura diminuta Matsumura *et* Shiraki，1905：85.

　　鉴别特征：体细长。头部圆隆，冠缝明显；复眼小而突出；触角12节，密被黄绒毛基节长大；前胸背板近方形，散布明显皱纹；鞘翅较短，后翅翅柄稍突出；足稍细长，腿节较粗；腹部较长，密布小刻点，末腹背板短宽，近后缘两侧各有1个隆凸；臀板较长，后缘弧凹形；尾铗基部内缘扁扩部分较短；雄性外生殖器的基囊稍弯曲。

　　采集记录：1♂2♀，户县桦树坪，2007.Ⅵ.23-28，周顺采；1♂1♀，秦岭天台山保护区，1999.Ⅸ.02-03，刘宪伟、章伟年、殷海生采。

　　分布：陕西（户县、宝鸡）、黑龙江、吉林、辽宁、甘肃、湖北、四川；朝鲜、日本。

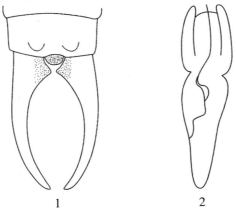

图 147　齿球蝼 *Forficula mikado* Burr（仿 Ma *et* Chen，2004）
1. 雄性尾铗背面观；2. 雄性外生殖器背面观

（16）达球蝼 *Forficula davidi* **Burr，1905**（图 148）

Forficula davidi Burr，1905：85.

　　鉴别特征：体狭长。头部较大，冠缝明显；触角12节，第4节短于第3节；前胸背板近方形，两侧具向上微翘的黄色宽边；鞘翅长大，约为前胸背板长的2.0倍，后翅翅柄较短；足较粗壮，后足跗基节较长；腹部狭长，第3~4节背面两侧各具1个瘤凸；末腹背板短宽，近后缘两侧各有1个较大瘤凸；臀板长大，后缘截形或弧凹形；尾铗两型，长铗型和短铗型，基部内缘扁扩；雄性外生殖器基侧突长大，阳茎端刺细长，基囊稍向下弯。

分布: 陕西(秦岭)、河北、山西、山东、宁夏、甘肃、湖北、湖南、四川、云南、西藏。

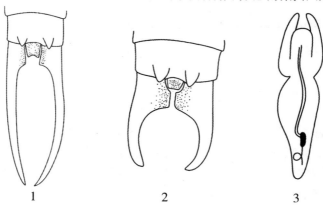

图 148　达球螋 *Forficula davidi* Burr(仿 Ma *et* Chen, 2004)

1. 雄性尾铗背面观；2. 雄性尾铗背面观；3. 雄性外生殖器背面观

参考文献

马文珍, 陈一心. 1992. 革翅目: 大尾螋科、丝尾螋科、蟹螋科、螱螋科、球螋科, 98-103. 见: 彭建文, 刘友樵主编. 湖南森林昆虫图鉴. 长沙: 湖南科学技术处出版社, 1473.

马文珍, 陈一心. 2005. 革翅目: 肥螋科、螱螋科、球螋科, 102-106. 见: 杨星科主编. 秦岭西段及甘南地区昆虫. 北京: 科学出版社, 1055.

Bey-Bienko, G. J. 1970. New and interesting earwigs (Dermaptera) from tropical and subtropical Asia. *Zoologichesky Zhurnal*, 69: 1710-1820.

Borelli, A. 1915. Di alcuni Dermapteri della Cina. *Bollettino dei Musei di Zoologia ed Anatomia Comparata della R. Universita di Torino*, 30(698): 1-6.

Bormans, A. de. 1894. Vaiggio di Leonardo Fea in Burmania e regioni vicine. LXI. Dermapteres. *Annalidel Museo Civico Storia Naturale*, *Genova*, 14 (2): 371- 409.

Burr, M. 1904. Observations on the Demaptera, including revisions of several genera, and descriptions of new genera and species. *Transactions of the Royal Entomological Society of London*, 1904: 277-322.

Burr, M. 1905. Descriptions of Five new Dermaptera. *Entomologists Monthly Magazine*, 16(2): 84-86.

Burr, M. 1907. A preliminary revision of the Forficulidae (Sensu Stricto) and of the Chelisochidae, families of the Dermatera. *Transactions of the Royal Entomological Society of London*, 1907: 91-134.

Burr, M. 1910. Fauna British India, including Ceylon and Dermaptera. XVIII, 217pp, 10 ps.

Burr, M. 1911. Dermaptera. *Genera Insectorum*, 122: 1-105.

Kirby, W F. 1891. A revision of the Forficulidae with descriptions of new species in the British Museum. *Zoological Journal of the Linnean Society*, 23: 502-531.

Ma, W. Z. and Chen, Y. X. 2004. *Fauna Sinica Insecta vol. 35 Dermaptera*. Science Press, Beijing. 1-419. [马文珍, 陈一心. 2004. 中国动物志昆虫纲第三十五卷革翅目, 北京: 科学出版社, 1-419.]

Matsumura, S. and Shiraki, T. 1905. Monographic der Forficuliden Japans. Journal of Sapporo Agricultural College, 2(2): 75-86, figs. 1-13.

Scudder, S. H. 1876. Critical and Historcal Notes on Forficulidae; including Descriptions of New Generic forms and an Alphabetical Synonymic list of the Described species. *Proceedings of the Boston Society of Natural History*, 18: 287-332.

Shiraki, T. 1928. Demaptera aus dem Kaiserreich Japan. *Insecta Matsumurana*, 3(1): 1-25.

Steinmann, H. 1974. A revision of the Dermaptera in the "A koening" Museum. Bonn. *Folia Entomologica Hungarica*, 27(2): 187-204.

Steinmann, H. 1989. World Catalogue of Dermaptera. *Kluwer Academic Publicationers*. The hague, 934pp.

Verhoeff, K. W. 1902. Uber Dermapteren. Versuch eines neuen natürlicheren Systems auf vergleichend-morphologischer Grundlage und über den Mikrothorax der Insekten. *Zoologischer Anzeiger*, 25(665): 181-208.

直翅目 Orthoptera

魏朝明　廉振民

（陕西师范大学生命科学学院，西安 710119）

　　直翅目是一类常见的昆虫，与人们的关系十分密切。它主要分为两大类，即螽斯类、蝗虫类。螽斯类又分为螽斯、蟋蟀和蝼蛄；蝗虫类包括了蚱、蝗、蝗三大类。

　　直翅目属于中大型昆虫，体长都在 5.0mm 以上；体呈圆筒状。口器典型的咀嚼式，1 对复眼，3 个单眼，在一些类群中单眼消失；触角细长，多为丝状；胸部具 2 对翅，前翅加厚成为覆翅，后翅膜质，善于飞行；前足、中足适于爬行，后足腿节粗壮，适于跳跃；腹部 11 节，第 11 节形成肛上板，其下为肛侧板；腹端有 1 对尾须是第 11 节的附肢。不少种类在身体的不同部位形成听器或发音器。

　　直翅目昆虫多为植食性，少数为杂食或捕食性。著名的有东亚飞蝗 *Locusta migratoria manilensis*，属于迁飞性大害虫，其他的如棉蝗 *Chondracris rosea rosea*、中华稻蝗 *Oxya chinensis*、沙漠蝗 *Schistocera gregaria* 等都属于大害虫。

　　目前，直翅目分类系统多为二亚目系统，即：螽亚目 Ensifera 和蝗亚目 Caelifera。总科和科级阶元多有变化。我国学者较多采用 11 总科 56 科系统。本文按照 2 亚目 15 总科 56 科系统进行编写。

　　全世界直翅目昆虫已知超过 2 万种，我国记录也超过了 3000 种。陕西秦岭地区直翅目昆虫多样性很丰富，也有不少特有种类。在《秦岭昆虫志》编研过程中，因种种原因，一部分类群还未能鉴定，本志目前包括了 2 亚目 7 总科 14 科 96 属 160 种。

分总科检索表

1. 触角粗短，一般短于体长，分节少于 30 节；听器位于腹部基部两侧（**蝗亚目 Caelifera**）…… 2
　　触角细长，多超过体长，若短于体长，则触角分节超过 30 节；听器位于前足胫节基部（**螽亚目 Ensifera**）………………………………………………………………………………………………… 4
2. 前足、中足、后足跗节 3 节………………………………………………… **蝗总科 Acridoidea**
　　前足、中足跗节 2 节 …………………………………………………………………………………… 3
3. 前胸背板向后延伸达到或超过腹部；后足跗节 3 节………………………… **蚱总科 Tetrigoidea**
　　前胸背板向后延伸仅覆盖胸部；后足跗节 1 ~ 2 节或退化 …………… **蚤蝼总科 Tridactyloidea**
4. 跗节 4 节 ……………………………………………………………………… **蟋蟀总科 Grylloidea**
　　跗节 3 节 ………………………………………………………………………………………………… 5
5. 尾须细长且柔软；前足胫节缺听器，若具听器则跗节第 3 节缺侧叶 ……………………………………

蝗总科 Acridoidea

鉴别特征：体大型、中型、小型，侧扁或扁平。头卵圆形或圆锥形，颜面侧观近垂直或向后倾斜。头顶中央具颜顶角沟或缺；头顶侧缘具头侧窝，有时头侧窝不明显或缺。触角较短，但长于前足股节，呈丝状、捶状或剑状。前胸背板较短，覆盖在胸部背面和侧面；其背面常具有中隆线和侧隆线，有时侧隆线不明显或消失；中、侧隆线常被 3 条横沟隔断，有时仅见后横沟。后翅发达，缩短或完全无翅。跗节 3 节，爪间具中垫。鼓膜器发达、退化或消失。尾须 1 对，不分节。雌性产卵瓣较短，上产卵瓣端部多呈钩状。

分类：世界性分布。全世界已知 9 科 2261 属 10136 种，中国记录 8 科 267 属 1154 种，陕西秦岭地区分布 6 科 43 属 82 种。

分科检索表

1.　头顶具细纵沟；后足股节外侧上、下隆线之间具有不规则的短棒状或颗粒状隆线，外侧基部的上基片短于下基片；若上基片长于下基片，则阳具基背片非桥状，为壳片状或花瓶状，并具附片 2
　　头顶缺细纵沟；后足股节外侧上、下隆线之间具有羽状隆线，外侧基部的上基片长于或近等于下基片；阳具基背片为桥状，缺附片 3

2.　头形非锥形，头顶向前倾斜，侧观与颜面成直角或斜角；触角为丝状；腹部第 2 节背板侧面的前方具有摩擦板；阳具基背片呈壳片状，缺附片 .... 癞蝗科 Pamphagidae
　　头形锥形，若非锥形，则腹部第 2 节背板侧面前下方缺摩擦板；触角为剑状；阳具基背片呈花瓶状，并具附片 .... 锥头蝗科 Pyrgomorphidae

3.　触角为剑状 .... 剑角蝗科 Acrididae
　　触角丝状 4

4.　前胸腹板在前足基部之间明显地突起，呈圆柱形、圆锥形、三角形或横片状；阳具基背片锚状突一般不与桥部相连接 .... 斑腿蝗科 Catantopidae
　　前胸腹板在前足基部之间较平坦或隆起，但不形成突起；阳具基背片的锚状突常与桥部相连接 5

5.　前翅中脉域的中闰脉在雌、雄两性均具有明显的音齿；若中闰脉不发达，缺音齿，则其后翅具不明显的彩色斑纹；且跗节爪间中垫较小，不达爪之中部 .... 斑翅蝗科 Oedipodidae
　　前翅中脉域一般缺中闰脉；如具不发达的中闰脉，则雌、雄两性不具音齿，且跗节爪间中垫较长，常超过爪之中部 .... 网翅蝗科 Arcypteridae

一、锥头蝗科 Pyrgomorphidae

鉴别特征：体小型至中型，一般较细长，呈纺锤形。头部为锥形，颜面侧观极向后倾斜，有时颜面近波状；颜面隆起具细纵沟；头顶向前突出较长，顶端中央具细纵沟；其侧缘头侧窝不明显或缺。触角剑状，基部数节较宽扁，其余各节较细，着生于侧单眼的前方或下方。前胸背板具颗粒突起，前胸腹板突明显。前翅、后翅均发达，狭长，端尖或狭圆。后足股节外侧中区具不规则的短棒状隆线或颗粒状突起，其基部外侧上基片短于下基片或长于下基片。后足胫节端部具外端刺或缺。鼓膜器发达。缺摩擦板。阳具基背片具较长的附片，冠突明显呈钩状。

分类：分布于热带和亚热带地区，主要在非洲区、澳洲区、新热带区、东洋区，少数在古北区。世界已知 29 属 70 种，中国仅 2 属，分别隶属于 2 亚科，陕西秦岭地区分布 1 属 5 种。

1. 负蝗属 *Atractomorpha* Saussure, 1862

Truxalis Fabricius, 1793: 26(partim).

Atractomorpha Saussure, 1862: 474. **Type species**: *Atractomorpha crenulata* (Fabricius, 1793)
　　(= *Truxalis crenulatus* Fabricius, 1793)

Perena Walker, 1870: 506. **Type species**: *Perena concolor* Walker, 1870.

属征：体小型或中型，细长，匀称，体被细小颗粒。头呈锥形，头顶自复眼之前较长地向前突出；颜面向后倾斜，颜面隆起明显，常具纵沟，头侧窝不明显。触角剑状，较远地着生于侧单眼之前。复眼长卵形，背面近前端具有明显的背斑，眼后方具有 1 列小圆形颗粒。前胸背斑平坦，中隆线低，侧隆线较弱或不明显，平行或略弯曲，其后缘为弧形或角状突出。前胸背板侧片的下缘向后倾斜，近乎直线形，沿其下缘具有 1 列小圆形颗粒，其后缘呈弧形凹陷。前胸腹板突片状，略向后倾斜，端部方形。中胸腹板侧叶间的中隔为前宽后狭的四边形；前翅、后翅均发达，一般常超过后足股节端部，前翅狭长，端部狭锐；后翅基部本色透明或具玫瑰色。后足股节细长，上基片长于下基片，外侧具不规则颗粒和短隆线。后足胫节具外端刺，近端部侧缘较宽，呈狭片状。鼓膜器发达。雄性肛上板为长三角形，尾须短锥形，阳具基背片呈花瓶状。雌性上产卵瓣的上缘具齿，端部为钩形。

分布：亚洲、非洲、大洋洲及巴布亚新几内亚等地区。世界已知 20 余种，中国已知 11 种，秦岭地区分布 5 种。

分种检索表

1. 身体一般较匀称，前胸背板侧片近后缘具有膜区。后翅较长，一般略短于前翅 ……………… 2
   身体一般较粗壮，前胸背板侧片近后缘缺膜区。后翅较短，其顶端较远地不到达前翅翅端 … 3
2. 头顶较短，其长度等于或略长于复眼纵径。雌性产卵瓣粗短，雄性下生殖板端部呈圆形 ……
   ……………………………………………………………… **短额负蝗** *A. sinensis*
   头顶较长，其长度为雄性复眼纵径的 1.1～1.4 倍，为雌性的 1.5～1.7 倍。雌性下产卵瓣较狭
   长 ………………………………………………………… **柳枝负蝗** *A. psittacina*
3. 前翅较长，超过后足股节端部的长度约为翅长的 1/3；后翅宽而长，其顶端较远地超过后足股
   节的端部 …………………………………………………… **令箭负蝗** *A. sagittaris*
   前翅较短，超过后足股节端部的长度不到达翅长的 1/3；后翅较短而狭，刚超过后足股节的端
   部 ………………………………………………………………………………… 4
4. 雌性和雄性前、后翅的端部较宽，后翅端部之前缘较直。雄性中胸腹板侧叶间的中隔略宽，其
   前端略宽于后端 ……………………………………………………… **长额负蝗** *A. lata*
   雌性和雄性前翅端部较狭，前缘较直。后翅宽而短，刚超过后足股节端部，但略短于前翅 ……
   ………………………………………………………………… **纺梭负蝗** *A. burri*

(1) 柳枝负蝗 *Atractomorpha psittacina*（**De Haan, 1842**）（图 149）

Acridium（*Truxalis*）*psittacinum* De Haan, 1842：146.

Pyrgomorpha parabolica Walker, 1870：498.

Pyrgomorpha contracta Walker, 1870：499.

Atractomorpha philippina Bolívar, 1905：199, 212.

Atractomorpha dohrni Bolívar, 1905：199, 212.

Atractomorpha psittacina：Kirby, 1914：182.

　　鉴别特征：雄性身体明显细长。头顶较长，其长为其复眼最长直径的 1.1～1.43 倍，其两侧缘略平行，顶端钝圆形；侧观，颜面较向后倾斜；复眼长卵形。触角位远于复眼之前，剑状，较短，17 节。眼后 1 列颗粒小而多，排列整齐，且突出；前胸背板较短，短于头长，背面颗粒较少，前缘宽弧形，中隆线处略凹入，后缘为宽圆弧形，中央钝角形略向后突；中、侧隆线较细；中、后横沟在背面较明显，后横沟位近后端；前胸背面侧片后缘域具膜区，后缘凹入，后下角向后延伸呈锐角形，其下缘具 1 列小而凸的颗粒，排列整齐。前胸腹板突呈片状。中胸腹板侧叶间的中隔为前宽后狭，其最长与最宽几乎相等。前翅、后翅较狭长，顶端较尖，远离后足股节顶端，超过后足股节顶端的长度长于翅长的 1/3；后翅短于前翅。后足股节细长，外侧下部未向外扩大。肛上板为长三角形，尾须仅到达肛上板的中部；雄性下生殖板端部近乎直角形。体呈草绿色或铁锈黄色；后翅基部翅脉略具红色，其余为透明，或烟色。
　　雌性体型较大于雄性，较细长。头顶亦较长，其长为其复眼最长直径的 1.5～1.71 倍。上、下产卵瓣较狭长，顶端呈钩状，外缘具钝齿。

　　采集记录：1♀，长安，2003. X. 10，白义采；1♂1♀，华阴，2004. VI. 05，白义采；1♂，宝鸡，2004. IX. 11，白义采。

　　分布：陕西(西安、长安、蓝田、户县、宝鸡、华阴、安康、旬阳)、四川、贵州、云南；泰国，缅甸，印度，巴基斯坦，马来半岛，菲律宾，印度尼西亚。

　　寄主：小麦、玉米、高粱、红薯、豆类、棉花、芝麻、瓜类、蔬菜、稻田、竹类。

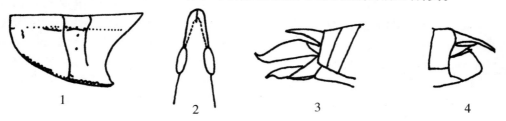

图 149　柳枝负蝗 *Atractomorpha psittacina* (De Haan) (仿夏凯龄等，1994；2 仿 Roffey)
1. 雌性前胸背板侧面观；2. 头部背面观；3. 雌性腹端侧面观；4. 雄性腹端侧面观

（2）短额负蝗 *Atractomorpha sinensis* Bolívar，1905（图 150）

Perena concolor Walker, 1870: 506 (partim).

Atractomorpha aurivillii Bolívar, 1884: 64, 67 (partim).

Atractomorpha ambigua Bolívar, 1905: 198, 208, 209.

Atractomorpha angusta Bolívar, 1905: 198, 204 (partim).

Atractomorpha angustata (error for above): Bolívar, 1905: 207.

Atractomorpha sinensis Bolívar, 1905: 198, 205, 207.

　　鉴别特征：雄性身体一般较匀称。头顶较宽，向顶端趋狭，圆弧形，其长仅略较长于复眼的最长直径，约为头宽(复眼前)的 1.5 倍以内；侧观颜面较倾斜；复眼长卵形，其长为其宽的 1.6 ~ 1.8 倍；触角剑状，较短，其基部接近复眼，其两者的距离不大于触角第 1 节的长度；眼后具有 1 列小突起的颗粒，排列稀疏且整齐；前胸背板背面略平，前缘平弧形，后缘钝圆形，中隆线较细，侧隆线较不明显；中、后横沟较明显，后横沟略偏后；前胸背板侧片后缘域近后缘具环形膜区，其后缘略向内凹，后下角较直或呈锐角，其下缘具 1 列长形而串联的颗粒，排列稍整齐。前胸腹板突片状。中胸腹板侧叶间的中隔为长方形。前翅、后翅较长，远离后足股节顶端，后翅略短于前翅。后足股节中等长，外侧下隆线不特别向外突出。肛上板三角形，尾须短于肛上板之长；下生殖板端部圆弧形。体呈草绿色或褐黄色，后翅玫瑰红色或红色。

　　雌性体型较雄性粗大。中胸腹板侧叶的中隔为长方形，其宽略大于长；上、下产卵瓣粗短，其顶端较弯，上产卵瓣外缘具钝齿。

　　采集记录：1♂，安康，1989. IX. 10，奚耕思采。

　　分布：陕西(全省广布)、北京、河北、山西、山东、河南、甘肃、青海、江苏、上海、安徽、浙江、湖北、江西、湖南、福建、台湾、广东、广西、四川、贵州、云南；日本，越南。

寄主: 水稻、玉米、甘薯、大豆、大麦、小麦、芝麻、花生、甘蔗、黄麻、马铃薯、烟草、蔬菜、茶、桑、柿等。

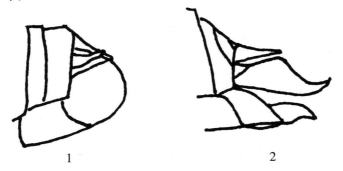

图 150　短额负蝗 *Atractomorpha sinensis* Bolívar(仿夏凯龄等, 1994)

1. 雄性腹端侧面观; 2. 雌性腹端侧面观

(3) 令箭负蝗 *Atractomorpha sagittaris* **Bi et Hsia, 1981**(图 151)

Atractomorpha sagittaris Bi et Hsia, 1981: 409.

鉴别特征: 雄性体型较长且大, 体长为体宽的 7.0~8.0 倍。头顶较长, 其长约为复眼最长直径的 1.5 倍, 顶端近乎直角形。复眼为长卵形, 其最长直径为其宽的1.4~1.6 倍, 眼后一列颗粒整齐。触角较长, 到达上唇端部, 16 节, 其基部距侧单眼的距离略宽于触角的柄节。前胸背板具有少数颗粒, 前缘为宽圆形, 中央略凹入, 后缘为钝角形突出, 沿中隆线处具小三角形凹口; 中隆线和侧隆线明显, 后横沟位于后端。前胸背板侧片后缘域缺膜区, 有时略具痕迹, 后缘为弧形凹入, 后下角向后延伸为锐角。前翅甚长, 超过后足股节端部的长度约为翅长的 1/3 以上; 后翅宽而长, 较远的超过后足股节的顶端, 但甚短于前翅。后足股节细长, 其长约为宽的 7.0 倍, 外侧下隆线不明显向外突出。腹部最后一节的后缘中央具钝角形凹口; 肛上板较长, 较远地长于尾须。下生殖板侧面观端部近乎直角。阳茎基背片桥部较细长, 其突角较狭锐。阳茎细长, 端部甚向上弯曲。体呈草绿色或黄绿色; 后翅本色透明。

雌性体色同雄性; 体型甚大于雄性, 细长, 体长约为体宽的 7.0 倍。下生殖板宽平, 后缘具有狭长的三角形突出; 产卵瓣宽长, 上产卵瓣的上缘具细齿。

采集记录: 1♂1♀, 宁陕, 2004. Ⅵ. 01, 白义采; 1♂, 旬阳, 2004. Ⅹ. 01, 白义采。

分布: 陕西(宁陕、旬阳)、北京、河北、上海、福建、四川。

寄主: 竹类、红薯、萝卜等。

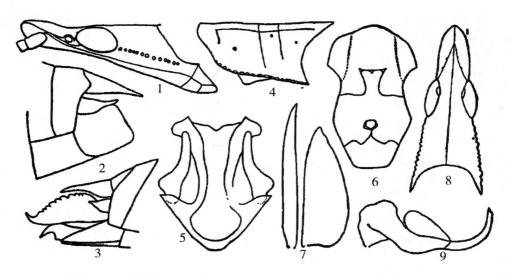

图 151　令箭负蝗 *Atractomorpha sagittaris* Bi *et* Hsia(仿夏凯龄等，1994)

1. 头部侧面观；2. 雄性腹端；3. 雌性腹端；4. 雄性前胸背板侧面观；5. 阳具基背片；6. 雌性中胸和后胸腹面；
7. 雄性前翅和后胸；8. 雄性头部背面观；9. 阳具

（4）长额负蝗 *Atractomorpha lata*（Motschoulsky，1866）（图 152）

Truxalis lata Motschoulsky，1866：181.

Perena concolor Walker，1870：506（partim）.

Atractomorpha bedeli Bolívar，1884：64，69，495.

Atractomorpha lata：Bey-Bienko & Mistshenko，1951：277，fig. 567，570.

鉴别特征：雄性体型较长且大，其体长为体宽 5.0～8.0 倍。头顶较长，向前端趋狭，其长为其复眼最长直径的 1.5～1.7 倍，颜面较倾斜；复眼长卵形。触角基部远离单眼较远，其距离较宽于触角第 1 节的宽度。眼后具有 1 列圆而突的颗粒，排列整齐。前胸背板较长，背面较平；中、侧隆线较明显；其前缘宽圆弧形，有时中央略凹；后缘亦为圆弧形突出；前胸背板侧叶后缘缺膜区；后缘略凹入，后下角为锐角；其侧片下缘具 1 列颗粒串联在一起，较整齐。前胸腹板突片状。中胸腹板侧叶间的中隔为略宽的长方形，向后趋狭。前翅、后翅皆发达，前翅超出后足股节端部的长度不到翅长的 1/3，后翅较狭而短，刚超过后足股节端部，前、后翅端部较狭，其后翅端部的前缘较直；后足股节较长，其长为其宽的 6.3～7.8 倍，其外侧下缘不明显地向外突出。肛上板长三角形；尾须之长超过肛上板的中部；下生殖板顶端较平，侧观成直角或锐角。体呈草绿色或橄榄绿色，后翅基部本色透明，缺红色。

雌性体型较雄性大；产卵瓣粗大，其顶端呈钩形。

采集记录：1♂，户县，2003.Ⅸ.09，白义采；1♂2♀，宝鸡，2004.Ⅸ.11，白义采。

分布：陕西（西安、长安、户县、宝鸡、武功、安康、白河）、北京、河北、山东、上海、湖北、广东、广西；朝鲜，日本。

寄主：竹类、杂草、稻麦。

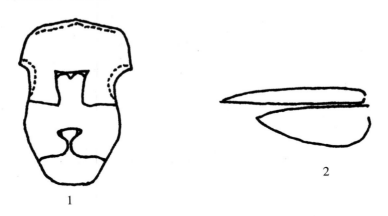

图152　长额负蝗 *Atractomorpha lata*（Motschoulsky）（仿夏凯龄等，1994）

1. 雄性中胸和后胸腹板；2. 雄性前翅和后翅

（5）纺梭负蝗 *Atractomorpha burri* Bolívar，1905（图153）

Atractomorpha burri Bolívar，1905：197，203.

Atractomorpha lanceolata Bolívar，1905：197，202.

鉴别特征：雄性体似纺锤形，较粗短，体长约为体宽的5.0倍。头顶几乎为三角形，其长度约等于复眼的最长直径，头顶呈圆角形，其中隆线较明显；复眼长卵形，其最长直径约为其宽的1.5倍，眼后一列颗粒较多，排列整齐，且突出；颜面隆起较倾斜，隆线明显由颗粒连成，在中央单眼之上纵沟较明显。触角剑状，略短，16～17节。前胸背板的颗粒较多，前缘弧形，中隆线处略凹入，后缘为钝角形。中、侧隆线由颗粒连成，前者较低，后者略不明显；前胸背板侧片后缘域缺膜区；后缘不凹入或略凹入，后下角之后下部成直线或少数略向后突；其下缘具1列小而凸的颗粒，排列整齐。前胸腹板突为片状，中胸腹板侧叶间的中隔为较宽的四边形。前翅、后翅较狭，前翅端部的前缘较直，端部较狭，顶端较尖；前翅略长，超出后足股节端部的长度长于或等于翅长的1/4。后足股节外侧下部和下隆线向外突出。肛上板为长三角形，稍长于尾须。下生殖板侧面观端部为宽圆，近乎钝角形。体色为草绿色或铁锈黄色；后翅基部玫瑰色。

雌性体型较大于雄性；前胸背板颗粒较多。

采集记录：白河。

分布：陕西（白河）、广东、广西、四川、云南；越南，泰国，缅甸，印度，尼泊尔，不丹，马来西亚群岛。

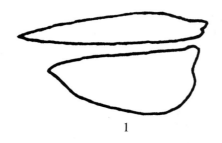

1

图 153　纺梭负蝗 Atractomorpha burri Bolívar(仿夏凯龄等，1994)

二、斑腿蝗科 Catantopidae

鉴别特征：体中型至大型，变异较多。头部一般为卵形，颜面侧观为垂直或向后倾斜；头顶前端缺细纵沟，侧缘之头侧窝不明显或缺如；触角丝状。前胸背板的变异较多，一般具有中隆线，有时在沟前区明显隆起，有时中隆线不明显或缺如；侧隆线在多数种类缺如，仅少数种类具有明显的侧隆线。前胸腹板的前缘明显地突起，呈锥形、圆柱形或横片状。中胸腹板侧叶一般为较宽地分开，仅少数种类侧叶的内缘相互毗连。后胸腹板侧叶一般分开，仅少数在侧叶后端部分相互毗连。前翅、后翅均很发达，有时退化为鳞片状或缺如。鼓膜器在具翅种类均很发达，仅在缺翅种类不明显或缺如。后足股节外侧中区具羽状纹，其外侧基部的上基片明显地长于基片，仅少数种类的上、下基片近乎等长。雄性阳具基背片的形状变化较多，均具冠突，具锚状突或缺如，缺附片。发音方式为前翅—后足股节型、前翅—后足胫节型或后翅—后足股节型。

分类：主要分布于东洋区，古北区种类较少。中国已知 17 亚科 93 属，陕西秦岭地区分布 15 属 28 种。

分属检索表

1. 体型大；中胸腹板侧叶狭长，侧叶的长度明显大于宽度 ················· 2
   体中型、小型；中胸腹板侧叶宽短，侧叶的长度相等于或明显短于其宽度 ················· 3
2. 前胸背板中隆线脊状隆起，侧面观呈弧形，被 3 条横沟所切断，背板表面具颗粒突起和短隆线；体呈单一绿色，前翅绿色，后翅基部红色。后足胫节刺较长，外缘刺 8 个，内缘刺 10 个
   ················· **棉蝗属 Chondracris**
   前胸背板中隆线低，不脊状隆起，侧面观平。前翅端部具有垂直的横脉，几乎垂直于纵脉。前胸腹板突较长，略向后倾斜。体黄褐色。背面中央具淡黄色纵条纹。雄性尾须基部较宽，向端部趋狭，略侧扁 ················· **黄脊蝗属 Patanga**
3. 后足股节膝部外侧的下膝侧片端部不向后延伸成锐刺状，端部一般成圆形或角形，但绝不呈刺状 ················· 4

后足股节膝部外侧的下膝侧片端部向后延伸，形成锐刺状，似针形。后足胫节端半部通常呈狭片状扩大。前胸腹板突呈圆锥形。雄性腹部末节背板后缘缺尾片 ………… **稻蝗属 *Oxya***

4. 后足股节上侧中隆线平滑，缺细齿 ……………………………………………………… 5
   后足股节上侧中隆线呈锯齿状 ……………………………………………………………… 9

5. 前翅径脉域具有一系列较密的平行小横脉，垂直于主要纵脉。如若退化为鳞片状或缺翅，则前胸腹板突出为横片状。前胸背板具有明显的黑色横沟；前胸腹板突为圆锥形。雄性肛上板呈三角形，两侧向端部趋狭，顶端狭锐。雄性尾须为锥形，有时顶端分叉或呈二叶状 ………
   ………………………………………………………… **蔗蝗属 *Hieroglyphus***
   前翅径脉域缺一系列较密的平行小横脉。如若退化为鳞片状或缺如，则其前胸腹板突非横片状 ……………………………………………………………………………………… 6

6. 雌性和雄性前翅、后翅发达，其顶端略不到达或超过后足股节的端部。雄性尾须的基部和端部均较宽，中部明显地缩狭。雌性下生殖板后缘常具 5 个齿 ………… **腹露蝗属 *Fruhstorferiola***
   雌性和雄性前翅、后翅退化为鳞片状，侧置，在背面较宽地分开 ……………………… 7

7. 前翅较明显，其顶端到达 1、2 腹节背板的后缘。前胸背板后缘仅具极小的三角形凹口。复眼较大，长卵形。头顶在复眼间的距较狭，略狭于颜面隆起触角间的宽度。雄性下生殖板的上缘近端部常具有盾圆形突起 ………………………………………… **蹦蝗属 *Sinopodisma***
   前翅微小，不易见或刚可见 ………………………………………………………………… 8

8. 前翅微小，但明显可见；不超过中胸背板后缘；前胸背板缺侧隆线。雄性腹部末节背板的后缘缺尾片或具不明显的尾片 …………………………………………… **小蹦蝗属 *Pedopodisma***
   前翅极不明显或缺；前胸背板具不明显的侧隆线。雄性腹部末节背板后具尾片 ……………
   ………………………………………………………………… **秦岭蝗属 *Qinlingacris***

9. 前胸背板缺侧隆线 ………………………………………………………………………… 10
   前胸背板具有明显的侧隆线 ………………………………………………………………… 11

10. 前胸腹板突圆柱形，顶端钝圆；后胸腹板侧叶在后端部分相毗连 …………………… 12
    前胸腹板突圆锥形；后胸腹板侧叶在后端部分明显分开 ……………………………… 14

11. 后足股节匀称，较细长，股节长度为宽度的 2.8~3.8 倍；雄性尾须侧扁，顶端有分裂的小齿；前胸背板背面非黑色 ………………………………………… **星翅蝗属 *Calliptamus***
    后足股节匀称，较细长，股节长度为宽度的 4.0~5.0 倍；雄性尾须顶端完整，无分裂小齿；前胸背板背面黑色。头顶背面缺中隆线，头顶不具中隆线；雄性尾须基部和端部宽，中部狭窄，顶端圆形 ………………………………………………… **素木蝗属 *Shirakiacris***

12. 前胸背板在中部不收缩；后足股节外侧黑色横斑不完整或具暗色纵纹 ……………… 13
    前胸背板至少在中部稍收缩；雄性尾须几乎直，顶圆；后足股节外侧具 2 个完整的大黑斑 …
    ………………………………………………………… **外斑腿蝗属 *Xenocatantops***

13. 前胸腹板突不侧扁，如稍侧扁，侧面观狭；后足股节外侧具 2 个不完整的黑色横斑 ………
    ………………………………………………………………… **斑腿蝗属 *Catantops***
    前胸腹板突侧扁，侧面观宽，向后曲；后足股节外侧具暗色纵纹 ………………………
    ………………………………………………………… **直斑腿蝗属 *Stenocatantops***

14. 颜面隆起在触角之间明显突出；前胸背板沿中隆线在前端和后端有四角形黑斑 ………
    ………………………………………………………………… **凸额蝗属 *Traulia***
    颜面隆起在触角之间不突出；前胸背板侧片后下角具淡色斑 ………… **胸斑蝗属 *Apalacris***

2. 稻蝗属 *Oxya* Audinet-Serville，1831

Oxya Audinet-Serville，1831：264，286. **Type species**：*Oxya hyla* Audinet-Serville，1831.
Acridium（*Oxya*）Audinet-Serville，1839：678. **Type species**：*Oxya hyla* Audinet-Serville，1831.

属征：体型中等，通常具细刻点。头顶背观较短，端部钝圆，背面中央略凹，缺纵隆线。触角丝状，略不到达、到达或略超过前胸背板后缘。颜面侧观向后倾斜或较直；颜面隆起全长具纵沟，侧缘明显，到达上唇基；颜面侧隆线明显。复眼较大，椭圆形。前胸背板柱形，通常背面较平，中隆线较弱，侧隆线缺；3 条横沟较细，沟后区较短于沟前区，其后缘钝圆。前胸腹板突圆锥形，其端部圆形或略尖，通常略向后倾斜，有时其后侧较平；中胸腹板侧叶间之中隔的宽通常较短于长。前翅发达，在背面相互毗连；在雌性其前缘往往具刺；后翅在臀脉域基部的背面常具有较密的绒毛。后足股节匀称，膝部的上膝侧片端部为圆形，下膝侧片端部延伸为锐刺状；后足胫节近端部之半较展宽，其上侧外缘形成狭片状，具有外端刺；跗节第 1 节较扁。腹端的腹面常具有丛生毛。雄性肛上板为三角形，端部为圆形或三角形，有时端部形成三叶。尾须为锥形或侧扁，端部为圆形或分支状。下生殖板为短锥形，端部钝圆斜切。阳具基背片桥部为较狭的分开，通常缺锚状突；冠突 2 对，其中外侧的 1 对为钩状，内侧的 1 对为短齿状。雌性下生殖板的后缘常具齿或突起，表面常具纵隆脊或纵沟。产卵瓣细长，在其外缘具齿或刺。体色一般较一致，大体有 2 类：绿色类型和褐色类型。

分布：广泛分布于非洲区、古北区东南部、东洋区、澳大利亚等地区。世界已知 22 种，中国记录 15 种，秦岭地区分布 8 种。

分种检索表

1. 雄性肛上板明显大于宽。侧缘中部各具 1 个不明显的突起，其端部中部颇向后延伸，呈三角形 ··· 2
   雄性肛上板两侧缘中部不具突起 ··· 3
2. 雄性中胸腹板侧叶间中隔在中部近毗连。雌性腹基瓣片内缘具 4~5 个齿突，外缘无齿突。染色体具端带 1~2 对 ································· 小稻蝗 *O. intricata*
   雄性中胸腹板侧叶间中隔长为宽的 9.0 倍。雌性腹基瓣片内缘无齿突，外缘具 2 个齿突。染色体具端带 7 对 ····························· 端带稻蝗 *O. apicocingula*
3. 雌性和雄性前翅、后翅较发达，其顶端均超过后足股节的顶端 ················· 4
   雌性和雄性前翅、后翅均不发达，其顶端远远不到达腹端或刚到达、有时略超过后足股节的端部，此时则雌性下生殖板后缘中央明显突出，端部具有 1 对甚为接近的齿 ··· 山稻蝗 *O. agavisa*
4. 雄性尾须细锥形，端部近 1/5 处明显趋细，顶细锐。雌性腹部第 2、3 节背板后下角缺刺。腹基瓣片内缘缺齿··· **长翅稻蝗 *O. velox***

雄性尾须为锥形，端部不明显趋细，顶端略钝、斜切或分支。雌性腹基瓣片内缘具 1 ~ 3 个齿突 ·· 5

5. 雄性肛上板宽大于长，基部两侧有明显的侧沟，侧缘较直。雌性下生殖板中央具宽纵沟，两侧具隆脊，后缘往往具 4 个齿突。雌性腹部第 2 节背板后下角具弯曲的锐刺····· ·· **日本稻蝗 *O. japonica***

雄性肛上板一般较平，基部两侧缺侧沟。雌性下生殖板的表面较隆起或较平，后缘缺齿，如果具齿，则中央 1 对较接近 ·· 6

6. 雌性腹部第 2 节背板后下角具齿突。下生殖板端半具侧线，无中纵沟，下生殖板后缘具 2 枚齿 ·· **上海稻蝗 *O. shanghaiensis***

雌性腹部第 2、3 节背板后下角均缺刺，下生殖板后缘平滑或具齿 ······························ 7

7. 雌性下生殖板后缘具 4 个齿，中央 1 对隆脊 ··················· **中华稻蝗 *O. chinensis***

雌性下生殖板后缘平滑，顶端之半无纵隆脊····················· **无齿稻蝗 *O. adentata***

（6）上海稻蝗 *Oxya shanghaiensis* **Willemse**，1925（图 154）

Oxya shanghaiensis Willemse，1925：13，54.

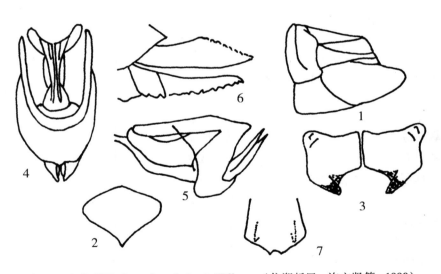

图 154　上海稻蝗 *Oxya shanghaiensis* Willemse（仿郑哲民、许文贤等，1990）

1. 雄性腹端侧面观；2. 雄性肛上板；3. 阳具基背片 4. 阳具复合体背面；5. 阳具复合体侧面；6. 雌性产卵瓣；7. 雌性下生殖板

鉴别特征： 雄性体中型，具细小刻点。眼间距的宽度等于颜面隆起在中眼处的宽度。触角超过前胸背板的后缘，中段一节的长度为宽度的 2.0 ~ 2.4 倍。复眼卵圆，其纵径为横径的 1.5 ~ 1.56 倍，而为眼下沟长度的 2.0 ~ 3.0 倍。前胸背板前部稍狭，中部略收缩。前翅发达，超过后足股节的顶端甚远。肛上板三角形，侧缘略凹，宽大于长，肛上板基部无侧沟。尾须柱状，顶圆。下生殖板短锥形，顶钝圆。阳具基背片具宽桥，无锚桩突，外观突大，钩状，倾斜，内冠突齿状与外冠突相接；色带表皮内突与阳具基瓣等长，色带瓣长柱状，顶尖；阳具端瓣柱状，顶尖。体绿色或黄绿色；眼后带暗褐色；后足股节黄绿色，膝褐色；后足胫节黄绿色。

雌性体型较雄性大。眼间距宽于颜面隆起在中眼处的宽度；触角较短，不到达前胸背板后缘；前翅发达，在前缘具 1 列细齿；腹基瓣片内缘具 1 枚大齿；下生殖板端半具侧隆线，无中纵沟，下生殖板后缘具 2 枚齿。体色同雄性。

采集记录： 1♂1♀，太白，2004. Ⅸ. 06，白义采。

分布： 陕西（西安、长安、蓝田、户县、华阴、太白、宝鸡、勉县、汉中、城固、安康）、河南、甘肃、江苏、上海、浙江、福建、四川、贵州、云南。

寄主： 水稻、小麦、大麦、高粱、甘薯、棉花、甘蔗、苹果。

(7) 小稻蝗 *Oxya intricata* (Stål, 1861)（图 155）

Acridum (*Oxya*) *intricatum* Stål, 1861：335.

Oxya intricata：Walker, 1870：647.

Oxya universalis Willemse, 1925：11-12.

Oxya insularis Willemse, 1925：21.

Oxya siamensis Willemse, 1925：34.

Oxya rammei Tsai, 1931：439.

Oxya moluccensis Ramme, 1941：214.

Oxya hyla intricata：Hollis, 1971：278.

鉴别特征： 雄性体型中等，细小，体表具有细小刻点。触角丝状，25 节，其长略超过前胸背板后缘。头顶宽短，顶端宽圆或钝圆，其在复眼之间的距离略等于颜面部隆起在触角之间的宽度。颜面隆起略宽，纵沟明显，两侧缘近乎平行。复眼较大，卵圆形。前胸背板略呈圆筒形，背面略平；中隆线较弱，缺侧隆线，背面被 3 条横沟切断；前胸背板后缘为圆弧形；后横沟位近后端，沟前区略长于沟后区。前胸腹板突较大，圆锥形，顶端倾斜或斜切。中胸腹板侧叶间之中隔较狭，中隔的长度明显地大于其宽度。前翅完全发育，常不达到后足胫节的中部；后翅长等于前翅。后足股节较细，上隆线缺细齿；内、外下膝侧片的顶端均具有锐刺。后足胫节近端部 1/2 的上侧内缘、外缘均扩大或狭片状，顶端具有内、外端刺。第 1 跗节上、下扁；爪间中垫较大，常超过爪长。肛上板的两侧缘中部各具有 1 个不明显的突起，其端部中央颇向后延伸呈长三角形，基部具中纵沟，肛上板之长明显地长于宽。尾须为锥形，端部略呈斜切。阳具基背片具狭桥，缺锚状突，外冠突呈弯钩状，内冠突不发育或几乎缺如，色带瓣在顶端内凹，阳具端瓣较粗短。

雌性体型较大于雄性。触角略较短，常不到达前胸背板的后缘；头顶短宽，其在复眼间的宽度明显宽于颜面部隆起在触角间的宽度；前翅的前缘具有 1 行较密的细刚毛，自前缘近基部扩大处向端部延伸几乎到达翅端；下产卵瓣较狭长，其外缘具有长齿，在长齿之间具有短齿，端齿成钩状；下生殖板后缘缺齿，表面缺隆脊或仅在端部具有较弱的突起；下产卵瓣基部腹面的内缘各具有小刺。

体呈深绿色或浅褐色。头部在复眼之后、沿前胸背板侧片的上缘具有明显的褐色纵条纹；前翅绿色，或前缘淡褐色，后部为褐色；后翅本色透明，翅脉色深；后足股节绿色，膝部为褐色；后足胫节绿色或青绿色，基部淡褐色，胫节刺的顶端为黑色，跗节为淡褐色。

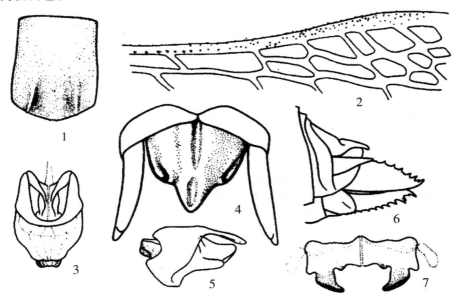

图 155　小稻蝗 *Oxya intricata*（Stål）（仿李鸿昌、夏凯龄等，2006 年）

1. 雌性下生殖板腹面观；2. 雌性前翅前缘；3. 阳具复合体；4. 雄性肛上板及尾须背面观；5. 阳具复合体侧面观；6. 雌性腹端侧面；7. 阳具基背片

采集记录：1♀，长安，2002.Ⅸ.20，卢荣胜采。

分布：陕西（西安、长安、蓝田、周至、户县、凤县、汉中、石泉、安康、商南）、山东、江苏、上海、安徽、浙江、湖北、江西、湖南、福建、台湾、广东、香港、广西、贵州、云南、西藏；琉球群岛，越南，马来西亚，新加坡，苏门答腊，爪哇，菲律宾，泰国。

寄主：水稻、芭蕉、花蕉、水蔗草、象草、台湾草、茶、桂花、白茅、木芙蓉、扶桑、蒲葵、大丽花、红桑等。

(8) 端带稻蝗 *Oxya apicocingula* Ma, Guo et Zheng, 1993（图 156）

Oxya apicocingula Ma, Guo *et* Zheng, 1993：200.

　　鉴别特征：雄性体中小型，具细小刻点。头顶向前突出，顶端圆形，其在复眼前的宽度略宽于颜面隆起在触角之间的宽度。颜面隆起全长具较深的纵沟。复眼卵圆形，其纵径为横径的 1.4 倍，而为眼下沟长度的 3.0 倍。触角细长，其长度超过前胸背板的后缘。前胸背板宽平，前缘较平直，后缘呈钝角形突起；中隆线较低，缺侧隆线；3 条横沟均明显，切断中隆线；后横沟位于中部之后，沟前区长于沟后区；其侧片之长略大于高。前胸腹板突圆锥形，其基部较宽，而端部较狭，后倾。中胸腹板侧叶间的中隔极狭，其长度为宽的 9.0 倍。后胸腹板侧叶后端相互毗连。前翅、后翅均发达，其长度超过后足股节端部。后足股节匀称，上侧中隆线缺细齿，内、外下膝侧片顶端均具锐刺。后足胫节端部之半的侧缘呈片状扩大，顶端具内、外端刺；沿其外缘具 8 个刺，内缘具 10 个刺。跗节爪间中垫较大，常超过爪长。肛上板为狭长的三角形，其长度明显大于宽度，顶端呈角状突出；肛上板侧缘中部形成 2 个小突，基部中央凹陷，两侧缘亦呈凹陷。尾须圆锥形，顶尖，略斜切，其长度超过肛上板顶端。下生殖板顶端圆弧形，阳具基背片外冠突之中部膨大，顶尖，内弯；内冠突较小，靠近外冠突。阳具复合体的色带瓣板和阳具端瓣短而粗，顶端圆形。自复眼之后沿前胸背板侧片上缘，具深褐色纵条纹。前足、中足、后足均呈草绿色；后足股节膝部褐色，下膝侧片之内侧基半部深褐色；胫节刺端部黑色。

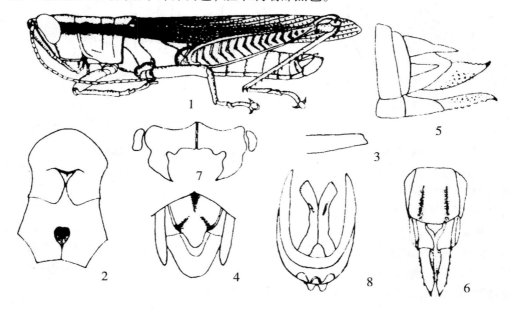

图 156　端带稻蝗 *Oxya apicocingula* Ma，Guo *et* Zheng（仿李鸿昌、夏凯龄等，2006）
1. 雄性整体侧面观；2. 雄性中、后胸腹板；3. 雄性尾须侧面观；4. 雄性腹部末端背面观；5. 雌性腹部末端侧面观；6. 雌性腹部末端腹面观；7. 雄性阳具基背片；8. 雄性阳具复合体

　　雌性体型较大于雄性。头顶宽短，其在复眼间的宽度明显大于颜面隆起在两触角间的宽度。触角较短，略不到达或刚到达前胸背板后缘。腹部背板后下角无齿状突。上、下产卵瓣外缘均具钝齿；下产卵瓣腹面内缘具 2 对齿状突，外缘具 1 列长短

不等的钝齿。下生殖板较长，后端宽平或具极不明显的刺状突。瓣基骨片外侧端部具2对小齿突。下生殖板无纵脊，后缘中央微凹陷。

采集记录: 5♂3♀，安康，1990. X. 22，李典忠采。

分布: 陕西(安康)。

(9) 长翅稻蝗 *Oxya velox* (Fabricius, 1787)(图157)

Gryllus velox Fabricius, 1787: 239.

Gryllus squalidus Marschall, 1836: 213.

Heteracris apta Walker, 1870: 666.

Oxya vicina Brunner v. Wattenwyl, 1893: 152.

Oxya velox: Kirby, 1914: 199.

鉴别特征: 雄性体型中等，体表具有细小刻点。触角细长22~26节，其长到达或略超过前胸背板后缘，其中段一节的长度为其宽度的1.4倍左右。头顶宽短，顶端圆弧形，其在复眼之间的宽度约等于其颜面隆起在触角之间的宽度。颜面隆起略宽，纵沟较浅，两侧缘近乎平行。复眼较大，为卵形。前胸背板略平，两侧缘几乎平行；中隆线明显，线状，缺侧隆线；3条横沟明显，后横沟位近后端，沟前区略长于沟后区。前胸腹板突圆锥形，顶端较钝。中胸腹板侧叶间之中隔较狭，中隔的长度明显地大于其宽度。前翅较长，常到达或超过后足股节的顶端；后翅长等于前翅。后足股节匀称，上隆线缺细齿，内、外下膝侧片的顶端均具有锐刺；后足股节近端部之半的上侧内缘、外缘均扩大成狭片状，顶端具有外端刺和内端刺；跗节爪间的中垫较大，常超过爪长。肛上板为较长的三角形，基部中央具中纵沟，其长到达中部；两侧中央缺突起，由中纵沟顶端至两侧缘各具短侧隆线。尾须为细锥形，较直，端部近1/5处明显趋细，顶端细锐。阳具基背片桥部较狭，缺锚状突；外冠突较长，顶端略弯，内冠突较大，紧挨着外冠突。阳具复合体的色带瓣为向上弯曲的粗大圆柱形，顶端略膨大；阳具端瓣较细长，向上弯曲，几乎包在色带瓣板之内。

雌性体型较大于雄性。触角略较短，常不到达前胸背板的后缘。头顶宽短，其在复眼间的宽度明显宽于颜面隆起在触角间的宽度。前翅的前缘具稀疏的弱齿。腹部第2、3节背板侧面的后下角缺刺。上产卵瓣较直，外缘具齿，各齿不等长，各齿之间具1或2个小齿。下产卵瓣基部腹面的内缘缺齿。下生殖板表面后半部分具1条宽纵凹沟，在其两边各具侧隆脊；后缘宽空处具1对分开的刺。

体呈褐绿色，或背面褐色，侧面绿色。头部在复眼之后，沿前胸背板侧片的上缘具有明显的深褐色纵条纹。前翅褐色，后翅透明淡暗色，翅脉为深色；后足股节绿色或褐色，膝部为暗褐色；后足胫节青绿色，基部和端部暗色，胫节刺顶端为黑色。

采集记录: 3♂2♀，汉中，2004. X. 02，白义采；2♂1♀，旬阳，2004. X. 01，白义采。

分布: 陕西(勉县、城固、汉中、宁陕、汉阴、安康、旬阳)、云南、西藏；泰国，缅甸，印度，巴基斯坦，孟加拉国。

寄主：水稻、芋头、青皮竹、棉花、甘蔗、谷、玉蜀黍、蓖麻、椰子、胡瓜、竹小麦、粟和落花生等。

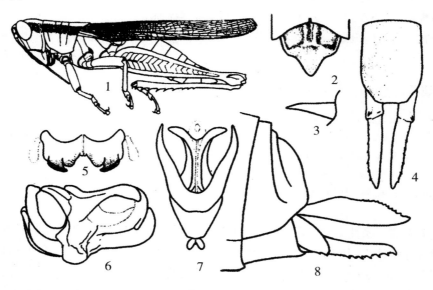

图157　长翅稻蝗 *Oxya velox*（Fabricius）（仿李鸿昌、夏凯龄等，2006）

1. 雄性整体侧面观；2. 雄性肛上板；3. 雄性尾须侧面观；4. 雌性下生殖板及产卵瓣腹面观；5. 阳具基背片；6. 阳具复合体侧面观；7. 阳具复合体背面观；8. 雌性腹端侧面观

（10）日本稻蝗 *Oxya japonica*（**Thunberg，1815**）（图158）

Gryllus japonicus Thunberg, 1815：253.

Acridium sinense Walker, 1870：628.

Heteracris straminea Walker, 1870：666.

Heteracris simplex Walker, 1870：669.

Oxya lobata Stål, 1877：53.

Oxya sinensis Willemse, 1925：32.

Oxya rufostriata Willemse, 1925：33.

Oxya japonica japonica：Hollis, 1971：280.

鉴别特征：雄性体型中等，体表具有细小刻点。触角细长，24～26节，其长仅到达或略超过前胸背板后缘，其中段一节的长度为其宽度的1.5～2.0倍。头顶宽短，长宽相等，顶端圆形，其在复眼之间的宽度等于或略宽于其颜面隆起在触角之间的宽度。颜面隆起较宽，纵沟明显，两侧缘近乎平行。复眼较大，为卵形。前胸背板略平，两侧缘几乎平行；中隆线明显，线状，缺侧隆线，3条横沟均明显；后横沟位近后端，沟前区略长于沟后区。前胸腹板突锥形，顶端较尖。中胸腹板侧叶间之中隔较狭，中隔的长度明显地大于其宽度。前翅较长，不到达后足胫节中部；后翅长等于前翅。后足股节匀称，上隆线缺细齿；内、外下膝侧片的顶端均具有锐刺。后足胫节近端部之半的上侧内缘、外缘均扩大成狭片状，顶端具有外端刺和内端刺；跗节爪间的中垫较大，常超过爪长。肛上板呈圆三角形，具有很发达的皱褶。尾须圆锥形，端部略尖或斜形。阳具基背片桥部较狭，缺锚状突；外冠突具钩状；内冠突细而短；色带后突由背面观为圆三角形，其后缘呈深的凹缝，两侧突不可见，色带瓣后缘具深凹；阳具端瓣较细长，向上弯。

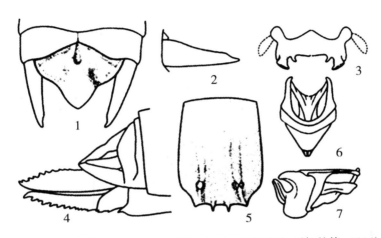

图 158　日本稻蝗 *Oxya japonica*（Thunberg）（仿李鸿昌、夏凯龄等，2006）

1. 雄性肛上板及尾须背面观；2. 雄性尾须侧面观；3. 阳具基背片；4. 雌性腹端侧面观；5. 雌性下生殖板腹面观；
6. 阳具复合体背面观；7. 阳具复合体侧面观

　　雌性体型较雄性为大。触角略较短，常不到达前胸背板的后缘。头顶宽短，其在复眼之间的宽度宽于或略宽于颜面隆起在触角间的长度。前翅的前缘具有弱的刺。腹部第 2 节背板侧面的后下角具刺，第 3 节背板侧面的后下角有略隆起。上、下产卵瓣的外缘皆具齿；下产卵瓣基板腹面内缘具 1 个大的刺。下生殖板腹面具 1 个深纵凹沟，后缘较宽，两侧各具 1 条发达的纵脊，仅其顶端具刺；在其后缘中央具 1 对齿，两侧各具齿。

　　体呈褐绿色，背面黄褐色或绿色，侧面绿色。头部在复眼之后，沿前胸背板侧片的上缘具有明显的褐色纵条纹；前翅褐色，后翅本色；后足股节绿色，膝部为褐色或暗褐色；后足胫节绿色或青绿色，基部暗褐；胫节刺的端部为黑色。

　　分布：陕西（略阳、勉县、汉中、城固、佛坪、洋县）、河北、山东、江苏、浙江、湖北、台湾、广东、广西、四川、西藏；日本，新加坡，马来西亚，菲律宾，斯里兰卡，越南，泰国，缅甸，印度，巴基斯坦。

　　寄主：水稻、杂草、甘蔗。

（11）中华稻蝗 *Oxya chinensis*（Thunberg，1815）（图 159）

Gryllus chinensis Thunberg，1815：253，254.

Gryllus lutescens Thunberg，1815：254.

Oxya vicina Brunner von Wattenwyl，1893：152.

Oxya shanghaiensis Willemse，1925：68.

Oxya manzhurica Bey-Bienko，1929：105.

Oxya rammei Tsai，1931：439.

Oxya formosana Shiraki，1937：21.

Oxya sinuosa：Bey-Bienko & Mistshenko，1951：167.

Oxya maritima：Bey-Bienko & Mistshenko，1951：169.

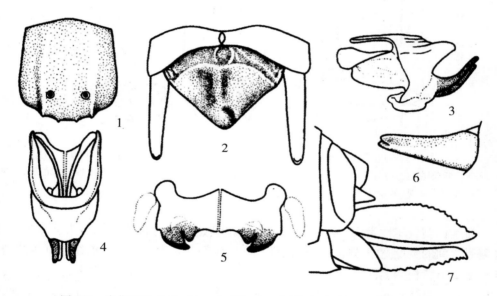

图 159　中华稻蝗 *Oxya chinensis*（Thunberg）（仿李鸿昌、夏凯龄等，2006）

1. 雌性下生殖板腹面观；2. 雄性肛上板及尾须背面观；3. 阳具复合体侧面观；4. 阳具复合体背面观；5. 阳具基背片；6. 雄性尾须侧面观；7. 雌性腹端侧面观

鉴别特征：雄性体型中等。体表具有细小刻点。头顶宽短，顶端宽圆，其在复眼之间的宽度略宽于其颜面隆起在触角之间的宽度。颜面隆起较宽纵沟明显，两侧缘近乎平行。复眼较大，为卵形。触角细长，其长到达或略超过前胸背板的后缘，其中段一节的长度为其宽度的 1.5 ~ 2.0 倍。前胸背板较宽平，两侧缘几乎平行，中隆线明显，线状，缺侧隆线；3 条横沟均明显，后横沟位近后端，沟前区略长于沟后区。前胸腹板突锥形，顶端较尖。中胸腹板侧叶间之中隔较狭，中隔的长度明显大于其宽度。前翅较长，常到达或刚超过后足胫节的中部；后翅略短于前翅。后足胫节匀称，上隆线缺细齿；内、外下膝侧片的顶端均具有锐刺；后足胫节近端部之半的上侧内缘、外缘均扩大成狭片状，顶端具有外端刺和内端刺；跗节爪间的中垫较大，常超过爪长。肛上板为较宽的三角形，表面平滑，两侧中部缺突起，基部表面缺侧沟。尾须为圆锥形，较直，端部为圆形或略尖。阳具基背片桥部较狭，缺锚状突；外冠突较长，近似沟状；内冠突较小，为齿状。色带后突背观为宽圆，两侧突较小，略可见；色带瓣较宽，向后凹入较深；阳具短瓣较细长，向上弯曲。

体呈绿色或褐绿色，或背面黄褐色，侧面绿色，常有变异。头部在复眼之后、沿前胸背板侧片的上缘具有明显的褐色纵条纹；前翅绿色，或前缘绿色、后部为褐色，后翅本色；后足股节绿色，膝部之上膝侧片褐色或暗褐色；后足胫节绿色或青绿色，基部暗色；胫节刺的顶端为黑色。

雌性体型较大于雄性。头顶宽短，其在复眼间的宽度明显宽于颜面隆起在触角间的宽度。触角略较短，常不到达前胸背板的后缘。前翅的前缘具不明显的刺。腹部第 2、3 节背板侧缘的后下角缺刺，有时略隆起。产卵瓣较细长，外缘具细齿，各齿近乎等长；在下产卵瓣基部腹面的内缘各具有 1 个刺。下生殖板表面略隆起在近后缘之两侧缺或各具有不明显的小齿；后缘较平，中央具有 1 对小齿。

采集记录：1♂，长安，2004.Ⅸ.28，卢荣胜采。

分布：陕西(西安、长安、蓝田、户县、眉县、宁陕、旬阳、汉中、石泉、安康、商南)、黑龙江、吉林、辽宁、北京、天津、河北、山东、河南、江苏、上海、安徽、浙江、湖北、江西、湖南、福建、台湾、广东、广西、四川；朝鲜，日本，越南，泰国。

寄主：水稻、玉米、高粱、小麦、甘薯、马铃薯、花生、柑橘、竹子、菱白、茶、棕榈、五节芒、芭蕉、芭蕉芋、甘蔗和豆类等多种农作物。

(12) 无齿稻蝗 *Oxya adentata* **Willemse, 1925**(图 160)

Oxya adentata Willemse, 1925：11, 26.

Oxya chinensis：Hollis, 1971：322.

鉴别特征：雄性体型中等，细长，体表具有细小刻点。触角丝状，25 节，其长仅达到前胸背板后缘，其中段一节的长为宽的 1.5 倍左右。头顶短宽，顶端钝圆，其在复眼之间的距离等于颜面隆起在触角之间的宽度。颜面隆起略宽，纵沟明显，两侧缘近乎平行。复眼较大，卵圆形。前胸背板略呈圆筒形，背面略平；中隆线较弱，缺侧隆线，背面被 3 条横沟切断；前胸背板后缘为圆弧形；后横沟位近后端，沟前区略长于沟后区。前胸腹板突较大，圆锥形，顶端钝圆，其上具长毛。中胸腹板侧叶间之中隔较狭，中隔长度明显大于其宽度。前翅完全发育，其长常超过后足股节的端部；后翅长等于前翅。后足股节较细，上隆线缺细齿，内、外下膝侧片的顶端均具有锐刺。后足胫节近端部 1/2 的上侧内缘、外缘均扩大成狭片状，顶端具有内、外端刺。第 1 跗节上、下扁；爪间中垫较大，常超过爪长。肛上板为短三角形，平滑，基部附近具有 1 条弱的横的弧形隆起。肛上板的长度大大地小于它的宽度。尾须狭而直，圆锥形，顶端较尖，超过肛上板。阳具基背片具狭桥，缺锚状突；外观突顶端略弯；

内冠突略大,紧靠外冠突;色带后突由背面观为宽圆,其前缘中央突出上翘,腹面中央具 1 条几丁质化的直条纹,两侧突较小,可见;色带瓣较宽,向后凹入较深,端部较分开;阳具短瓣较长,向上弯曲。

雌性体型稍大于雄性。触角较短,常不到达前胸背板的后缘。头顶宽短,其在复眼间宽度明显宽于颜面隆起在触角间的宽度。前翅的前缘缺明显的刺。腹部第 2、3 节背板侧面的后下角缺刺,有时略隆起。产卵瓣具有宽而直的上产卵瓣;下产卵瓣较细长,外缘具齿,在下产卵瓣基部腹面的内缘各具有 1 个刺。下生殖板表面平滑,在近后缘缺齿或具有不明显的小齿。

体大部分呈绿色。头部在复眼之后,沿前胸背板侧片的上缘具有明显的褐色纵条纹;前翅绿色或前缘绿色、后部为褐色,后翅透明本色;后足股节绿色,膝部之上膝侧片淡褐色;后足胫节绿色或青绿色,基部淡褐色;胫节刺的顶端为黑色。

采集记录: 1♂,长安,2003. XI. 03,陈茹冰采。

分布: 陕西(长安、佛坪)、内蒙古、山西、宁夏、甘肃等。

寄主: 水稻、玉米、高粱、甘蔗、芦苇、燕麦、马铃薯、豆类及亚麻等。

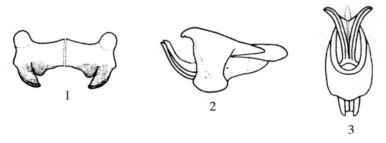

图 160   无齿稻蝗 *Oxya adentata* Willemse(仿李鸿昌、夏凯龄等,2006)

1. 阳具基背片;2. 阳具复合体侧面观;3. 阳具复合体背面观

(13)山稻蝗 *Oxya agavisa* Tsai, 1931(图 161)

Oxya agavisa Tsai, 1931:437.

鉴别特征: 雄性体型中等,体表具有细小刻点。雄性触角细长 25~27 节,略超过前胸背板后缘,其中段一节的长度为宽度的 2.3 倍左右。头顶较短,顶端略圆,其长等于宽,其在复眼之间的宽度略宽于其颜面隆起在触角之间的宽度。颜面隆起略宽,纵沟较浅,两侧缘近乎平行。复眼较大,为卵形。前胸背板较平,两侧缘几乎平行,中隆线略明显,线状;缺侧隆线,3 条横沟明显;后横沟位近后端,沟前区略长于沟后区。前胸腹板突锥形,基部较粗,顶端较尖。中胸腹板侧叶间之中隔较狭,中隔的长度明显地为其最狭的宽度 3.0 倍。前翅、后翅均较不发达,通常不到达或刚到达后足股节端部,有时少数略超过后足股节端部;后翅长,相等于前翅。后足股节匀称,上隆线缺细齿;内、外下膝侧片的顶端均具有锐刺。后足胫节近端部之半的内缘、外缘均扩大成狭片状，顶端具有外端刺和内端刺；跗节爪间中垫较大，常超过爪长。肛上板为较宽的三角形，具弱的基侧褶皱，基部中央具短而浅的中纵沟。尾须为圆锥形，具宽的斜切顶端。阳具基背片桥部较狭，外冠突呈细的钩形，内冠突较小，为齿状；色带后突由背面观为大而圆的长方形；两侧突背面观看不清；色带瓣具有宽而深的后缘凹陷；阳具端瓣较细长，向上弯。

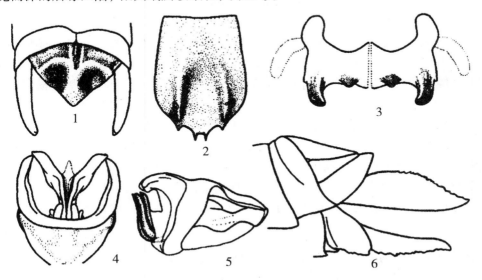

图161　山稻蝗 *Oxya agavisa* Tsai（仿李鸿昌、夏凯龄等，2006）

1. 雄性肛上板及尾须背面观；2. 雌性下生殖板腹面观；3. 阳具基背片；4. 阳具复合体背面观；5. 阳具复合体侧面观；6. 雌性腹部侧面观

　　雌性体型较雄性粗大。触角略较短，常不到达前胸背板的后缘。头顶宽短，其在复眼间的宽度明显宽于颜面隆起在触角间的宽度。前翅的前缘基突较大，其上具有细小的齿。腹部第2、3、4节背板侧面的后下角具刺，以第4节为长。产卵瓣较直，上、下产卵瓣外缘具齿，二齿之间具小齿；在下产卵瓣基部腹面的内缘各具有1个齿。下生殖板后缘具有深而宽的纵沟，在两侧各具1条强的隆脊，沿其下端具长齿；下生殖板后缘向后延伸呈三角形，其三角形的长度为隆脊间宽的1/2，其顶端具1对完全发育的齿，较接近，边缘具有2对小侧齿。

　　体呈绿色或褐绿色，或背面黄褐色，侧面绿色，常有变异。头部在复眼之后、沿前胸背板侧片的上缘具有明显的褐色纵条纹；前翅前缘淡褐色，后部为绿色，后翅本色透明；后足股节绿色，膝部暗褐色或上膝侧片为褐色；后足胫节绿色或青绿色，基部暗色；胫节刺的顶端为黑色。

　　采集记录：2♂1♀，凤县，2004.Ⅸ.07，白义采；3♂，佛坪，2004.Ⅸ.03，白义采。

　　分布：陕西（凤县、佛坪、石泉、洛南）、江苏、上海、安徽、浙江、湖北、江西、湖南、福建、广东、广西、四川、贵州、云南等。

寄主：水稻、禾本科杂草。

3. 蔗蝗属 *Hieroglyphus* Krauss，1877₄

Hieroglyphus Krauss，1877：41. **Type species**：*Hieroglyphus daganensis* Krauss，1877.

属征：体型较大，匀称。头部较短，短于前胸背板。头顶短而宽平，前缘中央略向前突出，缺头侧窝或很不明显。后头隆起高于头顶。颜面侧观向后倾斜。复眼卵圆形。触角丝状，细长，超过前胸背板后缘。前胸背板具3条明显的黑色横沟，中隆线较低，缺侧隆线。前胸腹板突圆锥形，顶端尖锐。中胸腹板侧叶较宽，侧叶间中隔甚狭，中隔的长度几乎等于其最狭处的4.0~8.0倍。前翅较长，超过后足股节的顶端，自基部向端部明显的趋狭。后翅为长三角形。后足股节匀称，下膝侧片的顶端锐角形。后足胫节具内、外端刺，沿其外缘具7~10个刺。跗节爪间中垫较大。腹部第1节背板侧面的鼓膜器明显。雌性上产卵瓣上外缘完整无凹口。

分布：主要分布在非洲和亚洲东南部，中国已知4种，秦岭地区分布1种。

（14）斑角蔗蝗 *Hieroglyphus annulicornis*（Shiraki，1910）（图162）

Oxya annulicornis Shiraki，1910：53，57.

Hieroglyphus annulicornis：Bolívar，1918：29，42.

Hieroglyphus formosanus Bolívar，1922：231，234.

Hieroglyphus tonkinensis Carl，1916：479（nec *H. tonkinensis* Bolívar，1912）.

鉴别特征：雄性体型较大，匀称。头部较大而短，短于前胸背板。头顶略向前突出，背面较宽，并且明显低凹。缺头侧窝，但具小刻点。颜面侧观向后倾斜，与头顶形成锐角；颜面隆起明显，两侧缘间自顶部至唇基具纵沟，中单眼以上纵沟狭而深，其下纵沟逐渐趋宽而浅。复眼长卵圆形，其垂直的直径为其水平直径的1.6倍。触角丝状，细长28~29节，中部一节的长度为其宽度的2.3倍，通常到达后足股节的基部。前胸背板前缘中央部分略向前突出。后缘呈弧形向后突出。中隆线很低，缺侧隆线，3条横沟明显，均切断中隆线。沟前区长于沟后区，沟前区长为沟后区的1.4倍。前胸腹板突圆锥形，顶端尖锐略向后倾斜。中胸腹板基腹片具密集小刻点，两侧叶较宽，侧叶间中隔两端较宽，中间狭，形成狭沟，此沟向后逐渐趋宽，呈三角形。后胸腹板侧叶几乎相互毗连。前翅、后翅均发达，超过后足股节的顶端，前翅顶端圆形，其中脉域的中闰脉明显。后足股节匀称，上侧中隆线光滑，股节端部上膝侧片顶端圆形，下膝侧片顶端呈锐角形。其下缘中央略向上凹陷。后足胫节顶端具内、外端刺，外缘具7~8个刺，内缘具9~10个刺。跗节爪间中垫较大，超过爪的顶端。肛上板三角形。中央具纵沟，末端延长，较尖锐。尾须细长，锥形，顶端向内下方弯曲，其长超过肛上板的顶端。下生殖板圆锥形，顶端尖锐。

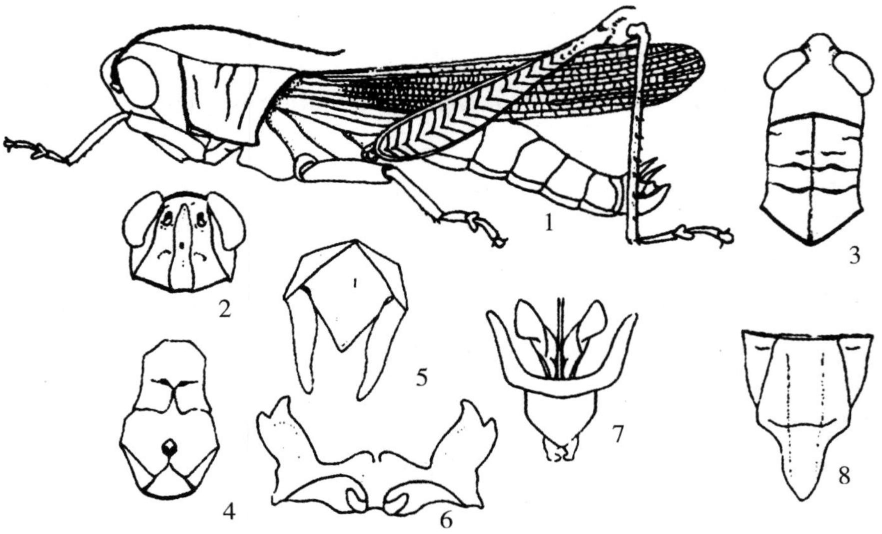

图 162　斑角蔗蝗 *Hieroglyphus annulicornis*（Shiraki）（仿李鸿昌、夏凯龄等，2006）

1. 雄性整体侧面观；2. 雄性颜面正面观；3. 雄性头、前胸背板背面观；4. 雄性中胸、后胸腹板；5. 雄性肛上板、尾须背面观；6. 阳具基背片；7. 阳具复合体；8. 雌性下生殖板腹面观

雌性体型较雄性大。头部较大而短，短于前胸背板；头顶较短，略向前突出，背面平坦，可见微弱的中隆线；缺头侧窝。颜面隆起两侧缘几乎平行，全长具纵沟。触角丝状，超过前胸背板的后缘，不到达后足股节的基部。前胸背板中隆线较弱，缺侧隆线。沟前区长于沟后区，3 条横沟均切断中隆线。前胸腹板突圆锥形；中胸腹板侧叶间中隔狭长，其长度为其最狭处的 8.0 倍；后胸腹板侧叶明显地分开，不相互毗连。前翅、后翅均发达，超过后足股节的顶端。肛上板三角形，自基部两侧缘起通过肛上板的背面中间，形成半圆形隆脊，把肛上板分成前后两部分。尾须侧扁，锥形，其长为其最宽处的 2.1 倍。不到达肛上板的顶端。下生殖板表面两侧纵隆脊几乎平行，各隆脊均具锯齿状突起，其后缘中央具三角形突起。上产卵瓣略长于下产卵瓣，其内缘、外缘均光滑无齿。

体通常呈淡绿色或黄绿色。复眼橘红色或紫红色；触角基部两节黄绿色，其余各节黑色，各节具狭的淡色环；后翅本色透明，翅脉褐色；后足股节黄绿或黄色，外侧上膝侧片基部具 2 个黑色小斑，内侧上膝侧片基部具 1 个较大的黑色斑点；后足胫节绿色，基部具明显黑色环纹，顶端黑色；胫节底侧基部 3/4 具较狭的黑色纵条纹；胫节刺端部黑色；内距、外距均为黑色；后足跗节第 1 节基部黑色，爪端部黑色，爪间中垫的边缘黑色。

采集记录：1♂，安康，2004. X. 01，白义采。

分布：陕西（安康、商南）、河北、山东、江苏、安徽、浙江、湖北、江西、湖南、福建、台湾、广东、广西、四川、云南；日本，越南，泰国，印度。

寄主：水稻、簕竹、甘蔗、白茅、荻、芦苇、玉米、美人蕉、芭蕉、水竹、毛竹、粉单竹、蒲葵、榴梿等。

4. 腹露蝗属 *Fruhstorferiola* Willemse, 1921

Fruhstorferiola Willemse, 1921: 3. **Type species**: *Fruhstorferia tonkinensis* Willemse, 1921.

Caudellacris Rehn et Rehn, 1939: 67, 69. **Type species**: *Fruhstorferiola tonkinensis* Willemse, 1921.

属征：体中型，匀称，略具稀疏的绒毛。头大而短，明显地较短于前胸背板。头侧窝缺如。颜面向后倾斜，颜面隆起在触角之间略扩大，中单眼之下具纵沟，几乎达上唇；侧缘隆线明显，略直，近触角处略弯曲。复眼较大，长卵形，垂直直径约等于水平直径的 1.5 倍。触角细长，超过前胸背板后缘。前胸背板中隆线较低，无侧隆线；3 条横沟明显，均切断中隆线；沟前区较长，为沟后区的 1.2～1.4 倍。前胸腹板突圆锥形，顶端较尖或钝。中胸腹板侧叶明显分开，侧叶间的中隔较宽。前翅、后翅均很发达，不到达、到达或略微超过后足股节顶端。后足股节上侧的上隆线无细齿；下膝侧片顶端宽圆形。后足胫节略弯曲，外缘具 10～12 个刺，内缘具 11 个刺，缺外端刺。腹部第 1 节背板侧面具发达的鼓膜器。肛上板近三角形，顶端较钝，背面中央具纵沟，两侧具不规则的低隆线。雄性腹部末节后缘具明显的小尾片，呈齿状或突起状；尾须较宽，侧扁，近顶端处扩大；下生殖板短圆锥形，顶端略延长。雌性尾须短圆锥形，顶端较圆，下生殖板后缘中央具 1 个锐角状突起，两侧具齿；上产卵瓣狭长，顶端尖锐，下产卵瓣下外缘近基部处具不明显的齿。

分布：东南亚。世界已知 8 种，中国记录 7 种，秦岭地区分布 2 种。

分种检索表

前翅超过或刚到达后足股节顶端。雄性尾须端部扩大，其宽度为中部宽的 2.0 倍，其长度为端部最宽处的 1.5 倍。雌性下生殖板后缘中齿几乎与侧齿等长 …………………… 峨眉腹露蝗 *F. omei*

前翅一般不到达后足股节端部。雄性尾须端部扩大出略狭，其最宽处为中部最狭处 2.0 倍或小于 2.0 倍。雌性下生殖板为长方形，后缘各齿较均匀 ………………… **华阴腹露蝗** *F. huayinensis*

(15) 峨眉腹露蝗 *Fruhstorferiola omei* (**Rehn *et* Rehn,1939**) (图 163)

Caudellacris omei Rehn et Rehn, 1939: 71.

Fruhstorferiola omei: Mistshenko, 1952: 435.

鉴别特征：雄性体型中等，腹面具有较密之绒毛。头大而短，略向前倾斜，中央低凹，顶端为圆弧形。后头宽平，略为隆起。颜面明显向后倾斜，颜面隆起侧缘平行，在中央单眼之下具有不明显的纵沟。复眼大而突出，短卵形，其垂直的直径约为其水平直径的 1.3 倍，为眼下沟长度的 2.0 倍。触角细长，24 节，较远地超过前胸背板后缘，到达后足基节。前胸背板较长，其前缘宽平，后缘为圆弧形突出；中隆线较低，缺侧隆线；3 条横沟均切断中隆线；后横沟较直，位于中部之后，沟前区长为沟后区的 1.1 ~ 1.28 倍。沟前区近前缘具有细小刻点，沟后区具粗大刻点和细皱纹。前胸腹板突为短锥状，顶端较钝，略向后倾斜。前翅、后翅几乎等长，皆发达，其长略超过后足股节顶端，顶端为圆形。后足股节匀称，上隆线缺细齿。后足胫节上侧外缘具 9 ~ 10 个刺，缺外端刺；内缘具 11 个刺（包括内端刺）。腹端最后 1 节后缘中央明显分开，其两侧之尾片不明显。肛上板为三角形，长度几乎等于宽，顶角锐角；基部中间具长三角形纵沟，至 1/2 处。两侧边缘具短条状隆起，端部 1/2 处两侧具点状隆起。下生殖板为短锥形，端部较狭成圆瘤状突起，略向上。尾须略较短，侧观端扩大处较宽，其长度为端部最宽处的约 1.5 倍。

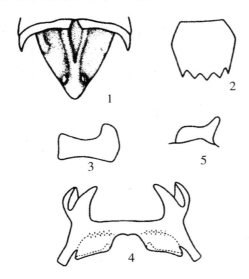

图 163　峨眉腹露蝗 *Fruhstorferiola omei*（Rehn et Rehn）
1. 雄性肛上板背面观；2. 雌性下生殖板腹面观；3. 雄性尾须侧面观；4. 阳具基背片；5. 冠突

体呈黄褐色或绿褐色。头顶中央具 1 条细的褐黑色中条纹，触角黄褐色。自复眼之后方，向后延伸，沿前胸背板侧片之上缘，到达侧片之后缘，各具有 1 条较宽的纵行之黑色斑纹。前胸背板中隆线为黑色。前翅褐色，其基部之半的前缘为黑色；后翅透明，其顶端染以淡烟色，翅脉为深褐色。前足和中足为黄褐色或褐色；后足股节外侧为黄绿色或草绿色，内侧及底侧为黄色；后足股节上侧具有 3 个黑色横斑纹，基部 1 个明显的小或缺，膝部为黑色；膝前环为不明显淡色；后足胫节基部为黑色，在黑色之前并具不明显的淡色环，端部色较深，胫节其余部分的蓝绿色。肛上板为深褐色，其端部突起为黑色。

雌性体型较大于雄性。肛上板三角形，顶端钝形，其上较平，近中部具 1 个横脊；尾须圆锥形，较短，略扁，顶端钝形，其长远不到达肛上板顶端；产卵瓣顶端具钩，上外缘具细小缺刻，下产卵瓣在基部具角齿；下生殖板长宽几乎相等，其后之中齿较短，几乎与两侧齿等长。体色同雄性。

采集记录：1♀，柞水，2002.Ⅸ.03，陈茹冰采。

分布：陕西（长安、周至、户县、太白、华阴、洋县、佛坪、宁陕、安康、柞水）、河南、甘肃、四川。

寄主：水稻。

(16) 华阴腹露蝗 *Fruhstorferiola huayinensis* **Bi** *et* **Xia**, **1980**（图 164）

Fruhstorferiola huayinensis Bi et Xia, 1980：157，159-160.

鉴别特征：雄性体型显著较小，腹面具有较密的绒毛。头部短小，向上隆起，明显高出于前胸背板。头顶略向前倾斜，两侧缘隆线明显，中央低凹，其在复眼前之最宽处明显宽于颜面隆起。颜面明显向后倾斜，颜面隆起侧缘平行，在中央单眼之下具纵沟，到达唇基。复眼大而突出，卵圆形，其垂直的直径为其水平直径的1.1～1.4倍，为其眼下沟长度的1.4～2.0倍。触角细长，远远超过前胸背板后缘，24节。前胸背板狭长，其前缘宽平，后缘为圆弧形，缺侧隆线；中隆线在沟后区较明显；3条横沟均切断中隆线；后横沟位于后端，为沟前区的长度的1.2倍，沟后区具粗大刻点。前胸腹板突为短锥形，略向后倾斜，端部狭锐。前翅、后翅均发达，几乎等长，但都不超过后足股节端部，刚到达或略不到达股节端部；端部狭圆。后足股节匀称，上隆线缺细齿；上侧外缘具8～11个刺，缺外端刺，内缘具10～11个刺（包括内端刺）。腹端最后1节后缘具有较不明显的尾片，圆形，基部明显分开。肛上板为短三角形，其宽略大于长，中央自基部具有细长纵沟，纵沟之两侧低凹；基部两侧各具1条短隆线，端部两侧也各具1条短线。尾须侧扁，端部明显向内弯曲，其长刚超过肛上板端部；由侧面观之，中部略狭，基部较宽，端部明显膨大。下生殖板为短锥形，端部细狭而向上延伸。

体呈黄褐色。自复眼之后方，向后延伸，沿前胸背板侧片之上缘，到达侧片之后缘，各具1条较宽的纵行之黑色斑纹。前胸背板中隆线为黑色。前翅褐色，后翅褐色，后翅基部淡色，其后缘及端部染以淡烟色，翅脉黑色。后足股节上侧具3个黑褐色横斑纹，其中近基部之一较小，膝部为黑褐色；股节外侧略带绿色，内侧及底侧为黄色；后足胫节基部为黑色，端部为烟色，端部底侧烟色斑纹较长，几乎达胫节长的1/3，其余为蓝绿色。腹端背侧为黑褐色。

雌性同雄性，但体型显著大于雄性。肛上板为短三角形，基部中央具有卵形凹陷，中部具有细横隆线；尾须为短锥形，远远地不到达肛上板端部；下生殖板为长方形，其后缘各齿较均匀，仅中央齿明显突出。体色同雄性。

采集记录：1♀，长安，2002.Ⅷ.26，马兰采。

分布：陕西（长安、华阴）。

寄主：红薯、马铃薯、芝麻、豆类、蔬菜等。

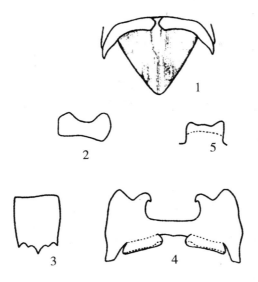

图 164　华阴腹露蝗 *Fruhstorferiola huayinensis* Bi et Xia(仿李鸿昌、夏凯龄等, 2006)

1. 雄性肛上板背面观; 2. 雄性尾须侧面观; 3. 雌性下生殖板腹面观; 4. 阳具基背片; 5. 冠突

5．蹦蝗属 *Sinopodisma* Chang, 1940

Sinopodisma Chang 1940: 40. **Type species**: *Indopodisma* (*Sinopodisma*) *pieli* Chang, K. S. F. 1940.

属征: 体中小型, 较粗壮。头顶较狭, 复眼之间最狭处等于或略小于颜面隆起在触角之间的宽度。颜面侧观略向后倾斜, 颜面隆起侧缘几乎平行, 具中央纵沟。复眼卵形, 复眼的垂直直径为横径的 1.2～1.5 倍。触角丝状, 细长, 超过前胸背板的后缘。前胸背板圆柱形, 具皱纹和细刻点; 前缘较平直, 后缘中央具三角形凹口或缺凹口; 中隆线低, 缺侧隆线; 沟前区的长度为沟后区长度的 1.5～2.0 倍。前胸腹板突圆锥形, 顶较尖。前翅小, 鳞片状, 侧置, 不到达或超过第 1 腹节背板的后缘。后足股节上侧之中隆线平滑; 下膝侧片顶端圆形。后足胫节端部缺外端刺。鼓膜器发达。雄性腹部末节背板后缘具或不具小尾片。肛上板为等边三角形, 中央具纵沟, 近基部两侧各具有较短的斜隆线。尾须基部较宽, 顶端略内曲。下生殖板为短锥形, 端部较尖。阳具基背片桥形, 冠突大。雌性产卵瓣狭长, 上产卵瓣之上外缘具细齿。下生殖板后缘中央具有三角形突出。

分布: 中国特有属, 分布于中国秦岭以南地区。中国已知 18 种, 秦岭地区分布 1 种。

(17) 霍山蹦蝗 *Sinopodisma houshana* Huang, 1982(图 165)

Sinopodisma houshana Huang, 1982: 432-434.

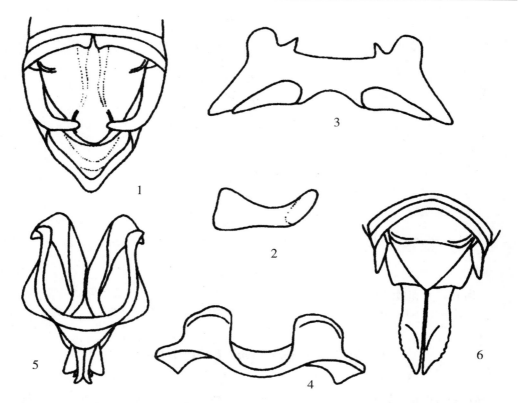

图 165　霍山蹦蝗 *Sinopodisma houshana* Huang（仿李鸿昌、夏凯龄等，2006）

1. 雄性腹端背面观；2. 雄性尾须；3. 阳具基背片背面观；4. 阳具基背片后面观；5. 阳具复合体；6. 腹端背面观

鉴别特征：雄性体型中等。头顶宽短，向前倾斜，其宽度大于颜面隆起在触角间宽度的 1.75 倍，眼间距略小于颜面隆起在触角间宽度的 1.2 倍。颜面侧观向后倾斜，隆起明显，在触角之间宽，向下渐狭，在近唇基处消失，具中央纵沟。复眼卵圆形，复眼的垂直直径为横径的 1.3 倍，而为眼下沟长度的 1.7 ~ 2.0 倍。触角丝状，超过前胸背板后缘，中段一节的长度为宽度的 2.0 ~ 2.5 倍。前胸背板圆柱形，前缘平或中央微凹，后缘中央具宽浅凹；中隆线细而低，缺侧隆线；3 条横沟均切断中隆线，沟前区的长度大于沟后区的 1.7 ~ 2.0 倍；沟前区平滑，侧缘略具皱纹，沟后区具粗大刻点。前胸腹板突圆锥形。中胸腹板侧叶宽略大于长，中隔的长度略大于宽度。后胸腹板侧叶狭的分开。前翅狭叶状，侧置，略不到达或略超过第 1 跗节背板的后缘，侧缘近平行，翅顶圆形，翅长为宽的 3.2 倍。后足股节上侧之中隆线平滑，下膝侧片顶端圆形。后足胫节外缘具 10 ~ 11 个刺，内缘具 11 个刺，缺外端刺。鼓膜器发达，鼓膜孔卵圆形。腹部末节背板后缘具小而圆形的尾片。肛上板三角形，基部两侧具短的斜脊，在背面中央具纵沟，顶端具有 2 条短纵脊。尾须狭长，向内弯曲，端部侧扁，顶端圆形。下生殖板为短锥形，顶端较尖。阳具基背片桥的上侧平，下拱略弯。

体呈黄褐色、褐色至橄榄绿色，体背部褐色。触角褐色；头、前胸背板侧片及中、后胸侧板黄绿色；眼后带黑褐色，可延伸至腹部 1～6 节；前翅臀脉域淡褐色，其余部分黑褐色；前足、中足黄绿色；后足股节橙红色，膝部黑色；后足胫节淡青绿色，基部黑色，近基部具淡黄色环。

雌性与雄性相同。体型较粗大。前胸背板后缘中央有时几看不出凹陷；前翅的长度为宽度的 2.6 倍；肛上板等边三角形，长宽近相等；尾须短锥形；上产卵瓣之上外缘具细齿；下生殖板后缘中央角形突出。体色与雄性同，但后足股节外侧黄绿色或褐色，有的个体具暗色斑纹。

采集记录：7♂8♀，宁陕，1990. Ⅹ. 12，马恩波采。

分布：陕西(宁陕)、河南、安徽、湖北。

寄主：玉米、大豆、蔬菜、禾本科杂草。

6. 小蹦蝗属 *Pedopodisma* Zheng，1980

Pedopodisma Zheng 1980：336-337. **Type species**：*Pedopodisma microptera* Zheng，1980

（ = *Micropodisma emeiensis* Yin，1980）

属征：体小型。头顶向前倾斜，在复眼前明显地扩大，头顶在复眼前最宽处明显地大于颜面隆起在触角间的宽度。颜面侧观向后倾斜，颜面隆起侧缘平行，具纵沟。复眼卵形，其纵径为横径的 1.2～1.58 倍，而为眼下沟长度的 1.47～2.4 倍。触角丝状，细长，到达后足股节基部。前胸背板前缘、后缘均较平直，后缘中央凹陷；中隆线明显，缺侧隆线；沟前区长度为沟后区长度的 1.85～2.3 倍。前胸腹板突圆锥形。前翅极小，略超过或不超过中胸背板后缘。缺后翅。后足股节上侧中隆线平滑；膝侧片顶端圆形。后足胫节缺外端刺；跗节爪间中垫大，超过爪之顶端。鼓膜器发达，鼓膜孔近圆形。雄性腹部末节背板纵裂，后缘缺尾片或具极不明显的小尾片。肛上板三角形。阳具基背片桥状，具锚状突；冠突 1 对，呈短棒状或不规则状。雌性肛上板三角形，顶端钝圆。尾须短锥形。下生殖板后缘中央呈三角形突出。上产卵瓣之上外缘具细齿。

分布：中国。中国已知 5 种，秦岭地区分布 3 种。

分种检索表

（18）秦岭小蹦蝗 *Pedopodisma tsinlingensis*（Cheng，1974）（图 166）

Sinopodisma tsinlingensis Cheng，1974：97-99.

Pedopodisma tsinlingensis：Zheng，1980：339.

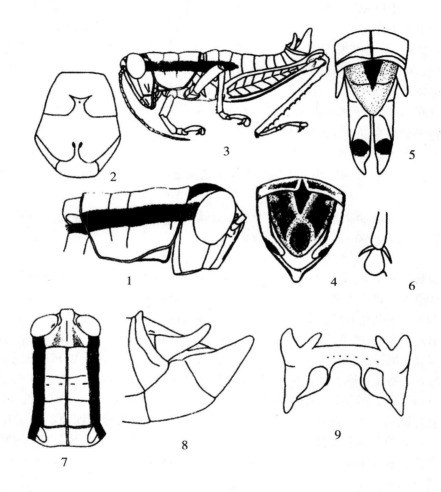

图 166　秦岭小蹦蝗 *Pedopodisma tsinlingensis*（Cheng）（仿李鸿昌、夏凯龄等，2006）

1. 雄性头、前翅、前胸背板侧面观；2. 雄性中胸、后胸腹板面；3. 雄性整体侧面观；4. 雄性腹部末端背面观；5. 雌性腹部末端背面观；6. 雄性后足爪部；7. 头、前胸背板；8. 腹部末端；9. 阳具基背片

鉴别特征：雄性头顶较狭，头顶在复眼前的最宽处为颜面隆起在触角间宽度的 1.3～1.4 倍。颜面隆起侧缘近乎平行，中央具纵沟。复眼卵形，其垂直直径为横径的 1.4～1.55 倍，而为眼下沟长度的 1.47～2.0 倍。触角细长，可达后足股节基部，中段一节的长度为其宽度的 2.0～2.25 倍。前胸背板前缘较平直，后缘圆弧形，中央略凹陷；中隆线全长明显，缺侧隆线。后横沟明显且深，沟前区的长度为沟后区长度的 1.85～2.1 倍，沟后区具粗大刻点。前胸腹板突圆锥形，顶端较尖。中、后胸背板

及腹部第 1 节具粗大刻点。中胸腹板侧叶较宽短，侧叶最宽处为其长度的 1.13 ~ 1.24 倍；中胸腹板侧叶间中隔较狭，其长度为其最狭处的 1.42 ~ 2.0 倍，而中胸腹板侧叶最宽处为中隔最狭处的 2.16 ~ 2.78 倍。前翅较小不到达或刚达到中胸背板后缘，翅端圆形，翅长为其最宽处的 3.5 倍。缺后翅。前、中足股节粗壮。后足股节上侧中隆线平滑，股节的长度为其最宽处的 3.6 ~ 4.3 倍；股节上下膝侧片顶端钝圆。后足胫节上侧内缘具 9 ~ 11 个刺，外缘具 8 ~ 10 个刺，缺外端刺。跗节爪间中垫大而长，卵圆形，长于爪。腹部各节背板具明显的中隆线。鼓膜器发达，鼓膜孔卵圆形。腹部末节背板中央纵裂，其后缘具极不明显的尾片，肛上板三角形，顶端圆形，基部之半中央具纵沟，基部两侧各具 1 个突起，其近顶端两侧各具 1 条纵脊。尾须圆柱形，下缘弧形弯曲，长达肛上板的顶端，基部较宽，中部收缩，渐向顶端变细，在近顶端部分侧扁，顶端钝圆，其长为最宽处的 2.2 ~ 2.9 倍。下生殖板锥状，较细长，顶端尖而略延伸。阳具基背片桥形，桥部上缘较平直，下缘中央凹陷较深；前突和锚状突顶端较钝圆，冠状一端明显膨大，呈不规则状。

雌性复眼卵圆形，其垂直直径为其横径的 1.5 ~ 1.58 倍，而为眼沟长度的 1.4 ~ 1.61 倍。触角较短，可达前胸背板后缘，中段一节的长度为宽度的 2.0 ~ 2.7 倍。前胸背板前缘较平直，后缘圆弧形，中央略凹陷；中隆线明显，缺侧隆线；沟后区具粗大刻点，沟前区的长度为沟后区长度的 1.83 ~ 1.95 倍。中胸腹板两侧叶相距较近，侧叶最宽处为其长度的 1.29 ~ 1.4 倍；中胸腹板侧叶间中隔较宽，其最狭处几乎等于其长度或为长度的 1.09 ~ 1.39 倍，而短于中胸腹板侧叶；侧叶最宽处为中隔最狭处的 1.32 ~ 1.68 倍。前翅极小，仅到达中胸腹板后缘，翅端圆形。缺后翅。后足胫节上侧外缘具 9 ~ 10 个刺，内缘具 10 个刺。后足跗节爪间中垫较小，远不到达爪之顶端。鼓膜器发达。肛上板三角形，基部之半中央具较弱的纵凹，中部具明显的横脊。尾须短锥形，直且不伸达肛上板之顶端。下生殖板后缘中央呈三角形突出。产卵瓣狭长，顶端较尖，上瓣略长于下瓣，上产卵瓣之上外缘具明显的钝细齿。

体呈黄绿色。眼后具褐色带纹，直延至腹部第 2 节；在雌性，仅到达腹部第 1 节。前胸背板中隆线黑色。前翅褐色。前足、中足绿色。后足股节上侧、内侧及底侧橙红色；外侧基部黄色，其余部分橙色，膝部黑色，后足胫节青绿色，其余部分橙色。膝部黑色，基部黑色。

采集记录: 1♂，长安，2003. X. 18，马兰采。

分布: 陕西(长安、周至、华山、洛南)。

寄主: 艾蒿。

(19) 突眼小蹦蝗 _Pedopodisma protrocula_ Zheng，1980(图 167)

Pedopodisma protrocula Zheng，1980：338-339.

鉴别特征: 雄性头顶向前，侧缘隆起明显，复眼较大近圆球形，复眼纵径为横径的 1.3 倍，而为眼下沟长度的 2.1 倍。复眼间部分具纵沟；头顶在复眼的最宽处明显大于颜面隆起在触角间的宽度；眼间距较狭，与第 1 触角几乎等宽。触角细长，到达后足股节基部，中段一节的长度为宽度的 2.5 倍。前胸背板前、后缘较平直，后缘中央凹陷；背板背面在沟前区较平滑，仅两侧略具稀疏刻点，沟后区密具粗大刻点；中隆线明显，缺侧隆线，中、后横沟切断中隆线，沟前区长约为沟后区的 2.3 倍。前胸背板侧片长大于高，后缘几乎平直，前下角近直角形。侧片沟前区光滑，沟后区具粗大刻点。前胸腹板突为钝圆锥形。中、后胸背板及腹部第 1、2 节背板具粗大刻点。中胸腹板侧叶间中隔近长方形，其长为宽的 1.2 倍。前翅极小，到达或略不到达中胸背板后缘，翅端较尖。缺后翅。鼓膜器发达。后足股节匀称，上侧中隆线平滑；下膝侧片顶端圆形。后足胫节上侧内缘具 10 个刺，外缘具 9 个刺，缺外端刺。跗节爪间中垫极大，超过爪之顶端。肛上板三角形，基部之半中央具纵沟，基部两侧各具 1 个突起，端部具 2 条纵脊。尾须向内弯曲，基部较宽，端部上翘，下缘中部呈钝角形。下生殖板短锥形，略向上翘起，顶端较钝。阳具基背片桥形，桥部上缘较平直，下缘中央凹陷较浅，呈宽弧形弯曲；前突、锚状突顶端较钝圆，冠突呈短棒状，且上端明显膨大。

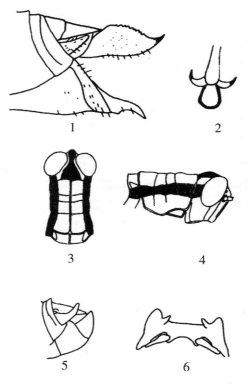

图 167　突眼小蹦蝗 *Pedopodisma protrocula* Zheng（仿李鸿昌、夏凯龄等，2006）

1. 雌性腹部末端侧面观；2. 雄性后足爪部；3. 头、前胸背板背面观；4. 头、前胸背板侧面观；5. 腹部末端；6. 阳具基背片

雌性头顶向前倾斜。颜面隆起全长具纵沟。复眼较大而突出，近卵圆形，其纵径分别为横径及眼下沟长度的1.5倍。触角较粗短，不到达后足股节基部，中段一节的长为宽的1.8倍。前胸背板前缘中央略圆弧形凹陷，而后缘中央圆弧形凹陷明显；中隆线明显，缺侧隆线；仅后横沟切断中隆线；沟前区为沟后区长度的2.0倍。前胸背板侧片后缘较直。后足股节匀称，上侧中隆线平滑。后足胫节上侧内缘具10个刺，外缘具9个刺，缺外端刺。跗节爪间中垫大且超过爪之顶端。肛上板三角形，顶端钝圆，中部具横脊，基部之半中央具纵沟。尾须短锥形。上产卵瓣较长，其长为宽的2.5倍，上外缘具细齿。下产卵瓣之下外缘基部具1个大齿突。下生殖板后缘中央为三角形突出。

体呈黄绿色或黄棕色，眼后具黑色纵带，在雄性向后延伸至腹部第3节；在雌性仅延至腹部第1节。前胸背板背面褐色，侧片下半部黄绿色，前翅褐色。前中足绿色。后足股节绿色，股节上侧部分褐色；膝部黑色。后足胫节蓝绿色，基部黑色，胫节刺端部黑色，跗节蓝绿色。

采集记录：2♂1♀，宁陕，2004.Ⅵ.01，白义采。

分布：陕西(宁陕、汉阴、安康、柞水、镇安、商南)、甘肃。

(20) 佛坪小蹦蝗 *Pedopodisma fopingensis* Zheng *et* Huo, 2000

Pedopodisma fopingensis Zheng *et* Huo, 2000：12.

鉴别特征：前翅仅达中胸背板的1/2，顶尖圆形；复眼纵径为眼下沟长的1.8～3.12倍；雌性下生殖板后缘呈尖角形突出；雄性下生殖板短锥形，顶宽圆。

采集记录：2♂2♀，佛坪，1050m，1997.Ⅴ.23。

分布：陕西(佛坪)。

7. 秦岭蝗属 *Qinlingacris* Yin *et* Chou, 1979

Qinlingacris Yin *et* Chou, 1979：125. **Type species**：*Qinlingacris taibaiensis* Yin *et* Chou, 1979.

属征：体型中等。头较短，甚短于前胸背板。颜面侧观略向后倾斜，颜面隆起明显，中央具纵沟。触角丝状，细长。头侧窝消失。复眼近乎圆形，垂直直径略长于眼下沟之长度。前胸背板沟前区明显缩狭，中隆线甚细，侧隆线微露，且不完整；后横沟位于中部之后，沟前区长约为沟后区长的1.25倍，后缘圆弧形，沿中隆线处具明显的凹口。前胸腹板突圆锥形，顶端略钝。中胸腹板侧叶较宽地分开，侧叶间中隔呈梯形，宽大于长。后胸腹板侧叶分开。前翅、后翅均缺，有时前翅微露，非常小。后足股节上侧中隆线平滑，无细齿。后足胫节顶端缺外端刺。腹部第1节的鼓膜器发达。雄性腹部末节背板后缘具有尾片，下生殖板短圆锥形。雌性上产卵瓣上外缘具小齿。

　　分布：中国特有属，分布于秦岭山地。中国已知 3 种，秦岭地区均有分布。

分种检索表

1. 前翅小或极退化，略露出于前胸背板后缘 ·· 2
   完全无翅，体棕褐色，前胸背板两侧具宽的黑色纵带，后足股节及胫节黄褐色 ·············
   ··· **太白秦岭蝗** *Q. taibaiensis*
2. 前翅极退化，略露出于前胸背板后缘。后足胫节深橄榄色 ············ **橄榄秦岭蝗** *Q. elaeodes*
   前翅小，露出于前胸背板后缘。后足胫节基部褐色，中部黄褐色，端部红色 ·····················
   ··· **周氏秦岭蝗** *Q. choui*

(21) 太白秦岭蝗 *Qinlingacris taibaiensis* Yin *et* Chou, 1979（图 168）

Qinlingacris taibaiensis Yin *et* Chou, 1979：125.

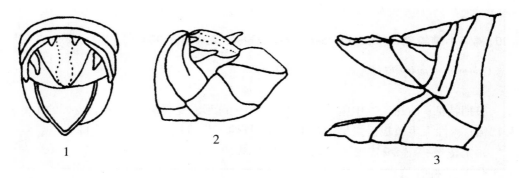

图 168　太白秦岭蝗 *Qinlingacris taibaiensis* Yin *et* Chou（仿李鸿昌、夏凯龄等，2006）

1. 雄性腹部末端背面观；2. 雄性腹部末端侧面观；3. 雌性腹部末端侧面观

　　鉴别特征：雄性体型中等偏小。颜面侧观微向后倾斜，几乎与体轴相垂直，颜面隆起显著，两侧几乎平行，下端稍离唇基。头顶前端侧缘隆线明显，中央凹陷。触角丝状，22 节其顶端略超出前胸背板的后缘。复眼近乎圆形，其垂直直径为眼下沟长的 1.2 倍。前胸背板较长，沟前区明显缩狭，3 条横沟明显，沟前区长为沟后区长的1.3 倍；沟前区比较平坦，沟后区满布点刻；侧隆线微露，全长不完整；中隆线在沟前区较低，不明显，在沟后区较高而明显；后缘中央具明显的凹口，凹口的深度在个体之间略有差别。前胸腹板突圆锥形，顶端较钝。前翅、后翅均缺。后足股节较粗壮，长为最大宽度的 4.0 倍。后足胫节上侧内缘具 10～12 个刺，外缘具 8～10 个刺，缺外端刺。跗节爪间中垫大型，超过爪的长度，两爪弯曲。中胸腹板中隔较宽，其最小宽度大于长度。腹部第 1 节的鼓膜器明显，但由于膜封闭，无鼓膜孔。腹部末节背板后缘具长而宽的尾片，肛上板三角形，中央具黄色纵沟，纵沟的中部明显收缩；两侧中部无齿突。下生殖板宽大，圆锥形，端部略尖，翘在肛上板后方。尾须较短，不到达肛上板的末端。

雌性体型较雄性大而粗壮。复眼长圆形，其垂直直径等于或略小于眼下沟的长度。中胸腹板中隔之宽度为长度的2.0倍，后胸腹板中隔甚宽，略小于中胸腹板中隔之宽度。跗节爪间中垫较小，短于爪之长度。下生殖板后缘具尖形突起。产卵瓣短，表面点刻较少，上产卵瓣和下产卵瓣外缘中部具齿，近端部处凹陷。

体呈棕褐色。前胸背板两侧具宽的黑色纵带；后足股节黄褐色或黄色，有时内侧颜色略浅；后足胫节和跗节黄褐色。

采集记录：1♀，太白，2004.IX.06，白义采。

分布：陕西（太白山）。

(22) 橄榄秦岭蝗 *Qinlingacris elaeodes* Yin et Chou, 1979（图169）

Qinlingacris elaeodes Yin et Chou, 1979：126.

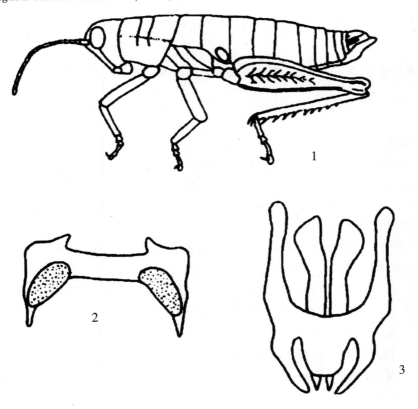

图169　橄榄秦岭蝗 *Qinlingacris elaeodes* Yin et Chou（仿李鸿昌、夏凯龄等，2006）
1. 雄性整体侧面观；2. 阳具基背片；3. 阳具复合体

鉴别特征：雄性头较短，约为前胸背板长度之1/2。颜面侧观略向后倾斜，颜面隆起显著，两侧几乎平行。头顶前端侧缘隆线明显，中央低凹。触角丝状，21 节，略超过前胸背板的后缘。复眼近乎圆形，其垂直直径略长于眼下沟之长度。前胸背板较长，沟前区明显缩狭，3 条横沟明显，侧隆线非常模糊，且不完整；后缘中央具明显的凹口，在个体之间凹口的深度不一。前胸腹板突圆锥形，顶端较钝。前翅非常退化，略露出前胸背板的后缘，部分个体仅在一侧可见，个别个体甚至不见。中胸腹板中隔较宽，宽大于长。后足股节较粗，长约为宽的 4.0 倍以上。后足胫节上侧内缘具 10 个或 11 个刺，外缘具 9 个或 10 个刺，缺外端刺。跗节爪间中垫长于爪。腹部第 1 节的鼓膜器明显。腹部末节背板后缘具尾片。肛上板三角形，中央具纵沟。下生殖板圆锥形。尾须较短，不到达肛上板的端部。阳具基背片和阳具复合体。

　　雌性体型较雄性甚粗壮。头和尾均细，中间粗大，状如橄榄；中胸腹板中隔宽为长的 2.2 倍；爪间中垫短于爪；下生殖板后缘中部尖形；产卵瓣表面具刻点，上产卵瓣上缘具细齿，下产卵瓣近端部处凹陷。

　　体呈橄榄色，后足股节下方及内侧黄绿色，后足胫节深橄榄色。

　　采集记录：1♂，太白，2004.Ⅸ.06，白义采。

　　分布：陕西（太白山）。

（23）周氏秦岭蝗 *Qinlingacris choui* Li，Feng *et* Wu，1991（图 170）

　　Qinlingacris choui Li，Feng *et* Wu，1991：55-57.

　　鉴别特征：雄性体小型。头顶前端侧隆线明显，中央凹陷。颜面略向后倾斜；颜面隆起非常明显，两侧近于平行，下端远离唇基。复眼近于球形，其垂直直径与眼下沟长度近于等长。触角丝状，21 节。前胸背板较长，3 条横沟明显；沟前区长度为沟后区长的 1.28 倍；中隆线在前横沟之前及沟后区处明显，前横沟与后横沟之间部分模糊；侧隆线于沟前区处不明显，沟后区处可见；沟前区较平坦，沟后区遍布刻点；前胸背板后缘于中隆线处具明显的凹口。中胸腹板侧叶间中隔较宽，其宽度大于长度。前翅小，露出于前胸背板后缘，但不超过后胸背板的 1/3。后足股节较粗壮，其长为最宽处的 4.3 倍。后足胫节内侧具 11 个刺，外侧 10 个；内侧、外侧各具有 2 个距，外侧距大于内侧距；缺端刺；跗节爪间中垫大型，弯曲，超过爪长。腹部末节背板后具长而宽的尾片。肛上板近于三角形，中央纵沟于端半部明显扩大。尾须短，不超过肛上板之长度。阳具基背片桥状，桥拱起；锚状突大且斜向内侧。后突宽且呈舌状，下端钝。冠突大，内缘稍卷起。色带表皮内突短于阳具基瓣，色带连片平直。

　　复眼后方及前胸背板两侧具很宽的黑色纵带；后足股节内侧、外侧均黄褐色；后足胫节基部褐色，中部大部分黄褐色，端部红绿色；腹部第 2～7 节背板在靠近中线的前缘处各具黄色椭圆形黑斑 1 对；肛上板中央纵沟黄色。

　　雌性体型较雄性大而粗。复眼椭圆形，其垂直直径小于眼下沟的长度；中胸腹板侧叶间中隔其宽为长的2.5倍；爪间中垫短于爪的长度；下生殖板后缘中央呈三角形突出；产卵瓣表面具点刻，上产卵瓣之上外缘具钝细的齿，下产卵瓣之下外缘亦具钝细齿，其端部及基部常无齿。

采集记录：1♂1♀，宁陕，2004. Ⅵ.01，白义采。

分布：陕西(宁陕)。

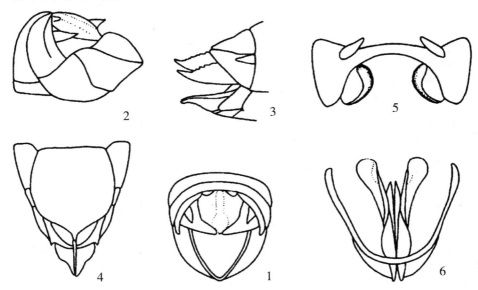

图170　周氏秦岭蝗 *Qinlingacris choui* Li，Feng *et* Wu(仿李鸿昌、夏凯龄等，2006)

1. 雄性腹部末端背面观；2. 雄性腹部末端侧面观；3. 雌性腹部末端侧面观；4. 雌性腹部末端腹面观；5. 阳具基背片；6. 阳具复合体

8. 棉蝗属 *Chondracris* Uvarov, 1923

Chondracris Uvarov, 1923：144. **Type species**：*Acrydium roseum* de Geer(= Chondracrisrosea)，1773.

属征：体型颇大。头大而短，几乎与前胸背板沟后区等长(沿其中隆线)。头侧窝不明显。颜面隆起在中单眼之下具纵沟。复眼卵形，其纵径约等于横径的1.5~1.7倍。触角丝状，细长，超过前胸背板的后缘。前胸背板表面具颗粒和短隆线；前缘沿中隆线处略向前突出，后缘几乎成直角形突出；中隆线显著隆起，呈屋脊状，侧观上缘呈弧状，缺侧隆线；3条横沟均明显，且都割断中隆线。前胸腹板突为长圆锥形，顶端尖锐，颇向后弯曲，倾向中胸腹板。中胸腹板侧叶间的中隔较狭，中隔的长度甚长于宽度。侧叶的内缘后下角几乎成直角，但不毗邻。前翅、后翅均很发达，超过后足股节的顶端。后足股节的上侧中隆线具明显的细齿。后足胫节顶端缺外端刺；胫节齿较长，外缘具8个齿，内缘具10个齿。雄性下生殖板细长，呈尖锐的圆锥形。尾须圆锥形，顶端尖锐。雌性上产卵瓣的上外缘具有不明显的小齿。

分布：非洲,亚洲东南部。中国已知1种,下分2亚种,陕西秦岭地区分布1种。

(24) 棉蝗 *Chondracris rosea* (de Geer, 1773) (图171)

Acrydium roseum de Geer, 1773：488.

Cryllus flavicomis Fabricius, 1787：237.

Cyrtacanthacris lutescens Walker, 1870：564.

Cyrtacanthacris fortis Walker, 1870：567.

Cyrtacanthacris rosea：Kirby, 1914：230.

Chondracris rosea：Uvarov, 1923：39.

鉴别特征：雄性体型颇粗大,具较密的长绒毛和粗大的刻点。头大而短,几乎相等于前胸背板沟后区的长度。头顶宽短,顶端钝圆,无中隆线;其在复眼之间的宽度约等于颜面隆起在触角之间宽度的1.75~2.2倍。头侧窝不明显。颜面略倾斜,颜面隆起宽平,在中单眼之下具纵沟,通常不到达唇基,侧缘几乎平行。复眼长卵形,垂直直径颇长于水平直径。触角丝状,细长,超过前胸背板的后缘,通常有24节。前胸背板前缘较平,后缘呈直角形;中隆线明显隆起,从侧面观,上缘呈弧形,但在沟后区略平行;侧隆线消失;3条横沟都明显,并均割断中隆线;后横沟较接近后端,沟前区较长于沟后区。前胸腹板突为长圆锥形,甚向后倾斜,到达中胸,顶端尖锐。中胸腹板侧叶的中隔呈长方形,中隔的长度明显地较长于宽度。后胸腹板侧叶的后端毗连。前翅、后翅均发达;顶端宽圆,不到达或刚到达后足胫节的中部,其超出股节顶端的长度,约为全翅长的1/4;后翅略短于前翅,透明。后足股节匀称,股节的长度为其宽度的5.5倍。后足胫节顶端无外端刺,沿外缘具8个齿,内缘具11个齿(包括内端刺)。跗节第1节较长,几乎等于其余2节长度的总和。爪间中垫颇长,常超过爪的长度。肛上板三角形,基部具纵沟。尾须略向内曲,顶端尖锐。下生殖板细长圆锥形,顶端狭长而尖锐。

雌性体型明显大于雄性。后胸腹板侧叶的后端较宽地分开;下生殖板短圆锥形,顶端钝圆;产卵瓣粗短,上产卵瓣钩状,下产卵瓣的下外缘基部具有较大的齿。

体通常呈青绿色或黄绿色;后翅基部玫瑰色,顶端本色;后足股节内侧黄色;后足胫节红色,胫节齿的基部黄色,顶端黑色。

采集记录：3♂1♀,长安,2003.Ⅸ.08,白义采。

分布：陕西(西安、长安、蓝田、华阴、安康、旬阳、柞水、镇安、商洛、商南)、内蒙古、河北、山东、江苏、浙江、湖北、湖南、福建、台湾、广东、海南、广西、四川、贵州、云南。

寄主：柿、油桐、白蝉、蒲葵、胡椒、剑麻、茶、柑橘、橄榄、扶桑、茉莉、木芙蓉、蝴蝶果、刺槐、柚木、柠檬桉、毛竹、扁桃、乌桕、龙眼、木麻黄、棉花、苎麻、甘蔗、玉米等。

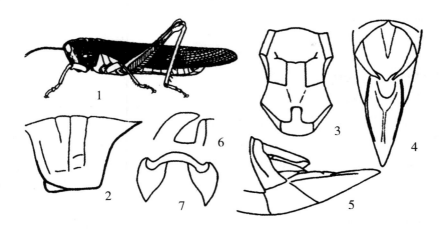

图 171 棉蝗 Chondracris rosea (de Geer)(仿李鸿昌、夏凯龄等, 2006)

1. 雄性整体侧面观；2. 雄性前胸背板侧面观；3. 雌性中胸、后胸腹板腹面观；4. 雄性腹端背面观；5. 雄性腹端侧面观；6. 前胸腹板突侧面观；7. 阳具基背片

9. 黄脊蝗属 *Patanga* Uvarov, 1923

Patanga Uvarov, 1923：143. **Type species**：*Gryllus*（*Locusta*）*succinctus* Johannson, 1763.

属征：体型粗大，狭长或粗短；呈黄褐色，背面中央具黄色纵条纹。头大而短。头顶短宽。头侧窝不明显。颜面侧观近垂直或略后倾，颜面隆起明显，两侧缘近平行。复眼大，卵形。触角丝状，到达或超过前胸背板的后缘。前胸背板较长，前缘、后缘宽圆形，背面常具粗刻点；中隆线低且细，常被 3 条横沟割断，后横近位于中部，沟前区明显缩狭；缺侧隆线。前胸腹板突长圆锥状，直立或后倾，顶端宽圆或略尖。中胸腹板侧叶长大于宽，侧叶的内后角略向内部延伸，呈锐角状；侧叶间之中隔较狭。后胸腹板侧叶在端部毗连。前翅、后翅均发达，明显超过后足股节的端部；前翅顶端的横脉较直，几乎与纵脉组成直角。后足股节匀称，上侧的中隆线具细齿；股节下膝侧片的端部圆形。后足胫节缺外端刺。跗节爪间中垫宽大，常超过爪的端部。腹部第 1 节背板两侧的鼓膜器发达，末节背板后缘具尾片。肛上板长三角形，顶端缩狭，基部中央具纵沟；后缘中央呈钝角状突出。尾须侧观侧扁，基部宽，向端部趋狭，略侧扁，顶端尖或钝圆。阳具基背片桥状，桥狭；锚状突小，有时不明显，前突不明显，后突小，冠突叶片状或齿状。下生殖板长锥状，顶端尖。雌性产卵瓣短或长，直形，顶端尖。

分布：亚洲南部。中国已知 4 种，陕西秦岭地区分布 1 种。

(25) 日本黄脊蝗 *Patanga japonica* (Bolívar, 1898)(图 172)

Acridium japonicum Bolívar, 1898：98.

Orthacanthacris japonica Kirby, 1914：225，229.

Patanga japonica：Uvarov, 1923：364.

鉴别特征：雄性体型大，较短粗。头大，短于前胸背板。头顶短宽。颜面侧观略向后倾，颜面隆起两侧全长近平行，具纵沟。中单眼之上的刻点较浅。复眼长卵形。触角细长，常到达或超过前胸背板的后缘。前胸背板前缘、后缘圆弧形，沟前区较缩狭，中隆线低细，被3条横沟割断；后横沟几乎位于中部，沟前区和沟后区近等长，缺侧隆线。前胸腹板突圆柱形，近直立，顶端钝圆形。中胸腹板侧叶长大于宽，侧叶间之中隔呈长方形，中隔的长度约为其宽度的1.5倍。后胸腹板侧叶在端部毗连。前翅较宽短，仅到达后足胫节的中部，其长度为宽度的5.6~6.0倍。后翅短于前翅。后足股节匀称，股节的长度为其宽度的5.2~5.4倍。后足胫节缺外端刺。外缘具8~9个刺，内缘具9~11个刺。跗节爪间中垫大，超过爪的顶端。肛上板长三角形，两侧缘具突起，基部中央具纵沟。尾须侧观其基部宽，端部逐渐缩狭；顶端钝圆形，略向内曲，到达肛上板的端部。下生殖板长锥形，顶端尖。阳具基背片桥状部较狭，锚状突、前突均不明显，后突小，冠突呈片状，顶端尖。

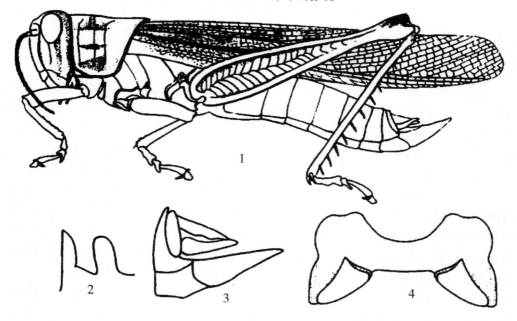

图172　日本黄脊蝗 *Patanga japonica*（Bolívar）（仿李鸿昌、夏凯龄等，2006）

1. 雄性整体侧面观；2. 雄性前胸腹板突侧面观；3. 雄性腹端侧面观；4. 阳具基背片

　　雌性与雄性近似。产卵瓣短粗，上产卵瓣的上外缘缺细齿；下生殖板长方形，后缘中央呈角状突出。

　　初羽化成虫呈淡黄褐色。胸部腹面的绒毛长而密，随着羽化时间增加，体色逐渐加深，呈黄褐色或暗褐色，绒毛逐渐稀少，甚至无绒毛。头的后头，前胸背板沿中隆线处常具明显的黄色纵条纹,此条纹延伸至前翅的臀脉域。前翅背板侧片具2个明显的黄色斑点,底缘黄色。前翅缘前脉域的基部淡黄色,并混杂黑色斑点,中脉域和肘脉域黄色。刚羽化的成虫,后翅本色,随着羽化时间的增长,后翅基部呈现红色,顶端之半烟色。后足股节外侧沿中隆线具黑色纵条纹。

采集记录:1♀,长安,2004.Ⅸ.30,卢荣胜采;5♀,佛坪,1998.Ⅶ.25。

分布:陕西(长安、周至、佛坪、旬阳、汉中、石泉、宁陕、安康、柞水、镇安、洛南、山阳)、辽宁、山东、河南、甘肃、江苏、安徽、浙江、湖北、江西、湖南、福建、台湾、广东、广西、重庆、四川、贵州、云南、西藏;朝鲜,日本,印度,伊朗。

寄主:甘蔗,水稻,茶树,杉树,玉米,小麦,大豆,油菜,萝卜,菱白,柑橘,烟草,甘蔗。

10. 凸额蝗属 *Traulia* Stål, 1873

Traulia Stål, 1873: 37, 58. **Type species**: *Acridium flavoannulata* Stål, 1860.

属征:体型由小到大,身体粗壮或细长,具粗刻点。头大而短,较短于前胸背板。触角丝状,稍扁平,其长到达前胸背板的后缘,雄性触角较长,超过后足股节基部。头较倾斜,颜面隆起侧面观在触角之间颇向前突出,在触角之下略为凹入;刻点粗大,中单眼之下具纵沟。复眼卵圆形,向外突出。头顶角较宽,在其复眼之间的宽度约为颜面隆起在触角之间宽度的2.0倍以上。头侧窝三角形。颜面侧隆线较直或略弯。前胸背板圆筒形,沟后区略扩大或者紧缩;中隆线可见,特别在沟后区较明显,缺侧隆线;3条横沟明显割断中隆线,沟前区长于沟后区。在沟前区的前端和沟后区的大部分沿中隆线,通常各有四角形乌绒斑纹。前胸腹板突圆锥形,顶端尖锐或钝形。中胸腹板侧叶间之中隔较宽,其宽明显地大于长,侧叶之内缘下角为直角或钝角,明显为圆形。后胸腹板侧叶之后端明显地分开,有时在中部略较接近。前翅、后翅都发达或缩短,或为鳞翅。后足股节较粗短,上隆线具细齿,在其顶端形成小刺;下膝侧片为圆弧形。后足胫节略弯,顶端不扩大;缺外端刺沿外缘具刺7~8个,近顶端色彩鲜红或为其他颜色。

雄性腹部最末1节背板后缘一般缺尾片,或少数具有尾片;肛上板三角形,顶端钝或略钝,其上两边中部具或缺突起,中间具基沟或痕迹;尾须基部较扁和顶端较扩大,中部较狭;下生殖板短而钝形;腹部的末端具突起或向上弯。

雌性肛上板三角形或亚三角形,顶端略圆,其上具基中沟,终止在中部横隆线;尾须圆锥形,顶端钝形,不到达肛上板;产卵瓣直,顶端钩形,上缘平滑或略平滑;下生殖板长大于宽;后缘三角形突出。

分布:亚洲。中国已知13种,秦岭地区分布1种。

(26)四川凸额蝗 *Traulia szetschuanensis* Ramme，1941（图 173）

Traulia szetschuanensis Ramme，1941：189.

鉴别特征：雄性体型较大，体表具粗刻点和稀少的绒毛。头大而短，较短于前胸背板。头顶向前倾斜，颜面隆起在触角之间颇向前突出。颜面隆起具纵沟，较浅，其中具粗的颗粒；中单眼之下较收缩，随后向外扩展，垂直向下到上唇基基部，其下的宽度比中单眼之上的宽度为大，侧隆线略弯曲。复眼卵圆形，向外突出，头顶在复眼之间的宽度约为颜面隆起在触角之间的宽度的 2.0 倍。头侧窝三角形。触角丝状，23 节，基部数节扁平，其长度超过前胸背板后缘，几乎到达后足股节基部。前胸背板侧片较平，前缘较平，后缘中央呈钝角形向后凸出；中隆线较隆起，3 条横沟较深地切断中隆线；沟前区较长，为沟后区的 1.3 倍；缺侧隆线。前胸腹板突圆锥形，顶端较钝。中胸腹板侧叶间之中隔略宽，上狭下宽，中隔宽度明显大于长度。后胸腹板侧叶于后端分开。前翅、后翅均发达，等长；前翅长，伸达腹部第 6 节，超过后足股节中部。后足股节略粗壮，上隆中线具细齿；下膝侧片圆弧形。后足胫节较直，顶端不扩大；胫节刺沿外缘具 7 个刺，内缘具 8 个刺，缺外端刺。腹部末节背板后缘两侧各具 1 个微小的尾片。肛上板呈盾形，长与宽近相等，顶端较锐；基部中间具基纵沟，中间较平，两边缘中部具较低的突起。尾须较扁，两端较扩大，中间较狭，顶端呈刀状圆弧形；其长超过肛上板顶端。下生殖板较短，顶端为圆弧形，向上翘。

体一般呈褐色或浅褐色。头部为褐色。触角和复眼为褐色。头顶在复眼之间两侧各具 1 条浅黄色褐色带，经前胸背板到前翅顶端。颜面在上唇基部之上具数粒黑斑点；其余均为褐色。由头顶前到前胸背板沿中隆线到后缘为黑色。在沟前区之前部分和沟后区各具长四角形乌绒暗斑；前胸背板侧片中部为黑色，下部为黄色。前翅浅褐色带之前为黑色，黑色之前为浅褐色。前足和中足为褐色。后足股节基部外侧具 1 块斜的黄色斑纹，外侧下隆线中部具 1 个小的黄斑，近顶端具黄色膝前环。后足胫节基部为黑色，其中包括黄色基前环，顶端 1/2 为橘红色或橘黄色；胫节刺顶端为黑色；跗节为褐色。腹部背面和腹面为褐色，各节侧片具黑色斑纹。

雌性体型较雄性大。触角稍短，超过前胸背板后缘；肛上板为钝角三角形；尾锥圆锥形，顶端略锐，短于肛上板；上、下产卵瓣较粗壮，顶端略具钩，边缘缺齿；下生殖板长大于宽，后缘中间具 1 个尖突，插入下生卵瓣基部之间。

图 173 四川凸额蝗 *Traulia szetschuanensis* Ramme（仿李鸿昌、夏凯龄等，2006）

1. 雄性前翅；2. 阳具基背片

采集记录：2♂，旬阳，2004. X.01，白义采。

分布：陕西（旬阳）、甘肃、湖北、四川、贵州、云南。

寄主：荨麻。

11．斑腿蝗属 *Catantops* Schaum，1853

Catantops Schaum，1853：779. **Type species**：*Catantops melanostictus* Schaum，1853

属征：体型中等，体表具细刻点。头短于前胸背板。头顶的端部近梯形，微凹陷。缺头侧窝。颜面侧观较直或略后倾。复眼卵形。触角丝状，基部4节略侧扁，短于或等于头和前胸背板的长度。前胸背板略呈圆柱状，前端微缩狭，后缘呈钝角状；中隆线微弱，被3条横沟割断；缺侧隆线。前胸腹板突呈圆柱状，较直或微后倾，顶端钝圆。中胸腹板侧叶宽大于长，侧叶间之中隔在中部缩狭，中隔的长度为其最狭处的3.0～4.0倍。后胸腹板侧叶彼此毗连。前翅到达或超过后足股节的端部，端部圆。后足股节粗短，上侧中隆线具细齿，下隆线平滑。后足胫节缺外端刺。跗节爪间中垫较大。雄性腹部末节背板后缘的尾片较钝。肛上板三角形。尾须向上弯曲，基部宽，中部略细，端部略膨大，钝圆。下生殖板锥状。阳具基背片桥状，前突大，指状，后突齿状，侧板大。雌性产卵瓣较短，适当弯曲。

分布：主要分布于非洲及亚洲南部地区。中国已知3种，秦岭地区分布1种。

（27）红褐斑腿蝗 *Catantops pinguis*（Stål，1860）（图174）

Acridium（*Catantops*）*pinguis* Stål，1860：330.

Acridium delineclatum Walker，1870：631.

Acridium signatipes Walker，1870：706.

Catantops pinguis pinguis：Dirsh，1956：103.

鉴别特征：体型中等。头短于前胸背板。头顶略向前倾斜。缺头侧窝。颜面侧观略向后倾斜，颜面隆起自中单眼之下略凹陷。复眼卵形。触角丝状，到达前胸背板的后缘，中断一节的长略大于宽。前胸背板前缘平直，后缘呈钝角状；中隆线细，缺侧隆线；3条横沟明显割断中隆线，后横沟位于中部，沟前区和沟后区近等长。前胸腹板突圆柱状，顶端钝圆。中胸腹板侧叶间之中隔较狭，中隔的长度约为其最狭处的3.0倍；后胸腹板侧叶的端部相互毗邻。前翅、后翅发达，前翅超过后足股节的端部。后足股节匀称，长约为宽的4.0倍，上侧的中隆线具细齿。腹部第1节背板两侧的鼓膜孔呈宽卵形。肛上板端部呈锐角状，基部中央具1条仅达中部的短宽纵沟。下生殖板长锥形，端部甚尖。尾须细长，端部弯曲，超过肛上板的顶端。

雌性体型较大且粗壮。颜面隆起较平坦。触角近基部2/3处较宽，上、下产卵瓣外缘具钝齿。肛上板短三角形，中央具1条宽纵沟。

体红褐色。头部、前胸背板及前翅颜色一致，无斑纹。后胸前侧片具1条黄色斜纹。后翅透明，基部玫瑰色。后足股节外侧粉红色，外侧上隆线近中部具1个近圆形黑斑；内侧红色，具2块形状不规则的黑斑，近基部的一块甚大，从基部始延伸至中部。后足胫节及跗节红色。

分布：陕西（旬阳、安康、镇安、商南）、河北、江苏、湖北、江西、福建、台湾、广东、广西、四川、贵州、云南、西藏；日本，缅甸，印度，斯里兰卡。

寄主：水稻，甘蔗，小麦，棉花，油棕，茶树。在泰国危害玉米、竹子。

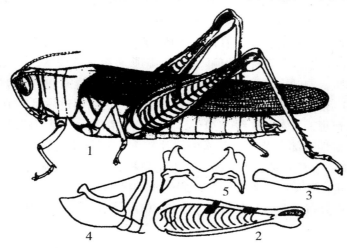

图174 红褐斑腿蝗 Catantops pinguis（Stål）（仿李鸿昌、夏凯龄等，2006）
1. 雌性整体侧面观；2. 后足股节外侧；3. 雄性尾须侧面观；4. 雄性腹部末端侧面观；5. 阳具基背片

12. 直斑腿蝗属 Stenocatantops Dirsh，1953

Stenocatantops Dirsh，1953：137. **Type species**：Gryllus splendens Thunberg，1815

属征：体型较大，细长，体长与体宽的比例为5.3～6.5。头短于前胸背板；头顶的背观呈扇状，侧缘隆线不明显。缺头侧窝。颜面侧观略后倾，颜面隆起具纵沟，颜面侧隆线明显，较直。触角丝状，不到达或到达前胸背板的后缘，中段一节的长度等于或略大于其宽度。前胸背板呈圆柱状，背面略拱起，中部不紧缩；中隆线低细，被3条横沟割断，缺侧隆线。前胸腹板突在顶端1/2处侧扁，向后曲。中胸腹板侧叶宽大于长，侧叶中部几乎毗连；侧叶间之中隔在中部甚缩狭；后胸腹板侧叶全长毗连。前翅很发达，到达或超过后足股节的端部。后足股节较细且狭，上侧中隆线具细齿。后足胫节略短于股节，缺外端刺。跗节爪间中垫较大。腹部第1节背板两侧的鼓膜器发达。雄性腹部末节背板后缘的尾片较钝。肛上板三角形，基部1/2具纵沟，侧缘呈"S"形弯曲，顶端钝圆。尾须圆锥状，略向内和向上弯曲，顶端较尖或较钝，下生殖板长锥状。阳具基背片桥状、锚状突较大，侧板大，前突不明显或明显，后突较小，内突叶状或齿状，有时内突很大。雌性产卵瓣较短，适当弯曲。

分布：中国。我国已知2种，秦岭地区分布1种。

（28）短角直斑腿蝗 *Stenocatantops mistshenkoi* **Willemse F., 1968**（图175）

Stenocatantop mistshenkoi Willemse F., 1968: 9, 34-36.

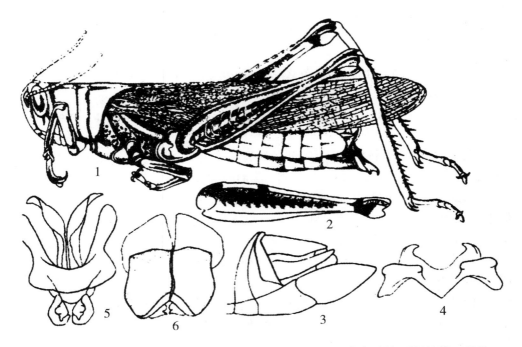

图175　短角直斑腿蝗 *Stenocatantops mistshenkoi* Willemse F.（仿李鸿昌、夏凯龄等，2006）
1. 雌性整体侧面观；2. 雌性后足股节内侧；3. 雄性腹部末端侧面观；4. 阳具基背片；5. 阳具复合体；6. 阳具复合体端部

鉴别特征：雄性体型较粗短。头短于前胸背板；头顶向前倾斜，端部呈圆角状，缺头侧窝。颜面侧观微后倾，颜面隆起几乎全长具纵沟，颜面侧隆线较直。触角较粗短，不到达前胸背板的后缘，中段一节的长度近等于其宽度。复眼长卵形。前背板圆柱状，后缘呈钝角状。中隆线略明显，被3条横沟割断，后横沟位于中部。前胸腹板突略侧扁，顶端宽，向后曲；中胸腹板侧叶间之中隔在中部近毗连；中隔的长度为其最狭处的7.0～8.0倍；后胸腹板侧叶全长毗连。前翅较短，其超出后足股节端部的长度短于前胸背板的长度。后足股节较粗短，长为宽的4.4～4.5倍；后足胫节无外端刺，内缘具10～11个刺，外缘具9～10个刺。尾须圆锥形，略向内和向上弯曲。肛上板三角形。下生殖板锥状，较粗短，顶端略尖。

雌性体型较大；产卵瓣较短宽，上产卵瓣的上外缘无细齿。

刚羽化的成虫体呈黄褐色。中胸、后胸背板的侧片具黄色斜条纹。后足股节内侧上部黑褐色，下部橙红色；膝片的基部黑褐色，股节外侧中域具淡褐色纵条纹；后足胫节橙红色。老熟成虫体呈褐色；触角褐色或红褐色；后足股节下部和后足胫节橘红色。

采集记录：1♂2♀，石泉，2004.X.03，白义采。

分布：陕西（蓝田、周至、户县、太白、凤县、略阳、留坝、佛坪、洋县、宁陕、石泉、汉阴、安康、旬阳、商洛、商南）、江苏、安徽、浙江、湖北、江西、福建、台湾、广东、广西、四川。

寄主：水稻，小麦，甘蔗，茶。

13. 外斑腿蝗属 *Xenocatantops* Dirsh, 1953

Xenocatantops Dirsh, 1953：237. **Type species**：*Acridium humilis* Audinet-Serville, 1839.

属征：体型中等，较粗壮。头短于前胸背板。头顶向前突出，复眼间具隆线。缺头侧窝。颜面侧面观垂直或略向后倾斜，颜面隆起具明显的纵沟。复眼卵形。触角丝状，不到达或超过前胸背板的后缘。前缘背板在沟前区处略缩狭，中隆线较细，横沟明显，缺侧隆线。前胸腹板突圆锥状，顶端略尖或近圆柱状，略向后倾或近于垂直，不侧扁。中胸腹板侧叶宽大于长；侧叶间之中隔在中部略缩狭，其长为最狭处的2.0～3.0倍。后胸腹板侧叶全长毗连。前翅刚到达或超过后足股节的端部。后足股节较直斑腿蝗粗短，长为宽的3.6～3.7倍；上侧中隆线具细齿；下膝侧片的端部圆形；外侧具2个完整的黑色或黑褐色斑纹。雄性腹部末节背板的后缘无尾片。肛上板三角形。尾须锥状，端部圆。下生殖板锥形。雌性产卵瓣较直斑腿蝗粗短，略弯曲。

分布：中国。我国已知3种，秦岭地区分布1种。

(29) 短角异斑腿蝗（短角外斑腿蝗）*Xenocatantops brachycerus* (Willemse C., 1932)（图176）

Cyrtacanthacris punctipennis Walker, 1871：60, 94.

Catantops brachycerus Willemse C., 1932：106.

Xenocatantops humilis brachycerus：Dirsh & Uvarov, 1953：237.

Catantops (*Xenocatantops*) *humilis brachycerus*：Willemse C., 1957：465.

鉴别特征：雄性体中小型，粗壮。头短于前胸背板，头顶略向前突出。缺头侧窝。颜面侧观略向后倾斜；颜面隆起具纵沟，颜面侧隆线明显，较直。复眼卵形。触角较粗短，刚到达或略超出前胸背板后缘，中段一节的长度等于或1.5倍于其宽度。

前胸背板的沟前区较紧缩,背面和侧片具粗刻点;中隆线低且细,被3条横沟割断,后横沟近位于中部,缺侧隆线。前胸腹板突钝锥形,顶端宽圆,微向后倾斜。中胸腹板侧叶间之中隔在中部缩狭。中隔的长度为其最狭处的2.0~3.0倍;后胸腹板侧叶全长毗连。前翅较短,刚到达或略超过后足股节的端部,其超出部分不及前胸背板长度的1/2。后足股节的长度约为其宽度的3.7倍。后足胫节无外端刺,外缘具8~9个刺,内缘具10~11个刺。尾须锥形,顶端略宽,微向内弯曲。肛上板三角形,基部一半具明显纵沟。下生殖板锥状,阳具基背片桥状,具锚状突。

雌性与雄性近似。体型较大;产卵瓣粗短,上产卵瓣的上外缘无细齿。

体呈褐色。复眼后方、沿前胸背板侧片的上部和后胸背板侧片具黄色纵条纹。前翅微烟色;后翅基部淡黄色。后足股节外侧黄色,具2个黑褐色或黑色横斑纹,此2个斑纹下行,并沿着下隆线纵向延伸,下缘褐色;股节内侧红色,具黑色斑纹。后足胫节红色。

采集记录: 1♂,长安,2003.XI.01,马兰采;1♀,留坝韦驮沟,1998.Ⅶ.21。

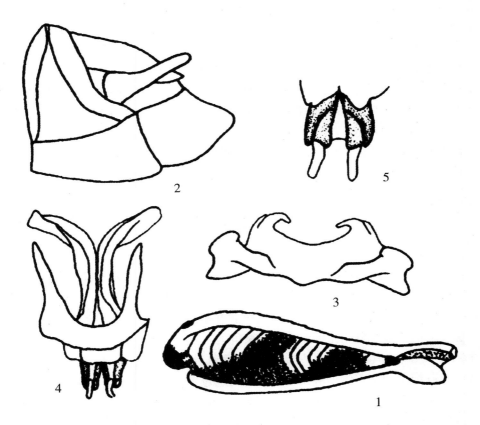

图176　短角异斑腿蝗(短角外斑腿蝗) *Xenocatantops brachycerus* (Willemse C.)(仿李鸿昌、夏凯龄等, 2006)
1. 雄性后足股节内侧;2. 雄性腹部末端侧面观;3. 阳具基背片;4. 阳具复合体;5. 阳具复合体端部

分布：陕西(长安、周至、户县、蓝田、华阴、留坝、宁陕、汉中、石泉、旬阳、安康、柞水、镇安、眉县、洛南、商南)、河北、甘肃、江苏、浙江、湖北、福建、台湾、广东、四川、贵州、云南、西藏；印度北部，尼泊尔，不丹。

寄主：水稻，小麦，甘蔗，甘薯，茶树，杉木，板栗，猕猴桃。

14. 胸斑蝗属 *Apalacris* Walker，1870

Apalacris Walker，1870：641. **Type species**：*Apalacris varicornis* Walker，1870

属征：体型中等，略具细刻点和皱纹。头较短，几乎等于前胸背板沟前区的长度。雌性、雄性颜面隆起在触角之间几乎平坦，向前稍突出。头顶较窄，其在复眼之间的宽度等于颜面隆起在触角间的宽度。复眼椭圆形。雄性触角细长，到达或超过后足股节的基部。前胸背板前缘较平，后缘为直角形突出；中隆线明显，缺侧隆线；3 条横沟明显，并割断中隆线；后横沟位于中部。前翅、后翅较发达，几乎到达或超过后足股节的顶端；前翅端部的横脉垂直于纵脉。后足股节上侧中隆线具细齿。后足胫节上侧顶端缺外端刺，其外缘具 8～10 个刺。前胸腹板突为圆锥形，顶端较尖锐。中胸腹板具有宽的侧叶，侧叶之长等于或明显小于最宽处。后胸腹板侧叶后部明显分开。雄性腹部末节背板的后缘缺尾片。尾须为锥形，较直，顶端较尖。下生殖板为短锥形，顶端略尖。雌性上产卵瓣的上外缘缺齿，顶端尖锐。前胸背板的后下角通常具有黄色斑纹。后足股节常具有 3 条暗色横斑纹。

分布：东南亚地区。中国已知 8 种，秦岭地区分布 1 种。

(30) 异角胸斑蝗 *Apalacris varicornis* Walker，1870(图 177)

Apalacris varicornis Walker，1870：642.

鉴别特征：雄性体型中等，体匀称，略具刻点或皱纹。腹部和足均具绒毛。头颇短，短于前胸背板的长度。头顶略向前倾斜，与颜面隆起相连，圆角形，一般约为六角形；其在复眼之间的宽度略窄于颜面隆起在触角之间的宽度。头侧窝不明显。单眼较明显。颜面隆起具粗密的刻点，在触角之间较宽，向下趋狭或收缩，自此到上唇基之纵沟不明显，其两侧几乎平行；颜面侧隆线较直并隆起。复眼突出，卵形，垂直直径约为其横径的 1.5 倍。触角丝状，其长超过前胸背板后缘。前胸背板近似圆筒形，其前缘为圆弧形，后缘为直角形；沟后区略向外扩展；中隆线明显，3 条横沟切断中隆线，缺侧隆线；后横沟位于前胸背板中部。前胸腹板突为短而直的圆锥形，顶端钝或略尖。中胸腹板侧叶的长宽相等或宽略大于长，其内缘为圆弧形；其侧叶间之中隔，宽大于长，后缘较宽。后胸腹板侧叶于后缘分离。前翅、后翅皆发达，两者等长，其长超过后足股节端部；前翅之前缘、后缘几乎平行，前缘基部具 1 个扩大处，顶端圆形切割。后翅膜质,长形。后足股节较粗,上侧中隆线具小齿;膝侧片为圆弧形。后足胫节略弯,顶端不扩大,缺外端刺,其外缘具9~10个刺,内缘具10个刺。后足跗节较短,不到达胫节中部,其第3节长度约为其余2节之和。腹部末节背板的后缘缺尾片。尾须为圆锥形,未超过肛上板的顶端。肛上板为长三角形,顶端圆形。下生殖板圆锥形,较短,顶端为锐角。

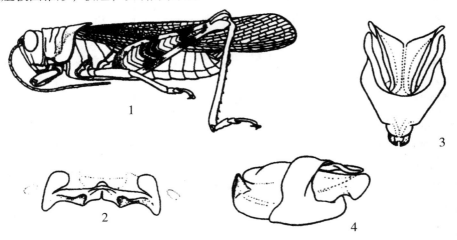

图177　异角胸斑蝗 *Apalacris varicornis* Walker(仿李鸿昌、夏凯龄等,2006)
1. 雄性整体侧面观;2. 阳具基背片;3. 阳具复合体背面观;4. 阳具复合体侧面观

雌性体型较雄性大。前胸背板后横沟位于中部之后;尾须短,圆锥形,远不到达肛上板的顶端;肛上板为三角形;上产卵瓣边缘具小齿,顶端呈钩形;下生殖板长大于宽,后缘钝角突出。

体一般呈褐色或橄榄绿色。头橄榄绿色或褐色。触角褐色或红褐色,基部和顶端数节为淡褐色。前胸背板褐色,橄榄绿色或黑褐色,侧片后缘具1个长条形黄色斑,有时为红褐色,黄色斑的下端向前延伸到中横沟;侧片的上部具有2个褐色斑纹。前翅褐色或橄榄绿色,并具有分散的小黑色斑,特别是雌性较多。后翅为淡蓝色,顶端和后缘烟色。前足、中足为淡橄榄绿色,褐色或黄褐色。后足股节外侧呈黄色或黄褐色,具3个黑色斜斑纹,多数较完整;外侧下缘具黑褐色条纹,内侧和内侧下缘为红色,无黑斑;在膝前具1个黄色环,膝部为褐色,内、外侧下膝片为红色或外侧下膝片为淡褐色或具小黑斑。后足胫节红色,胫节刺端为黑色。后足跗节红色、红褐色。腹部和腹板为褐色。

采集记录: 1♂,凤县,2004.Ⅸ.07,白义采。

分布: 陕西(凤县、略阳、留坝、勉县、汉中、旬阳、安康、商南)、安徽、湖南、福建、广东、广西、四川、贵州、云南;日本,越南,马来西亚,印度,爪哇,苏门答腊,泰国。

寄主: 葛麻藤,搜山虎,松树,五节芒。

15. 星翅蝗属 *Calliptamus* Audinet-Serville, 1831

Calliptamus Audinet-Serville, 1831: 284. **Type species**: *Gryllus (Locusta) italicus* Linnaeus, 1758.

Caloptenus Brunner-Wattenwyl, 1882: 86, 216. Emendation for *Calliptamus* Audinet-Serville 1831.

Metromerus Uvarov, 1938: 379. **Type species**: *Caloptenus coelesyriensis* Giglio-Tos, 1893.

属征：体匀称，小型或中型。头短。头顶较狭，表面凹陷，侧缘明显。颜面隆起宽平，无纵沟。头侧窝不明显。复眼长卵形。触角丝状到达或略超过前胸背板的后缘。前胸背板圆筒状，后缘呈钝角形突出；中隆线低，侧隆线明显，近平行，中隆线和侧隆线通常被3条或2条横沟割断，后横沟位于中部或中部之后。前胸腹板突圆柱状，顶端钝。中胸腹板侧叶宽大于长，侧叶间之中隔较宽。后胸腹板侧叶彼此分开。前翅、后翅发达，超过后足股节的顶端，有时缩短，仅超过后足股节的中部。后足股节粗短，上侧隆线具小齿。后足胫节缺外端刺，胫节内侧距等长，无粗毛。雄性腹部末节背板后缘缺尾片；肛上板为长三角形；尾须狭长，略向内弯曲，顶端分成上、下两叶，上叶通常较下叶长，下叶的顶端不分齿或分成2个小齿；下生殖板为短锥状，顶端略尖。阳具基背片板状，呈梯形；锚状突短且粗壮，呈指状，无冠突，前突通常明显，后突发达，侧板明显，在基背片的中央，锚状突的基部有时具1对被薄膜覆盖着的孔。雌性产卵瓣较短，平直，上产卵瓣的上外缘无细齿或细齿不明显。

分布：分布在古北区干旱、半干旱的荒漠草原。中国已知5种，秦岭地区分布1种。

(31) 短星翅蝗 *Calliptamus abbreviatus* Ikonnikov, 1913 (图178)

Calliptamus abbreviatus Ikonnikov, 1913: 19.

Calliptamus ictericus Karny, 1908: 35.

Calliptamus sibiricus Vnukovsky, 1926: 91.

鉴别特征：雄性体型小至中等。头短于前胸背板的长度，头顶向前突出，低凹，两侧缘明显。头侧窝不明显。颜面侧观微后倾，隆起宽平，缺纵沟。复眼长卵形，其垂直直径为水平直径的1.3倍，为眼下沟长度的2.0倍。触角丝状，细长，超过前胸背板的后缘。前胸背板中隆线低，侧隆线明显，几乎平行；后横沟近位于中部，沟前区和沟后区几乎等长。前胸腹板突圆柱状，顶端钝圆。中胸腹板侧叶间之中隔的最狭处约为其长度的1.3倍。后足股节粗短，股节的长度为宽的2.9～3.3倍，上侧中隆线具细齿。后足胫节缺外端刺，内缘具9个刺，外缘具8～9个刺。前翅较短，常不到达后足股节的顶端。尾须狭长，上、下两齿几乎等长，下齿顶端的下小齿较尖或略圆。下生殖板短锥形，顶端略尖。阳具复合体近似意大利蝗，但阳具瓣较短，其超出阳具侧附突端部的长度等于或短于侧附突的长度。

雌性与雄性近似，体型较大。触角略不到达或刚到达前胸背板的后缘；中胸腹板侧叶间之中隔的最狭处约为其长度的 1.4 倍；产卵瓣粗短，上、下产卵瓣的外缘平滑。

体呈褐色或黑褐色。前翅具有许多黑色小斑点，后翅本色（个别个体红色），后足股节内侧红色具 2 个不完整的黑纹带，基部有不明显的黑斑点，后足胫节红色。

采集记录：2♂♂2♀♀，柞水，2004.Ⅵ.08，白义采；1♀，商南，2004.Ⅵ.10，白义采。

分布：陕西（西安、长安、蓝田、周至、户县、太白、佛坪、洋县、宁陕、汉中、安康、镇安、洛南、商南）、黑龙江、吉林、辽宁、内蒙古、河北、山西、山东、甘肃、江苏、安徽、浙江、江西、广东、四川、贵州；蒙古北部，俄罗斯，朝鲜。

寄主：豆类，马铃薯，甘薯，萝卜，白菜，大葱，瓜类，玉米，亚麻，甜菜，谷类作物，牧草。

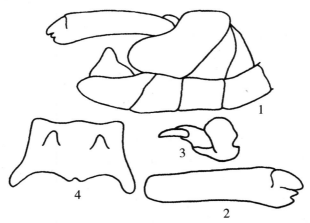

图 178　短星翅蝗 *Calliptamus abbreviatus* Ikonnikov（仿李鸿昌、夏凯龄等，2006）

1. 雄性腹部末端侧面观；2. 雄性尾须侧面观；3. 雄性阳具瓣侧面观；4. 阳具基背片

16. 素木蝗属 *Shirakiacris* Dirsh, 1957

Shirakiacris Dirsh, 1957：861，862. **Type species：** *Euprepocnemis shirakii* Bolívar，1914.

属征：体型中等，匀称。头大而短，较短于前胸背板。头顶低凹，侧缘明显隆起，头顶背面缺中隆线。颜面侧观略向后倾斜，颜面隆起宽平，无纵沟，刻点稀疏。触角丝状，到达或超过前胸背板的后缘。头侧窝消失。复眼卵圆形，其垂直直径为水平直径的 1.4～1.7 倍。前胸背板中隆线较低，侧隆线较弱，彼此几乎平行；3 条横沟明显切断中隆线；前缘较直，后缘呈圆弧形。前胸腹板突近乎圆柱形，顶端呈圆形膨大。前翅、后翅发达，常到达或超过后足股节的顶端；前翅常具不规则的暗斑。中胸腹板侧叶较宽，宽大于长。后足股节匀称，上基片长于下基片，上侧中隆线具细齿。后足胫节缺外端刺。鼓膜器发达。雄性肛上板基部纵沟明显，尾须侧扁，基部和端部较宽，中部缩狭，顶端圆形。雄性下生殖板短锥形。雌性产卵瓣边缘光滑或具小齿。

分布：古北区，东洋区。中国已知 3 种，秦岭地区分布 2 种。

分种检索表

中胸腹板侧叶间中隔较狭，中隔的前端、后端稍宽，中部最狭，中隔之长约等于最狭处的 3.0 倍。前翅、后翅发达，超过后足股节顶端甚长，前翅较狭，顶端狭圆，端部之半透明；后翅略短于前翅 ·· 长翅素木蝗 *S. shirakii*
中胸腹板侧叶较宽，宽大于长；中隔长大于宽，长约为最狭处的 3.0 倍。前翅、后翅均发达，前翅不超过后足股节顶端；后翅与前翅等长 ····························· 云贵素木蝗 *S. yunkweiensis*

(32) 长翅素木蝗 *Shirakiacris shirakii* (Bolívar, 1914) (图 179)

Euprepocnemis shirakii Bolívar, 1914：11.

Eyprepocnemis aberrans Willemse, 1957：243.

Shirakiacris shirakii：Dirsh, 1957：862.

鉴别特征：雄性头短，短于前胸背板。颜面侧观向后倾斜，颜面隆起宽平，侧缘较钝，下端几乎消失。触角丝状，超出前胸背板的后缘。头侧窝不显。头顶宽短，顶端圆形，背面低凹，缺中隆线。复眼大而突出，卵形，其垂直直径为水平直径的 1.4～1.7 倍。前胸背板宽平，中隆线较低，侧隆线明显，在沟后区近后缘部分常消失，侧隆线稍弯曲，前端、后端略向内屈，3 条横沟明显，均切断中隆线，后横沟位于中部；前缘较直，后缘弧形。前胸腹板突圆柱形，略向中胸倾斜，顶端粗圆。中胸腹板侧叶间中隔较狭，中隔的前端、后端稍宽，中部最狭，中隔之长约等于最狭处的 3.0 倍。后胸腹板侧叶后端部分毗连。前翅、后翅发达，超过后足股节顶端甚长，前翅较狭，顶端狭圆，端部之半透明；后翅略短于前翅。后足股节短粗，其长为最宽处的 4.2～4.4 倍，上侧隆线具细齿。后足胫节上侧外缘具 9～10 个刺，缺外端刺。跗节爪间中垫甚长，常到达或超过爪之顶端。尾须向内弯曲，中部较狭，基部和顶端均较宽圆。下生殖板短锥形，顶端略尖。

雌性体型较雄性大而粗壮。中胸腹板侧叶间的中隔长为最狭处的 2.0～2.5 倍；产卵瓣粗短，顶端钩状，上产卵瓣的上外缘光滑无齿。其余与雄性相似。

体呈褐色或黑褐色。自头顶向后，沿后头和前胸背板具宽而明显的黑色纵条纹。前胸背板在黑色纵条纹的两侧具有较狭的黄色纵条纹。前翅具黑褐色圆斑甚多，后翅本色透明。后足股节外侧的黑色纵条纹间断或不明显，上侧和内侧具 2 个不甚明显的褐色横斑，底侧黄色。后足胫节基部之半黄色，具有黑色横纹；顶端之半红色。

跗节基部常为红色。

采集记录：1♂，长安，2002. Ⅶ. 31，卢荣胜采。

分布：陕西（西安、长安、周至、户县、华阴、白河、汉中、城固、洋县、石泉、旬阳、安康、商南）、河北、山东、河南、甘肃、江苏、安徽、浙江、江西、福建、广东、广西、四川；俄罗斯，朝鲜，日本，泰国，印度（阿萨姆邦），克什米尔地区。

寄主：甘蔗，小竹，白茅，绿豆，黄豆，狗尾草，千里光，杉木，茶。

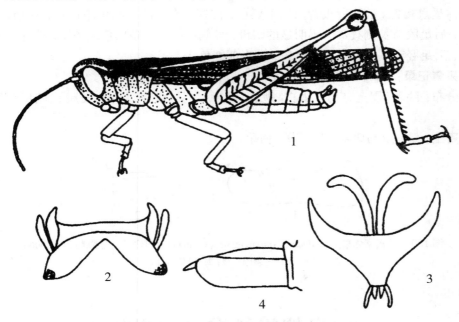

图 179　长翅素木蝗 *Shirakiacris shirakii*（Bolívar）（仿李鸿昌、夏凯龄等，2006）
1. 雄性整体侧面观；2. 阳具基背片；3. 阳具复合体；4. 阳具端瓣

（33）云贵素木蝗 *Shirakiacris yunkweiensis*（Chang，1937）（图180）

Euprepocnemis yunkweiensis Chang，1937：193.

Shirakiacris yunkweiensis：Dirsh，1957：862.

鉴别特征：雄性体型中等偏小，匀称。头大而短，较短于前胸背板。颜面侧观略向后倾斜，颜面隆起宽平，刻点稀疏，无纵沟。头顶低凹，侧缘隆起明显，缺中隆线。触角丝状，超出前胸背板的后缘。头侧窝消失。复眼卵形，其纵径为横径的 1.4 倍，为眼下沟长的 3.5 倍。前胸背板狭长，中隆线较低，侧隆线明显，彼此几乎平行；3 条横沟明显，均切断中隆线，后横沟位于中部之后，沟前区明显长于沟后区；前缘较直，后缘圆弧形。前胸腹板突圆柱状，顶端圆形膨大。前翅、后翅均发达，超过后足股节顶端。中胸腹板侧叶较宽，宽大于长；中隔长大于宽，长约为最狭处的 3.0 倍。后胸腹板侧叶后端彼此毗连。后足股节较匀称，上基片长于下基片，上侧中隆线呈锯齿状。后足胫节上侧内缘具10个刺,外缘具9~10个刺,缺外端刺。肛上板全长具纵沟,基部较明显。尾须中部较狭,基部和端部宽大,略向内弯曲。下生殖板短锥形,顶端略尖。

雌性体型比雄性略大。颜面侧观微倾斜,几乎垂直;复眼略小,其纵径为眼下沟长的2.7倍;中胸腹板中隔较宽,其长为最小宽度的1.8~2.2倍;后胸腹板侧叶后端几乎毗连;产卵瓣端部呈钩状,顶端尖形,边缘光滑无齿。其余与雄性相似。

体呈黑褐色。前胸背板背面近乎黑色;前翅褐色,散布暗色小斑点;后翅透明,无色;后足股节长侧具2个不明显的暗斑,外侧中部具1条黑色纵条纹,膝部上半部黑色;后足胫节基部具1个淡色斑,端半部红色。

采集记录:2♀,周至,2004. IX. 03,白义采。

分布:陕西(周至、户县、太白、勉县、佛坪、洋县、汉中、城固、安康)、四川、贵州、云南。

寄主:黄豆,马唐草,狗尾草,白茅。

图180　云贵素木蝗 *Shirakiacris yunkweiensis*(Chang)(仿李鸿昌、夏凯龄等,2006)
1. 雄性尾须侧面观;2. 阳具端瓣

三、斑翅蝗科 Oedipodidae

鉴别特征:体中小型至大型,一般较粗壮,体表具细刻点,有些种类的体腹面常被密绒毛。头近卵形,头顶较短宽,背面略凹或平坦,向前倾斜或平直;颜面侧观较直,有时明显向后倾斜;头侧窝常缺如,少数种类较明显;触角丝状。前胸背板背面常较隆起,呈屋脊形或鞍形,有时较平。前胸腹板在两前足基部之间平坦或略隆起。前翅、后翅均发达,少数种类较缩短,均具有斑纹,网脉较密,中脉域具有中闰脉,少数不明显或消失,至少在雄性的中闰脉具细齿或粗糙,形成发音器的一部分。后足股节较粗短,上侧中隆线平滑或具细齿,膝侧片顶端圆形或角形,内侧缺音齿列,但具狭锐隆线,形成发音齿的另一部分。发音为前翅—后足股节型或后翅—前翅型。鼓膜器发达。阳具基背片桥形,桥部常较狭,锚状突较短,冠突单叶或双叶。

分类:世界广布,以古北区居多,东洋区种类较少。中国记录37属,分别隶属于4亚科,陕西秦岭地区分布12属18种。

分属检索表

1. 后足股节上侧中隆线全长平滑，缺细齿 ···································· 2
   后足股节上侧中隆线具有明显的细齿。前翅中脉域具有明显的中闰脉，且中闰脉具有细齿。前胸背板中隆线明显地隆起，侧观其上缘近弧形，有时中隆线较弱，不明显隆起，其体之腹面及足均有长而较密的绒毛，后足胫节中部为污蓝色或红色 ···························· 3

2. 前翅中脉域缺中闰脉，有时具有很弱的中闰脉，但中闰脉上缺细齿。后足股节外侧上隆线的端部之半具细齿，可与后翅膨大的纵脉摩擦发音。雌性和雄性无明显的区别，前翅、后翅均发达，雄性前翅略不到达或超过后足胫节的顶端，雌性至少到达后足胫节的1/3处；后足胫节黄色或污黄色。后足股节外侧上隆线端部之半具发音齿 ············ **异痂蝗属 *Bryodemella***
   前翅中脉域具有明显的中闰脉，且中闰脉具有细齿，为发音器的一个部分 ············ 5

3. 前胸背板中隆线较低，侧面观较平直，被后横沟较深的切断，切口明显，后足胫节为污蓝色或为红色。体之腹面及足均具有较密的长绒毛 ··················· **蹠蝗属 *Pternoscirta***
   前胸背板中隆线较高的隆起，侧观呈屋脊状，中隆线仅被后横沟微微切断，但不形成凹形切口
   ·· 4

4. 前翅中脉域之中闰脉较接近中脉，略远离肘脉，鼓膜器的鼓膜片较小，仅覆盖鼓膜孔不及1/3。体之腹面具有较稀少的绒毛。前胸背板中隆线仅被后横沟微切，无明显的切口。前翅基部之半具有很密的横脉，中脉域内之中闰脉的前方具有不平行而组成网状的脉。体为土色 ·········
   ·· **车蝗属 *Gastrimargus***
   前翅中脉域内之中闰脉全长较接近肘脉，而远离中脉。后翅本色，缺暗色横纹。鼓膜器之鼓膜片较大，几乎覆盖住鼓膜孔之半。体之腹面具有较密的绒毛，体型较大 ··· **飞蝗属 *Locusta***

5. 头顶背面观较平，不向前倾斜；颜面侧面观明显向后倾斜，颜面与头顶组成锐角，前胸背板缺侧隆线，有时仅在沟后区略可见短隆线。头侧窝明显或较小 ··················· 6
   头顶侧面观明显向前倾斜，颜面较直，侧面观颜面与头顶组成钝角或近圆形 ·················· 8

6. 头侧窝很小，不明显或缺如，若具头侧窝时，在顶端相距较远。体通常为绿色（干标本为黄褐色），自复眼后缘至前胸背板的后缘常具有暗色纵带纹 ················· **草绿蝗属 *Parapleurus***
   头侧窝明显，三角形或梯形 ··· 7

7. 头侧窝三角形。前翅中脉域之中闰脉较平行于中脉。中胸腹板侧叶间中隔较狭长，常在中部缩狭，其长明显大于宽。雄性下生殖板呈短舌状 ··················· **尖翅蝗属 *Epacromius***
   头侧窝为梯形，明显。前翅中脉域之中闰脉的端部趋近中脉，其顶端常连接中脉。中胸腹板侧叶间之中隔较宽短，其长与宽几乎相等。雄性下生殖板近乎短锥形 ······ **绿纹蝗属 *Aiolopus***

8. 前翅中脉域之中闰脉之前具有平行横脉。中闰脉及横脉均具细齿。后足胫节顶端内侧上、下距明显不等长，其下距明显的较长于上距，距的顶端弯曲成钩状。前翅中脉域之中闰脉的前方平行横脉较密 ··· **异距蝗属 *Heteropternis***
   前翅中脉域之中闰脉的前方缺平行横脉，网状，较稀，横脉上缺细齿，仅中闰脉具有细齿 ··· 9

9. 前胸背板中隆线明显，全长较完整或仅被后横沟所切割 ···························· 10
   前胸背板中隆线被2～3个横沟切割，其上缘形成2～3个切口，有时横沟较细，其切口也较不明显 ··· 11

10. 前胸背板中隆线仅被后横沟微微切割，其上缘无明显的切口；前胸背板中隆线较低，仅略微隆起，侧观其上缘较平直或略呈弧形。前胸背板的背面常具有"X"形淡色斑纹，在隆起的中隆线两侧缺凹窝；侧单眼位于头顶侧缘之下面。前翅端部为膜质，雌性前翅较长，常超过后

足股节的顶端。雄性体之腹面为绿色或黄绿色，但非黑色 ……………… **小车蝗属 Oedaleus**
前胸背板中隆线被横沟明显的深切，其上缘侧面观具有明显的切口；前胸背板中隆线在沟前区不显著隆起，不呈狭片状，一般较低，不显著地高于沟后区的中隆线。后翅缺暗色横纹带，仅前缘及外缘具暗色，基部为红色。前胸背板沟后区在侧隆线与中隆线之间通常具有补充短纵隆线。雌性下产卵瓣腹面基部常较平滑，缺粗糙颗粒。体型一般较大…… **赤翅蝗属 Celes**

11. 前胸背板沟前区之中隆线具有 2~3 个较深的切口，其上缘侧观形成 2 个明显的齿状突起。后头在两复眼之间具有 1 对圆粒状的隆起。后翅缺暗色横带纹。体躯腹面常具有较密的绒毛
………………………………………………………… **疣蝗属 Trilophidia**
前胸背板前区之中隆线缺较深的切口，侧面观也缺齿状突起。后头在两复眼之间平滑，缺圆粒状突起。后翅主要纵脉正常，不明显增粗，其第 2 臀叶之 $2A_1$ 与 $2A_2$ 脉略相互接近，较细，第 3 臀叶缺补充纵脉。体较细长，匀称，后翅具有暗色轮纹或缺如 … **束颈蝗属 Sphingonotus**

17. 踵蝗属 *Pternoscirta* Saussure, 1884

Prionidia Stål, 1873: 116, 127(nec Leach, 1815). **Type species**: *Acridium (Oedipoda) caligino-sum* De Haan, 1842.

Pternoscirta Saussure, 1884: 52, 127(new name for *Prionidia* Stål, 187).

属征：体型中等，雄性匀称，雌性略粗壮。体腹面及足具较密的细绒毛。头大而短，较短于前胸背板。头顶宽短，顶端钝圆，背面略凹，侧缘与前缘均具隆线，与颜面隆起隔开。颜面侧观近乎垂直，颜面隆起明显，在中单眼处低凹略具纵沟。头侧窝小，三角形。触角丝状。复眼卵形。前胸背板较粗糙，具颗粒和短隆线；中隆线较低，侧观较平直，被后横沟较深地切断，切口明显。侧隆线仅在沟后区略可见；后横沟位于中部之前；后缘为角形突出，前胸腹板突微隆起。中胸腹板侧叶较宽地分开。前翅、后翅均发达，翅脉较密，中脉域之中闰脉发达，中闰脉顶端部分较近于中脉，其上具音齿，端部纵脉倾斜，同横脉组成斜的方格。后翅基部常染彩色，顶端暗色。鼓膜器发达，鼓膜片小。后足股节较粗短，上基片长于下基片，上侧中隆线具细齿，膝侧片顶端圆形。后足胫节缺外端刺。跗节爪间中垫到达或超过爪之中部。后足胫节为污蓝色或红色。雄性下生殖板短锥形。雌性产卵瓣粗短，端部略呈钩状，边缘无细齿。

分布：非洲区，东洋区。世界已知 10 种，中国记录 4 种，秦岭地区分布 2 种。

分种检索表

后翅基部玫瑰色或淡红色 ………………………………………… **红翅踵蝗 *P. sauteri***
后翅基部黄色或淡黄色 ………………………………………… **黄翅踵蝗 *P. caliginosa***

(34) 红翅踵蝗 *Pternoscirta sauteri* (Karny, 1915)(图 181)

Dittopternis sauteri Karny, 1915: 60, 84.

Pternoscirta sauteri: Chang, 1935: 86.

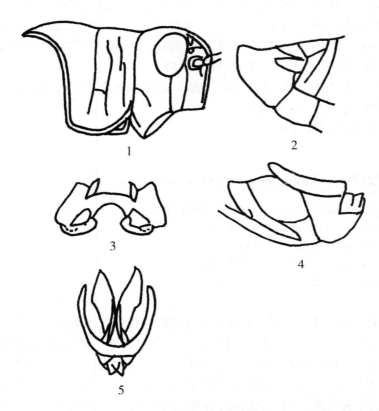

图 181 红翅踵蝗 *Pternoscirta sauteri* (Karny)(仿郑哲民、夏凯龄等, 1998 年)
1. 雄性头、前胸背板侧面观; 2. 雄性腹端侧面观; 3. 阳具基背片; 4. 阳茎复合体侧面观; 5. 阳茎复合体背面观

鉴别特征: 雄性体中小型, 粗短, 具粗糙的颗粒和隆线。腹面及足具有较密的长绒毛。头大而短, 明显短于前胸背板。头顶宽短, 顶端较钝, 背面略凹, 侧缘和前缘均具隆线, 与颜面隆起隔开。颜面侧观近乎垂直, 颜面隆起在中单眼处略低凹, 略具纵沟。头侧窝小, 三角形。触角丝状, 中段一节的长为宽的 1.5 倍。前胸背板较粗糙, 具圆形颗粒和短的隆线; 中隆线明显, 略隆起, 侧隆线仅在沟后区明显, 沟前区略小于沟后区; 后缘呈直角形突出。前翅、后翅均发达, 超过后足股节顶端部分的长度为翅长的 1/5～1/4; 前翅中脉域的中闰脉, 其顶端靠近中脉, 其上具音齿, 端部纵脉倾斜, 同横脉组成斜的方格。后足股节短粗, 上侧中隆线具细齿, 后足胫节内侧具10～11 个刺, 外侧具 8 个刺, 缺外端刺。腹部第 1 节背板侧面鼓膜器发达, 鼓膜片小。肛上板三角形, 中部具略弯的横脊。尾须锥形, 下生殖板短锥形。

雌性体型略大于雄性。产卵瓣粗短，上产卵瓣之上外缘无齿。

体呈暗褐色。前翅具有黑褐色斑点形成横带；后翅基部红色，端部烟色；后足股节上侧具 3 个暗斑，内侧黑色，具 2 个淡色横斑，膝部内侧黑色，外侧暗褐色；后足胫节基部黑色，外侧暗淡，具黑色斑点，近基部具淡色环，其余部分为青蓝色。

雄性体长 18.0～21.0mm，雌性体长 22.5～28.0mm；雄性前胸背板长 4.5～5.0mm，雌性前胸背板长 6.0～6.7mm；雄性前翅长 17.0～20.2mm，雌性前翅长 22.0～27.0mm；雄性后足股节长 11.0～13.0mm，雌性后足股节长 14.0～17.0mm。

采集记录：3♂2♀，柞水，2004.Ⅵ.08，白义采。

分布：陕西(略阳、勉县、柞水、镇安、商洛、商南)、河南、江苏、安徽、浙江、福建、台湾、广东、广西、四川、贵州、云南。

寄主：玉米，红薯，禾本科杂草。

(35) 黄翅踵蝗 *Pternoscirta caliginosa* (**De Haan, 1842**) (图 182)

Acridium (*Oedipoda*) *caliginosum* De Haan, 1842：161.

Acridium cinctifemur Walker, 1859：223.

Oedipoda saturata Walker, 1870：740.

Pternoscirta caliginosa：Saussure, 1884：128.

Pternoscirta saturata：Sauaaure, 1888：36.

鉴别特征：雄性体型中等。头和前胸背板较粗糙。身体腹面和足特别是股节下缘具有较密的长绒毛。头顶宽短而平，具有明显侧隆线。颜面侧观略倾斜或垂直；颜面隆起明显，在中单眼处略低凹，略具纵沟。头侧窝明显，较小，三角形或不规则的圆形。触角超出前胸背板后缘。复眼卵形，大而突出。前胸背板中隆线明显，略隆起，较低，侧观较直；仅被后横沟所切割，侧隆线在沟后区略可见，其后缘呈钝角形突出。前翅、后翅均发达，前翅较狭，其长超过后足股节顶端，长为宽的 5.5 倍，其超过顶端的部分为翅长的 1/5～1/4，前翅脉较密，中脉域之中闰脉发达，上具音齿，中闰脉顶端部分较近于中脉，其前翅端部纵脉倾斜，同横脉组成斜的方格。后足股节粗短，上侧中隆线具细齿。腹部第 1 节背部侧面鼓膜器的鼓膜片小。肛上板三角形，中部具较弯曲的横脊，中部明显凹入。尾须锥形，下生殖板短锥形。

雌性体型同雄性，较大于雄性。产卵瓣粗短，上产卵瓣之上外缘无细齿。

体呈淡褐色。翅具 2 个淡色斑纹；后翅基部黄色或淡黄色；后足胫节基部内侧黑色，外侧淡色，有时略带小暗点。

雄性体长 19.0～23.0mm，雌性体长 25.0～28.0mm；雄性前胸背板长 5.0～5.5mm，雌性前胸背板长 6.0～6.8mm；雄性前翅长 19.0～21.0mm，雌性前翅长 22.0～24.0mm；雄性后足股节长 12.2～13.0mm，雌性后足股节长 15.0～17.0mm。

采集记录：2♂2♀，旬阳，2004.Ⅹ.01，白义采。

分布：陕西（周至、户县、蓝田、旬阳、安康、商南）、江苏、安徽、浙江、福建、广东、广西、四川、贵州、云南。

寄主：玉米，红薯，禾本科杂草。

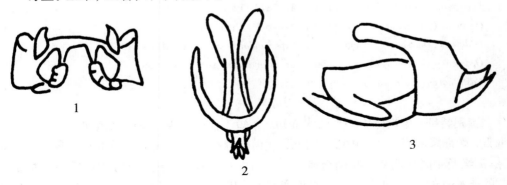

图 182 黄翅踵蝗 *Pternoscirta caliginosa*（De Haan）（仿郑哲民、夏凯龄等，1998）

1. 阳具基背片；2. 阳茎复合体背面观；3. 阳茎复合体侧面观

18. 车蝗属 *Gastrimargus* Saussure, 1884

Gastrimargus Saussure, 1884：109，110（as subgenus of *Oedaleus* Fieber）. **Type species**：*Gastrimargus marmoratus* Thunberg, 1815.

属征：体大型。头大而短，较短于前胸背板。头顶宽短，顶宽圆，略向前倾斜，较平，前端中隆线明显。颜面垂直或近乎垂直，颜面隆起宽平，仅在中眼处略凹。头侧窝消失或不明显，长三角形。触角细长，丝状，超过前胸背板后缘。复眼卵形，纵径大于横径。前胸背板较长，中隆线呈片状隆起，侧观，上缘呈弧形，侧隆线仅在沟后区可见。背板背面无"X"形淡色纹，前缘、后缘均呈直角形或锐角形突出。中胸腹板侧叶间的中隔较宽，近乎方形。前翅、后翅均发达，到达或超过后足股节顶端；前翅常具有暗色斑纹，顶端之半透明，并有四角状网孔；中闰脉较近中脉而远离肘脉，中闰脉上具发音齿，向后斜伸达翅的中部之后。后翅基部黄色，其外缘具有完整的暗色带纹。后足股节粗大，上基片长于下基片，上隆线的细齿明显，膝侧片顶圆形。后足胫节顶端缺外端刺。鼓膜器发达，孔近圆形。雄性肛上板短锥形，下生殖板亦呈短锥形；阳茎基背片桥形，冠突分 2 叶，内叶大，外叶小。雌性产卵瓣粗短，顶端钩状。

分布：古北区，东洋区。世界已知约 40 种，我国记录 4 种，秦岭地区分布 1 种。

(36) 云斑车蝗 *Gastrimargus marmoratus*（Thunberg, 1815）（图 183）

Gryllus marmuratus Thunberg, 1815：232.

Gryllus transversus Thunberg, 1815：232.

Gryllus virescens Thunberg, 1815：245.

Gryllus assimilis Thunberg, 1815：246.

Pachytylus（*Oedaleus*）*marmoratus*：Stål, 1873：123.

Oedaleus（*Gastrimargus*）*marmoratus*：Saussure, 1884：112.

Oedaleus（*Gastrimargus*）*marmoratus* stirps *sundaicus* Saussure, 1884：113.

Oedaleus（*Gastrimargus*）*marmoratus* var. *grandis* Saussure, 1888：39.

Gastrimargus marmoratus：Kirby, 1910：226.

鉴别特征：雄性体大型。头大而短，较短于前胸背板。颜面微微向后倾斜，近乎垂直，颜面隆起宽平，仅中眼处略凹，颜面侧隆线弧形弯曲。头顶宽短，略倾斜，前缘、侧缘及中隆线明显。头侧窝消失。触角丝状，细长，超过前胸背板后缘，中段一节的长为宽的 3.6～4.7 倍。复眼近卵圆形，其纵径为横径的 1.4～1.5 倍，为眼下沟长度的 1.2～1.3 倍。前胸背板中隆线呈片状隆起，侧观上缘呈弧形，仅被后横沟微微切断，沟后区为沟前区长的 1.3 倍；前缘、后缘均呈锐角形突出；侧隆线在沟后区略可见。前胸腹板平坦。中胸腹板侧叶间的中隔宽略大于长。后胸腹板侧叶较宽地分开。前翅发达，超过后足股节顶端甚长，几乎达胫节之中部，中脉域的中闰脉明显隆起，甚发达，全长较近于中脉，而远离肘脉，中闰脉上具发音齿，中闰脉向后斜伸达翅中部之后。后翅略短于前翅。后足股节粗壮，上基片长于下基片，长为宽的 4.7～5.0 倍。上侧中隆线具细齿，膝侧片顶圆形。后足胫节内侧具 13 个刺，外侧具 11～13 个刺，缺外端刺。跗节爪间中垫刚超过爪之中部。鼓膜器发达，孔近圆形，鼓膜片小。肛上板三角形，顶尖。尾须长柱状，顶尖圆，长度超过肛上板顶端。下生殖板短锥形，顶钝。

雌性较雄性大而粗壮。颜面垂直；中胸腹板中隔之长几乎等于其最小宽度；前翅同雄性相似，中脉域中闰脉发达；产卵瓣粗短，上外缘无细齿，但不光滑，腹基瓣片具粗糙突起；下生殖板长大于宽，后缘近平。中央略突出。

体色变异较大，呈绿色、枯草色、黄褐色或暗褐色，具大理石状斑纹。复眼之后具较狭的淡色纵条纹；复眼下方具黑色斑。前胸背板中隆线的上缘褐色，侧片具有较大的黄褐色斑块，并混有黑色斑块，侧片沟后区绿色。前翅后缘绿色，其余部分淡色，密布暗色云状斑纹，近基部处具明显的淡色横纹；后翅基部鲜黄色，中部具暗褐色轮状宽横纹，围在黄色区的外围，其余部分本色透明，仅顶端略暗。后足股节的顶端暗色，上方具 3 个不明显的暗色横纹，有时几乎消失，内侧和底侧污黄色，沿内侧和外侧上、下隆线均具黑色小点，以内侧较明显；膝部暗褐色；后足胫节鲜红色，基部略暗，具不明显的淡色环。

雄性体长 28.0～30.0mm，雌性体长 44.0～45.0mm；雄性前胸背板长 8.0～9.0mm，雌性前胸背板长 6.0～12.0mm；雄性前翅长 30.0～31.0mm，雌性前翅长 41.5～46.0mm；雄性后足股节长 19.0～20.0mm，雌性后足股节长 26.0～27.5mm。

采集记录：7♂4♀，略阳，2004.Ⅸ.10，白义采；1♂，柞水，2002.Ⅷ.23，丁

方美采。

　　分布：陕西（长安、蓝田、周至、户县、凤县、略阳、留坝、汉中、城固、佛坪、洋县、宁陕、石泉、安康、旬阳、柞水、镇安、洛南、商南）、山东、江苏、浙江、福建、广东、海南、香港、广西、重庆、四川；朝鲜，日本，越南，泰国，缅甸，印度，菲律宾，马来西亚，印度尼西亚。

　　寄主：水稻，麦，玉米，大豆，高粱，棉花，甘蔗，柑橘，苜蓿等。

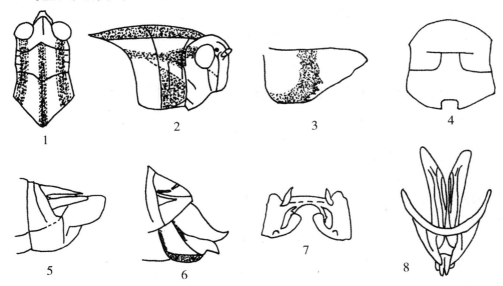

图 183　云斑车蝗 *Gastrimargus marmoratus*（Thunberg）（仿郑哲民、夏凯龄等，1998）

1. 头、前胸背板背面观；2. 头、前胸背板侧面观；3. 后翅；4. 雄性中胸、后胸腹板；5. 雄性腹端侧面观；6. 雌性腹端侧面观；7. 阳具基背片；8. 阳茎复合体侧面

19．飞蝗属 *Locusta* Linnaeus，1758

Locusta Linnaeus，1758：431．**Type species**：*Locusta migratoria* Linnaeus，1758．
Pachytylus Fieber，1853：121．**Type species**：*Locusta migratoria* Linnaeus，1758．

　　属征：体大型，腹面具细密的绒毛。头大而短，较短于前胸背板。颜面垂直或微微倾斜，颜面隆起宽平，仅在中眼处略凹，刻点稀疏，侧缘几乎平行，较钝。头顶宽短，略向前倾斜和低凹，前端和颜面隆起相连，组成圆形的头顶，头顶上方具略明显的中隆线。头侧窝消失。触角丝状，细长，超过前胸背板后缘。复眼卵形，其纵径大于横径。前胸背板前端缩狭，后端较宽，中隆线发达，由侧面看，呈弧形隆起（散居型）或较平直（群居型）；前横沟和中横沟较不明显，仅在侧片处略可见；后横沟较明显，并微微割断中隆线，几乎位于中部；前端中部明显向前突出，后缘呈钝角或弧形。前胸腹板平坦。中胸腹板侧叶间的中隔较狭，中隔长略大于宽。前翅、后翅均发达，超过后足胫节的中部；前翅光泽透明并散布暗斑。顶端之半有四方形的网孔，中脉域的中闰脉较接近前肘脉，远离中脉，中闰脉上具发音齿。后翅略短于前翅，本色透明，无暗色带纹。后足股节匀称，上侧中隆线呈细齿状，内侧黑色斑纹宽而明显。后足胫节顶端无外端刺，沿外缘具 10～11 个刺。爪间中垫明显，较小。鼓膜器的鼓膜片较宽大，几乎覆盖鼓膜孔的 1/2。雄性下生殖板短锥形。雌性产卵瓣粗短，其上产卵瓣的上外缘无细齿。

分布：欧洲，亚洲，非洲。世界仅知 1 种，在我国有分布，同时存在 3 亚种，即东亚飞蝗、亚洲飞蝗和西藏飞蝗，秦岭地区分布东亚飞蝗 1 种。

(37) 东亚飞蝗 *Locusta migratoria manilensis* (**Meyen, 1835**) (图 184)

Acrydium manilensis Meyen, 1835：197.

Locusta migratoria manilensis：Uvarov, 1936：91.

Pachytylus obtusus Brunner, 1862：94.

鉴别特征：雄性体中大型，小于亚洲飞蝗而大于西藏飞蝗。头大而短，较短于前胸背板。颜面垂直或微倾斜，颜面隆起宽平，侧缘几乎平行。头侧窝缺如。触角丝状，刚超过前胸背板后缘。复眼长卵形。前胸背板中隆线由侧面观呈弧形（散居型）或平直或中部略凹（群居型），后缘直角形或锐角形（散居型）或钝角形（群居型）；后横沟切断中隆线，沟前区略短于沟后区。前胸腹板平坦。中胸腹板中隔较长略大于宽。前后翅均发达，前翅明显超过后足胫节中部，中脉域的中闰脉接近肘脉。后翅略短于前翅。鼓膜器发达，鼓膜片覆盖鼓膜孔的 1/2 以上。后足股节匀称，长为最大宽的 4.0 倍多。后足胫节内侧具 11～12 个刺，外侧具 11 个刺，缺外端刺。跗节爪间中垫略不到达爪之中部。下生殖板短锥形，顶端略细。

散居型体呈绿色，前胸背板中隆线两侧无黑色纵条纹；群居型体呈黄褐色或暗黑色，前胸背板中隆线两侧具丝绒状黑色纵条纹。前翅褐色，具许多暗色（黑褐色）斑点；后翅本色透明，基部略具淡黄色。后足股节上侧具 2 个暗色横斑或不明显，内侧基部之半黑色，内侧下隆线与下隆线之间在其全长近 1/2 处非皆为黑色；后足胫节橘红色。

雌性体型较雄性粗壮。颜面垂直，产卵瓣短粗，顶端略呈钩状，边缘光滑无细齿。其余与雄性相似。

雄性体长 32.4～48.1mm（平均 35.0mm），雌性体长 38.6～52.8mm（平均 45.8mm）；雄性前翅长 34.0～43.8mm（平均 39.3mm），雌性前翅长 44.5～55.9mm（平均 49.5mm）；雄性后足股节长 19.2～28.2mm（平均 21.8mm），雌性后足股节长 22.0～30.0mm（平均 26.8mm）。

采集记录：10♂2♀，柞水，2004. Ⅵ.08，白义采。

分布：陕西（长安、蓝田、周至、户县、华阴、华县、留坝、汉中、佛坪、洋县、宁陕、石泉、安康、柞水、商洛），中国广布。

寄主：芦苇，红蓼草，莜草，马绊秧，白茅，苣草，蟋蟀草，绊根草，小麦，玉米，粟，稻，高粱，稷，莎草，三棱草，荆三棱等。

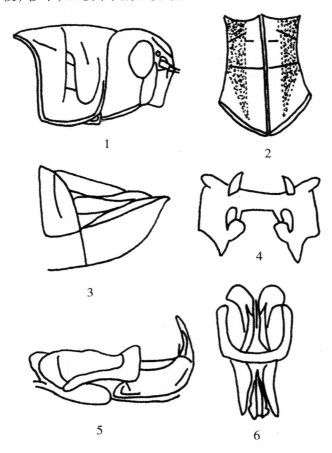

图 184　东亚飞蝗 *Locusta migratoria manilensis*（Meyen）（仿郑哲民、许文贤等，1990）

1. 雌性头、前胸背板侧面观；2. 雄性头、前胸背板背面观；3. 雄性腹端侧面观；4. 阳具基背片；5. 阳茎复合体背面观；6. 阳茎复合体侧面观

20．异痂蝗属 *Bryodemella* Yin，1982

Bryodemella Yin，1982：86．**Type species：** *Bryodema holdereri* Krauss，1901.

属征：体大型，雌性和雄性体型差异不大，雌性略粗壮。头短，显然短于前胸背板。头顶短宽，顶端钝圆，侧缘隆线明显，前缘无隆线，顶端和颜面隆起的上端相连接。颜面侧观垂直，或微微倾斜，颜面隆起低凹，向下不到达唇基。触角丝状，略超过前胸背板的后缘。头侧窝较明显，三角形或近乎圆形。复眼大而突出，卵形。前胸背板前端略狭，中隆线较细，全长明显，被 2 条横沟切断；侧隆线在沟后区略可见；前胸背板后缘呈直角形或钝角形突出。前胸腹板略隆起。前翅、后翅发达，超出后足股节的顶端，常达胫节的中部；前翅中脉域无中闰脉，有时在雄性具很弱而短的中闰脉，且不隆起，无发音齿，不能用中闰脉发音。在飞翔时，后足股节外侧上隆线上的发音齿和后翅纵脉的加粗部分摩擦发音。中胸腹板侧叶间中隔较宽。后足股节粗壮，上基片长于下基片，上侧中隆线光滑，外侧上隆线端半部具齿。后足胫节缺外端刺。跗节爪间中垫小形。鼓膜器发达，鼓膜片甚小，几乎未盖到鼓膜孔。雄性下生殖板短锥形。雌性产卵瓣粗短。

分布：中国；蒙古，俄罗斯。中国记录 4 种，秦岭地区分布 1 种。

(38) 轮纹异痂蝗 *Bryodemella tuberculatum dilutum* (Stoll, 1813)（图 185）

Gryllus（Locusta）dilutus Stoll, 1813: 21.

Bryodema tuberculatum sibirica Ikonnikov, 1913: 17.

Bryodema tuberculatum dilutum: Bey-Bienko, 1930: 81, 91.

鉴别特征：雄性体大型，尚匀称。头顶短宽，侧缘隆线略明显。颜面侧观垂直，颜面隆起略呈沟状，触角之间微宽，中眼处略凹，向下不到达唇基。触角丝状，到达前胸背板的后缘。头侧窝明显，近乎圆形。复眼卵形，其纵径为眼下沟长的 1.2 倍。前胸背板中隆线明显，后横沟明显切断中隆线，沟后区长为沟前区长的 2.0 倍；侧隆线在沟后略可见；后缘略呈钝角形。前胸腹板略隆起。前翅、后翅发达，略不到达后胫节的顶端，前翅中脉域具弱而短的中闰脉，其上发音齿几乎全退化。后翅主要纵脉加粗。中胸腹板侧叶间的中隔宽为长的 1.5 倍。后足股节略粗，长为最大宽度的 3.6 倍。上基片长于下基片，上侧中隆线光滑，外侧上隆线端半部具齿；后足股节下膝侧片底缘几乎呈直线状。后足胫节内侧具 11 个刺，外侧具 9 个刺，缺外端刺。跗节爪间中垫略不到达爪之中部。鼓膜器发达，鼓膜片很小，覆盖鼓膜孔很小一部分。下生殖板圆锥形。

雌性体较雄性略粗壮，但两性外形区别不大。复眼略小，其纵径约等于眼下沟之长度。前胸背板沟后区长为沟前区长的 1.8 倍；中胸腹板中隔宽为长的 1.7 倍。前翅略短，到达后足胫节的 1/3 处。中脉域中闰脉几乎不显。产卵瓣粗短，顶端较尖，端部呈钩状，边缘光滑无齿。

体呈暗褐色。前翅散布暗色斑点；后翅基部玫瑰色，第 1 臀叶基半部烟色，后翅中部具烟色横纹，端部本色透明。后足股节上侧具 3 个黑色斑纹，基部 1 个较弱，后足股节内侧及底侧黑色，近端部处具黄色斑纹；后足胫节污黄色，顶端暗色。

雄性体长 24.8～30.1mm，雌性体长 36.2～38.0mm；雄性前胸背板长 7.5～8.2mm，雌性前胸背板长 8.4～9.6mm；雄性前翅长 24.5～30.4mm，雌性前翅长 27.6～31.9mm；雄性后足股节长 13.6～14.8mm，雌性后足股节长 17.1～20.0mm。

采集记录：5♂5♀，汉中，2004.X.02，白义采。

分布：陕西（西安、长安、蓝田、周至、户县、宝鸡、凤县、华阴、留坝、勉县、城固、汉中、佛坪、安康、商洛、商南）、内蒙古、河北、山西、山东、青海、新疆，东北；蒙古，俄罗斯。

寄主：马铃薯，大豆，蔬菜，禾本科作物，杂草等。

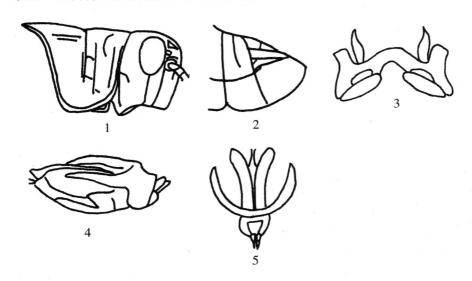

图 185　轮纹异痂蝗 *Bryodemella tuberculatum dilutum*（Stoll）（仿郑哲民、许文贤等，1990）

1. 雄性头、前胸背板侧面观；2. 雄性腹端侧面观；3. 阳具基背片；4. 阳茎复合体侧面观；5. 阳茎复合体背面观

21．草绿蝗属 *Parapleurus* Fischer，1853

Parapleurus Fischer，1853：297，363. **Type species**：*Gryllus alliaceus* Germar，1817.

属征：体型中等，匀称。头较短，较短于前胸背板。头顶宽短，背观较平，不向前倾斜，顶端圆形。头侧窝很小，不明显，在顶端相距较远。颜面侧观明显向后倾斜，与头顶组成锐角；颜面隆起较宽，通常具有纵沟。触角丝状，常超过前胸背板的后缘，中段一节的长度为其宽度的 2.0～3.0 倍。复眼卵形，位于头的中部。前胸背板宽平，后缘呈圆弧形；中隆线较低，完整，仅被后横沟微微割断；无侧隆线；3 条横沟均明显，后横沟位于前胸背板的中部。前胸腹板前端在两前足基部之间略隆起。后胸腹板侧叶的后端明显分开。前翅、后翅均很发达，其顶端超过后足股节的端部；前翅中脉域具有明显的中闰脉，其上具有发音齿，闰脉的前端具有稀疏的横脉，闰脉前端的宽度与其后端的宽度几乎相等；后翅主要纵脉正常，不明显加粗。后足股节上侧中隆线光滑，缺细齿；外侧上膝侧片顶端圆形。后足胫节基部膨大处平滑，顶端无外端刺。跗节爪间中垫较宽大。

雄性下生殖板长锥形，顶端尖细；阳具基背片桥状。

雌性产卵瓣狭长，上产卵瓣的长度约为基部最高处的 4.0 倍。

分布：古北区。世界已知 1 种，中国记录 1 种，秦岭地区也有分布。

(39) 草绿蝗 *Parapleurus alliaceus*（Germar, 1817）（图 186）

Gryllus alliaceus Germar, 1817：19.

Gryllus typus Fischer, 1853：364, fig. 1. 1a, 1b.

Parapleurus alliaceus：Brunner-Wattenwyl, 1882：96, fig. 25.

Parapleurus fastigiatus Rehn, 1902：629.

Parapleurus turanicus Tarbinsky, 1928：59.

鉴别特征：雄性体型中等，细长而匀称。头较短，较短于前胸背板。头顶较短，背观较平，不向前倾斜，顶端圆形。头侧窝很小，不明显，三角形，在近端相距较远。颜面侧观明显向后倾斜，与头顶组成锐角；颜面隆起较宽，通常具有纵沟。触角细长，超过后足股节的基部；中段一节的长度为其宽度的 2.0~3.0 倍。复眼卵形，位于头的中部。前胸背板宽平，前缘平直，后缘呈圆弧形；中隆线较低，完整，仅被后横沟微微割断；无侧隆线；3 条横沟均明显，后横沟位于前胸背板的中部。前胸腹板在两前足基部之间略微隆起。后胸腹板侧叶明显分开。前翅、后翅均发达，其顶端明显超过后足股节的端部；前翅中脉域具有明显的中闰脉，其上具有发音齿，闰脉的前端具有稀疏的横脉，闰脉前段的宽度与其后端的宽度几乎相等；后翅主要纵脉正常，不明显加粗。后足股节匀称，上侧中隆线光滑，缺细齿；膝侧片顶端圆形。后足胫节顶端无外端刺，胫节顶端内侧之上距、下距几乎等长。跗节爪间中垫宽大。下生殖板长锥形，顶端尖细。尾须呈长锥形。阳具基背片桥状。

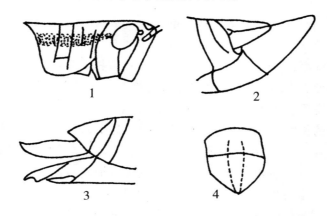

图 186　草绿蝗 *Parapleurus alliaceus*（Germar）（仿郑哲民，1993）
1. 头、前胸背板侧面观；2. 雄性腹端侧面观；3. 雄性肛上板；4. 雌性腹端侧面观

雌性体型较雄性明显粗大。触角较短，其顶端仅超过前胸背板的后缘；下生殖板后缘呈钝角形；产卵瓣狭长，上产卵瓣之长度约为宽的 4.0 倍，上外缘具细齿。

　　体通常呈草绿色(干标本为黄褐色)。触角褐色。自复眼后缘至前胸背板后缘具有明显的黑色纵条纹。前翅亚前缘脉域为草绿色，其余为褐色；亚前缘脉、径脉、中脉及肘脉呈黑褐色。后足股节及胫节草绿色；外侧上膝侧片呈黑褐色。

　　雄性体长 20.0～24.0mm，雌性体长 30.0～35.0mm；雄性前翅长 18.0～23.0mm，雌性前翅长 22～30mm；雄性后足股节长10.5～13.5mm，雌性后足股节长16.5～18mm。

　　采集记录：1♂，洋县长青，2005。

　　分布：陕西(太白、洋县)、黑龙江、河北、甘肃、新疆、湖南、四川；俄罗斯，朝鲜，日本，中亚地区，欧洲。

　　寄主：五节芒，竹子。

22. 尖翅蝗属 *Epacromius* Uvarov，1942

Epacromius Uvarov，1942：337，338. **Type species**：*Gryllus tergestinus* Charpentier，1825.

　　属征：体中小型，匀称。头较短，头顶顶端较钝，侧缘隆线明显。头侧窝长三角形。颜面侧观向后倾斜，颜面隆起的中部具纵沟。复眼卵圆形，突出。触角丝状，常超过前胸背板的后缘。前胸背板中隆线较低，缺侧隆线，3 条横沟明显，仅后横沟切断中隆线；后横沟位于中部之前，沟前区较短于沟后区。前胸腹板略隆起。中胸腹板侧叶间中隔(雌性有时几乎为方形)长方形，长大于宽，常在中部缩狭，后端不扩开。前翅、后翅均发达，超过后足股节的顶端；前翅中脉域的中闰脉常位于中部，仅顶端略近中脉，中闰脉上具音齿。后足股节匀称，中隆线光滑，外侧上基片长于下基片。后足股节顶端缺外端刺。雄性下生殖板宽扁，短舌状。雌性产卵瓣基部较粗，顶端尖锐。

　　分布：中国；俄罗斯，日本。世界已知 4 种，中国记录 3 种，秦岭地区分布 2 种。

分种检索表

跗节爪间中垫较长，顶端超过爪的中部；后足股节底侧玫瑰色 ………… **大垫尖翅蝗** *E. coerulipes*
跗节爪间中垫较短，狭小，顶端不达到爪的中部；后足股节底侧非玫瑰色 ……………………………
…………………………………………………………………… **甘蒙尖翅蝗** *E. tergestinus extimus*

(40) 大垫尖翅蝗 *Epacromius coerulipes*（Ivanov，1888）(图 187)

Epacromia coerulipes Ivanov，1888：348.

Aiolopus tergestinus var. *chinensis* Karny，1907：285.

Aiolopus coerulipes Tarbinsky，1930：335.

　　鉴别特征： 雄性体中小型，匀称。头较大，高于前胸背板，但短于前胸背板。头顶较宽，略向前倾斜，中央低凹，侧隆线明显。头侧窝三角形。颜面侧观向后倾斜，颜面隆起较宽，侧缘隆线明显。中单眼附近具短纵沟，下部逐渐宽平。复眼较大，突出，卵圆形，垂直直径为水平直径的1.6倍。触角丝状，超过前胸背板后缘，中段1节长为宽的1.5~1.75倍。前胸背板低平，前缘较直，后缘钝角突出；中隆线较低，沟后区较沟前区明显。缺侧隆线；3条横沟明显，仅后横沟切断中隆线；沟前区较狭于沟后区，沟后区长约为沟前区的1.5倍。前胸腹板略隆起。中胸腹板侧叶间中隔略大于最狭处，后胸腹板侧叶全长彼此分开。前翅发达，到达后足胫节中部，中脉域具中闰脉，中闰脉位于中脉域的中部，末端略靠近中脉。后翅发达，略短于前翅。后足股节匀称，长约为宽的4.0倍；外侧上基片长于下基片；上侧中隆线光滑无齿；下膝侧片下缘平直，顶端圆形。后足胫节缺外端刺，内缘具10~11个刺，外缘具9~10个刺。跗节爪间中垫较长，超过爪的中部。鼓膜孔近圆形，鼓膜较大。肛上板近宽菱形，侧缘中间向内具隆线，左右两隆线间不连接；顶端中央具较深的纵沟。尾须长圆筒形，超过肛上板的顶端，下生殖板舌状。

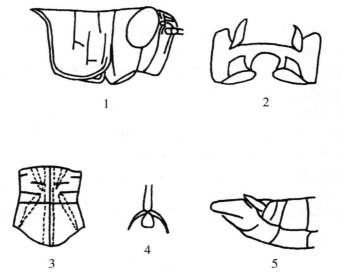

图 187　大垫尖翅蝗 *Epacromius coerulipes* (Ivanov)（仿郑哲民、许文贤等，1990；仿郑哲民，1993）
　　1. 雄性头、前胸背板侧面观；2. 阳具基背片；3. 前胸背板背面观；4. 爪及中垫；5. 雄性腹端侧面观

　　雌性体型较大。头部侧观略斜；颜面隆起较雄性宽平；中胸腹板侧叶间中隔长宽近于相等；前翅发达，中闰脉明显；尾须较短，锥形，不到达肛上板的端部；产卵瓣粗短，上产卵瓣外缘光滑，端部呈沟状。

　　体呈暗褐色、褐色、黄褐色或黄绿色。前胸背板背面中央常具红褐色或暗褐色纵纹，有的个体背面具有不明显的"X"形纹。前翅具有大小不等的褐色、白色斑点；后翅本色透明。后足股节顶端黑褐色，上侧中隆线和内侧下隆线间具3个黑色横斑，中间的一个最大，基部一个最小；外侧下隆线上 4 ~ 5 个小黑斑点；底侧玫瑰色；后足胫节淡黄色，基部、中部和端部各具 1 个黑褐色环纹。

雄性体长 13.7 ~ 15.6mm，雌性体长 20.0 ~ 24.7mm；雄性前胸背板长 3.1 ~ 3.4mm，雌性前胸背板长 4.4 ~ 5.3mm；雄性前翅长 13.1 ~ 16.5mm，雌性前翅长 17.5 ~ 26.4mm；雄性后足股节长 8.4 ~ 9.9mm，雌性后足股节长 11.2 ~ 14.8mm。

采集记录： 5♂4♀，太白，2004.Ⅸ.02，白义采。

分布： 陕西（西安、长安、蓝田、周至、户县、太白、宝鸡、凤县、华阴、华县、略阳、留坝、勉县、汉中、城固、宁强、石泉、安康）、黑龙江、吉林、辽宁、内蒙古、河北、山西、山东、河南、宁夏、甘肃、青海、新疆、江苏、安徽；俄罗斯，日本。

寄主： 玉米、高粱、谷类、小麦等禾本科，豆科、菊科、黎科、蓼科等牧草。

(41) 甘蒙尖翅蝗 *Epacromius tergestinus extimus* Bey-Bienko, 1951（图 188）

Epacromius tergestinus extimus Bey-Bienko, 1951：565，566.

鉴别特征： 雄性体中小型，匀称。头小，高于前胸背板。头顶向前倾斜，侧缘隆线明显，两侧隆线间低凹。头侧窝三角形。颜面侧观略倾斜，颜面隆起较宽，中单眼处低凹，侧缘隆线尚明显。复眼卵圆形，其垂直直径为水平直径的 1.38 倍。触角丝状，超过前胸背板的后缘，中段一节长为宽的 2.25 倍。前胸背板前缘较平直，后缘呈钝角形突出；中隆线低，沟后区较沟前区的中隆线明显。缺侧隆线，3 条横沟明显，仅后横沟切断中隆线。沟前区较沟后区狭，沟后区为沟前区长的 1.4 ~ 1.5 倍。前胸腹板略呈圆形隆起。中胸腹板侧叶间中隔的长为最狭处的 1.4 倍。后胸腹板侧叶全长彼此分开。前翅、后翅均发达，到达或不到达后足胫节的中部。中脉域具中闰脉，中闰脉基部靠近肘脉，端部靠近中脉。后足股节匀称，外侧上基片长于下基片，上侧中隆线光滑无齿。后足胫节缺外端刺，内缘具 11 个刺，外缘具 9 ~ 10 个刺。后足跗节第 3 节与第 1 节等长。跗节爪间中垫短，狭小。尾须圆筒状，超过肛上板的端部。下生殖板较短，末端部分较厚，顶端狭圆形，侧观向后直伸。

雌性体型较雄性大。触角仅到达或不到达前胸背板的后缘。前翅中脉域具发达的中闰脉。中胸腹板侧叶间中隔之长与其最狭处近相等；后胸腹板之侧叶较宽的分开。尾须较短，不到达肛上板的端部。下生殖板末端中间呈三角形突出。产卵瓣粗短，顶端略呈沟状，边缘光滑无齿。

体呈暗褐色、黄褐色或绿褐色。复眼之后具黑色纵条纹。前翅具暗色或淡色斑点。后足股节顶端暗色；内侧上隆线与下隆线之间具 2 个黑色斑纹；外侧上隆线与下隆线上分别有距离不等的 4 ~ 6 个黑色斑点，尤其下隆线更为明显；后足胫节淡黄或淡绿色，基部及端部具黑环。

雄性体长 15.9 ~ 16.3mm，雌性体长 24.4 ~ 28.5mm；雄性前胸背板长 2.7 ~ 2.9mm，雌性前胸背板长 4.6 ~ 5.0mm；雄性前翅长 14.9 ~ 15.6mm，雌性前翅长

22.1～25.1mm；雄性后足股节长9.1～9.4mm，雌性后足股节长11.2～13.4mm。

　　分布：陕西(西安、周至、华县)、吉林、内蒙古、甘肃、青海。

　　寄主：小麦，谷类，玉米，高粱，豆类，苜蓿及禾本科牧草。

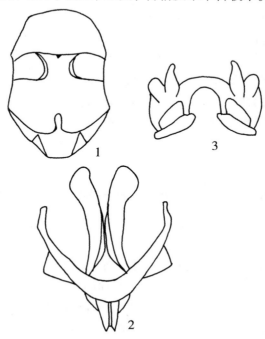

图188　甘蒙尖翅蝗 *Epacromius tergestinus extimus* Bey -Bienko(仿郑哲民、夏凯龄等，1998)
1. 中胸、后胸腹板；2. 阳茎复合体；3. 阳具基背片

23. 绿纹蝗属 *Aiolopus* Fieber，1853

Aiolopus Fieber，1853：55. **Type species：***Gryllus thalassinus* Fabricius，1781.

Epacromia Fischer，1853：360. **Type species：***Gryllus thalassinus* Fabricius，1781.

Aeoloptilus Bey- Bienko，1966：1793. **Type species：***Aeoloptilus carinatus* Bey-Bienko，1966.

　　属征：体型中等，匀称，略具细密刻点和稀疏绒毛。头短，略高于前胸背板。头顶狭长，顶端较狭，呈三角形或五边形。颜面隆起较平，上端较狭，向下宽大，仅在中眼处略凹。头侧窝明显，梯形或长方形，到达头顶的顶端。触角丝状，略超过前胸背板后缘。复眼卵形，大而突出。前胸背板中部较狭，后端较宽，呈鞍状，中隆线较低，侧隆线缺或沟前区较弱的存在；后横沟明显切断中隆线，沟后区明显地长于沟前区；前缘较直，后缘呈钝角形突出。中胸腹板中隔之宽等于或略宽于长，后端较扩开。前翅、后翅发达，其长超过后足股节的顶端。前翅狭长，中脉域的中闰脉明显，其顶端部分接近中脉，中闰脉上具发音齿。后翅透明，无暗色横带纹。鼓膜器发达，鼓膜片较小。后足股节上基片长于下基片，上侧中隆线光滑，后足胫节不扩大，顶端距无异常，缺外端刺。雄性肛上板三角形，下生殖板短锥形，顶端较钝。雌性产卵瓣基部较粗，顶端尖锐。

分布：古北区，东洋区，非洲区。世界已知 13 种，中国记录 3 种，秦岭地区分布 1 种。

（42）花胫绿纹蝗 *Aiolopus thalassinus tamulus*（**Fabricius，1798**）（图 189）

Gryllus tamulus Fabricius，1798：195.

Gomphocerus tricoloripes Burmeister，1838：649.

Epacromia rufostriata Kirby，1888：550.

Epacromia tamulus：Shiraki，1910：21.

Aeolopus tamulus：Kirby，1914：122.

Aiolopus thalassinus tamulus：Hollis，1968：319.

鉴别特征：雄性体中小型。头大，侧观略高于前胸背板。颜面倾斜，颜面隆起自中单眼以上渐狭。中单眼略凹。头顶三角形，顶端呈锐角，侧隆线明显，到达复眼前缘。头侧窝梯形，狭长，前狭后宽。复眼卵形，其纵径为眼下沟长的 2.0 倍。触角丝状，略超过前胸背板的后缘。前胸背板前端狭后端宽；中隆线低，侧隆线缺，有时沟前区有弱的侧隆线；后横沟位于中部之前，沟后区为沟前区长的 1.5 倍。中胸腹板侧叶中隔方形，或宽略大于长。前翅、后翅均发达，超过后足股节的顶端，中脉域的中闰脉发达，其顶端部分接近中脉，中闰脉上具发音齿。前翅、后翅端部翅脉具发音齿。鼓膜器发达，鼓膜片较小。后足股节上基片长于下基片。长约为宽的 4.4 倍，上侧中隆线光滑。后足胫节内侧具 11 个刺，外侧具 10 个刺，缺外端刺。跗节爪间中垫超过爪的中部。下生殖板短锥形，顶端较钝。

雌性体型较雄性稍大，触角略不到达前胸背板后缘。前胸背板沟后区长为沟前区的 1.7 倍；中胸腹板中隔宽为长的 1.3 倍。后足股节长为宽的 4.2 倍。产卵瓣较尖，顶端略呈钩状。

体呈褐色，前胸背板背面中央具黄褐色纵条纹，两侧具 2 条狭的褐色纵条纹。侧片沟后区常绿色。前翅亚前缘脉域近基部，具 1 条鲜绿色纵条纹后黄褐色，无白色斑纹。后足股节内侧具 2 个黑色斑纹，顶端黑色；后足胫节端部 1/3 鲜红色，基部 1/3 位淡黄色，中部蓝黑色。后翅基部黄绿色，其余部分烟色。

雄性体长 18.0～22.0mm，雌性体长 25.0～29.0mm；雄性前胸背板长 3.5～4.6mm，雌性前胸背板长 4.5～5.8mm；雄性前翅长 16.0～21.0mm，雌性前翅长 22.0～27.0mm；雄性后足股节长 10.0～14.3mm，雌性后足股节长 11.0～17.5mm。

采集记录：1♀，柞水，2002.Ⅸ.12，叶维萍采；3♂3♀，宁强，2004.Ⅸ.02，白义采。

分布：陕西（西安、长安、华阴、华县、宁强、汉中、洋县、宁陕、安康、旬阳、柞水、山阳、商南）、辽宁、河北、宁夏、甘肃、台湾、海南、四川、贵州、云南、西藏；缅甸，印度，斯里兰卡，东南亚及大洋洲。

寄主：禾本科作物及棉花。

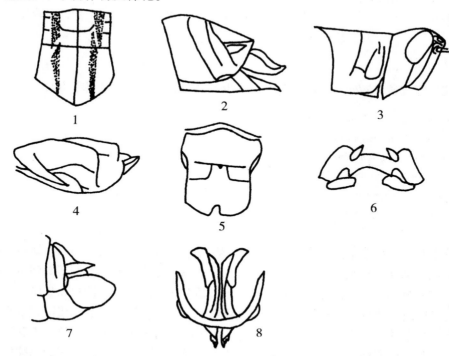

图189 花胫绿纹蝗 Aiolopus thalassinus tamulus（Fabricius）（仿郑哲民、许文贤等，1990；仿郑哲民，1993）
1. 前胸背板背面观；2. 雌性腹端侧面观；3. 雄性头、前胸背板侧面观；4. 雄性中胸、后胸背板；5. 雄性腹端侧面观；6. 阳具基背片；7. 阳茎复合体侧面观；8. 阳茎复合体背面观

24. 异距蝗属 *Heteropternis* Stål, 1873

Heteropternis Stål, 1873：128. **Type species**：*Acridium respondens* Walker, 1859.

属征：体中小型，匀称。头短，较短于前胸背板。头顶侧观明显向前倾斜，颜面侧观较直，与头顶组成钝角或近圆形。颜面隆起上端狭，下端宽，近唇基处不明显，中单眼处略凹。头侧窝狭长三角形。触角丝状，细长，超出前胸背板的后缘。复眼卵形。前胸背板中隆线较低，但明显；侧隆线不明显或仅在沟后区略可见；3条横沟明显，仅后横沟切断中隆线，沟前区短于沟后区；前缘较直，后缘呈直角形突出。前胸腹板略隆起。中胸腹板具宽的侧叶中隔。前翅、后翅均发达，前翅狭长，中脉域较宽，中闰脉较近于前肘脉，不加粗，中闰脉之前具有较密的平行横脉，中闰脉及横脉均具音齿。后翅基部红色或黄色，中部无暗色带纹。前、后翅端部翅脉上具弱的音齿。鼓膜器发达。后足股节上基片长于下基片，上侧中隆线光滑。后足胫节缺外端刺，内侧端距上距、下距不等长，其下距明显地较长于上距，距顶端明显弯曲成钩状。

雄性下生殖板短锥形，顶端略尖。雌性产卵瓣粗短。

　　分布：东洋区，非洲区。全世界已知 19 种，我国记录 5 种。秦岭地区分布 1 种。

(43) 方异距蝗 *Heteropternis respondens*（Walker，1859）（图 190）

Acridium respondens Walker, 1859：223.

Epacromis varies Walker, 1870：774.

Heteropternis pyrrhoscelis Stål, 1873：128.

Heteropternis var. *sinensis* Saussure, 1888：46.

　　鉴别特征：雄性体中小型，匀称。头短，较短于前胸背板。头顶宽平，顶端较钝，侧观略向前倾斜，侧隆线明显。颜面侧观略倾斜，与头顶组成钝角或圆形。颜面隆起下端宽大，近唇基处消失，在中单眼处凹陷。头侧窝狭长三角形。触角丝状，细长，到达后足股节基部，其中段一节的长为宽的 2.0～3.0 倍。复眼卵形。前胸背板在中部收缩，中隆线明显；侧隆线在沟后区明显，沟前区不明显；前缘较直，后缘直角形突出，侧片底缘后端之半呈直线倾斜，和略弯的后缘组成直角或近乎直角形。中胸腹板侧叶间中隔的宽度大于长度的 1.25 倍。前翅狭长，顶圆，长度几乎达后足胫节中部，其长为宽的 5.2 倍；在中脉域中闰脉前具有紧密的平行横脉；中闰脉和横脉均具音齿。后足股节较粗，长为宽的 3.8 倍，上侧中隆线无细齿，膝侧片顶圆形。后足胫节内侧顶端的下距长于上距 1.6～1.85 倍，距顶端呈钩状。下生殖板短锥形，顶端较尖。

　　雌性体型稍大于雄性，匀称。头顶较宽平，顶端较钝。触角丝状，仅超过前胸背板后缘。中胸腹板侧叶间的中隔的宽度大于长度的 1.5 倍。前翅狭长，顶圆，其长度为宽度的 5.9 倍。

　　体呈褐色或暗褐色。前胸背板具不明显的淡色"X"形纹。前翅具有大小不等的暗斑，在前缘有 2 个三角形淡色斑纹；后翅基部红色或淡黄色，顶端之半为烟色。后足股节上侧具 3 个暗色斑纹，内侧下部和底侧为红色，膝黑色；后足胫节鲜红色，基部略淡。

　　雄性体长 17.0～25.0mm，雌性体长 21.0～31.0mm；雄性前胸背板长 3.3～4.5mm，雌性前胸背板长 4.2～5.6mm；雄性前翅长 17～23mm，雌性前翅长 21.0～25.0mm；雄性后足股节长 10.4～12.1mm，雌性后足股节长 12.8～15.9mm。

　　采集记录：2♂2♀，柞水，2004.Ⅵ.08，白义采。

　　分布：陕西（佛坪、宁陕、安康、柞水、镇安）、甘肃、江苏、浙江、湖北、江西、福建、台湾、广东、海南、广西、四川、贵州、云南；日本，泰国，缅甸，印度，尼泊尔，孟加拉国，斯里兰卡，菲律宾，马来西亚，印度尼西亚。

　　寄主：茶，油茶，禾本科牧草。

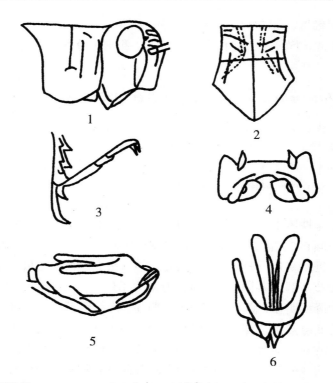

图 190　方异距蝗 *Heteropternis respondens*（Walker）（仿郑哲民、许文贤等，1990；仿郑哲民，1993）
1. 头、前胸背板侧面观；2. 前胸背板；3. 后足胫节内侧端部；4. 阳具背片；5. 阳茎复合体侧面观；6. 阳茎复合体背面观

25．小车蝗属 *Oedaleus* Fieber，1853

Oedipoda subgen. *Oedaleus* Fieber，1853：126．**Type species**：*Acrydium nigrofasciatum* de Geer
　（ = *Oedaleus nigrofasciatus*），1773．

Pachytylus subgen. *Oedaleus*：Stål，1873：123．

Oedaleus：Saussure，1884：50．

属征：体中大型。体表具皱纹和刻点。头大而短，较短于前胸背板，背面有或无中纵隆线；头顶角形，且顶端平截、平坦或略向前倾斜。头侧窝退化，不明显，三角形。颜面侧面观垂直或略倾斜，颜面隆起宽平，全长具纵沟或仅在中央单眼处稍凹陷，到达或不到达唇基。复眼长卵形或卵形，纵径垂直。触角丝状，到达或超过前胸背板后缘。前胸背板中部明显收缩，在背板背面常有不完整的"X"形淡色斑纹；前缘较直，后缘钝角形或弧形突出；中隆线较高，全长完整或仅被后横沟微微割断，由侧面观，平直或略呈弧形隆起；缺侧隆线；侧片较高，高明显大于长度。中胸腹板侧叶间中隔较宽，其宽度较大于长度。前翅发达，超过后足股节的顶端，其顶端之半透明，中脉域狭于肘脉域，中闰脉位于中脉和肘脉之间，有时仅在基部较接近前肘脉，中闰脉上具发音齿；后翅宽大，略短于前翅，在中部具暗色横带纹，基部黄色或黄绿色或淡红色。后足股节上侧中隆线平滑，上基片长于下基片；后足胫节缺外端刺；跗节爪间中垫较长，到达或超过爪的中部。

雄性下生殖板短锥形；阳具基背片桥状，锚状突发达，冠状二叶。

雌性产卵瓣粗短，顶端较尖锐，腹面观外侧弯曲；受精囊端部具或无支囊。

分布：世界广布。中国记录6种，秦岭地区分布3种。

分种检索表

1. 前胸背板"X"纹明显，在沟前区纹等宽于或较宽于沟后区纹；中部明显缩狭，沟后区两侧呈圆形隆起，形成肩状。后翅暗色横带远不到达后缘 ⋯⋯⋯⋯⋯⋯⋯⋯⋯ **亚洲小车蝗 O. asiaticus**
   前胸背板"X"纹较不明显，在沟后区纹较宽于沟前区纹；中部略缩狭，沟后区两侧较平，无肩状的圆形突起。后翅暗色横带到达或略不到达后缘 ⋯⋯⋯⋯⋯⋯⋯⋯⋯⋯⋯⋯⋯ 2
2. 后翅暗色横带较宽。颜面隆起远不到达唇基，全长纵沟明显。下产卵瓣腹面观外侧缘略呈圆弧形凹陷，较细长。后足股节下侧内缘红色，后足胫节红色，近基部具1个较宽且明显的淡色环，不混有红色。阳具基背片桥圆弧形拱起，前突、后突钝角形突出 ⋯**红胫小车蝗 O. manjius**
   后翅暗色横带较狭。颜面隆起几乎达唇基，仅在中单眼下收缩。下产卵瓣腹面观外侧缘明显钝角形凹陷，较粗短。雌性后足股节下侧内缘及后足胫节均黄褐色，雄性后足胫节近基部的淡色环上侧常混杂红色。阳具基背片桥平，前突、后突圆弧形 ⋯⋯⋯ **黄胫小车蝗 O. infernalis**

(44) 红胫小车蝗 *Oedaleus manjius* **Chang**，**1939**（图191）

Oedaleus manjius Chang，1939：21.

Oedaleus infernalis：Ritchie，1981：128（partin）.

鉴别特征：雄性体中型偏大。头短，明显短于前胸背板。头顶向前较倾斜，略凹陷，侧缘隆线明显。头部中隆线不明显。头侧窝不明显，三角形。颜面略倾斜，颜面隆起远不达唇基，全长具浅纵沟。复眼卵圆形，其纵径分别为纵径和眼下沟长度的1.35~1.4倍。触角丝状，超过前胸背板后缘，中段一节长度为宽度的1.8~2.0倍。前胸背板中部收缩；前缘几乎平直，后缘钝角形；中隆线在沟前区较高，在沟后区较平，侧面观全长平直，仅被后横沟微微切断，沟前区和沟后区几等长，沟后区两侧平坦，无肩状圆形突起；侧片高大于长，侧片后区具较粗刻点。中胸腹板侧叶间中隔长宽几乎相等。前后翅发达，均超过后足股节顶端，其超出部分为后足股节长度的1/3；前翅全长为前胸背板长的4.0~4.5倍。前翅中脉域的中闰脉在近顶端处较近于中脉，中闰脉上具发音齿；前、后翅的端部翅脉具弱的发音齿。后翅略短于前翅。后足股节略粗壮，长度为宽处的4.1~4.4倍，上侧中隆线平滑，上基片长于下基片，膝侧片圆形，后足胫节上侧外缘具9~11个刺，内缘具8~9个刺，缺外端刺；跗节爪间中垫到达爪之中部。肛上板三角形，顶端锐角形，侧缘在基半明显翘起，侧缘中部略凹陷，基半中央及近端具浅纵沟，中部平坦。尾须柱状，略内曲，超过肛上板顶端。下生殖板短锥形。阳具基背片明显圆弧形拱起，前突、后突钝角形突出。

雌性体型较雄性粗大。颜面垂直，颜面隆起远不到达唇基，在中眼处明显凹陷。复眼卵形，其纵径为横胫的 1.2～1.3 倍，而和眼下沟长度几乎相等。触角刚到达前胸背板后缘，中段一节的长度为宽度的 1.3～1.5 倍。前胸背板中隆线较高，侧观全长平直，被后横沟微微切断，沟后区较长于沟前区，沟后区的长度为沟前区长度的 1.3～1.4 倍。中胸腹板侧叶间中隔宽较大于长。前翅超过后足股节顶端，其超出部分小于后足股节长的 1/3，前翅全长为前胸背板长的 3.9～4.0 倍。后翅略短于前翅。后足股节较粗短，其长为最宽处的 3.6～3.8 倍。后足胫节上侧外缘、内缘各具 10 个刺。产卵瓣较粗短，上产卵瓣之上外缘光滑无齿；下产卵瓣腹面观外侧缘略呈圆弧形凹陷，较细长。受精囊支囊略呈圆锥形，突起较低。

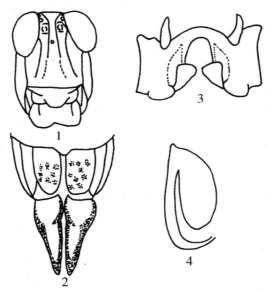

图 191　红胫小车蝗 Oedaleus manjius Chang（仿郑哲民、许文贤等，1990）
1. 雄性头部正面观；2. 下产卵瓣腹面观；3. 阳具基背片；4. 受精囊

体呈暗褐色。前胸背板具淡色"X"形斑纹，有些个体较不明显；图纹在沟后区明显宽于沟前区。前翅端部之半较透明，具数块小暗斑，基半部具 2 个大黑斑。后翅基部黄绿色，中部具 1 条较宽的黑色横带，到达后缘，横带在第 1 臀脉处较狭的断裂，翅顶端暗色。后足股节膝部黑色，从上侧到内侧具 3 个黑色斑纹，下侧内缘红色；后足胫节红色，基部黑色，近基部具 1 个较宽且明显的淡色环，不混杂红色，分界明显。

雄性体长 24.0～26.0mm，雌性体长 34.5～38.0mm；雄性前胸背板长 5.3～5.5mm，雌性前胸背板头 7.3～7.5mm；雄性前翅长 22.5～24.5mm，雌性前翅长 26.0～32.5mm；雄性后足股节长 14.5～15.6mm，雌性后足股节长 17.5～18.5mm。

采集记录：1♂，柞水，2009．X．06，李敏采；7♀，柞水，2004．Ⅵ．08，白义采。

分布：陕西（凤县、略阳、留坝、勉县、汉中、城固、佛坪、洋县、宁陕、石泉、旬阳、安康、柞水、镇安、商洛、商南）、甘肃、江苏、浙江、湖北、福建、海南、广西、四川。

寄主：水稻，小麦，玉米，高粱，甘蔗，大豆，棉花，亚麻，马铃薯，柑橘等。

(45) 黄胫小车蝗 *Oedaleus infernalis* Saussure，1884（图 192）

Oedaleus（*Oedaleus*）*infernalis* Saussure，1884：116.

Oedaleus infernalis：Jacobson & Bianchi，1905：256.

Oedaleus infernalis var. *amurensis* Ikonnikov，1911：255.

Oedaleus infernalis amurensis Ikonnikov；B.-Bienko，1941：154.

Oedaleus infernalis infernalis：B.-Bienko & Mistshenko，1951：577.

Oedaleus infernalis montanus B.-Bienko，1951：577.

鉴别特征：雄性体中型偏大。头大而短，较短于前胸背板。头顶宽短，略倾斜，较低凹，侧缘隆线明显，中隆线不明显。头侧窝不明显，三角形。颜面略倾斜，近垂直；颜面隆起宽平，几乎达唇基，仅在中央单眼下略收缩。复眼卵形，大而突出，其纵径分别为横径和眼下沟长度的 1.2～1.3 倍。触角丝状，超过前胸背板后缘，其中段一节的长度为宽度的 1.8～2.0 倍。前胸背板略呈屋脊形，中部略缩狭；前缘略呈圆弧形突出，后缘钝角形；中隆线较高，侧面观平直，全长完整，仅被后横沟微微切断；沟后区的长度略大于沟前区长度，沟后区的两侧较平，无肩状圆形突出；侧片后区具粗刻点，高明显大于长。中胸腹板侧叶间中隔较宽，宽大于长。前翅发达，超过后足股节顶端，其超出部分的长度为后足股节长度的 1/3 或 1/2；前翅长为前胸背板长的 3.8～4.4 倍，中脉域的中闰脉位于中脉和肘脉之间，在基部较接近肘脉，中闰脉上具发音齿；前翅、后翅的端部翅脉具弱的发音齿；后翅略短于前翅。后足股节略粗壮，长为宽的 3.8～4.2 倍，上侧中隆线平滑，上基片长于下基片，膝侧片顶圆形。后足胫节上侧内缘具 12 个刺，外缘具 11～12 个刺，缺外端刺。跗节爪间中垫到达爪之中部。肛上板三角形，顶端钝圆，二侧缘在中部略凹陷，基半中央具明显的纵凹，在中部向外扩展，与中部的横脊相毗连；顶端具纵凹。尾须圆柱状，明显超过肛上板顶端。下生殖板短锥形。阳具基背片桥平，前突、后突圆弧形。

雌性体型大而粗壮。头顶中隆线较明显。颜面垂直，颜面隆起宽平，不到达唇基，仅在中眼处凹陷。复眼卵圆形，其纵径分别为横径和眼下沟长度的 1.5 倍。触角略不到达或刚到达前胸背板后缘，中段一节的长度为宽度的 1.5～1.6 倍。前胸背板中部略收缩；中隆线较高，侧面观平直，被后横沟微微割断，沟后区略长于沟前区；沟后区两侧较平；侧片后区及近下缘具粗刻点及明显的短隆线。前翅、后翅发达，前翅超过后足股节顶端，其超过部分较短于后足股节长的 1/4，前翅长度为前胸背板长的 3.9～4.0 倍。后足股节长为最宽处的 4.0～4.2 倍。产卵瓣粗壮，上外缘光滑，顶端略呈钩状，腹面观下产卵瓣外侧缘中部明显钝角形凹陷，较粗短。受精囊支囊明显圆锥形，突起较高。

　　体呈暗褐色或绿褐色，少数草绿色。前胸背板背面"X"纹在沟后区较宽于沟前区。前翅端部之半较透明，散布暗色斑纹，在基部斑纹大而密；后翅基部淡黄色，中部暗色横带较狭，到达或略不到达后缘，顶端色暗，和中部暗色横带明显分开。后足股节膝部黑色，从上侧到内侧具3个黑斑，下侧内缘雄性红色，雌性黄褐色；后足胫节雄性红色，雌性黄褐色或淡红黄色，基部黑色，近基部内外侧及下侧具1个略明显的淡色斑纹，在上侧常混杂红色，无明显分界。

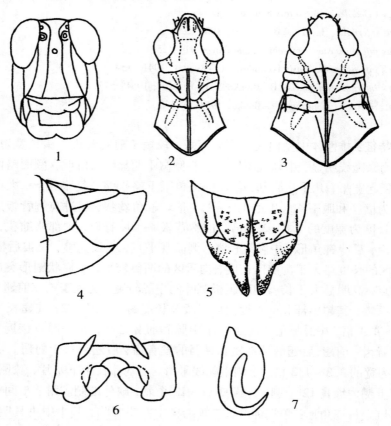

图192　黄胫小车蝗 *Oedaleus infernalis* Saussure（仿郑哲民、许文贤等，1990）
1. 雄性头部正面观；2. 雄性头及前胸背板背面观；3. 雌性头及前胸背板背面观；4. 雄性腹部末端侧面观；5. 下产卵瓣腹面观；6. 阳具基背片；7. 受精囊

　　雄性体长20.5～25.5mm，雌性体长29.0～35.5mm；雄性前胸背板长5.0～6.0mm，雌性前胸背板长7.5～8.5mm；雄性前翅长19.0～23.0mm，雌性前翅长29.7～31.0mm；雄性后足股节长12.0～14.0mm，雌性后足股节长17.0～20.0mm。

　　采集记录：1♂，柞水，2009.X.06，李敏采。

　　分布：陕西（西安、长安、周至、华县、汉中、柞水、商南）、黑龙江、吉林、内蒙古、北京、河北、山西、山东、宁夏、甘肃、青海、江苏；蒙古，俄罗斯，日本，韩国。

寄主：水稻，玉米，杉树，狗牙根，竹节草。

（46）亚洲小车蝗 *Oedaleus asiaticus* **Bey-Bienko，1941**（图 193）

Oedaleus asiaticus B.-Bienko，1941：152，156.

Oedaleus decorus asiaticus：Ritchie，1981：126.

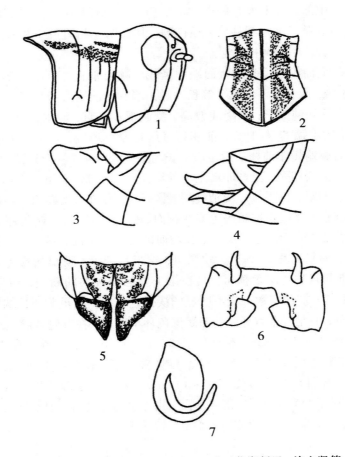

图 193　亚洲小车蝗 *Oedaleus asiaticus* Bey-Bienko（仿郑哲民、许文贤等，1990）

1. 头、前胸背板侧面观；2. 雄性前胸背板背面观；3. 雄性腹部末端侧面观；4. 雌性腹部末端侧面观；5. 下产卵瓣腹面观；6. 阳具基背片；7. 受精囊

鉴别特征：雄性体中型偏小。头大而短，较短于前胸背板。头顶顶端略倾斜，较低凹，侧缘隆线明显；中隆线可见。颜面近乎垂直，颜面隆起宽平，仅在中眼处略凹。头侧窝较明显，三角形。复眼卵形，较突出，其纵径为横径的 1.3～1.5 倍，而和眼下沟几乎相等。触角丝状，超过前胸背板后缘，其中段一节的长度为宽度的 1.5～1.8 倍。前胸背板中部明显缩狭，前缘较平直，后缘较圆弧形；中隆线较高，侧观较平直，全长完整，或被后横沟微微切断；沟后区两侧呈圆形隆起，形成肩状，沟

前区和沟后区长度几乎相等；侧片高大于长。中胸腹板侧叶间中隔的最狭处宽度等于长。前翅、后翅发达，超过后足股节的顶端，其前翅超出部分的长度约为后足股节长的 1/3，前翅全长为前胸背板长的 5.4 ~ 5.5 倍；前翅中闰脉位于中脉和肘脉之间，中闰脉上具发达的发音齿，前翅、后翅的端部具弱的发音齿；后翅略短于前翅。后足股节较粗壮，长为最宽处的 4.1 ~ 4.5 倍，上基片长于下基片；上侧中隆线平滑，缺细齿。后足胫节上侧内缘具 11 ~ 13 个刺，外缘具 10 ~ 13 个刺，缺外端刺。跗节爪间中垫略超过爪之中部。肛上板三角形，宽大于长，二侧缘不凹陷，基部之半具纵凹，中部具较明显的横脊。尾须圆柱状，顶钝圆，其长明显超过肛上板顶端。下生殖板短锥形。阳具基背片桥内侧极拱起。

　　雌性体型较大而粗壮。头顶背面缺中隆线。颜面垂直。复眼卵形，其纵径为横径的 1.2 ~ 1.3 倍，而和眼下沟几乎等长。触角刚到达前胸背板后缘。前胸背板前缘圆弧形较突出，后缘钝圆形；中隆线较高，侧面观较平直；沟前区几乎等于沟后区。中胸腹板侧叶间中隔宽略大于长。前翅超过后足股节顶端，其全长为前胸背板长的 5.0 ~ 6.0 倍。后翅略短于前翅。后足股节长为最宽处的 4.1 ~ 4.5 倍；跗节爪中垫刚到达爪中部。产卵瓣粗短，上产卵瓣之上外缘光滑，无细齿。下产卵瓣基部突出，腹面观外缘圆弧形凹陷，较粗短。受精囊端囊圆柱形，较宽，支囊圆弧形，略突出。

　　体常呈黄绿色，有些类型暗褐色或在颜面、颊、前胸背板、前翅基部及后足股节处带绿斑。前胸背板"X"形淡色纹明显，在沟前区几乎等于沟后区，前端的条纹侧面观微向下倾斜。前翅基半具 2 ~ 3 个大块黑斑，端半具细碎不明显的褐色斑；后翅基部淡黄绿色，中部具较狭的暗色横带，且在第 1 臀脉处较狭的断裂，横带距翅外缘较远，远不到达后缘；端部有数块较不明显的淡褐色斑块。后足股节顶端黑色，上侧和内侧具 3 个黑斑；后足胫节红色，基部淡褐色环不明显，在背侧常混杂红色。

　　雄性体长 18.5 ~ 22.5mm，雌性体长 28.1 ~ 37.0mm；雄性前胸背板长 3.6 ~ 4.2mm，雌性前胸背板长 4.7 ~ 5.6mm；雄性前翅长 19.5 ~ 24.0mm，雌性前翅长 29.5 ~ 34.0mm；雄性后足股节长 12.0 ~ 13.5mm，雌性后足股节长 17.0 ~ 19.5mm。

分布：陕西（秦岭）、内蒙古、北京、河北、山东、宁夏、甘肃、青海；蒙古，俄罗斯。

寄主：小麦，玉米，葡萄，扁豆，烟草，棉花等。

26. 赤翅蝗属 *Celes* Saussure, 1884

Celes Saussure, 1884：131. **Type species**：*Gryllus variabilis* Pallas, 1771.

　　属征：体型中等，雌性较大。头短，颊短于前胸背板。头顶宽平，顶端钝圆。侧缘隆线明显，前缘具隆线将头顶与颜面隆起分开。头侧窝明显，三角形，在头顶顶端相接近。颜面垂直或在雄性侧观略向后倾斜，颜面隆起宽平，刻点明显，仅在中单眼之下略低凹。复眼卵圆形，大而突出。触角丝状，超过前胸背板后缘。前胸背板宽平，前缘直，后缘钝角形。中隆线低而明显；侧隆线在沟后区明显，沟前区消失。前缘直，后缘钝角形。后横沟明显切断中隆线。前胸腹板微隆起，中、后胸腹板侧叶较宽的分开。前翅、后翅均发达，到达或超过后足股节的顶端；前翅较狭，不透明，中脉域的中闰脉顶端部分较接近中脉。后翅常染彩色，中部无暗色横带纹，顶端常较暗。后足股节外侧上基片长于下基片，股节粗短。上侧中隆线完整，无细齿。后足胫节缺外端刺。跗节爪间中垫达到或刚超过爪的中部。鼓膜器发达，鼓膜片较小，不盖住鼓膜孔。尾须弯曲。雄性下生殖板短锥形。雌性产卵瓣粗短，边缘光滑无齿。

分布：全北区，非洲区。中国记录 3 种，秦岭地区分布 1 种。

（47）小赤翅蝗 *Celes skalozubovi* **Adelung，1906**（图 194）

Celes skalozubovi Adelung，1906：151.
Celes skalozubovi skalozubovi：B. -Bienko & Mistshenko，1951：587.

鉴别特征：雄性体型中等。头颇短于前胸背板。头顶宽平，顶端钝圆，侧缘、前缘均具隆线，同颜面明显分开。头侧窝明显，三角形。颜面侧观稍向后倾斜，颜面隆前宽平，中眼之下凹陷。复眼卵形，大而突出，其纵径为眼下沟长的 1.7 倍。触角丝状，较粗壮，中段一节的长为宽的 1.5 倍，略超过前胸背板的后缘。前胸背板宽平，前缘平直，后缘弧形；中隆线明显，线状；侧隆线在沟前区消失，而沟后区明显可见。3 条横沟明显，仅后横沟切断中隆线，沟后区略长于沟前区。中胸腹板侧叶间中隔宽约等于长。前翅发达，刚到达后足股节的顶端，中脉域中闰脉明显，顶端部分接近中脉。后翅略短于前翅。后足股节粗短，长为宽处的 3.3 倍，上侧中隆线无细齿。后足胫节缺外端刺，上侧内缘具 11 个刺，外缘具 10～12 个刺。跗节爪间中垫刚到达爪的中部。肛上板三角形，中央具 2 条纵隆线。尾须细长锥形，略向内弯，顶尖。下生殖板锥形，顶钝。

雌性体型中等偏大。颜面垂直。复眼纵径为眼下沟长的 1.3 倍。触角中段一节的长为宽的 2.0 倍。中胸腹板侧叶间中隔宽为长的 1.5 倍。产卵瓣末端呈钩状，较尖，上产卵瓣的上外缘略具细齿，下产卵瓣基部具齿状突起。

体呈暗褐色。头部复眼之下常具不明显的淡色斑纹；前翅暗褐色，散布不甚明显的黑色斑纹；后翅基部玫瑰红色，前缘和端部暗色。后足股节暗褐色，顶端黑色，上侧和内侧具 3 个黑色斑纹，底侧较淡，具 2 个黑色斑纹，同内侧斑纹相连；外侧上、下隆线上具小黑点；后足胫节蓝黑色，近基部具 1 个淡色斑纹。

94　小赤翅蝗 *Celes skalozubovi* Adelung（仿郑哲民、夏凯龄等，1998）
雄性侧面观

雄性体长 19.2 ~ 20.4mm，雌性体长 30.3 ~ 35.0mm；雄性前胸背板长 5.3 ~ 5.7mm，雌性前胸背板长 7.1 ~ 7.5mm；雄性前翅长 14.1 ~ 15.2mm，雌性前翅长 21.8 ~ 23.4mm；雄性后足股节长 11.7 ~ 12.5mm，雌性后足股节长 15.5 ~ 17.2mm。

采集记录： 5♂2♀，佛坪，1998. Ⅶ. 25。

分布： 陕西（佛坪）、黑龙江、吉林、辽宁、山西、宁夏、甘肃、青海、四川；蒙古，俄罗斯。

27. 疣蝗属 *Trilophidia* Stål, 1873

Trilophidia Stål, 1873：117. **Type species：** *Trilophidia annulata* Thunberg, 1815 (= *Oedipoda cristella* Stål, 1860).

属征： 体型较小。体表面及足具较密的绒毛。头短，头顶较宽，侧缘隆线明显，前缘无隆线。头侧窝三角形或卵形。后头较平，在复眼之间具 2 个粒状突起。颜面侧观略向后倾斜，颜面隆起较狭，具纵沟。复眼大而突出，卵形。触角丝状，细长，略超过前胸背板的后缘。前胸背板前端较狭，前缘略突出，后端较宽，后缘近直角形。中隆线明显隆起，前端较高，后端较低，被中横沟和后横沟深切，侧面观呈二齿状。侧隆线在沟后区明显。中胸腹板侧叶间中隔较宽地分开。前翅发达，超过后足股节顶端，具中闰脉；后翅基部常具色。后足股节较粗，外侧上基片长于下基片，上侧中隆线无细齿。后足胫节缺外端刺。鼓膜器发达，鼓膜片较小。雄性肛上板圆三角形，下生殖板短锥形。雌性产卵瓣粗短，边缘光滑无齿。

分布： 东洋区，古北区，非洲区。中国记录 1 种，秦岭地区分布 1 种。

(48) 疣蝗 *Trilophidia annulata* (Thunberg, 1815) (图 195)

Gryllus annulata Thunberg, 1815：234.

Gryllus bidens Thunberg, 1815：235.

Epacromia aspera Walker, 1870：775.

Epacromia turpis Walker, 1870：775.

Epacromia nigricans Walker, 1870：776.

Trilophidia annulata var. *ceylonica* Saussure, 1884：54.

Trilophidia annulata var. *japonica* Saussure, 1884：54.

Trilophidia annulata var. *mongolica* Saussure, 1884：54.

Trilophidia japonica B. -Bienko *et* Mistshenko, 1951：594.

Trilophidia annulata：Xia, 1958：208.

鉴别特征： 雄性体型较小。头短。头顶较宽，顶端钝圆，前端低凹，同颜面隆起的纵沟相连。头侧窝明显，三角形。头后在复眼之间具有 2 个粒状突起。颜面侧观略向后倾斜，颜面隆起较狭，具纵沟。复眼卵形，大而突出，其纵径为眼下沟长的

1.5倍。触角丝状，细长，超过前胸背板的后缘。前胸背板前狭后宽，前缘略突，后缘近于直角；中隆线明显隆起，前部高，后部低，被中、后横沟深切断，侧观呈二齿；侧隆线在前缘和沟后区明显可见。中胸腹板侧叶间中隔宽约为长的2.0倍，后胸腹板侧叶全长彼此分开。前翅、后翅发达，超过后足股节的中部，前翅狭长，中脉域的中闰脉发达，其顶端部分接近中脉。后足股节较粗短，外侧上基片长于下基片，上侧中隆线无细齿。后足胫节缺外端刺；上侧外缘具8个刺，内缘具9个刺。跗节爪间中垫较短，不到达爪的中部。下生殖板短锥形，顶端较钝。

　　雌性体型较雄性大。颜面垂直。触角较雄性短，刚超过前胸背板的后缘。复眼较小，其纵径为眼下沟长的1.25倍。产卵瓣粗短，上产卵瓣上外缘无齿。

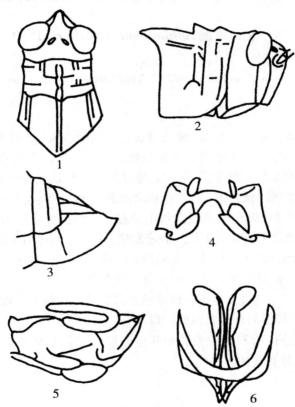

图195　疣蝗 *Trilophidia annulata*（Thunberg）（仿郑哲民，1993；仿郑哲民、许文贤等，1990）
1. 头、前胸背板背面观；2. 头、前胸背板侧面观；3. 雄性腹部末端侧面观；4. 阳具基背片；5. 阳具复合体侧面观；6. 阳具复合体背面观

　　体呈灰褐色、暗褐色，腹面、足上具细密的绒毛。头部和胸部具较密的暗色小斑点。触角基部黄褐色，端部褐色。前翅褐色散有黑色斑点；后翅基部黄色，略具淡绿色，其余部分烟色，无暗色横纹。后足股节上侧具3个黑色横纹，内侧及底侧黑色，近顶端处具2个淡色纹；后足胫节暗褐色，近基部和近中部具1个淡色纹。胫节刺的

基部淡色，端部黑色。

雄性体长 11.7 ~ 16.9mm，雌性体长 15.0 ~ 26.0mm；雄性前胸背板长 2.8 ~ 4.7mm，雌性前胸背板长 3.1 ~ 5.3mm；雄性前翅长 12.0 ~ 18.7mm，雌性前翅长 15.0 ~ 25.0mm；雄性后足股节长 7.0 ~ 10.0mm，雌性后足股节长 8.0 ~ 13.0mm。

采集记录：1♂，柞水，2009. X.06，李敏采。

分布：陕西（柞水，全省广布）、黑龙江、吉林、辽宁、内蒙古、河北、山东、宁夏、甘肃、江苏、安徽、浙江、江西、福建、广东、广西、四川、贵州、云南、西藏；朝鲜，日本，印度。

寄主：玉米，水稻，甘蔗，甘薯，苜蓿等。

28. 束颈蝗属 *Sphingonotus* Fieber，1852

Sphingonotus Fieber，1852，in Kelch，1852：2. **Type species**：*Gryllus（Locusta）caerulans* Linnaeus，1767.

属征：体型中等，匀称。头短于前胸背板。头顶向前倾斜。头侧窝不明显，如果明显，则位于头顶的边缘。颜面垂直或略后倾，颜面隆起在头顶的顶端平或略具纵沟。复眼卵形。触角丝状，到达、不到达或超过前胸背板的后缘。前胸背板马鞍形，沟前区通常缩狭，中隆线低且细，被 3 条横沟割断，有时中隆线局部消失；前胸背板侧片的前下角呈直角状、钝角或渐成锐角小突起。前胸腹板在两前足的基部间无突起；中胸腹板侧叶间之中隔宽大于长。前翅发达，到达或超过后足股节的端部，中闰脉较径脉和中脉凸起，中脉和径脉间无横脉；后翅通常具暗色带纹，不增粗或略增粗。后足股节匀称。后足胫节的顶端距正常。腹部第 1 片背板侧片的鼓膜片大，约占鼓膜孔的 1/3 ~ 1/2。雄性下生殖板钝锥状，阳茎基背片桥状。雌性产卵瓣呈钩状弯曲，基部宽，下产卵瓣的外缘具深的凹口。

分布：欧洲、亚洲、非洲及中美洲和其他邻近地区。世界已知约 63 种，中国记录 31 种，秦岭地区分布 3 种。

分种检索表

1. 后翅基部蓝色，后足胫节具 2 个暗色斑纹 ·························· 秦岭束颈蝗 *S. tsinlingensis*
   后翅基部淡蓝色，后足胫节淡黄色，基部 1/3 处有淡蓝色斑 ·························· 2
2. 后翅中部暗色带纹前端窄，内缘平直，或在后段略向内突出 ·········· 直纹束颈蝗 *S. striatus*
   后翅中部的暗色带纹宽，向内弯曲 ························· 张氏束颈蝗 *S. zhangi*

(49) 直纹束颈蝗 *Sphingonotus striatus* Xu *et* Zheng，2007（图 196）

Sphingonotus striatus Xu *et* Zheng，2007：929.

鉴别特征：雄性体中型，匀称。头短而高，侧面观高于前胸背板。头顶短宽，侧缘隆起，中央凹陷。头顶在两复眼间的宽度为触角间颜面隆起宽度的2.0倍。头侧窝不明显。颜面隆起不到达唇基，全长具纵沟。触角细长，超过前胸背板后缘。复眼卵形，垂直直径为眼下沟的1.2倍。前胸背板沟前区缩狭，沟后区宽平，后缘钝角形，中隆线低且细，被3条横沟切断，后横沟位于前胸背板之前，沟后区为沟前区的1.5倍，侧片后下角近直角形。中胸腹板侧叶间中隔较宽，宽为长的1.3倍。前翅发达，到达或略不到达后足胫节的端部，长为宽的5.8倍。中脉域的中闰脉端部靠近中脉。径分脉3分支。鼓膜器发达。后足股节匀称，长为宽的3.7～3.8倍，后足胫节内侧具刺10个，外侧具刺8个。跗节爪间中垫很小，远不到达爪的中部。下生殖板短锥形，顶端较尖。尾须锥形，顶钝圆。肛上板较宽短，顶尖。

雌性与雄性相似，体型较大。前胸背板中隆线在沟前区不明显，沟后区低平。复眼垂直直径为眼下沟的1.2倍，前翅径分脉3支。产卵瓣短小，上产卵瓣上外缘及下产卵瓣下外缘光滑，腹基瓣片表面具稀疏的颗粒。内缘光滑无齿。下生殖板后缘中央具短的纵沟。

体呈灰褐色。前翅基部和中部具2个暗色斑，近端部具不明显的小斑；后翅基部淡蓝色，中部暗色带纹前端窄，内缘平直，或在后段略向内突出，不到达后翅的后缘。顶端本色，翅脉较黑。后足股节外侧灰色，近端部1/3处有暗色斑，膝部黑色。内侧蓝黑色，近顶端具明显的淡色环，后足胫节淡黄色，基部1/3处有淡蓝色斑。

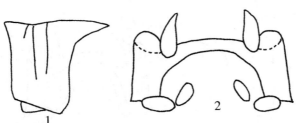

图196　直纹束颈蝗 *Sphingonotus striatus* Xu et Zheng（仿郑哲民，2011）
1. 雄性前胸背板侧面观；2. 阳具基背片

雄性体长23.0mm，雌性体长28.0mm；雄性前胸背板长4.6mm，雌性前胸背板长5.5mm；雄性前翅长26.0mm，雌性前翅长30.0mm；雄性后足股节长11.0mm，雌性后足股节长13.5mm。

采集记录：1♂，柞水，2003.Ⅶ.08，张大治采；1♂，柞水，2003.Ⅶ.08，方学梅采；1♀，柞水，2003.Ⅶ.08，张大治采。

分布：陕西（柞水）。

(50) 张氏束颈蝗 *Sphingonotus zhangi* **Xu** *et* **Zheng，2007**（图 197）

Sphingonotus zhangi Xu *et* Zheng，2007：929.

鉴别特征：雄性体型较大。头短，侧面观高于前胸背板；头顶短宽，低凹，侧缘隆起；头顶在两复眼间的宽度为触角间颜面隆起宽度的 1.8 倍；头侧窝不明显。颜面后倾，颜面隆起不到达唇基，全长具有纵沟。触角细长，超过前胸背板后缘甚远。复眼卵圆形垂直直径为 1.3 倍，为眼下沟的 1.2 倍。前胸背板沟前区缩狭，沟后区宽平，后缘近直角形，中隆线在横沟之间不明显，后横沟位于前胸背板中部之前，沟后区长度为沟前区的 1.6 倍，侧片后下角斜切状；中胸腹板侧叶间中隔较窄，宽略大于长。前翅狭长，超过后足胫节端部甚远，长为宽的 6.9 倍。中闰脉弯曲，端部靠近中脉。后足股节匀称，长为宽的 3.8 倍；后足胫节略短于股节，内侧具 8 个刺，外侧具 8 个刺。跗节爪间中垫很小，约为爪长的 1/4。下生殖板短锥形顶端钝圆。

体呈灰褐色。前翅基部 1/3、中部及端部具明显的暗色横带纹；后翅基部淡蓝色，中部的暗色带纹宽，向内弯曲，不到达后翅的后缘和内缘。后足股节外侧灰褐色，近端部 1/3 处有暗色斑，内侧蓝黑色，端部色淡；后足胫节淡黄色，基部 1/3 处有淡蓝色斑；后足跗节淡黄色。

雄性体长 26.0mm，前胸背板长 5.2mm，前翅长 31.0mm，后足股节长 12.0mm。

采集记录：1♂，柞水，2003.Ⅶ.08，张大治采。

分布：陕西（柞水）。

图 197　张氏束颈蝗 *Sphingonotus zhangi* Xu *et* Zheng（仿郑哲民，2011）
1. 雄性前胸背板侧面观；2. 阳具基背片

(51) 秦岭束颈蝗 *Sphingonotus tsinlingensis* **Zheng，Tu** *et* **Liang，1963**（图 198）

Sphingonotus tsinlingensis Zheng，Tu *et* Liang，1963：279.

鉴别特征：雄性体型中等。头短，侧面略高于前胸背板；头顶宽短，两侧缘隆起明显，复眼间头顶的宽度约为触角间颜面隆起宽的 2.0 倍；头侧窝不明显。触角丝状，超过前胸背板的后缘。复眼卵圆形，略突出，垂直直径约为水平直径、眼下沟距离的 1.2 倍。前胸背板沟前区较缩狭，沟后区较宽平，后缘呈钝圆形，中隆线低、细，

3条横沟明显，都割断中隆线，后横沟位于中部之前，沟后区的长度约为沟前区长的2.0倍，侧片的后下角圆，略渐尖；中胸腹板侧叶间之中隔较狭，中隔宽度近等于其长度。前翅狭长，超过后足胫节端部；长约为宽的6.4倍，中脉域的中闰脉端部略靠近中脉，径分脉3分支。后足股节匀称，股节的长度为宽度的3.5～4.3倍；后足胫节略短于股节，外缘具7～8个刺，内缘具9～10个刺；后足跗节爪间中垫小，不达爪中部。下生殖板短锥状，顶端钝圆。

雌性与雄性近似。体型较大。产卵瓣短粗，顶端呈钩状，下产卵瓣基部的悬垫光滑。

前翅具2个暗色横带纹，后翅基部蓝色，中部具宽的暗色带纹，距内缘甚远。后足胫节具2个暗色斑纹。

雄性体长19.5～24.0mm，雌性体长20.0～30.0mm；雄性前胸背板长4.3～4.5mm，雌性前胸背板长5.9～6.1mm；雄性前翅长24.3mm，雌性前翅长28.5mm；雄性后足股节长10.8～11.1mm，雌性后足股节长13.4～14.2mm。

采集记录：1♂，周至，1962. Ⅶ.16-29，郑哲民采；1♂，华县，1962. Ⅵ.29，郑哲民、屠钦、杨兰芬采。

分布：陕西（长安、周至、凤县、华县）。

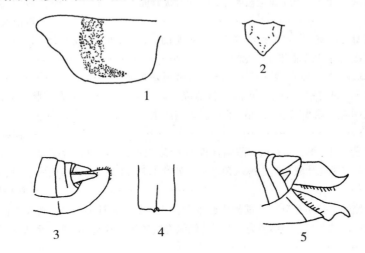

图198　秦岭束颈蝗 *Sphingonotus tsinlingensis* Zheng, Tu et Liang（仿郑哲民，2011）
1. 雄性后翅；2. 雄性肛上板；3. 雄性尾部；4. 雄性下生殖板；5. 雌性尾部

四、网翅蝗科 Arcypteridae

鉴别特征：体小型至中小型。头部多呈圆锥形，头顶前端中央缺颜顶角沟。头侧窝明显，四角形，但有时也消失。颜面颇向后倾斜，侧观颜面与头顶形成锐角形。触角丝状。前胸背板中隆线低，侧隆线发达或不发达。前胸腹板在两前足基部之间通常不隆起，平坦，有时呈较小的突起。前翅、后翅发达，缩短或有时全消失。前翅如发达，则中脉域常缺中闰脉，如具中闰脉，其上也不具音齿；后翅通常本色透明，有时也呈暗褐色，但绝不具彩色斑纹。后足股节上基片长于下基片，外侧具羽状纹，股节内侧下隆线常具发音齿或不具发音齿。发音为前翅—后足股节型。后足胫节缺外端刺。腹部第 1 节背板两侧通常具有发达的鼓膜器，但有时也不明显，甚至消失。腹部第 2 节背板两侧无摩擦板。阳具基背片桥形。

　　分类：古北区，东洋区。中国记录 47 属，其中分布于古北区的较多，东洋区的较少，陕西秦岭地区分布 9 属 24 种。

分属检索表

1. 后足股节内侧下隆线不具发音齿。后翅翅脉下面具发音齿，同后足股节上侧中隆线摩擦发音
　　 ·· 2
　　后足股节内侧下隆线具发音齿，同前翅纵脉摩擦发音。在短翅种类中的雌性发音齿较弱，但
　　仍留有痕迹 ·· 3
2. 前翅背板具侧隆线 ·· **竹蝗属 Ceracris**
　　前胸背板缺侧隆线，中隆线全长明显，前胸背板背面平坦。触角不超过后足股节中部，其节不
　　具纵条纹 ·· **雷篦蝗属 Rammeacris**
3. 前翅的肘脉域较宽，其最宽处约等于中脉域宽的 1.5~4.0(雄)或 1.25~2.0(雌)倍。雌性、雄
　　性后胸腹板侧叶的后端部分较宽的分开 ·· 4
　　前翅肘脉域较狭，其最宽处等于或明显小于中脉域宽度 ·· 5
4. 头侧窝浅平，具有粗大刻点。前胸背板侧隆线略呈弧形或几乎呈直线状。前翅肘脉域较宽，
　　其最宽处约为中脉域宽的 4.0 倍(雄)或 2.0 倍(雌)。后翅几乎呈暗褐色 ··································
　　 ·· **网翅蝗属 Arcyptera**
　　头侧窝明显，四方形，无刻点。前胸背板侧隆线的前段颇弯曲。后翅无色。前胸背板侧隆线
　　全长明显。前翅肘脉域宽为中脉域顶端最狭处的 1.25 倍。后足胫节内侧上距、下距等长 ······
　　 ·· **曲背蝗属 Pararcyptera**
5. 后胸腹板侧叶全长明显分开。前翅中脉通常无中闰脉，如具中闰脉，则头部较小。前胸背板
　　侧隆线仅在两端明显，中部消失，头顶的侧缘隆线较短，不到达后头。后头通常无中隆线···
　　 ·· 6
　　后胸腹板侧叶在后端相互毗连，在雌性中略为分开，但在前翅具有明显的中闰脉或后足胫节
　　内侧顶端的下距较长于上距。前胸背板侧隆线明显，全长一致，中部不消失。后头通常具有明
　　显的中隆线 ·· 7
6. 跗节顶端的爪正常，两爪长度彼此等长 ·· **雏蝗属 Chorthippus**
　　跗节顶端的爪左右不对称 ·· **异爪蝗属 Euchorthippus**
7. 雄性肛上板三角形或顶端部分两侧收缩或形成齿状，近基部两侧边缘略向上卷起··············
　　 ·· **暗蝗属 Dnopherula**
　　雄性肛上板三角形，基部两侧无齿 ·· 8
8. 前翅中脉间闰脉不正常；后足腿节不膨大 ································ **斜窝蝗属 Epacromiacris**
　　前翅中脉间闰脉正常；后足腿节膨大 ·· **坳蝗属 Aulacobothrus**

29. 竹蝗属 *Ceracris* Walker, 1870

Ceracris Walker, 1870：721，790. **Type species**：*Ceracris nigricornis* Walker, 1870.

Kuthya Bolívar, 1909：291. **Type species**：*Kuthya laeta* Bolíva, 1909.

Geea Caudell 1921：29. **Type species**：*Geea conspicua* Caudell, 1921.

属征：体中型。颜面倾斜，颜面隆起全长具纵沟。头顶短，三角形。头侧窝三角形，很小。触角细长，丝状，超过前胸背板后缘，中段一节的长为宽的 3.0～4.0 倍。复眼长卵形。前胸背板具细密刻点和皱波；中隆线明显，侧隆线较弱或无侧隆线；3条横沟均明显，沟前区明显长于沟后区；前缘较平直，后缘呈钝角形或弧形。前胸腹板前缘在两前足之间平坦或略隆起。中、后胸腹板侧叶明显地分开。前翅发达，较长，略不到达、到达或超过后足股节顶端，前翅中脉域具闰脉。后足股节匀称，膝侧片顶端圆形，后足胫节无外端刺，内侧顶端之下距略长于上距或几乎等长。爪间中垫较大，其顶端超过爪之中部。肛上板三角形，尾须在雄性为长柱状，雌性锥状。雄性下生殖板短锥形，顶钝圆，雌性产卵瓣粗短，其上瓣的长度为基部宽的 1.5 倍。

分布：亚洲。中国记录 9 种（亚种），秦岭地区分布 1 种（2 亚种）。

分种检索表

体小型；阳具基背片桥下缘呈圆弧形。雄性体长 18.0～20.0mm，雌性体长 26.0～30.0mm；雄性前翅长 15.0～20.0mm，雌性前翅长 21.0～26.0mm ·············· 青脊竹蝗 *C. nigricornis nigricornis*

体大型；阳具基背片桥下缘平直。雄性体长 22.0～24.0mm，雌性体长 34.0～37.0mm；雄性前翅长 21.5～23mm，雌性前翅长 28.0～31.0mm ····················· 大青脊竹蝗 *C. nigricornis laeta*

(52-1) 青脊竹蝗 *Ceracris nigricornis nigricornis* Walker, 1870（图 199）

Ceracris nigricornis Walker, 1870，791.

Ceracris nigricornis nigricornis：B. -Bienko & Mistshenko, 1951：463.

鉴别特征：体呈绿色；中型。颜面倾斜与头顶成锐角形，颜面隆起侧缘明显，全长具浅纵沟。头顶突出，顶锐角形。头侧窝极小，三角形，有时不明显。触角黑色，细长，到达后足股节基部，中段一节的长为宽的 4.0 倍。复眼卵形，其纵径为横径的 1.3～1.4 倍，而为眼下沟长度的 1.2～2.0 倍；复眼后具黑色眼后带。前胸背板侧隆线明显，沟前区长度大于沟后区，沟后区具密刻点；后缘近圆角形突出；侧片后下角直角形。前翅发达，超过后足股节的顶端，顶圆形；前翅褐色，臀域绿色。后足股节匀称，下膝侧片顶圆形。鼓膜器发达，孔卵圆形；后足股节淡红褐色，膝黑色，膝前环淡色，其后具黑环。后足胫节淡青蓝色，基部及近基部黑色，中间夹有淡色环。雄性肛上板三角形，尾须柱状，超过肛上板顶端，下生殖板短锥形顶钝圆，阳茎基背片侧板后突细长，顶平，桥上缘平，下缘狭弧形。雌性产卵瓣粗短。

采集记录： 5♀，石泉，2004. X.03，白义采。

分布： 陕西（蓝田、周至、户县、太白、佛坪、宁陕、石泉、安康、镇安、商南）、甘肃、广西、四川、贵州、云南。

寄主： 水稻，玉米，高粱，芋头，毛竹，青皮竹，甜竹，刚竹，棕榈，白茅。

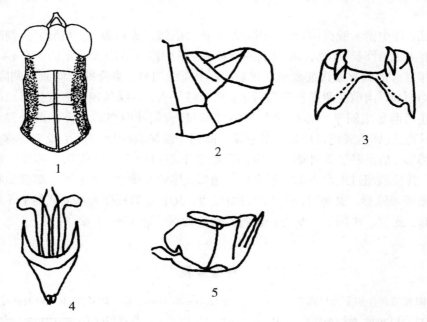

图 199　青脊竹蝗 Ceracris nigricornis nigricornis Walker（仿郑哲民、夏凯龄等，1998）
1. 头、前胸背板背面观；2. 雄性腹端侧面观；3. 阳具基背片；4. 阳茎复合体背面观；5. 阳茎复合体侧面观

(52-2) 大青脊竹蝗 *Ceracris nigricornis laeta* (Bolívar, 1914)（图 200）

Kuthya laeta Bolívar, 1914：79.

Parapleurus armillatus Karny, 1915：83.

Ceea conspicua Caudell, 1921：30.

Ceracris laeta：Uvarov, 1925：14.

Ceracris nigricornis laeta：Tinkham, 1936：204.

鉴别特征： 与青脊竹蝗相似，体型较大。头顶较突出，呈锐角形。触角细长，到达后足股节基部，中段一节的长度为宽度的 4.4 倍。复眼纵径为横径的 1.4 倍。前胸背板侧隆线全长明显，后横沟位于背板中部之后；沟前区长度大于沟后区。前翅发达，超过后足股节顶端很远，具中闰脉。体鲜绿色。触角黑色，顶淡色。具黑褐色眼后带。后足股节下侧淡红褐色，膝前环边具黑色环，后足胫节淡青蓝色。

采集记录：2♂2♀，略阳，2004.Ⅸ.10，白义采。

分布：陕西（略阳、佛坪、宁陕）、广西、四川、贵州、云南。

寄主：水稻，玉米，高粱，毛竹，茶，青皮竹，水竹，吊丝竹。

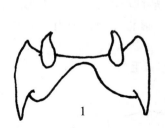

图 200　大青脊竹蝗 *Ceracris nigricornis laeta*（Bolívar）（仿郑哲民、夏凯龄等，1998）

1. 阳具基背片；2. 阳具基复合体背面观

30. 雷篦蝗属 *Rammeacris* Willemse，1951

Rammeacris Willemse，1951：50，65. **Type species**：*Ceracris gracilis* Ramme，1941.

属征：雄性体小型至中型，具颗粒。头顶较短，为三角形顶圆弧状，颜面侧观较倾斜，全长具纵沟，近中单眼处较宽，直至上唇亦加宽，侧隆线明显，略弯曲。头顶侧窝不明显。复眼为卵形。触角节间较长，丝状，其长超过后足股节基部。前胸背板具细颗粒，中隆线较明显，侧隆线缺，3 条横沟均明显；后横沟近于后端；前缘平直，后缘钝角形。前胸腹板在两前足基之间平坦，中胸腹板侧叶分开，后胸腹板侧叶基部分开。前翅、后翅均发达，前翅中脉域具中脉。后足股节上隆线平滑，膝侧片顶端钝形。肛上板为宽三角形，顶钝形；尾须圆锥形，略弯，其长到达肛上板顶端。下生殖板较短，略弯，顶端钝形。

分布：中国；缅甸。世界已知 2 种，中国记录 1 种，秦岭地区分布 1 种。

(53) 黄脊雷篦蝗 *Rammeacris kiangsu*（Tsai，1929）（图 201）

Ceracris kiangsu Tsai，1929：140.

Rammeacris kiangsu：Bi，1992，in Yin W-y.（ed），1992：489.

鉴别特征：体呈绿色或黄绿色，中型。头大，略向上隆起，侧观较高于前胸背板。颜面倾斜，颜面隆起全长具纵沟；头顶突出，顶端为锐角或直角形，背面中央低凹。头侧窝不明显或小，三角形。触角黑色，顶端淡色，细长，丝状，超过前胸背板后缘。前胸背板中隆线甚低，无侧隆线；沟前区明显长于沟后区；前缘平直，后缘钝角形。前胸腹板在两足基部之间平坦，中胸腹板侧叶明显分开。前翅暗褐色，发达，其长超过后足股节顶端，中脉域具闰脉。后翅略短于前翅，透明。后足股节匀称，股节长为宽的 5.0~5.4 倍，下膝侧片顶圆形；后足股节黄绿色，膝部黑色，膝前环为黄色，环后具黑色环；后足胫节暗蓝色，基部及近基部为黑色，中间夹有黄色环。雄性下生殖板短锥形。阳茎具背片冠突狭长，顶尖。雌性产卵瓣粗短，上瓣之上外缘无细齿。

分布：陕西（安康）、江苏、安徽、浙江、湖北、江西、湖南、福建、广东、广西、四川、云南。

寄主：水稻，高粱，玉米，甘蔗，禾本科毛竹。

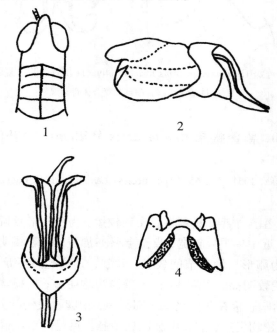

图 201　黄脊雷篦蝗 *Rammeacris kiangsu*（Tsai）（仿郑哲民、夏凯龄等，1998；1 仿 Willemse.）
1. *Rammeacris gracilis* Ramme 雄性头和前胸背板背面观；2. 阳茎复合体侧面观；3. 阳茎复合体背面观；4. 阳具基背片

31．网翅蝗属 *Arcyptera* Serville，1838

Oedipoda subgen. *Arcyptera* Serville，1838：173．**Type species**：*Gryllus*（*Locusta*）*fusca* Pallas，1773．
Stethophyma Fischer，1853：297．**Type species**：*Gryllus*（*Locusta*）*grossus* Linnaeus，1758．
Arcyptera：Chopard，1922：131，156．

属征：体型中等。头部较大而短，短于前胸背板。头顶宽短，顶钝。头侧窝明显，长方形或三角形，较浅平，具粗大刻点。颜面侧观向后倾斜；颜面隆起宽平，下端常消失。复眼卵圆形。触角丝状，常到达或超过前胸背板的后缘。前胸背板宽平。前缘较平直，后缘圆弧形；中隆线明显，侧隆线仅略为弯曲，几乎为直线形；沟前区长于沟后区，后横沟明显，切断中隆线和侧隆线。前胸腹板在前足之间略隆起或平坦。后胸腹板侧叶的后端较宽地分开。前翅较发达，到达或不到达后足股节末端；如若短缩，至少雄性前翅在背面相互毗连，不呈侧置形。肘脉域甚宽，最宽处为1.5~4.0或5.0倍(雄)，或1.25~2.0倍(雌)于中脉域端部的宽度；后翅几乎全部为暗黑色。后足股节匀称，外侧上膝侧片的顶端圆形。后足胫节上侧外缘缺外端刺。腹部第1节的鼓膜器发达。雄性下生殖板短锥形，顶端较钝圆。阳具基背片具强的锚状突及角形的冠突。雌性产卵瓣粗短，其上产卵瓣边缘无细齿。

分布：亚洲，欧洲。世界已知11种，中国记录2种，秦岭地区分布1种。

(54) 隆额网翅蝗 *Arcyptera coreana* Shiraki，1930（图202）

Arcyptera coreana Shiraki，1930：328.

Arcyptera ecarinata Sjöstedt，1933：19.

Arcyptera coreana：B.-Bienko & Mistshenko，1951：430.

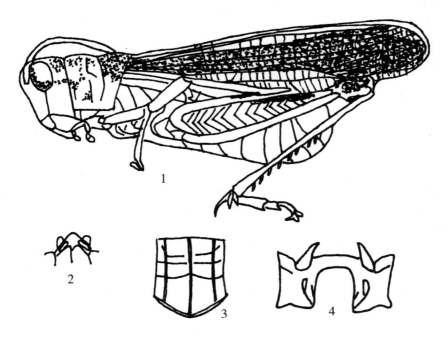

图202 隆额网翅蝗 *Arcyptera coreana* Shiraki(仿郑哲民、夏凯龄等，1998)

1.雄性整体侧面观；2.雄性头顶背面观；3.雄性前胸背板背面观；4.阳具基背片

鉴别特征：雄性体型中等，雌性体型较雄性粗壮；体呈褐色或暗褐色。雄性头顶较宽而钝，头顶和后头中央具不明显中隆线；雌性头顶宽短；前缘中央具明显纵行细隆线。头侧窝明显近四边形，在头顶部相距较近。颜面侧观倾斜，颜面隆起近上唇基部消失。眼间距宽度为触角间颜面隆起宽度的2.12~2.57倍。复眼卵圆形，其垂直直径为水平直径的 1.33~1.6 倍。触角丝状，雄性超过前胸背板后缘，雌性不到达前胸背板后缘。前胸背板前缘平直，后缘钝角形突出。中隆线明显，两侧隆线近于平行，侧隆线间最宽处略大于最狭处。前、中、后横沟明显，前、中横沟切断或不切断侧隆线，后横沟切断中、侧隆线。沟后区略大于沟前区。两前足之间，前胸腹板中央具很小突起。中胸腹板侧叶间中隔长为其最狭处的 1.26~1.3 倍。后胸腹板侧中间中隔全长彼此分开。前翅长，超过后足股节末端；雄性肘脉域很宽，约为中脉域宽的 4.0 倍；雌性肘脉域宽约为中脉域的 2.0 倍。后翅发达与前翅等长。全长褐色或暗黑色。后足股节较强壮，但匀称，外侧上基片略长于下基片；内侧下隆线之上具 1 列明显的音齿；外侧下膝片顶端圆形。后足胫节缺外端刺；内缘具 12 个刺；外缘具 12~15 个刺。爪间中垫超过爪的中部。腹部第 1 节鼓膜器较大，鼓膜孔近圆形。肛上板三角形，侧缘中部呈褶状隆起。尾须圆锥形。雄性下生殖板短锥形，顶钝圆。雌性上、下产卵瓣粗短，边缘光滑无齿。

采集记录：1♂，周至，2004.Ⅵ.22，王延峰采。

分布：陕西（西安、长安、蓝田、周至、户县、太白、凤县、略阳、宝鸡、留坝、勉县、佛坪、镇安）、黑龙江、吉林、辽宁、内蒙古、河北、山东、甘肃、江苏、江西、四川；朝鲜。

32. 曲背蝗属 *Pararcyptera* Tarbinsky, 1930

Arcyptera subgen. *Pararcyptera* Tarbinsky, 1930：334. **Type species**：*Oedipoda microptera* Fischer-Waldheim, 1833.

Pararcyptera：B.-Bienko & Mistshenko, 1951：430.

属征：体型中等。头部较大而短，短于前胸背板。头顶为短三角形，自复眼的前缘到头顶顶端的长度比其复眼间的宽度较短。头侧窝明显，长方形，较深凹，平滑无刻点。颜面侧观向后倾斜，常具细小刻点，颜面隆起宽平。复眼卵形，位于头的中部。触角丝状，到达或超过前胸背板后缘。前胸背板前缘较平直，后缘呈钝角形向后突出；中隆线较低，侧隆线明显，侧隆线在沟前区角状弯曲；后横沟较明显，切断中隆线和侧隆线。前胸腹板平坦，有时前缘在两前足基部之间呈隆起的小三角形。中、后胸腹板侧叶后缘均较宽地分开。前翅、后翅较发达，不到达、到达或略超过后足股节末端。前翅肘脉域较狭，其最宽处仅略大于中脉域的最宽处。后翅本色，透明。后足股节较粗短，内侧下隆线具发达音齿，外侧上膝侧片的顶端圆形。后足胫节缺外端刺，外缘具 12~13 个刺。腹部第 1 节具发达的鼓膜器。雄性下生殖板锥形，雌性产卵瓣粗短，顶端较钝，其上产卵瓣的外缘缺细齿。

分布：亚洲，欧洲，非洲。世界已知约 9 种，中国记录 1 种，秦岭地区有分布。

(55) 宽翅曲背蝗 *Pararcyptera microptera meridionalis*（Ikonnikov, 1911）（图 203）

Arcyptera flavicosta var. *meridionalis* Ikonnikov, 1911：251.

Arcyptera flavicosta sibirica Uvarov, 1914：170.

Pararcyptera microptera meridionalis：B-Bienko & Mistshenko, 1951：434.

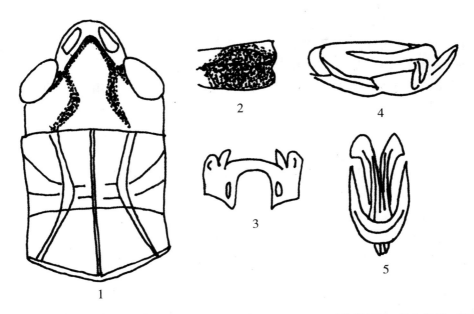

图 203　宽翅曲背蝗 *Pararcyptera microptera meridionalis*（Ikonnikov）（仿郑哲民、许文贤等，1990）
1. 雄性头、前胸背板背面观；2. 雄性左外侧后足股节膝部；3. 阳具基背片；4. 阳具复合体侧面观；5. 阳具复合体背面观

鉴别特征：雄性体中型。头部较大，头顶宽短，三角形，中央略凹，侧缘和前缘的隆线明显。头侧窝长方形，较凹，在顶端相隔较近。颜面侧面观明显向后倾斜。颜面隆起宽平，无纵沟，略低凹，侧缘较钝。复眼卵圆形，其垂直直径为其水平直径的 1.33 倍。触角丝状，超过前胸背板的后缘。前胸背板宽平，前缘较平直，后缘圆弧形；中隆线明显隆起；侧隆线明显，其中部在沟前区颇向内弯曲呈"X"形，侧隆线间的最宽处等于最狭处的 1.5～2.0 倍；后横沟切断侧隆线和中隆线；沟前区与沟后区的长度几乎相等。前胸腹板前缘在两前足基部之间呈较低的三角形隆起。中胸腹板侧叶间中隔较狭，其最狭处几乎相等于其长度。后胸腹板侧叶间中隔全长彼此分开。前翅发达，略不到达或刚到达后足股节末端。前翅肘脉域较宽，其最宽处约为中脉域近顶端最狭处的 2.0 倍；前缘脉域较宽，最宽处等于亚前缘脉域最宽处的 2.5～3.0 倍。中脉域通常无中闰脉。后翅略短于前翅。后足股节粗短，股节的长度为其宽度的 3.9～4.1 倍；上侧中隆线无细齿；外侧下膝侧片顶端圆形。后足胫节缺外端刺，沿外缘具 12～13 个刺。跗节爪间中垫较短，刚到达爪的中部。尾须圆锥形，到达或略超过肛上板的顶端。下生殖板短锥形，顶端略尖。

雌性体型较雄性大且粗壮。触角较短，刚到达前胸背板后缘。中胸腹板侧叶间中隔最狭处较宽于其长度。前翅较短，通常超过后足股节的中部；前翅肘脉域较狭，肘脉域的最宽处几乎相等于中脉域的最宽处。产卵瓣粗短，上产卵瓣的外缘无细齿。

体呈黄褐色、褐色或黑褐色。头部背面有黑色"八"字形纹。前胸背板侧隆线呈黄白色"X"形纹，侧片中部具淡色斑。前翅具有细碎黑色斑点；前缘脉域具较宽的黄白色纵纹。后足股节黄褐色，具 3 个暗色横纹，雄性后足股节底侧橙红色，雄性内、外膝侧片黑色，雌性内、外下膝侧片黄白色；后足股节橙红色，近基部具淡色环。

采集记录：1♀，周至，2004.Ⅸ.03，白义采。

分布：陕西（周至）、黑龙江、吉林、辽宁、内蒙古、河北、山西、山东、甘肃、青海；蒙古，俄罗斯。

寄主：小麦，玉米，高粱，谷子，棉花，红薯，花生，蔬菜，禾本科牧草。

33. 暗蝗属 *Dnopherula* Karsch, 1896

Dnopherula Karsch, 1896：259. **Type species**：*Dnopherula callosa* Karsch, 1896.

Bidentacris Zheng, 1982：84, 87. **Type species**：*Bidentacris guizhouensis* Zheng, 1982.

Parvibothrus Yin, 1984：55, 274. **Type species**：*Parvibothrus vittatus* Yin, 1984.

属征：体中小型。头大，短于前胸背板。头顶短，三角形，侧缘隆线明显，向后直达后头，头部背面具中隆线。头侧窝明显，长方形，从背面可见。颜面倾斜，颜面隆起宽平或略沟状，侧缘近平行。触角丝状，基部 3 节或基半节扁，其余节圆柱状，其长度不到达、到达或超过前胸背板后缘。复眼较大，卵形，位于头之中部。前胸背板中隆线明显。侧隆线近平行或中部弯曲；3 条横沟均明显；背板后缘角圆形。中胸腹板侧叶间中隔近方形。后胸腹板侧叶在后端毗连或略分开。前翅发达，不到达、到达或超过后足股节的顶端，缘前脉域基部膨大，雄性前缘脉域较宽，中脉域具不规则闰脉，肘脉域等于或较宽于中脉域。后翅发达。后足股节内侧具 1 列音齿，下膝侧片顶圆形。后足胫节缺外端刺，内侧端部距几乎等长或下距极长于上距。鼓膜器发达，孔卵圆形，长为宽的 1.3～2.5 倍。雄性腹部末节背板中部断裂；肛上板三角形或顶端部两侧收缩或形成齿状，近基部两侧边缘略向上卷起；尾须柱状或长锥形；下生殖板短锥形。雌性尾须短锥形；肛上板三角形；产卵瓣粗短，简单；下生殖板长，后缘角形突出，或后缘平、中央三角形突出，或后缘凹陷、中央三角形突出。

分布：东洋区，非洲区。中国记录 4 种，秦岭地区分布 1 种。

(56) 无斑暗蝗 *Dnopherula svenhedini*（Sjöstedt, 1933）（图 204）

Aulacobothrus sven-hedini Sjöstedt, 1933：23, pl. 11, figs. 5-6.

Dnopherula sven-hedini：Jago, 1971：244.

鉴别特征：体小型。体呈黄褐色，具暗色斑点。头顶突出，锐角形或钝角形，侧缘隆线明显，直延伸至后头，头部背面中隆线明显。头侧窝宽短，浅，长为宽的 1.2 倍。颜面隆起宽平，不具沟，具粗大刻点，侧缘平行，下端消失。触角丝状，到达或超过前胸背板后缘。前胸背板前缘平直，后缘角圆形；中隆线明显，侧隆线在沟前区呈角形弯曲，在沟后区较宽地分开；后横沟位于近中部。前翅发达，超过后足股节顶端，前缘脉域在雄性稍扩大，肘脉域与中脉域等宽或略狭；中脉域具不规则闰脉；中脉域具 1 列大黑斑。后翅透明，顶稍烟色。中胸腹板侧叶宽于中隔 1.4～1.8 倍。后胸腹板侧叶相毗连。后足股节适度粗。内侧具 1 列 77～112（雄）或 73～110（雌）个音齿。后足胫节内侧之下距长于上距 1.5～2.0 倍。雄性腹部末节背板中部断裂；肛上板三角形；尾须长锥形；下生殖板短锥形。雌性肛上板舌状；下生殖板后缘钝三角形突出；产卵瓣粗短。

分布： 陕西（秦岭）、河南、江西、四川、云南；泰国。

寄主： 玉米，红薯，大豆，禾本科杂草。

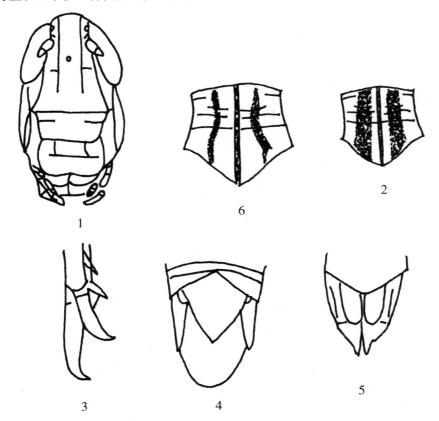

图 204　无斑暗蝗 *Dnopherula svenhedini*（Sjöstedt）（仿郑哲民、夏凯龄等，1998）

1. 头部正面；2. 雄性前胸背板；3. 后足胫节端部；4. 雄性肛上板；5. 雌性下生殖板；6. 雌性前胸背板

34. 雏蝗属 *Chorthippus* Fieber, 1852

Chorthippus Fieber, 1852: 1. **Type species**: *Acrydium albomarginatus* de Geer, 1773.

Megaulacobothrus Caudell, 1921: 27. **Type species**: *Megaulacobothrus fuscipennis* Caudell, 1921.

Stenobothrus subgen. *Plagiophlebis* Houlbert, 1927: 94. **Type species**: *Stauroderus scalaris*(Fischer von. Waldheim, 1846).

属征：体中小型。头部较短，短于前胸背板。头顶宽短，顶端常呈钝角或直角，雄性有时呈锐角形，头侧窝明显，呈狭长四方形。颜面向后倾斜，颜面隆起宽平或具纵沟。触角丝状，细长，到达或超过前胸背板后缘。复眼卵形，位于头部的中部。前胸背板前缘平直，后缘弧形；中隆线较低，侧隆线平行或在沟前区略弯曲或明显呈弧形、角形弯曲；后横沟明显，切断中隆线和侧隆线。前胸腹板在两前足基部之间平坦或略隆起。后胸腹板侧叶在后端明显分开。前翅发达或短缩，有的雌性呈鳞片状，侧置，在背部分开，但雄性前翅在背部均相连；缘前脉域在基部扩大，端部不到达或到达翅之中部。后翅的前缘脉和亚前缘脉不弯曲，胫脉近顶端部分正常，不增粗。后足股节膝侧片顶圆形，内侧下隆线具发达的音齿。后足胫节顶端缺外端刺，顶端内侧之下距、上距几乎等长。跗节的爪左右对称，其长度彼此相等；爪间中垫较大，其顶端常超过爪之中部。鼓膜器发达，孔呈半圆形或狭缝状。雄性腹部末节背板后缘及肛上板边缘不呈黑色，与腹部同色。下生殖板短锥形。阳具基背片桥形，冠突分二叶。雌性产卵瓣粗短，上产卵瓣之上外缘无细齿。下生殖板后缘常呈角状突出。

分布：世界广布。世界已知 200 多种，中国记录 80 多种，秦岭地区分布 11 种。

分种检索表

1. 雌性和雄性前翅、后翅均为暗褐色或黑色。雌性前翅宽长，前缘脉和亚前缘脉明显弯曲 ……
   …………………………………………………………………… **中华雏蝗 *C. chinensis***
   雌性和雄性前翅、后翅非暗褐色或黑色，多透明本色。雌性前翅较狭，前缘脉和亚前缘脉不明显弯曲，较直 ……………………………………………………………………………… 2
2. 雌性和雄性前胸背板侧隆线平行或几乎平行，侧隆线间最宽处等于或略大于最狭处（不到 1.4 倍）…………………………………………………………… **青藏雏蝗 *C. qingzangensis***
   雌性和雄性前胸背板侧隆线在沟前区呈角形或弧形弯曲，在沟后区明显扩大，侧隆线间最宽处至少为最狭处的 1.4 倍以上，如不到 1.4 倍，则两性前翅缩短，其顶端不到达腹端 … 3
3. 雌性和雄性前翅、后翅发达，雄性前翅顶端通常到达或超过后足股节顶端；如到达或略不到达腹部，则后翅宽大，不显著短于前翅，几乎与前翅等长，且后足股节端部为淡色或浅棕色，其雌性前翅顶端通常超过第 6 腹节 ………………………………………………………… 4
   雌性和雄性前翅、后翅通常不发达，其顶端不到达腹端，有时前翅到达或略超过腹端，则其后翅比前翅短小，且后足股节端部为褐色或黑色。雌性前翅一般不超过第 6 腹节，如超过则后

　　　　足股节端部黑色或前翅缘前脉域狭长，超过前翅的中部 ……………………… 9

4.　鼓膜孔宽卵形，其长度为宽度的 1.5～3.0 倍 ……………………………………… 5
　　鼓膜孔狭长，呈狭缝状，其长度为宽度的 4.0～13.0 倍 ………………………… 7

5.　雌性和雄性各个脉域均不具闰脉 ……………………… 太白雏蝗 *C. taibaiensis*
　　雄性各个脉域均不具闰脉；雌性中脉域、缘前脉域具闰脉 ……………………… 6

6.　前缘脉域大于中脉域的 1.1～1.3 倍，大于亚前脉域 2.5～2.8 倍，大于肘脉域 8.3～9.3 倍 …
　　…………………………………………………………… 宽中域雏蝗 *C. amplimedius*
　　中脉域大于前缘脉域的 1.5 倍，大于肘脉域 4.0～6.0 倍，大于亚前缘脉域 5.0 倍 …………
　　………………………………………………………………… 宽前域雏蝗 *C. amplicosta*

7.　雌性和雄性前翅发达，其顶端超过后足股节端部 ……… 华北雏蝗 *C. brunneus huabeiensis*
　　雌性和雄性前翅较短，其顶端不超过后足股节的端部 ………………………… 8

8.　前胸背板侧隆线在沟前区不明显、雄性前翅肘脉域具闰脉 ……………… 夏氏雏蝗 *C. hsiai*
　　前胸背板侧隆线全长明显，前胸背板侧隆线呈鲜明的黄白色"X"形纹。前翅前缘脉域具明显
　　的黄白色宽条纹，中脉域具 1 列黑斑 ……………………… 白纹雏蝗 *C. albonemus*

9.　雄性前翅较长，其顶端通常到达腹端，如不到达腹端，则其前翅中脉域较狭，最宽处为最狭肘
　　脉域（同一切线处）的 2.0～3.0 倍。发音齿数较多，在 120～170 粒之间 ……………… 10
　　雄性前翅较短，其顶端通常不到达腹部，如到达腹端部，则前翅中脉域甚宽，其最宽处为肘脉
　　域的 3.0～7.0 倍或更大。发音齿数较少，在 98～120 粒之间 ……… 东方雏蝗 *C. intermedius*

10.　触角粗短，雄性中段节长为宽的 2.0 倍，雌性为 1.5 倍左右。雄性头侧窝宽短，窝长为宽的
　　2.0～2.5 倍。前胸背板侧隆线间最宽处为最狭处的 1.8 倍。雄性前翅到达后足股节膝部，缘
　　前脉域不具闰脉 ……………………………………………… 北方雏蝗 *C. hammarstroemi*
　　触角较细长，中段一节长度约为宽度的 3.0 倍（雄）或 2.0～2.5 倍（雌） …………………
　　………………………………………………………………… 楼观雏蝗 *C. louguanensis*

(57) 中华雏蝗 *Chorthippus chinensis* **Tarbinsky，1927**（图 205）

Chorthippus（Stauriderus）chinensis Tarbinsky，1927：202. fig. 1.

Chorthippus chinensis：B-Bienko & Mistshenko，1951：505，fig. 1125.

　　鉴别特征：体中型。头顶锐角形。头侧窝狭长四角形。颜面倾斜，颜面隆起狭，在触角基部水平以下具浅纵沟，侧缘几乎平行，在中眼以下略扩大。触角较长，到达后足股节基部，中段一节的长为宽的 3.0～3.4 倍。复眼长卵形，复眼纵径为横径的 1.45～1.66 倍。前胸背板前缘平，后缘圆角形突出；中隆线明显，侧隆线呈角形内曲；沟前区长度几乎等于沟后区长度。中胸腹板侧叶宽大于长，侧叶间中隔近方形。雄性前翅宽长，超过后足股节的前顶端，前缘脉及亚前缘脉弯曲呈"S"形，亚前缘脉域明显狭于前缘脉域最宽处的 1.3 倍，径脉域较宽，在径脉分支处的宽度明显大于亚前缘脉域最宽处。雌性前翅较狭，刚到达后足股节顶端，中脉域的宽度明显大于肘脉域宽的 1.5～2.0 倍。后翅与前翅等长。后股节内侧下隆线具 197（±7）个音齿；膝侧片顶圆形。鼓膜孔宽缝状，长为宽的 3.5～3.7 倍。雄性肛上板三角形，中部具

横脊；尾须圆锥形，到达肛上板顶端；下生殖板短锥形，顶较尖。雌性上产卵瓣之上外缘无细齿；下生殖板后缘中央三角形突出。

体呈暗褐色。触角褐色，复眼红褐色。前胸背板沿侧隆线具黑色纵带纹。前翅褐色，后翅黑褐色。后足股节外侧、上侧具 2 个黑色横斑，内侧基部具黑色斜纹，下侧橙黄色，膝部黑色；后足胫节橙黄色，基部黑褐色。腹部末端橙黄色。

采集记录： 6♀3♂，宁陕，1989. X. 11，黄原采。

分布： 陕西（长安、周至、户县、眉县、太白、华阴、留坝、汉中、佛坪、洋县、宁陕、洛南、山阳、商南）、甘肃、四川、贵州。

寄主： 水稻，玉米，红薯，马铃薯，豆类，禾本科植物及多种牧草。

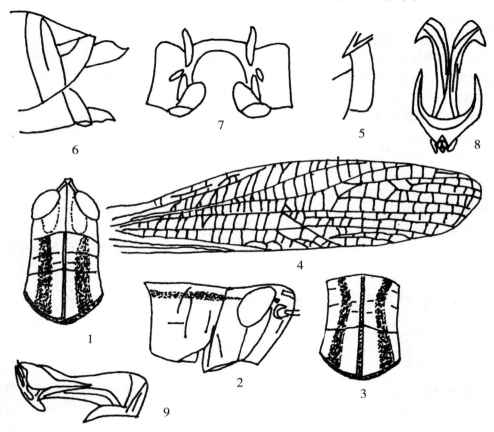

图 205　中华雏蝗 Chorthippus chinensis Tarbinsky（仿郑哲民、夏凯龄等，1998）

1. 雄性头、前胸背板背面观；2. 雄性头、前胸背板侧面观；3. 雌性前胸背板；4. 雌性前翅；5. 雄性鼓膜器；6. 雌性腹端侧面观；7. 阳具基背片；8. 阳茎复合体背面；9. 阳茎复合体侧面观

（58）青藏雏蝗 Chorthippus qingzangensis Yin, 1984（图 206）

Chorthippus qingzangensis Yin, 1984：163. fig. 348.

鉴别特征：雄性体中小型。头较短于前胸背板。颜面倾斜。触角细长，超过前胸背板后缘，到达后足股节基部。前胸背板中隆线、侧隆线明显，侧隆线较直，彼此几乎平行，不弯曲；后横沟位于背板中部，沟后区长度约同沟前区等长。前翅较长，顶端超过后足股节的顶端；缘前域脉狭长，一般超过前翅的中部，常缺闰脉；前缘脉域较狭，其最宽处为亚前缘脉域最宽处的 1.2 倍；径脉微弯曲，几乎直形；前翅向端部甚趋狭，具明显的翅痣。后足股节内侧下隆线发音齿基段音齿呈不规则的双排，音齿桃形。鼓膜孔半圆形。尾须圆柱形，长为宽的 2.0 倍，顶端略细。下生殖板钝锥形，末端平直。

雌性体型较雄性略大。颜面略倾斜。触角较短，仅到达或略超过前胸背板的后缘。前翅较短，刚到达后足股节的端部；中脉域、肘脉域常缺闰脉，有时具不发达的闰脉。产卵瓣较长，下产卵瓣近端部处具凹陷。

体呈黄绿色、绿色。头部背面、前胸背板、前翅有时呈棕褐色，前翅前缘脉域常具白色纵条纹。后足股节黄褐色，内侧基部缺暗色斜纹，端部色较暗；后足胫节黄褐色。

采集记录： 3♂4♀，留坝闸口石，1998. Ⅶ. 20，郑哲民采。

分布：陕西(留坝)、黑龙江、内蒙古、山西、宁夏、甘肃、青海、新疆、西藏。

图 206　青藏雏蝗 *Chorthippus qingzangensis* Yin(仿郑哲民、夏凯龄等，1998)

1. 前胸背板；2. 前翅

(59) 华北雏蝗 *Chorthippus brunneus huabeiensis* **Xia** *et* **Jin，1982**(图 207)

Chorthippus brunneus huabeiensis Xia *et* Jin，1982：211，221. figs. 71-74.

鉴别特征：雄性体中小型。头顶前缘明显呈钝角形。头侧窝明显低凹，狭长四角形，长为宽的 4.0 倍。颜面倾斜，颜面隆起较狭，两侧缘明显，中央低凹，形成纵沟。触角丝状，其中段一节的长为宽的 2.0 倍。前胸背板侧隆线在沟前区明显呈角形弯曲，其沟后区的最宽处为沟前区最狭处的 2.3 倍；后横沟位于背板中部之前，沟前区明显短于沟后区；前、中横沟较不明显。中胸腹板侧叶间中隔几乎成方形。前翅狭长，超过后足股节顶端，缘前脉域有时具有较弱的闰脉，前缘脉域宽为亚前缘脉域宽的 2.0 倍，而大于中脉域的宽度，中脉域宽略大于肘脉域的宽度。后翅与前翅等长。后足股节内侧下隆线具 133(±13)个音齿，音齿列长 4.5mm。音齿为钝圆形。跗节爪间中垫宽大，其长超过爪的 1/2。鼓膜孔长为宽的 4.0 倍。肛上板三角形，中央具纵沟，不到达端部。尾须长为基部宽的 2.0 倍。下生殖板端部钝圆。

雌性头顶前缘为直角形。头侧窝较浅，长为宽的 3.0 倍。颜面隆起较平坦，仅中央单眼之下略低凹，形成短浅沟。触角中段一节的长为宽的 2.5 倍。前翅缘前脉域长，到达前翅的 2/3 处。产卵瓣粗短，端部呈钩状。

体呈褐色。前胸背板侧隆线处具黑色纵纹，前翅褐色，在翅顶 1/3 处具 1 条淡色纹；后翅透明，本色。后足股节内侧基部具黑色斜纹，膝部淡色，后足胫节黄褐色。雄性腹端有时橙黄或橙红色。

采集记录：1♂1♀，商洛，2004.Ⅵ.09，白义采。

分布：陕西（商洛、商南）、内蒙古、北京、河北、山西、宁夏、甘肃、青海、新疆、西藏、东北。

寄主：小麦，糜子，谷子，蔬菜及禾本科牧草等。

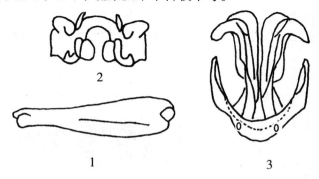

图 207　华北雏蝗 Chorthippus brunneus huabeiensis Xia et Jin（仿郑哲民、夏凯龄等，1998）
1. 后足股节与音齿列；2. 阳具基背片；3. 阳茎复合体背面观

(60) 夏氏雏蝗 *Chorthippus hsiai* Cheng *et* Tu，1964（图 208）

Chorthippus hsiai Cheng et Tu, 1964：264，figs. 1-5.

鉴别特征：雄性体中小型，雌性比雄性体型粗大；体呈暗褐色，具细碎黑斑。头大而短，比前胸背板略短，头顶顶端略呈锐角形。触角细长，超过后足股节的基部，中段一节的长度为宽度的 1.25～1.5 倍。复眼卵形，雄大雌小。前胸背板中隆线明显，侧隆线在沟后区明显，沟前区仅在前缘略可见，中段极不明显；后横沟明显，中部略向前突出，位于背板中部略前处，沟后区的长度略大于沟前区；前缘平直，后缘钝角形突出。中胸腹板侧叶间中隔较宽，其最狭处略小于或等于侧叶的最狭处。雄性前翅到达或略超过腹端，略不到达后足股节的顶端；缘前脉域缺闰脉，肘脉域具闰脉，有时中脉域亦缺闰脉；径脉域最宽处为亚前缘脉域最宽处的 1.75～3.0 倍。雌性前翅较短，不到达腹部末端，超过后足股节中部；肘脉域具闰脉，有时缘前脉域、中脉域亦具闰脉；中脉域的最宽处几乎等于或略大于前缘脉域或肘脉域的最宽处。后翅发达，几乎与前翅等长。后足股节内侧下隆线具音齿 113≥(±11)。鼓膜器具缝状孔，其最狭处小于最长度的 5.7 ~ 13.3 倍，尾须短锥形，基部较宽，下生殖板短锥形，顶钝圆。雌性产卵瓣粗短，末端钩状。

　　采集记录：2♂2♀，华县，1959.X.02，郑哲民采；3♀，宝鸡，1961.IX.28，梁铬球采。

　　分布：陕西（西安、宝鸡、华县）、宁夏、甘肃、青海。

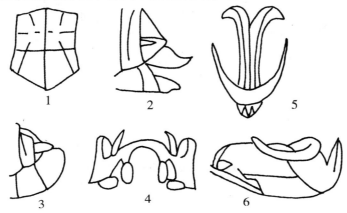

图 208　夏氏雏蝗 *Chorthippus hsiai* Cheng *et* Tu（仿郑哲民、夏凯龄等，1998）
1. 雄性前胸背板；2. 雌性腹端侧面观；3. 雄性腹端侧面观；4. 阳具基背片；5. 阳茎复合体背面观；6. 阳茎复合体侧面观

(61) 白纹雏蝗 *Chorthippus albonemus* **Zheng** *et* **Tu，1964**（图 209）

Chorthippus albonemus Zheng *et* Tu，1964：266，figs. 9-10.

　　鉴别特征：雄性体中小型，雌性比雄性体型粗大；体呈深褐色或草绿色。头大而短，较短于前胸背板。头顶锐角形。颜面稍倾斜。触角细长，超过前胸背板后缘，中段一节的长为宽的 1.32 ~ 2.0 倍。复眼卵形，雄性复眼纵径为眼下沟长度的 1.5 ~ 1.8 倍；雌性复眼纵径为眼下沟长度的 1.2 ~ 1.4 倍。前胸背板平坦，中隆线明显，侧隆线亦明显，并在沟前区呈钝角形凹入；后横沟位于背板中部，沟前区与沟后区几乎等长；前缘平直，后缘钝角形。中胸腹板侧叶间中隔较宽，其最狭处等于或略小于侧叶的最狭处。雄性前翅发达，顶端几乎到达腹部末端，雌性前翅较短，不到达腹部末端；雄性缘前脉域及肘域常不具闰脉，雌性具有闰脉；中脉域的宽度几乎等于或略大于肘脉域的宽度。后翅与前翅等长。后足股节内侧下隆线具 122（±8）个音齿。鼓膜孔呈狭缝状，其最狭处小于其长的 5.5 ~ 9.0 倍。尾须短锥形，基部较宽。雄性下生殖板馒头形，顶钝圆。雌性产卵瓣末端钩状。

　　采集记录：1♂，西安，1959.VIII.25，郑哲民采；2♀，宝鸡，1961.IX.28，梁铬球采；1♂4♀，咸阳，1959.X.17，郑哲民采；2♂2♀，华县，1959.X.02，郑哲民采。

　　分布：陕西（西安、宝鸡、咸阳、华县）、宁夏、甘肃、青海。

寄主： 禾本科牧草。

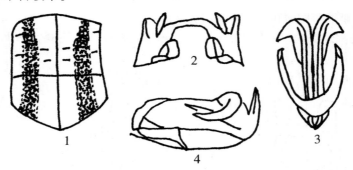

图 209　白纹雏蝗 *Chorthippus albonemus* Zheng *et* Tu（仿郑哲民、夏凯龄等，1998）
1. 雄性前胸背板；2. 阳具基背片；3. 阳茎复合体背面观；4. 阳茎复合体侧面观

（62）北方雏蝗 *Chorthippus hammarstroemi*（Miram，1906）（图 210）

Stenobothrus hammarstroemi Miram，1906-1907：5.

Stauroderus cognatus var. *amurensis* Ikonnikov，1911：253.

Chorthippus hammarstroemi hammarstroemi：B.-Bienko & Mistshenko，1951：534.

Chorthippus hammarstroemi：Zheng，1985：323，figs. 1579.

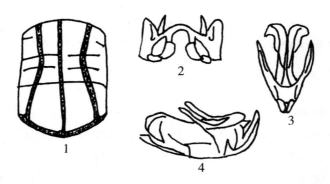

图 210　北方雏蝗 *Chorthippus hammarstroemi*（Miram）（仿郑哲民、夏凯龄等，1998）
1. 前胸背板；2. 阳具基背片；3. 阳茎复合体背面观；4. 阳茎复合体侧面观

鉴别特征： 体小型；呈黄褐色、褐色、黄绿色，有的个体背部绿色。颜面倾斜。头侧窝四角形。触角细长，超过前胸背板后缘。前胸背板前缘平直，后缘钝角形突出；中隆线明显，侧隆线在沟前区略弧形弯曲；后横沟在背板中部略后处，沟前区长度为沟后区的 1.2 倍；仅后横沟切断中、侧隆线，前、中横沟不切断中、侧隆线。前翅发达，在雄性到达后足股节膝部，翅顶明显向顶端变狭，翅顶圆形，在雌性到达后足股节中部，在背部互相毗连；雄性前翅缘前脉域不到达翅之中部；前缘脉域与中脉域几乎等宽；径脉域的最宽处大于亚前缘脉域的 1.5 ~ 2.0 倍；中脉域为肘脉域宽的 2.3 倍，各个脉域均不具闰脉。雌性缘前脉域较长，超过翅之中部，内具明显闰脉。后足股节匀称，橙黄色或黄褐色，内侧下隆线具 161~185 个音齿，膝侧片顶圆形，内侧基部无黑色斜纹。鼓膜孔卵形。尾须粗短，其长为基部宽的 1.5 倍。雄性下生殖板短锥状，端部上翘。雌性产卵瓣粗短，外缘光滑无细齿。

采集记录： 1♂1♀，太白，2004. IX.06，白义采。

分布： 陕西(周至、宝鸡、太白、留坝、佛坪、宁陕)、黑龙江、北京、河北、山西、山东、宁夏、甘肃。

寄主： 禾本科作物及牧草。

(63) 楼观雏蝗 *Chorthippus louguanensis* Cheng *et* Tu，1964(图 211)

Chorthippus louguanensis Cheng *et* Tu，1964：267，figs. 11-14.

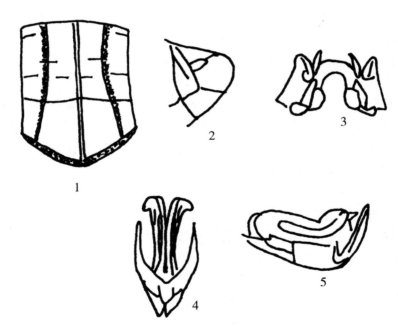

图 211　楼观雏蝗 *Chorthippus louguanensis* Cheng *et* Tu(仿郑哲民、夏凯龄等，1998)
1. 前胸背板；2. 雄性腹端侧面观；3. 阳具基背片；4. 阳茎复合体背面观；5. 阳茎复合体侧面观

鉴别特征： 雄性体中小型，雌性较雄性粗大；体呈褐色。头大而短，较短于前胸背板。头顶锐角形。头侧窝长方形。颜面向后倾斜，和头顶成锐角形。触角细长，向后可到达后足股节的基部，中段一节的长度为宽度的 2.25~2.5 倍。复眼卵形。前胸背板前缘平直，后缘钝角形突出，中隆线明显低平，侧隆线在沟前区略呈弧形弯曲，侧隆线间最宽处为最狭处的 1.6 倍，雌性为 1.7 倍；前、中横沟较不明显，后横沟明显，切断中、侧隆线；后横沟位于背板中后部，沟前区的长度略长于沟后区的长度。中胸腹板侧叶间中隔的最狭处几乎等于其长度。前翅发达，到达后足股节的 2/3 处，而不到达腹部顶端，翅顶宽圆；雌性前翅较短，仅到达腹部第 5 节背板的后缘；各个脉域均不具闰脉；径脉域的最宽处约大于亚前缘脉域最宽处的 3.0 倍。中脉域的最宽处为肘脉域最宽处的 1.83～2.0 倍。后翅短小，仅为前翅长的 2/3。后足股节匀称，内侧下隆线具 170 个音齿，下膝侧片顶圆形。跗节爪间中垫大，超过爪长的 1/2。鼓膜器孔半圆形。肛上板近于长三角形，中央具纵沟，中部具明显的横脊。尾须短锥状。雄性下生殖板短锥形，顶端钝圆。阳茎复合体之色带连片的基部具 3 个突起，其中突明显较长于二侧突。雌性产卵瓣粗短，末端呈钩状。

采集记录： 1♂，周至，2003.Ⅶ.25，王延峰采。

分布： 陕西（长安、周至、太白、佛坪、宁陕）、宁夏、甘肃。

(64) 东方雏蝗 *Chorthippus intermedius* (**B.-Bienko，1926**) (图 212)

Stauroderus intermedius B.-Bienko，1926：47，49.

Chorthippus intermedius：B.-Bienko & Mistshenko，1951：533.

鉴别特征： 雄性体中小型，雌性较雄性大而粗壮；体呈黄褐色、褐色或暗绿色。头大而短，较短于前胸背板。头顶前缘几乎呈锐角形，侧缘较平直，不弯曲。头侧窝四角形。颜面略倾斜。触角细长，向后可达后足股节中部，中段一节的长度为宽度的 2.0 倍。复眼卵形。前胸背板前缘平直，后缘钝角形；中隆线明显，低平，侧隆线全长明显，在沟前区呈弧形弯曲，侧隆线在沟后区的最宽处为其在沟前区最狭处的 2.0 倍，具黑色条纹；前、中横沟不甚明显，后横沟明显，位于背板中部，切断中、侧隆线，沟前区与沟后区等长。雄性前翅发达，到达或略超过腹部末端，但不到达后足股节顶端，翅顶宽圆；雌性前翅较短，刚超出腹部第 4 节背板的后缘；前缘脉和亚前缘脉较直，亚前缘脉域的宽度较狭于前缘脉域的宽度；中脉域较宽，其最宽处为肘脉域宽的 3.25～5.0 倍；缘前脉域具闰脉。后翅略短于前翅。后足股节匀称，内侧下隆线处具 107～131 个音齿，膝侧片顶圆形。鼓膜孔半圆形。尾须短锥形，粗壮。雄性下生殖板近乎馒头形，端部较平钝。阳具基背片桥上缘弧形，下缘较直；阳茎复合体之色带连片基部具 1 个弧形凹陷。雌性产卵瓣粗短，顶端略呈钩状。

采集记录： 3♂3♀，周至，2004.Ⅸ.03，白义采。

分布： 陕西（周至、太白、留坝、佛坪、宁陕）、内蒙古、河北、山西、宁夏、甘肃、青海、四川、西藏，东北；蒙古，俄罗斯。

寄主： 禾本科、莎草科牧草，苜蓿、谷子、小麦等农作物。

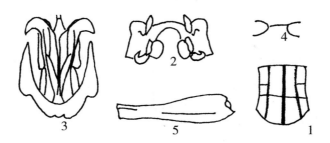

图 212　东方雏蝗 *Chorthippus intermedius*（B.-Bienko）（仿郑哲民、夏凯龄等，1998）
1. 前胸背板；2. 阳具基背片；3. 阳茎复合体背面；4，5. 后足股节与音齿列

（65）太白雏蝗 *Chorthippus taibaiensis* **Zheng et al.，2009**（图 213）

Chorthippus taibaiensis Zheng et al.，2009：268.

鉴别特征：体中小型；呈灰褐色。头部背面具"八"字形黑纹；头顶前锐角形，头侧窝长为宽的 3.0 倍；颜面倾斜，颜面隆起侧缘近平行，在中央单眼之下略收缩，自触角基部之间向下具纵沟。触角丝状，向后可到达后足股节基部，中段一节的长度为宽度的 2.5~3.0 倍。复眼卵形，复眼纵径为横胫的 1.3（雌）~1.46（雄）倍，为眼下沟长的 1.05（雌）~1.26（雄）倍。前胸背板前缘平直，后缘钝角形突出，侧隆线在沟前区呈钝角形凹入，向后扩大而直，侧隆线间最宽处为最狭处宽的 2.2 倍；雌性中隆线明显，侧隆线在沟前区向内弯曲，侧隆线间最宽处为最狭处的 2.0 倍；后横沟位于背板中部，沟前区长度与沟后区长度相等；雄性前、中横沟不明显，雌性略显出；前胸背板侧片长略大于高，前下角钝圆形，后下角直角形。中胸腹板侧叶宽大于长，中隔最狭处宽为长的 1.4 倍；后胸腹板侧叶分开。前翅黄褐色，发达，雄性超过后足股节顶端（雌性到达后足股节顶端），翅顶圆形，缘前脉域较宽，其顶端到达前翅前缘基部 1/3 处，具闰脉；中脉域很宽，雄性宽度为肘脉域宽的 6.0~7.0 倍（雌性为 3.0 倍），与前缘脉域等宽（雌性为 1.5 倍），各个脉域均不具闰脉；后翅略宽于前翅。后足股节橙红色，匀称，膝部黑色，膝侧片顶圆形；后足胫节橙红色，雄性外侧具 13~14 个刺（雌性 12 个），内侧具 11~12 个刺（雌性 11 个），缺外端刺，胫节基部黑色；爪间中垫大，超过爪长的 1/2。肛上板近圆形，顶端三角形突出，基部中央具大的凹沟。雄性尾须长锥形，到达肛上板顶端。下生殖板短锥形，顶尖。雌性尾须短锥形，仅达肛上板的 1/2。产卵瓣短粗，端部钩状，下生殖板长大于宽，后缘中央三角形突出。腹基瓣片上具粗大刻点。

采集记录：1♂，太白，2005.Ⅶ.24，杨亮采。

分布：陕西（太白）、甘肃。

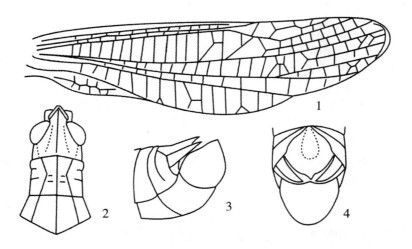

图 213 太白雏蝗 *Chorthippus taibaiensis* Zheng et al. (仿郑哲民，2011)

1. 前翅；2. 头、前胸背板背面观；3. 雄性腹端侧面观；4. 雄性腹端背面观

(66) 宽前域雏蝗 *Chorthippus amplicosta* Zheng et Zeng, 2009 (图 214)

Chorthippus amplicosta Zheng et Zeng, 2009：420.

鉴别特征：雄性体中小型。头顶前缘锐角形，头侧窝长为宽的 3.0 倍；颜面倾斜，颜面隆起侧缘在中央单眼之下略收缩，向下渐宽，全长具纵沟。触角丝状，向后可到达后足股节基部，中段长为宽的 2.5 ~ 3.0 倍。复眼卵形，纵径为横径的 1.5 倍，为眼下沟的长的 2.0 倍。前胸背板前缘近平直，后缘宽钝角形突出；侧隆线在沟前区呈弧形弯曲，侧隆线最宽处为最狭处宽的 2.0 倍；中隆线全长明显，后横沟位于背板中部，切断中、侧隆线，沟前区长度与沟后区相等，中横沟不明显；前胸背板侧片长高近相等，前下角钝角形，后下角直角形。中胸腹板侧叶宽大于长，侧叶间中隔最狭处宽为长的 2.0 倍；后胸腹板侧叶分开。前翅发达，不到达或刚到达后足股节膝部，翅顶圆形，翅长为宽的 3.6 倍，前缘脉域最宽处为亚前缘脉域宽的 3.0 ~ 4.5 倍，而与径脉域等宽，中脉域大于前脉域 1.5 倍，大于肘脉域 4.0 ~ 6.0 倍，大于亚前脉域 5.0 倍，各个脉域均不具闰脉。后翅略短于前翅。后足股节粗短，长为宽的 3.3 倍，下膝侧片顶狭圆形；后足胫节外侧具 11 ~ 12 个刺，内侧具 12 ~ 13 个刺，缺外端刺。后足跗节第 1 节长度为第 2、3 节之和，爪间中垫大，超过爪长的 1/2。鼓膜孔宽卵圆，长为宽的 1.5 倍。肛上板三角形。尾须近柱状。下生殖板短锥形，顶钝圆。体呈黄绿色，前翅黄褐色，后足股节淡橙黄色，内侧不具黑色斜纹，膝部黑色，后足胫节黄色，基部黑色。

雌性体型较雄性粗大。触角较短，超过前胸背板后缘，中段节长为宽的 2.0 倍。复眼纵径为横径的 1.6 倍，而略长于眼下沟。前翅到达后足股节 2/3 处，翅顶尖圆形，缘前域脉到达翅前缘顶 2/3 处，中脉域大于肘脉域 3.0 倍，中脉域、前缘脉及缘前脉域具闰脉。产卵瓣粗短，上瓣之长为宽的 2.5 倍，上瓣、下瓣均不具细齿。下生殖板长大于宽，后缘中央三角形突出。体色较雄性暗，呈褐色，前翅、后足股节褐色，膝部黑色，后足股节内侧具黑色斜纹，后足胫节黄褐色。

采集记录： 3♂3♀，宁陕旬阳坝，2006.Ⅶ.20，孟江红采。

分布： 陕西(宁陕)。

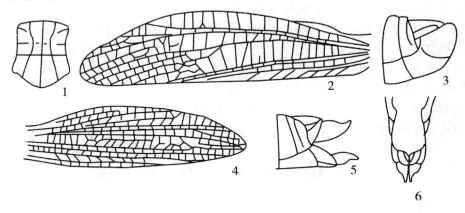

图 214　宽前域雏蝗 *Chorthippus amplicosta* Zheng et Zeng(仿郑哲民，2011)
1. 雄性前胸背板背面观；2. 雄性前翅；3.雄性腹端侧面观；4. 雌性前翅；5. 雌性腹端侧面观；6. 雌性腹面观

(67) 宽中域雏蝗 *Chorthippus amplimedius* Zheng *et* Li, 1996

Chorthippus amplimedius Zheng *et* Li, 1996：313.

鉴别特征： 雄性体中型。头顶宽平，前缘直角形。头侧窝四角形，狭长，其长度为宽度的 3.0 倍，颜面侧观倾斜，颜面隆起较狭，侧缘平行，全长具浅纵沟。触角丝状，23 节，到达后足股节的基部，中段一节的长度为宽度的 2.5 ~ 3.75 倍。复眼卵圆形，复眼纵径为横径的 1.43 倍，为眼下沟长度的 1.6 倍。前胸背板前缘平直，后缘圆弧形突出；中隆线明显，侧隆线在沟前区弧形弯曲，在沟后区明显向外扩张，侧隆线间的最宽处为最狭处的 2.3 ~ 2.7 倍；前胸背板后横沟位于背板中部，沟前区的长度与沟后区长度相等。中胸腹板侧叶间中隔最狭处的宽度大于长度的 1.4 倍。前翅发达，超过后足股节的端部，翅长为宽的 4.0 ~ 4.3 倍，翅顶圆形；缘前脉域不到达前翅的中部，具闰脉；前缘脉域大于中脉域的 1.1 ~ 1.3 倍，大于亚前缘脉域 2.5 ~ 2.8 倍，大于肘脉域 8.3 ~ 9.3 倍。后翅与前翅等长。后足股节匀称，长为宽的 4.4 倍，下膝侧片顶圆形。后足胫节外侧具 11 ~ 14 个刺，内侧 11 ~ 12 个。鼓膜器发达，孔卵圆形。肛上板三角形。尾须圆锥形，长为基部宽的 2.25 倍。下生殖板短锥形，顶端较钝。体黄褐色。复眼后及前胸背板侧隆线外侧具暗黑色纵条纹。后足股节外侧黄褐色，下侧橙红色，内侧黄褐色，基部具黑色斜纹，膝部黑色。后足胫节橙红色，基部黑色。

雌性体型较雄性粗大。头侧窝长为宽的2.9倍。颜面隆起平坦，仅中眼处略低凹。触角较粗短，到达前胸背板后缘，中段一节的长度为宽度的2.4～2.6倍。复眼纵径为横径的1.3倍，为眼下沟长度的1.14倍。前胸背板侧隆线间最宽处为最狭处的2.2倍；后横沟位于背板中部。中胸腹板侧叶间中隔最狭处为长的1.47倍。前翅宽长，刚到达后足股节的顶端，翅顶圆形，翅长为宽的4.5倍；缘前脉域到达前翅中部后，具闰脉；前缘脉域与中脉域等宽，大于亚前缘脉域的2.5倍，大于肘脉域的5.0倍；前缘脉域及中脉域具明显的闰脉。产卵瓣粗短，末端钩状。体色同雄性。

雄性体长16.0～17.0mm，雌性体长22.5mm；雄性前胸背板长3.5mm，雌性前胸背板长4.0mm；雄性前翅长15.0～16.0mm，雌性前翅长18.0mm；雄性后足股节长10.0～11.0mm，雌性后足股节长13.0mm。

采集记录：1♂1♀，宁陕旬阳坝，1995.Ⅶ.03，李恺采。

分布：陕西(宁陕)、湖北。

35. 异爪蝗属 *Euchorthippus* Tarbinsky，1926

Euchorthippus Tarbinsky，1926：192. **Type species**：*Stenonothrus pulvinatus* Fischer von Walheim，1846.
Sinhippus Ramme，1939：132. **Type species**：*Sinhippus alini* Ramme，1939.

属征：体小型，匀称。头部较小于前胸背板。头顶宽短，顶端圆形或三角形，侧缘隆线明显，头侧窝四角形，有时不明显。颜面颇向后倾斜，刻点稀疏，颜面隆起明显，侧缘几乎平行，下端略宽，通常具纵沟。下唇外面具小圆形外片，但不成吻状。触角丝状，通常到达或超过前胸背板的后缘。复眼长卵形，几乎位于头的中部。前胸背板前缘较直，后缘圆弧形；中隆线低而明显，侧隆线几乎平行，在沟前区直或略弯曲；后横沟位于背板中后部，沟前区颇长于沟后区。前胸腹板平坦。中胸腹板侧叶较宽地分开，侧叶内缘圆形。雄性后胸腹板的后端部较狭地分开，在雌性较宽地分开。前翅、后翅通常发达，有时缩短；前翅的缘前脉域近基部明显扩大，顶端不超过前翅的中部；后翅的前缘脉和亚前缘脉不弯曲，径脉正常，近顶端不增粗，后足股节匀称，股节长度为宽度的4.0～5.0倍；内侧下隆线具发达音齿；上膝侧片顶端圆形。后足胫节顶端无外端刺。跗节顶端爪不对称，前足跗节内侧爪明显小于外侧爪，中、后足跗节的内侧爪明显大于外侧爪；爪间中垫大，超过爪的1/2。雄性腹部末节背板的后缘及肛上板外缘与腹部同色。雄性下生殖板短锥形或长锥形；阳具基背片冠突具2～3叶。雌性下生殖板后缘呈三角形突出；产卵瓣较狭长，上产卵瓣之上外缘无细齿。

分布：亚洲，欧洲。世界已知25种，中国记录18种，秦岭地区分布5种。

分种检索表

　　前后翅短缩，雄性可达肛上板基部，雌性刚到达后足股节中部 ……………………………… 4

2.　雄性下生殖板短圆锥形，侧面观背缘的长度短于第9、10腹节背板下缘的长度 ………………

　　………………………………………………………………………………… **邱氏异爪蝗 E. cheui**

　　雄性下生殖板长圆锥形，侧面观背缘的长度等于第9、10腹节背板下缘的长度 ……………… 3

3.　前翅中脉域狭于肘脉域的1.4倍；头顶宽圆；头侧窝四角形 ………… **周氏异爪蝗 E. choui**

　　前翅中脉域与肘脉域几乎等宽；头顶锐角形，头侧窝长方形 ····· **秦岭异爪蝗 E. qinlingensis**

4.　复眼后及前胸背板具明显的宽黑眼后带；雄性前翅较短，仅达第6～8腹节背板；雄性下生殖

　　板细长，其长度为基部宽的1.6～2.3倍…………………………………… **条纹异爪蝗 E. vittatus**

　　复眼后及前胸背板不具眼后带或具不明显的眼后带；雄性前翅较长，到达肛上板基部；雄性下

　　生殖板的长为宽的1.3～1.7倍………………………………………… **素色异爪蝗 E. unicolor**

（68）邱氏异爪蝗 *Euchorthippus cheui* Hsia, 1965（图215）

Euchorthippus cheui Hsia, 1965: 585. figs. 5-8.

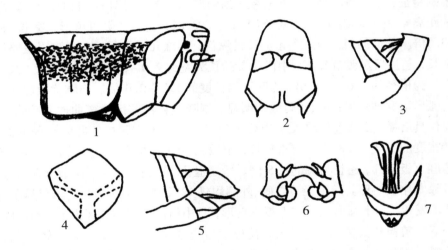

图215　邱氏异爪蝗 *Euchorthippus cheui* Hsia（仿郑哲民、夏凯龄等，1998）

1. 头、前胸背板侧面观；2. 雄性中胸、后胸腹板；3. 雄性腹端侧面观；4. 雄性肛上板；5. 雌性腹端侧面观；6. 阳具基背片；7. 阳茎复合体背面观

　　鉴别特征：雄性体中小型，雌性体型较雄性大；体呈灰褐色，暗褐色（雄）或灰褐色，少数背部绿色（雌）。头部短于前胸背板。头顶三角形；头侧窝较大。颜面极倾斜，颜面隆起纵沟浅，中眼以上略具稀疏刻点。触角细长，向后可达后足股节基部的1/3处，基部数节较扁，其余柱状；雌性触角较短，超过前胸背板后缘。复眼卵形。前胸背板前缘较平直，后缘弧形；中、侧隆线均明显，侧隆线在沟前区平行，后横沟在背板中部穿过，沟前区的长度与沟后区相等。中胸腹板侧叶间中隔较宽，其最狭处小于其最宽处的1.81～2.0倍；后胸腹板侧叶分开。前翅狭长，超过后足股节的顶端，翅顶尖圆形，雄性各个脉域均不具闰脉，雌性前缘前脉域及肘脉域具闰脉；中

脉域狭于前缘脉域及肘脉域。后翅与前翅等长。后足股节匀称,其长度为宽度的5.6~5.8倍。后足胫节外侧具11~12个刺,缺外端刺。后足第1跗节长于第3跗节的1.2倍。爪间中垫大,几乎达爪之顶端。肛上板三角形,基部两侧具膨大的隆起,基半中央具深纵沟,端半略隆起,两侧较凹陷。下生殖板粗短锥状。阳具基背片冠突分前后二叶。

采集记录: 4♀,太白,2004.IX.06,白义采。

分布: 陕西(太白)、内蒙古、宁夏、甘肃。

寄主: 禾本科牧草。

(69)条纹异爪蝗 *Euchorthippus vittatus* Zheng,1980(图216)

Euchorthippus vittatus Zheng, 1980: 344, 345.

鉴别特征: 雄性体小型。头顶较狭,顶圆形。侧缘隆起明显,自复眼前缘至头顶顶端的距离略短于复眼头顶最宽处(1.1~1.3倍)。头侧窝四角形,窝长为宽的2.6~3.0倍。颜面倾斜,颜面隆起全长具纵沟,侧缘几乎平行,在中眼以上略凹陷。触角细长,超过后足股节基部,中段一节的长为宽的2.0~2.3倍。复眼大,长卵形,复眼纵径为横径的1.6~1.9倍,为眼下沟长度的1.7~2.0倍。前胸背板前缘平直,后缘略弧形至宽钝角形;中、侧隆线均明显,侧隆线在沟前区微弯曲或几乎直,在背板背面仅具后横沟,沟前区略大于沟后区(1.1倍)。中胸腹板侧叶间中隔的宽度小于侧叶宽度的1.3~1.8倍。前翅狭长,顶较尖,到达腹部第6背板前缘至第8节,少数达肛上板基部,翅长为宽的4.5倍。后翅退化,不超过第4节腹节背板后缘。后足股节膝侧片顶圆形。后足胫节内侧、外侧均具12个刺,缺外端刺。跗节爪不等长。鼓膜器不发达,具半圆形孔。肛上板三角形,具中纵沟。尾须长圆锥形,到达肛上板顶端。下生殖板长圆锥形,末端尖,其长度为最宽处的1.6~2.3倍。体呈黄绿色。具宽的黑色眼后带,直延至腹侧;前胸背板背面褐绿色,侧隆线黄绿色,侧片黄绿色,上半部宽黑褐色与头部眼后带相连;前翅黄绿色;后足股节黄绿色,膝部黑色;胫节、跗节均为黄绿色,腹部黄绿色,侧面具宽黑色纵纹。

雌性头顶较宽,顶圆形,自复眼前缘到头顶顶端的距离短于复眼前头顶的最宽处。头侧窝长为宽的3.0倍。颜面隆起在中眼处略凹陷。触角超过前胸背板后缘,中段一节的长为宽的1.8倍。复眼纵径为横径的1.5倍,为眼下沟长度的1.5倍。前胸背板沟前区略大于沟后区。前翅狭长,顶尖,到达第6腹节背板后缘,翅长为宽的5.0倍;后翅刚超过第3腹节背板后缘。产卵瓣外缘光滑,顶端钩状。下生殖板后缘中央具三角形突出。体色同雄性。

采集记录: 3♂,周至,2004.IX.03,白义采;10♂3♀,太白山,1977.VIII.13,郑哲民采。

分布: 陕西(周至、太白、佛坪)、山西、甘肃。

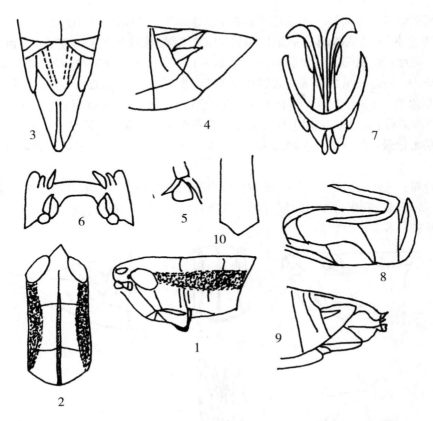

图 216　条纹异爪蝗 *Euchorthippus vittatus* Zheng(仿郑哲民、夏凯龄等，1998)
1.头、前胸背板侧面观；2.头、前胸背板背面观；3.雄性腹端背面观；4.雄性腹端侧面观；5.爪；6.阳具基背片；7.阳茎复合体背面观；8.阳茎复合体侧面观；9.雌性腹端侧面观；10.下生殖板

(70) 素色异爪蝗 *Euchorthippus unicolor*（Ikonnokov, 1913）（图 217）

Chorthippus unicolor Ikonnokov, 1913：15.

Euchorthippus alini Ramme, 1939：133, fig. 53.

Euchorthippus unicolor：B.-Bienko & Mistshenko, 1951：544.

鉴别特征：雄性体小型，雌性较雄性大；体呈黄绿色或褐绿色。头部短于前胸背板。头顶宽短，顶端钝，呈钝角形，自复眼前缘到头顶顶端的距离短于复眼前头顶最宽处的 1.7~2.4 倍，头顶及后头中隆线不明显。头侧窝四角形，长为宽的 2.0 倍以上。颜面颇向后倾斜，颜面隆起明显，具纵沟，侧缘近乎平行。雄性触角丝状，细长，远超过前胸背板的后缘；雌性触角较短，刚到达前胸背板后缘。复眼卵形，位于头之中部略前。前胸背板前缘较直，后缘圆弧形；中隆线低而明显，侧隆线在沟前区几乎平行，在沟后区略扩张开，后横沟位于中部之后，沟前区长度大于沟后区的长度。中胸腹板侧叶较宽地分开，后胸腹板侧叶分开较狭。雄性前翅狭长，顶尖，到达肛上板的基部；缘前脉域近基部明显扩大，顶端不超过前翅的中部；雌性前翅缩短，略不到达、刚到达或略超过后足股节的中部，缘前脉域基部明显扩大。后足股节匀称，膝侧片顶端圆形。后足胫节内侧具 11～12 个刺，外侧 10～11 个，缺外端刺。爪间中垫大，到达长爪之顶端。鼓膜孔半圆形。雄性下生殖板细长锥形，顶尖，其长度为基部宽的 1.5～1.7 倍。阳具基背片冠突 3 叶。雌性下生殖板后缘中央三角形突出；产卵瓣较长，上产卵瓣上外缘无细齿，下产卵瓣端部具凹陷。

采集记录：5♂4♀，略阳，2004.Ⅶ.25，白义采；2♂2♀，石泉，2004.Ⅹ.03，白义采。

分布：陕西（西安、长安、蓝田、周至、户县、太白、凤县、华阴、华县、略阳、留坝、佛坪、宁陕、石泉、安康、柞水、镇安、商州、商南）、河北、宁夏、青海，东北。

寄主：禾本科植物。

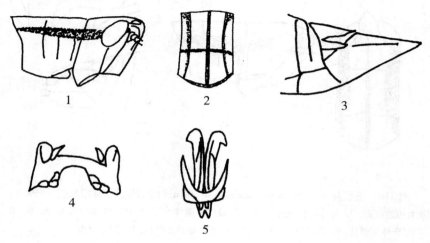

图 217　素色异爪蝗 *Euchorthippus unicolor*（Ikonnokov）（仿郑哲民、夏凯龄等，1998）
1. 头、前胸背板侧面观；2. 前胸背板背面观；3. 雄性腹端侧面观；4. 阳具基背片；5. 阳茎复合体背面观

（71）周氏异爪蝗 *Euchorthippus choui* Zheng, 1980（图 218）

Euchorthippus choui Zheng, 1980：75，76.

鉴别特征：体小型；呈黄绿色。头顶宽圆，自复眼前缘到头顶顶端的距离短于复眼前最宽处的 1.5（雄）～1.7（雌）倍；头侧窝四角形，窝长为宽的 2.7（雄）～3.3（雌）倍；头部背面具细的中隆线。颜面倾斜，颜面隆起全长具纵沟，侧缘近平行。触角褐色，丝状，雌性超过前胸背板后缘；雄性触角极长，到达后足股节中部。复眼红褐色，卵形，复眼纵径为横径的 1.26（雌）～1.5（雄）倍。前胸背板前缘平直，后缘圆角形突出；中、侧隆线均明显，侧隆线在沟前区部分略弯曲；沟前区长度略大于沟后区；前胸背板侧片长略大于高，后缘直，下缘中部略突出，前下角钝角形，后下角直角形。前翅发达，宽长，超过肛上板顶端，略不到达后足股节顶端，翅顶圆形，翅长为宽的 5.0 倍；胫脉域较宽，为亚前缘脉域宽的 2.0 倍，中脉域狭于肘脉域的 1.4 倍，缘前脉域、前缘脉域及肘脉域具闰脉，后翅略短于前翅。后足股节匀称，股节的长度为宽度的 5.0 倍；膝侧片顶圆形。雄性后足胫节外侧具 11 个刺，内侧 12 个；雌性后足胫节内侧、外侧均具 13 个刺，缺外端刺，跗节爪不等长，爪间中垫大，超过爪之顶端。中胸腹板侧叶间中隔最宽处为最狭处的 1.7 倍以上。鼓膜器发达，孔卵圆形。雄性肛上板三角形，具中央纵沟。尾须长圆锥形。下生殖板较细长，锥形。雌性肛上板三角形。尾须短锥形。上产卵瓣之上外缘光滑。下生殖板后缘中央三角形突出。

采集记录：1♂1♀，宁陕，2004.Ⅵ.01，白义采。

分布：陕西（宁陕）。

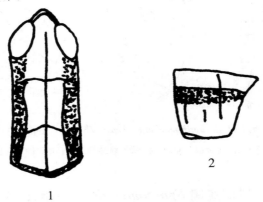

图 218　周氏异爪蝗 *Euchorthippus choui* Zheng（仿郑哲民、夏凯龄等，1998）

1. 雌性头、前胸背板背面观；2. 雌性前胸背板侧面观

（72）秦岭异爪蝗 *Euchorthippus qinlingensis* **Zheng *et* Meng，2008**（图 219）

Euchorthippus qinlingensis Zheng *et* Meng，2008：66.

鉴别特征：雄性体中型。头短于前胸背板，头顶锐角形；头侧窝长方形，长为宽的 3.0 倍；颜面极倾斜，颜面隆起侧缘在中央单眼处略收缩，向下渐宽，自触角基部之间向下具纵沟。触角丝状，细长，向后可到后足股节基部 1/3 处，中段一节长为宽的 4.0 倍。复眼长卵形，复眼纵径为横径的 1.5 倍，而为眼下沟长的 2.0 倍。前胸背板前缘平直，后缘弱钝角形；中、侧隆线均明显，侧隆线在沟前区略弧形弯曲；后横沟在背板中后部穿过，沟前区长为沟后区长 1.4 倍。中胸腹板侧叶中隔的宽度与侧叶宽近相等；后胸腹板侧叶分开。前翅狭长，超过后足股节顶端，翅顶圆形，缘前脉域具闰脉，其余各脉域不具闰脉，中脉域的宽度与肘脉域等宽；后翅与前翅等长。后足股节匀称，长为宽的 5.0 倍，下膝侧片顶圆形；后足胫节外侧具刺 14 个，内侧具刺 12 个，缺外端刺；爪不对称，前足内侧爪小于外侧爪，中、后足内侧爪大于外侧爪。

肛上板三角形。尾须狭长，弯曲，超过肛上板顶端。下生殖板长锥形，顶圆。体呈黄褐色，头部背面具黑褐色"八"字形纹；后足股节上膝侧片黑色；后足胫节橙褐色。

雌性体型较雄性粗大。头顶前缘略宽圆，几乎成直角形；复眼纵径为横径的 1.6 倍，为眼下沟长的 1.6 倍；前胸背板沟前区略长于沟后区（约 1.2 倍）；前翅中域宽于肘脉域；后足胫节外侧具 13 个刺，内侧具 12 个刺；产卵瓣粗短；下生殖板长大于宽，后缘中央三角形突出。体色同雄性，前翅前缘脉脉域具 1 条白色纵纹。

采集记录：1♂（正模），凤县，2007.Ⅷ.16，孟江红采；1♂3♀（副模），同正模。

分布：陕西（凤县）。

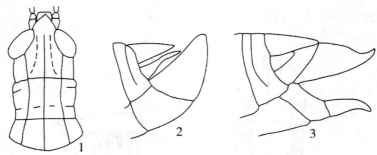

图 219　秦岭异爪蝗 *Euchorthippus qinlingensis* Zheng et Meng（仿郑哲民，2011）
1. 雄性头、前胸背板背面观；2. 雄性腹端侧面观；3. 雌性腹端侧面观

36. 斜窝蝗属 *Epacromiacris* Willemse, 1933

Epacromiacris Willemse, 1933：134. **Type species**：*Epacromiacris javana* Willemse, 1933.

属征：头侧窝近方形，从背部明显可见。触角较长，到达前胸背板后缘。前胸背板隆线在中部明显弯曲；后胸腹板侧叶在后端相连。前翅发达，超过后足股节顶端。后足胫节端部内侧的下距长于上距。

分布：中国；东南亚地区。世界已知 2 种，中国记录 2 种，秦岭地区分布 1 种。

(73) 条纹斜窝蝗 *Epacromiacris virgatus* Xu et al., 2008（图 220）

Epacromiacris virgatus Xu et al., 2008：1183.

鉴别特征：雄性体中小型。头大，短于前胸背板；头顶背面观呈锐角形，中央略凹陷，侧缘隆线明显；头侧窝四边形，边缘完整，长为宽的 1.8 倍；后头部具有不规则刻点；眼间距几乎等于触角间颜面隆起宽度；侧面观，头顶与颜面隆起形成弧形，颜面倾斜；颜面隆起宽平，侧缘平行，中央单眼之上有 1 条纵隆线。触角丝状，到达前胸背板后缘，中段 1 节长为宽的 1.4 倍；复眼卵形，明显突出，纵径为横径的 1.6

倍，为眼下沟的3.5倍。前胸背板前缘平直，后缘钝角形，中、侧隆线明显；中隆线仅被后横沟切断，侧隆线在沟前区呈角形弯曲，后横沟位于前胸背板中部之前，沟后区的长度为沟前区长度的1.25倍；前胸背板侧片呈方形，前后缘近平行，前下角宽钝角形，后下角钝圆；中胸腹板侧叶间中隔方形，长宽近于相等，后胸腹板侧叶后端毗连。前翅狭长，超过后足股节顶端，翅长是翅宽的6.0倍，翅顶钝圆形；缘前脉域基部稍扩大，中脉域具不规则闰脉；中脉域最宽处为前缘脉域宽的2.4倍。后足股节匀称（长是宽的4.0倍），内侧下隆线处具有发音齿（8～104），下膝侧片顶端圆形；后足胫节背面外侧具11个刺，内侧具11～12个刺，缺外端刺，端部内外两侧各有1对距，内侧之下距长于上距1.5倍，顶钩状，长度到达第1跗节中部；爪间中垫较大，圆形，到达爪之中部。鼓膜器发达，孔近圆形。雄性肛上板长三角形，顶钝圆，基部中央具纵沟，中部具有横沟。尾须较长，锥形，到达或略超过肛上板末端。下生殖板短锥形，顶端钝圆。体呈褐色。触角褐色，端部黑褐色；头顶及前胸背板中隆线处有1条淡色纵条纹，头部背面两侧具暗色纵带。前翅透明，翅脉褐色，前翅具方形或不规则褐斑，前缘脉域有1条白色纵条纹。后足股节褐色，膝黑褐色；外侧羽状纹处有不规则黑斑。后足胫节黄褐色。

图220 条纹斜窝蝗 *Wpacromiacris virgatus* Xu et al. （仿郑哲民，2011）
1. 雄性阳具基背片；2. 雄性阳具复合体

雌性体略大于雄性。头侧窝四边形，长为宽的1.8倍；触角丝状，到达前胸背板后缘，中段1节长为宽的1.7倍；复眼呈卵形，明显突出，纵径为横径的1.5倍，为眼下沟的2.4倍。前翅狭长，超过后足股节顶端，翅长是翅宽的5.3倍，翅顶钝圆形；缘前脉域基部稍扩大，中脉域具不规则闰脉；中脉域最宽处为前缘脉域宽的2.7倍。后足股节匀称（长是宽的4.0倍），内侧下隆线处具有86～95个发音齿；后足胫节背面外侧具9～11个刺，内侧具10～11个刺，缺外端刺，内侧距之下距长为上距长的1.4倍，顶钩状，长度到达第1跗节中部。产卵瓣粗短，长是宽的1.65倍，上产卵瓣上外缘和下产卵瓣下外缘光滑，末端成尖锐的钩状；下生殖板后缘中央三角形突出。体色同雄性。

采集记录：18♂20♀，安康市北郊，2007.Ⅸ.15. 孟江红采。

分布：陕西（安康）。

37. 坳蝗属 *Aulacobothrus* Bolívar, 1902

Aulacobothrus Bolívar, 1902: 597. **Type species**: *Aulacobothrus strictus* Bolívar, 1902.
Phorenula Bolívar, 1909: 296. **Type species**: information not available.

属征: 体小型。头顶突出成三角形, 侧缘隆线明显, 延伸到后头。头侧窝呈四角形。触角丝状。复眼卵形。前胸背板中、侧隆线明显, 侧隆线直或角形弯曲。背板后缘角形或钝圆形突出。前翅发达, 长超过后足股节的端部。后足股节内侧下隆线具音齿。雄性肛上板三角形。下生殖板短锥形。产卵瓣粗短。

分布: 亚洲, 非洲。中国记录 2 种, 秦岭地区有分布。

分种检索表

两性后足股节上侧具 3 个黑色横斑, 顶端黑色。后足股节底侧黄褐色, 后足胫节橘红色 ………………………………………………………………………………………………… 斑坳蝗 *A. luteipes*
两性后足股节无黑色横斑, 顶端淡色 ……………………………………… 无斑坳蝗 *A. svenhedini*

(74) 斑坳蝗 *Aulacobothrus luteipes* (Walker, 1871) (图 221)

Stenobothrus luteipes Walker, 1871: 82.
Aulacobothrus taeniatus Bolívar, 1902: 600.
Aulacobothrus luteipes: Ingrisch, 1993: 321.

鉴别特征: 体匀称, 雄性较小, 略具短绒毛和稀疏刻点, 雌性较大于雄性; 体呈黄褐色。头较短, 较短于前胸背板。头顶短, 突出, 三角形, 侧缘隆线明显, 直延伸到后头。后头具中隆线。头侧窝明显, 长方形, 位于头顶侧缘的上面, 长为宽的 1.5~2.0 倍。颜面倾斜, 刻点细小, 颜面隆起宽平, 在中眼以下略凹, 且刻点较密。复眼卵形, 位于头之中部。触角丝状, 雄性到达前胸背板后缘, 雌性触角较短, 略不到达前胸背板后缘。前胸背板前缘略呈弧形, 后缘钝圆形突出; 中隆线明显, 侧隆线呈角状内曲; 3 条横沟均明显, 但仅后横沟隔断中隆线; 后横沟约在背板中部, 沟前区和沟后区几乎等长。前胸腹板平坦。后胸腹板侧叶在后端相毗连。前翅发达, 超过后足股节顶端; 肘脉域较狭, 其最宽处等于或略小于中脉域的宽度, 中脉域具中闰脉。后翅略短于前翅。后足股节略粗短, 基部较粗, 内侧下隆线具发音齿; 上膝侧片顶端圆形。后足胫节顶端无外端刺; 内侧顶端之上下距颇不等长, 下距长于上距的 1.5~1.6 倍。肛上板三角形。尾须长钝形, 超过肛上板顶端。雄性下生殖板短锥形, 顶尖圆。阳具基背片桥拱较宽, 内冠突椭圆形; 阳具复合体之色带连片基部中央不具凹口, 圆弧形。雌性产卵瓣粗短, 上产卵瓣之上外缘光滑, 无细齿。

采集记录： 2♀，佛坪，2004. IX. 03，白义采；2♂2♀，宁陕，2004. VI. 01，白义采；2♂2♀，旬阳，2004. X. 01，白义采。

分布： 陕西（佛坪、宁陕、旬阳、安康、柞水、镇安、商南）、山东。

寄主： 白茅，竹节草，纤毛鸭嘴草。

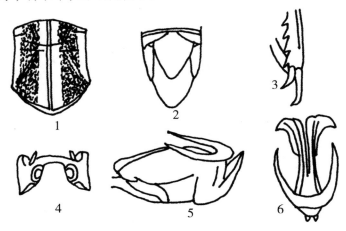

图 221　斑坳蝗 *Aulacobothrus luteipes*（Walker）（仿郑哲民、许文贤，1990）

1. 雄性前胸背板背面观；2. 雄性腹端背面观；3. 雌性后足胫节内侧端部；4. 阳具基背片；5. 阳具复合体侧面观；6. 阳具复合体背面观

（75）无斑坳蝗 *Aulacobothrus svenhedini* Sjöstedt，1933（图 222）

Aulacobothrus svenhedini Sjöstedt，1933：23.

鉴别特征： 雄性体小型，匀称；雌性体型较雄性大。头部较短于前胸背板。头顶突出，锐角形或钝角形；头部背面中、侧隆线均明显。头侧窝较宽短，长为宽的 1.2 倍。颜面向后倾斜，颜面隆起宽平，无纵沟，复眼卵形，位于头部之中央。触角丝状，雄性细长，超过前胸背板后缘，其长度较长于头和前胸背板总和；雌性触角较短，超过前胸背板后缘，其长度较长于头和前胸背板之总和。前胸背板前缘略圆形，后缘钝圆形突出；中隆线明显，侧隆线在沟前区呈角形弯曲，在沟后区较宽地分开；3 条横沟明显，仅后横沟切断中、侧隆线，后横沟位于后端，沟前区的长度大于沟后区长度。前胸腹板平坦。后胸腹板侧叶在后端相毗连。前翅发达，超过后足股节顶端；中脉域的中闰脉明显；肘脉域略狭，最宽处等于或较小于中脉域顶端部分的最狭处。后翅发达，略短于前翅。后足股节较粗短。内侧下隆线处具发音齿；上膝侧片顶端圆形。后足胫节顶端无外端刺；内侧之下距为上距的 1.5~2.0 倍长。雄性肛上板三角形；雌性肛上板锥形，顶尖。雄性尾须长锥形，超过肛上板顶端；雌性尾须短锥形，不到达肛上板的顶端。雄性下生殖板短圆锥形，顶钝圆。阳具基背片桥拱较狭，内冠突钝圆锥形；阳具复合体之色带连片基部中央具明显的凹口。雌性下生殖板后缘角状突出。产卵瓣粗短，外缘无细齿。

采集记录：2♂2♀，柞水，2004. Ⅵ. 08，白义采；2♂2♀，商洛，2004. Ⅵ. 09，白义采。

分布：陕西（安康、柞水、商洛）、山东。

寄主：白茅，竹节草，纤毛鸭嘴草。

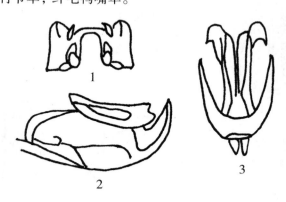

图 222　无斑坳蝗 *Aulacobothrus svenhedini* Sjöstedt（仿郑哲民、许文贤，1990）
1. 阳具基背片；2. 阳具复合体侧面观；3. 阳具复合体背面观

五、剑角蝗科 Acrididae

鉴别特征：体粗短或细长，大多侧扁。头部侧观为钝锥形或长锥形。头侧窝发达，有时不明显或缺。复眼较大，位于近顶端处，而远离基部。触角剑状，基部各节较宽，其宽度大于长度，自基部向端部渐趋狭。前胸背板中隆线较弱，侧隆线完整或缺。前胸腹板具突起或平坦。前翅、后翅发达，大多较狭长，顶端尖锐；有时缩短，甚至成鳞片状，侧置。后足股节上基片长于下基片，外侧中区具羽状纹。内侧下隆线具音齿或缺。鼓膜器发达。阳具基背片具锚状突，侧片不呈独立的分支。

分类：世界广布。中国记录 27 属 74 种，陕西秦岭地区分布 5 属 6 种。

分属检索表

1. 后足股节内侧下隆线具发音齿 ·· 2
   后足股节内侧缺发音齿 ··· 3
2. 雌性和雄性前翅发达，其顶端超过后足股节端部；端部圆形。前胸背板侧隆线在沟后区消失。雌性产卵瓣狭长，上产卵瓣之上外缘较平直，无凹口，具细齿 ·········· **金色蝗属 Chrysacris**
   雌性和雄性前翅缩短，其顶端明显不达后足股节端部（雄），或在背部分开，不毗连（雌）；雄性前翅具有直角形或方形的翅室，端部平截或凹口。前胸背板侧隆线在沟后区较不清楚。后足跗节第 1 节的长度几乎等于第 3 节的长度 ·············· **鸣蝗属 Mongolotettix**

3. 后足股节内侧、外侧的上膝侧片顶端圆形，无锐刺 ·························· 4
   后足股节内侧、外侧的上膝侧片顶端均具有尖锐的刺。头部较长，其长明显地长于前胸背板。复眼明显地着生于头的前端。前翅缘前脉域顶端之半较狭，不透明。跗节爪间中垫较大，几乎与爪等长 ···················· **剑角蝗属 Acrida**
4. 头顶较短，略向前突出，自复眼前缘至头顶顶端的距离明显地小于复眼的水平直径。头部较短，其长短于前胸背板。头顶宽短，端部呈宽圆形 ·········· **佛蝗属 Phlaeoba**
   头顶较长，颇向前突出，自复眼前缘至头顶顶端的距离约等于或 1.25 倍于复眼的水平直径，头部其长略短于前胸背板。前、后翅发达，近顶端较狭 ·········· **戛蝗属 Gonista**

38. 鸣蝗属 *Mongolotettix* Rehn, 1928

Mongolotettix, Rehn, 1928: 200. **Type species**: *Chrysochraon japonicus* Bolívar, 1898.

属征：体中小型，较细长。头大而短，略短于前胸背板。头顶短，相等于（雄性）或明显地短于（雌性）复眼前的最宽处，中隆线明显。缺头侧窝。颜面侧观颇向后倾斜，颜面隆起明显，具纵沟，侧缘较狭，中单眼之下较宽，向下端展开。触角剑状，基部数节较宽大，端部之半较细小，常超过前胸背板的后缘。前胸背板宽平，中隆线明显，侧隆线较弱于中隆线，近平行，在沟后区较不明显，或消失。后横沟接近后端，沟前区明显地长于沟后区。前胸腹板平坦。后胸腹板侧叶的内缘常明显地分开。雄性前翅发达，常超过后足股节的中部；顶端中央具明显的凹口，缺中闰脉。纵脉较发达，纵脉与横脉常组成直角为方形小室。雌性前翅不发达，长卵形，侧置，在背面彼此不毗连。后足股节细长，匀称，内侧下隆线具发音齿，其上膝内、外侧片顶端圆形，下膝侧片顶端锐角形。后足跗节第 1 节较短，与第 3 节几乎等长。跗节爪间中垫较长，到达或超过爪之顶端。雄性下生殖板圆锥形，顶尖。雌性产卵瓣狭长，其上产卵瓣的上外缘具细齿。

分布：欧洲，亚洲。世界已知 4 种，中国记录 3 种，秦岭地区分布 1 种。

(76) 异翅鸣蝗 *Mongolotettix anomopterus*（**Caudell, 1921**）（图 223）

Chrysochraon anomopterus Caudell, 1921: 32.

Mongolotettix anomopterus: Xia, 1958: 89, 102, 103.

鉴别特征：雄性体型中等。头大而短，略短于前胸背板。三角形的头顶，向前突出。缺头侧窝。颜面侧观颇向后倾斜与头顶形成锐角形，颜面隆起明显，全长具纵沟，中单眼之下较宽；侧缘隆线明显。复眼卵形。触角剑状，较长，约等于头和前胸背板长度之和的 1.5 倍。前胸背板宽平，中隆线明显，侧隆线近乎平行，在沟后区不明显。后横沟接近后端，沟前区颇长于沟后区。中胸腹板侧叶间中隔较狭，中隔的长度为最狭处的 1.8 ~ 2.0 倍。前翅发达，超过后足股节长的 2/3；顶端中央具凹口；

纵脉发达，横脉与纵脉组成直角或为方形小室。后足股节细长，上侧之上隆线光滑；下膝侧片顶端尖。股节内侧之下隆线具 84±5 个音齿。腹部末节背板无尾片或略突出；下生殖板长圆锥形，逐渐向顶端趋狭。

　　雌性体型较雄性大。触角剑状，长约等于头和前胸背板长度之和的 1.2 倍。前翅鳞片状，侧置，在背部彼此分开，其顶端到达腹部第 2 节。上、下产卵瓣外缘均具细齿。

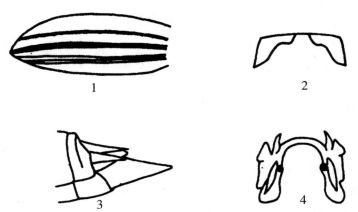

图 223　　异翅鸣蝗 *Mongolotettix anomopterus*（Caudell）（仿印象初、夏凯龄等，2003）
1. 雌性前翅；2. 雄性腹部末节背板；3. 雄性腹面侧面观；4. 阳具基背片

　　体通常呈黄色、黄褐色或淡褐色。复眼后及前胸背板侧片常具不太明显的暗褐色眼后带。雄性前翅透明，淡黄或黄绿色，径脉颜色较深，前缘脉域基部具白色纵纹；雌性前翅黄褐色，亚前缘脉有 1 条黑褐色纵条纹（径脉域），黑纹前为白色纵纹（亚前缘脉域）。后足股节黄褐色，后足胫节淡黄色。胫节刺和爪尖黑色。

　　雄性体长 20.0～25.0mm，雌性体长 30.0～36.0mm；雄性前胸背板长 3.4～3.8mm，雌性前胸背板长 4.8～6.2mm；雄性前翅长 10.0～12.0mm，雌性前翅长 5.0～6.0mm；雄性后足股节长 9.5～11.7mm，雌性后足股节长 15.0～18.5mm。

　　采集记录：4♂2♀，宁陕，2004.Ⅵ.01，白义采。

　　分布：陕西（长安、周至、户县、留坝、佛坪、宁陕、商南）、甘肃、江苏、浙江、湖北、江西。

　　寄主：玉米，禾本科植物，多种牧草。

39. 佛蝗属 *Phlaeoba* Stål，1861

Phlaeoba Stål，1861：340. **Type species**：*Opsomala fumosa* Serville，1839.
Kirbyella Bolívar，1909：289. **Type species**：*Gomphocerus rusticus* Stål，1861.

　　属征：体中小型。头部较短，其长度短于前胸背板；头顶短宽，端部呈宽圆状。

前胸背板中、侧隆线之间不具成行纵隆线或仅具短隆线，后缘圆弧形；后胸腹板侧叶在雄性相连。前翅发达，顶圆，具中闰脉。膝侧片顶圆形。

分布：东洋区。世界已知 23 种，中国记录 8 种，秦岭地区分布 1 种。

(77) 中华佛蝗 *Phlaeoba sinensis* Bolívar, 1914 (图 224)

Phlaeoba sinensis Bolívar, 1914: 93.

鉴别特征：雄性体中型。颜面颇倾斜，颜面隆起全长具纵沟。头顶突出较长，自复眼前缘到头顶顶端的距离明显大于复眼前最宽处；头侧窝缺。触角剑状，粗短，到达或刚超过前胸背板后缘。复眼长卵形。前胸背板中隆线和侧隆线均明显，侧隆线几乎平行，背面平滑，前缘平直，后缘圆弧形；前胸腹板在两前足基节之间平坦；后胸腹板侧叶后端毗连。前翅长，超过后足股节的膝部，顶端圆形，中脉域具闰脉。后足股节匀称，膝侧片顶端圆形。跗节爪间中垫较长，超过爪之中部。下生殖板长圆锥形，顶端圆。

雌性触角较短，常不到达前胸背板后缘。后胸腹板侧叶明显分开。产卵瓣粗短，顶端呈钩状。

体呈暗褐色。触角一色，暗褐色，顶端无淡色节。头和前胸背板侧面有时具 2 条黄褐色纵纹。前翅径脉有时淡色，形成 1 条狭的淡色纹；后翅基部淡黄或淡黄绿色。后足股节及胫节黄褐色。

雄性体长 22.0～25.0mm，雌性体长 32.0～35.0mm；雄性前翅长 19.5～20.0mm，雌性前翅长 23.0～27.0mm；雄性后足股节长 10.5～13.0mm，雌性后足股节长 17.0～18.0mm。

采集记录：1♂2♀，柞水，2004.Ⅵ.08，白义采。

分布：陕西(佛坪、宁陕、安康、柞水)、甘肃、江苏、福建、台湾、四川、云南。

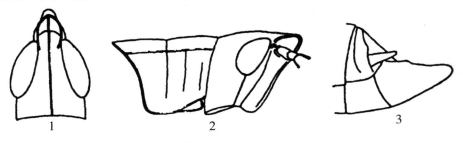

图 224　中华佛蝗 *Phlaeoba sinensis* Bolívar(雄性)(仿印象初、夏凯龄等，2003)
1. 头部背面；2. 头和前胸背板侧面；3. 腹端侧面

40. 戛蝗属 *Gonista* Bolívar, 1898

Gonista Bolívar, 1898: 92. **Type species**: *Acridium* (*Opsamala*) *bicolor* De Haan, 1842.

属征: 体中型, 细长, 圆筒形。头部较短, 其长等于、稍长于或略短于前胸背板的长度。头顶向前突出, 背面明显低凹, 缺中隆线, 其长相等于或略大于复眼前缘基部的最大宽度。头顶顶端圆形; 自复眼的前缘至头顶顶端的长度相等于或为复眼纵径的 1.25 倍; 颜面极倾斜, 颜面隆起狭, 具明显纵沟。复眼长卵形, 位近头的中部。触角剑状, 基部节宽扁, 端部节细长, 丝状。前胸背板宽平, 中隆线和侧隆线明显, 侧隆线近平行。后横沟较显著, 接近后端, 沟前区明显地较长于沟后区, 后缘呈弧形突出。前胸背板平坦, 或其前缘略呈圆形隆起。前翅狭长, 超过后足股节顶端, 通常顶端狭锐, 少数顶端呈圆形。后足股节细长, 匀称, 通常较短于腹端, 其端部的内、外侧上膝侧片的顶端为圆形。后足胫节略短于股节。腹部细长。雄性下生殖板短圆锥形, 顶端略尖; 阳具基背片桥状, 冠突粗长, 后突尖细。雌性产卵瓣外缘光滑无细齿。体通常呈草绿色、黄绿色, 背面红褐色。

分布: 非洲, 亚洲。世界已知 9 种, 中国记录 5 种, 秦岭地区分布 1 种。

(78) 二色戛蝗 *Gonista bicolor* (De Haan, 1842) (图 225)

Acridium (*Opsomala*) *bicolor* De Haan, 1842: 147.

Gelastorhinus antennata Bolívar, 1898: 93.

Gelastorhinus gracilis Fritze, 1899: 388.

Gelastorhinus esox Burr, 1902: 181.

Gelastorhinus lucius Burr, 1902: 181.

Gonista bicolor: Willemse, 1928: 2.

鉴别特征: 雄性体中型, 细长。头锥形, 较长, 稍长于前胸背板。头顶较长, 向前突出, 自复眼前缘至头顶顶端的长度为眼间距的 2.35 倍, 为复眼纵径的 1.25 倍, 头顶两侧的内侧隆线几乎平行, 顶端略收缩。头侧窝三角形, 长为最宽处的 2.0 ~ 4.0 倍, 平坦无刻点。颜面极后倾, 与头顶形成锐角; 中央单眼位于颜面隆起下端近 1/3 处。复眼卵形, 位于头的中部。触角剑状, 甚长, 其顶端超出后足股节的基部, 基部几节较宽, 顶端之半细长, 近乎丝状。前胸背板前缘平直, 后缘略呈弧形突出; 背板背面宽平, 中隆线和侧隆线明显, 侧隆线近乎平行; 后横沟明显, 切断中隆线和侧隆线, 沟前区长为沟后区的 1.5 倍。前翅狭长, 明显超过后足股节的中部, 顶端尖锐, 翅长为宽的 12.0 ~ 13.0 倍, 中脉域具闰脉。中胸腹板侧叶内缘相连。后足股节细长, 匀称, 不到达腹部末端, 上膝侧片顶圆形, 下膝侧片顶角形突出。后足胫节略短于股节，外侧具 14～16 枚刺，缺外端刺；内侧具 13～15 枚刺。腹部细长，下生殖板圆锥形，顶端略尖。尾须长，扁，顶圆形；下生殖板短锥形，顶钝圆；阳具基背片桥状，桥拱宽浅，冠突外斜，后突细尖。

　　雌性体型较雄性大。头部几乎与前胸背板等长。头顶向前突出，自复眼的前缘至头顶顶端的长度为眼间距的 1.7 倍。头顶的中隆线明显，两侧的内侧隆线在中部略收缩。头侧窝长三角形。颜面具有刻点，向后倾，与头顶组成锐角；中央单眼位于颜面隆起下端的 1/3 处。复眼卵形。触角剑状，较长，共 18 节，其顶端超过前胸背板后缘稍远，但不到达后足股节的基部，基部 9 节较宽，顶端之半细长，近乎丝状。后足股节细长，匀称，达腹部第 8 节。上、下产卵瓣短，上产卵瓣长于下产卵瓣，外缘光滑，顶端呈钩状，较尖。下生殖板狭长，后缘中央略突出。

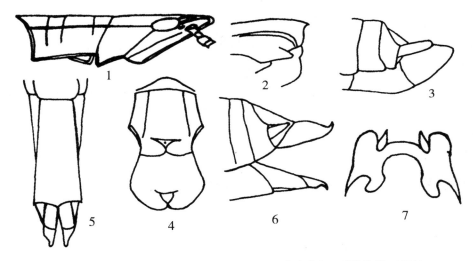

图 225　二色戛蝗 *Gonista bicolor*（De Haan）（仿印象初、夏凯龄等，2003）

1. 雄性头、前胸背板侧面观；2. 雄性后足膝部；3. 雄性腹端侧面观；4. 雄性中胸、后胸腹部；5. 雌性腹端腹面观；6. 雌性腹端侧面观；7. 阳具基背片

　　体通常呈绿色、黄绿色，背面红褐色，有的个体稻草色；足绿色。

　　雄性体长 24.5～31.0mm，雌性体长 35.0～46.0mm；雄性前胸背板长 5.0～5.2mm；雌性前胸背板长 7.2～7.5mm；雄性前翅长 24.0～30.0mm，雌性前翅长 37.0～42.0mm；雄性后足股节长 11.0～12.0mm，雌性后足股节长 17.0～18.5mm。

　　采集记录： 2♂2♀，宁陕，2004.Ⅵ.01，白义采。

　　分布： 陕西(周至、眉县、宁陕、安康、镇安)、河北、山东、甘肃、江苏、浙江、湖南、福建、台湾、广西、四川、贵州、云南、西藏；日本，新加坡，印度尼西亚。

41. 剑角蝗属 *Acrida* Linnaeus, 1758

Acrida Linnaeus, 1758：427. **Type species：** *Acrida turrita* Linnaeus, 1758.

Truxalis（partim），Fabricius，1775：279. **Type species**：*Gryllus brevicornis* Johanss，1763.

属征：体中大型，细长。头部较长，长圆锥形，长于前胸背板的长度。头顶极向前突出，头侧窝缺。颜面极倾斜，颜面隆起纵沟较深。复眼位于头之近前端。触角长，剑状。前胸背板中隆线和侧隆线均明显，侧隆线平行或弧形弯曲；后缘中央呈角形突出。中、后胸腹板侧叶分开。前翅狭长，超过后足股节的顶端，顶尖。后足股节细长，上、下膝侧片的顶端尖锐。雄性下生殖板长锥形，顶尖。雌性下生殖板后缘具3个突出。

分布：非洲，欧洲，亚洲，大洋洲。世界已知约40种，中国记录14种，秦岭地区分布2种。

分种检索表

颜面隆起极狭，全长具浅纵沟。前胸背板侧片后下角呈锐角形。跗节爪间中垫长，超过爪之顶端
·· **中华剑角蝗 *A. cinerea***
颜面隆起极狭，全长具纵沟。前胸背板侧片后下角近呈直角。跗节爪间中垫不到达或刚到达爪之顶端 ·· **荒地剑角蝗 *A. oxycephala***

(79) 中华剑角蝗 *Acrida cinerea*（**Thunberg，1815**）（图 226）

Truxalis cinerea Thunberg，1815：263.

Truxalis chinensis Westwood，1842：22.

Acrida testacea Stål，1873：96.

Acrida csikii Bolívar，1901：228.

Acrida cinerea：Kirby，1910：94.

Acrida turrita var. *koreana* Ikonikov，1913：10.

Acrida koreana antennata Mishchenko，1951：401.

鉴别特征：雄性体中大型。头圆锥形。颜面极倾斜，颜面隆起极狭，全长具纵沟。头顶突出，顶圆，自复眼前缘到头顶顶端的长度等于或略短于复眼的纵径。触角剑状。复眼长卵形。前胸背板宽平，具细小颗粒，侧隆线近直，在沟后区较向外开张，后横沟位于背板中部的稍后处，在侧隆线之间直，不向前呈弧形突出，侧片后缘较凹入，下部具有几个尖锐的结节，侧片后下角锐角形，向后突出。中胸腹板侧叶间中隔的长度大于最狭处的 2.5～3.0 倍。前翅发达，超过后足股节的顶端，顶尖锐。后足股节上膝侧片顶端内侧刺长于外侧刺。跗节爪间中垫长于爪。鼓膜片内缘直，角圆形。下生殖板较粗，上缘直，上下缘组成45°角。体呈绿色或褐色。绿色个体在复眼后、前胸背板侧面上部、前翅肘脉域具淡红色纵条；褐色个体前翅中脉域具黑色纵条，中闰脉处具1列淡色短条纹。后翅淡绿色。后足股节和胫节绿色或褐色。

雌性体大型，粗壮。头顶突出，顶圆，自复眼前缘到头顶顶端的长度等于或大于复眼的纵径。下生殖板后缘具 3 个突起，中突与侧突几乎等长。其余与雄性相同。

雄性体长 30.0 ~ 47.0mm，雌性体长 58.0 ~ 81.0mm；雄性前翅长 25.0 ~ 36.0mm，雌性前翅长 47.0 ~ 65.0mm；雄性后足股节长 20.0 ~ 22.0mm，雌性后足股节长 40.0 ~ 43.0mm。

采集记录：9♂，周至楼观台，1997.Ⅶ.18，蒲力群采。

分布：陕西（周至）、北京、河北、山西、山东、宁夏、甘肃、江苏、安徽、浙江、湖北、江西、湖南、福建、广东、广西、四川、贵州、云南。

寄主：高粱，小麦，水稻，玉米，棉花，甘薯，甘蔗，白菜，甘蓝，萝卜，豆类，茄子，花生，马铃薯等作物，蔬菜，花卉，各种杂草。

图 226　中华剑角蝗 Acrida cinerea（Thunberg）（仿印象初、夏凯龄等，2003）

1. 雄性头及前胸背板侧面观；2. 雄性腹端侧面观；3. 雌性下生殖板

（80）荒地剑角蝗 Acrida oxycephala（Pallas, 1771）（图 227）

Gryllus oxycephala Pallas, 1771：418，423，468.

Acrida deserti Tarbinsky, 1928：54.

Acrida caspica Dirsh, 1949：45.

Acrida persa Dirsh, 1949：44.

Acrida turca Dirsh, 1949：44.

Acrida oxycephala：Bey-Bienko & Mistshenko, 1951：402.

鉴别特征：雄性体中大型，细长。头部较长，长圆锥形，长于前胸背板的长度。头顶向前突出较短，自复眼前缘到头顶前端之长小于复眼之纵径。头侧窝缺。颜面极倾斜，颜面隆起极狭，纵沟较深。复眼长卵形，位于头之近前端。触角剑状，第3、4 节分节不完全。前胸背板中隆线和侧隆线均明显，侧隆线近直，后横沟位于近中部，沟后区沿中隆线的长度大于侧隆线之间的最宽处，侧片后下角近呈直角形；中胸腹板侧叶间中隔较狭，其长度为中隔最狭处的 3.0 ~ 4.0 倍。前翅狭长，超过后足股节的顶端，顶狭尖；后翅与前翅等长。后足股节细长，内侧上膝片长于外侧上膝片，上、下膝侧片的顶端尖锐。跗节爪间中垫不到达或刚到达爪之顶端。下生殖板锥形，上缘平直，顶尖。体呈绿色或枯草色。后翅透明，基部之半不具暗色斑点，淡黄色。后足股节及胫节黄褐色。

雌性体型较大，粗壮。生殖板后缘具 3 个突起，中突较短于侧突。其余与雄性相似。

　　雄性体长 29.5 ~ 35.0mm，雌性体长 50.0 ~ 60.0mm；雄性前翅长 29.0 ~ 34.0mm，雌性前翅长 40.0 ~ 50.0mm；雄性后足股节长 17.0 ~ 21.0mm，雌性后足股节长 38.0 ~ 40.0mm。

　　分布：陕西（西安）、甘肃、新疆；俄罗斯，阿富汗，伊朗。

　　寄主：玉米，高粱，粟，大豆，花生，红薯，多种禾本科牧草。

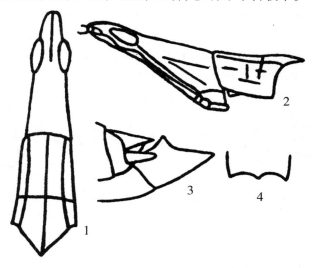

图 227　荒地剑角蝗 *Acrida oxycephala*（Pallas）（仿印象初、夏凯龄等，2003）
1. 雄性头及前胸背板背面观；2. 头及前胸背板侧面观；3. 雄性腹端侧面观；4. 雌性下生殖板

42. 金色蝗属 *Chrysacris* Zheng，1983

Chryascris Zheng，1983：259（spelling error）. **Type species**：*Chryascris qinlingensis* Zheng，1983.
Chrysacris：Zheng，1985：369. **Type species**：*Chrysacris qinlingensis* Zheng，1983.

　　属征：体中型。头顶短，其长度短于复眼前最宽处，头部背面具中隆线。颜面颇倾斜。触角狭剑状，超过前胸背板后缘。前胸背板中隆线明显，侧隆线在沟前区明显，近平行或略凹，在沟后区消失。前翅发达，超过后足股节的顶端，翅顶圆形。后足股节较细长，匀称，上隆线光滑；雄性后足股节内侧下隆线处具 1 列音齿；下膝侧片顶锐角形。后足第 1 跗节略长于第 3 节。雄性腹部末节背板后缘具小尾片；下生殖板长圆锥形。雌性产卵瓣狭长，上瓣之上外缘较平直，具细齿。

　　分布：中国。本属为我国所特有，目前已知 12 种，秦岭地区发现 1 种。

（81）秦岭金色蝗 *Chrysacris qinlingensis* Zheng，1983（图 228）

Chrysacris qinlingensis Zheng，1983：259.

　　鉴别特征：雄性体中小型。头顶短，其长度小于复眼前宽度的1.4倍，头部背面具明显的中隆线。缺头侧窝。颜面倾斜，与头顶成锐角形；颜面隆起狭，全长具纵沟。触角狭剑状，较长，向后到达后足股节基部，中段一节的长度为宽度的1.7倍。复眼卵圆形，其纵径为横径的1.5倍，亦为眼下沟长的1.5倍。前胸背板前缘平直，后缘近平，中隆线明显，侧隆线在沟前区明显，平行，在沟后区消失；后横沟在中部略向前弯曲，沟前区长为沟后区长的1.3倍；背板侧片长大于高，上缘、下缘近平行，后角近直角形。中胸腹板侧叶宽大于长，内缘圆弧形，中隔较狭，其长为宽的2.3倍。后胸腹板侧叶分开。前翅发达，超过后足股节的顶端，翅顶圆形，翅长为宽的4.2倍；前缘脉域宽为中脉域宽的2.0倍，肘脉域宽为中脉域宽的1.8倍，中脉域缺闰脉。后翅与前翅等长。后足股节上隆线光滑，内侧下隆线具1列音齿，音齿数为98±6个；下膝侧片顶锐角形。后足胫节内侧具13个刺，外侧具14个刺，缺外端刺。后足跗节第1节略长于第3节，爪间中垫大，几乎达爪的顶端。鼓膜器发达，孔半圆形，腹部末节背板纵裂，具小尾片。肛上板三角形。尾须长圆锥形。下生殖板长圆锥形。

　　雌性体型较大。头顶的长度短于复眼前最宽处的1.7倍。触角较短，剑状，到达前胸背板的后缘，中段一节长为宽的1.6倍。复眼纵径为横径的1.6倍，而为眼下沟长的1.3倍。前胸背板沟前区长度为沟后区长的1.25倍；中胸腹板侧叶间中隔较宽，其长为宽的2.1倍。前翅发达，到达或超过后足股节的顶端，翅顶圆形，前缘脉域的宽度为中脉域宽的2.0倍，肘脉域宽为中脉域宽的1.4倍。产卵瓣狭长，上产卵瓣之长为宽的3.5倍，下产卵瓣之下缘近端部具凹口，上、下产卵瓣均具细齿。下生殖板后缘呈角形突出。

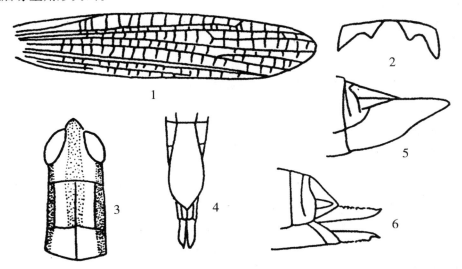

图228　秦岭金色蝗 *Chrysacris qinlingensis* Zheng（仿印象初、夏凯龄等，2003）

1. 雄性前翅；2. 雄性腹部末节背板；3. 雄性头及前胸背板背面观；4. 雌性腹部腹面观；5. 雄性腹端侧面观；6. 雌性腹端侧面观

　　体呈淡黄色，复眼褐色，眼后带深褐色，前翅径脉黑褐色，前缘脉域基部具淡白色纵条，后翅纵脉褐色。

　　雄性体长 18.5 ~ 21.0mm，雌性体长 25.0 ~ 30.0mm；雄性前翅长 15.0 ~ 17.0mm，雌性前翅长 18.0 ~ 22.0mm；雄性后足股节长 10.5 ~ 11.0mm，雌性后足股节长 13.0 ~ 14.0mm。

　　采集记录：4♂，留坝，1978.Ⅶ.05，廉振民、李正勇采；3♂2♀，留坝，2004.Ⅸ.05，白义采。

　　分布：陕西(蓝田、户县、周至、太白、凤县、留坝、佛坪、宁陕)、河南。

　　寄主：水稻，茶，油茶，禾本科杂草。

六、癞蝗科 Pamphagidae

　　鉴别特征：体型变异较大，自中型至大型，雌性、雄性异型较常见，体表粗糙，常具短隆线或颗粒状突起。头近卵形，较短于前胸背板，颜面侧观向前突起、平直或略内凹。颜面隆起明显，中央具纵沟。头顶宽短，中央具细纵沟。触角丝状。前胸背板中隆线明显隆起，上缘呈弧形；前胸腹板平坦或呈片状突起。前翅、后翅发达、短缩，呈鳞片状或消失。后足股节外侧的中区具不规则的棒状隆线或颗粒状突起，其基部外侧的上基片短于下基片；后足胫节端部具外端刺或缺。多数具鼓膜器。腹部第 2 节背板两侧的前下方各具有摩擦板。阳具基背片呈壳片状。具较短的锚状突，缺冠突。

　　分类：古北区，非洲区。世界已知 88 属，中国记录 12 属，陕西秦岭地区发现 1 属 1 种。

43. 笨蝗属 *Haplotropis* Saussure，1888

Haplotropis Saussure，1888：125. **Type species**：*Haplotropis brunneriana* Saussure，1888.
Staurotylus Adelung，1910：343. **Type species**：*Staurotylus mandshuricus* Adelung，1910.
Sulcotropis Yin et Chou，1979：127，130. **Type species**：*Sulcotropis cyanipes* Yin et Zhou，1979.

　　属征：体粗壮，体表具粗颗粒或短隆线。头大而短，头顶宽短，中央低凹，侧缘隆线明显，缺眼前窝，颜面隆起明显，常具中央纵沟。复眼卵形，其长径约为其短径的 1.25 ~ 1.5 倍，为眼下沟长的 1.5 倍。触角丝状，不到达或到达前胸背板后缘。前胸背板中隆线呈片状隆起，侧观，其上缘呈弧形；后横沟明显，不切断或略切断中隆线；前缘呈角状突出，后缘呈角状突出或较宽圆。前胸腹板的前缘略隆起，近弧形；中胸腹板侧叶间中隔较宽，其宽明显大于长；后胸腹板侧叶较宽地分开。雌、雄两性的前翅均较短小，呈鳞片状，侧置，在背面不毗连；后翅甚小，刚可看见。雄性中足胫节上侧缺颗粒状突起，后足股节上侧中隆线缺细齿，后足胫节端部具内、外端刺。腹部背面具脊齿；鼓膜器发达，宽卵圆形，腹部第2节背板侧面具摩擦板，表面呈片状突起。雄性下生殖板呈圆锥形，顶端尖锐。雌性上产卵瓣的上外缘平滑，缺齿。

分布：俄罗斯西伯利亚东南部及中国北部地区。世界已知2种，中国记录2种，秦岭地区分布1种。

(82) 笨蝗 *Haplotropis brunneriana* Saussure, 1888（图229）

Haplotropis brunneriana Saussure, 1888：125.

Staurotylus mandshuricus Adelung, 1910：344.

Sulcotropis cyanipes Yin et Zhou, 1979：127, 130.

鉴别特征：雄性体粗壮，体表具粗颗粒和短隆线。头较短，短于前胸背板；头顶宽短，三角形，中部低凹，中隆线和侧缘隆线均明显，后头部具有不规则的网状纹。颜面侧观稍向后倾斜，颜面隆起明显，自中眼之上具纵沟，不到达头顶。触角丝状，不到达或到达前胸背板后缘。复眼卵圆形，其长径为短径的1.25~1.5倍，为眼下沟长度的1.5倍。前胸背板中隆线呈片状隆起，侧观其上缘呈弧形，前、中横沟不明显，仅在侧面可见，后横沟较明显，不切断或切断中隆线，前缘、后缘均呈角状突出。前胸腹板突的前缘隆起，近乎弧形。前翅短小，呈鳞片状，侧置，在背面较宽地分开，其顶端不到达、到达，或刚超过腹部第1节背板后缘；后翅甚小，刚可看见。后足股节粗短，上侧中隆线平滑，外侧具不规则短隆线，基部外侧的上基片短于下基片，膝部下膝侧片顶端宽圆；后足胫节端部具内、外端刺。鼓膜器发达。腹部背面具脊齿，第2腹节背板侧面具摩擦板。肛上板为长盾形，中央具纵沟。下生殖板锥形，顶端较尖锐。

雌性体型较大于雄性。前翅较宽圆。肛上板近椭圆形，端部略尖，中央具纵沟。下生殖板后缘中央具角状突出，有时稍平或稍凹。产卵瓣较短，上产卵瓣之上外缘平滑。

体呈黄褐色、褐色或暗褐色。前胸背板侧片常具不规则淡色斑纹，前翅前缘之半暗褐色，后缘之半较淡。后足股节上侧常具暗色横斑；后足胫节上侧青蓝色，底侧黄褐色或淡黄色。

雄性体长29.0~33.0mm，雌性体长42.0~46.0mm；雄性前胸背板长9.5~12.5mm，雌性前胸背板长15.0~17.0mm；雄性前翅长5.0~7.5mm，雌性前翅长5.5~7.5mm；雄性后足股节长14.5~18.0mm，雌性后足股节长18.5~20.5mm。

采集记录：1♂，长安，2003. Ⅶ. 20，芦荣胜采；1♂，宝鸡，2004. Ⅸ. 11，白义采；2♂1♀，柞水，2004. Ⅵ. 08，白义采。

分布：陕西（西安、长安、宝鸡、华阴、柞水、镇安、商洛、商南）、黑龙江、吉林、辽宁、内蒙古、河北、山西、山东、河南、宁夏、甘肃、江苏、安徽；俄罗斯（西伯利亚）。

寄主: 禾本科单子叶草类，如荩草、白草、狗尾草及菅草；双子叶杂草类，如包茎苦卖菜、米口袋、地肤和藜等。

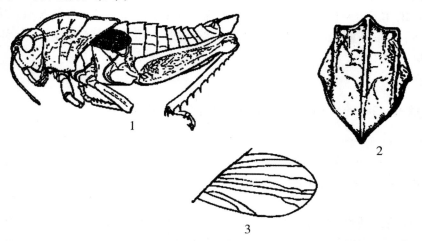

图 229　笨蝗 Haplotropis brunneriana Saussure(仿夏凯龄等，1994)
1. 整体侧面观；2. 前胸背板背面观；3. 前翅

参考文献

Audinet-Serville, J. G. 1831. Révue méthodique des insects del'ordre des Orthoptèrs. *Annual Science nature*, 32: 28-65, 134-167, 262-292.

Audinet-Serville, J. G. 1839. *Histoire Naturelle des Insectes Orthoptères*. Paris: 1-776. 14 Pls.

Bey-Bienko, G. Ya. 1929. Studies on the Dermaptera and Orthoptera of Manchuria. *Konowia Vienna*, 8: 97-110, 2 figs.

Bey-Bienko, G. Ya. 1930. A monograph of the genus *Bryodema* Fieb. (Orthoptera: Acrididea) and its nearest allies. *Annals of Zoological Museum of Academy*, *Leningrad*, 30: 71-127.

Bey-Bienko, G. Ya. 1966. The orthopteran insects from Komodo and adjacent islands in Indonesia *Zoologiceskij Zhurnal*, 45: 1779-1795, 7 figs.

Bey-Bienko, G. Ya. and Mistshenko, L. L. 1951. *Acridoidea of the fauna of the USSR and neighbouring countries*. Pts. 1 and 2. [In Russian.] Opred. Faune SSSR, Moscow 38: 378 pp., 816 figs. 40: 667 pp., 1318 figs.

Bi, D. Y. and Xia, K. L. 1980. Two new species of the genus *Fruhstoferiola* Willemse from China (Orthoptera: Acrididae, Catantoidae). *Contributions from Shanghai Institute of Entomology*, Ⅰ: 157-161. [毕道英，夏凯龄. 1982. 中国腹露蝗属两新种. 昆虫学研究集刊，第一集，155-161，图 1-18.]

Bi, D. Y. and Xia, K. L. 1981. A study on the Chinese *Atractomorpha* Saussure with descriptionsof new species (Orthoptera: Acrididae, Pyrgomorphinnae). *Acta Entomologica Sinica*, 2(4): 407-414. [毕道英，夏凯龄. 1981. 中国负蝗属的新种记述(直翅目：蝗科：锥头蝗亚科). 昆虫学报，24(4): 407-414, 图 1-48.]

Bolívar, I. 1884. Monografia de los Pirgomorfinos. *Anales de la Sociedad Española de Historia Natural*, xⅲ: 1-73, 420-500, pls. ⅰ.-ⅳ.

Bolívar, I. 1898. Constribution a l'etude des Acridiens especes de la faune Indo et Austro-Malaisienne du Museo Civico di storia natural de Genova. *Annalidel Museo Civico Storia Naturale*, 19(39): 66-101.

Bolívar, I. 1901. Zoologische Ergebanisse der dritten Asiatischen Forschugsreise des Grafen Eugen Zichy. *Orthoptera*: 223-243.

Bolívar, I. 1902. Les Orthopteres de St. Joseph's College à Trichinopoly (Sud de I'Inde) 3e Part ie. *Annales de la Société Entomologique de France (N. S.)*, 70(1901): 580-635, pl. 9.

Bolívar, I. 1905. Notas sobre los Pirgomorfidos (Pyrgomorphinae). *Boletin de la Real Sociedad Española de Historia Natural*, V: 196-217.

Bolívar, I. 1909. Obsevaciones sobre los Truxalinos. *Boletin de la Real Sociedad Española de Historia Natural*, 9: 285-296.

Bolívar, I. 1912. Estudios entomológicos. I. Los panfaginos paleárcticos. *Trabajos del Museo Nacional de Ciencias Naturales Serie Zoológica*, 6: 3-32.

Bolívar, I. 1914. Estudios entomologicos segunda parte Ⅱ Los Truxalinos del antiguo mundo. *Trabajos del Museo Nacional de Ciencias Naturales Serie Zoológica*, 20: 41-110.

Bolívar, I. 1918. Estudios entomologicos. Tercera parte. Seccion Oxyae (Orth. Acrididae o Locustidae). *Trabajos de Musco Nacional de Ciencias Naturales Serie Zoologica*, 34: 1-43.

Brunner von Wattenwyl, C. 1893. Revision du Systeme des Orthopteres et description des Especes Rapportees par M. Leonardo Fea de Birmanie. *Annalidel Museo Civico Storia Naturale*, (2), 13 (33): 103, 132-164.

Burmeister, H. 1838. Kaukerfe, Gymnognatha (Erste Hylfte; Vulgo Orthoptera). *Handbuch der Entomologie*. Berlin, 2(2): Ⅰ-Ⅷ, 397-756.

Burr, M. 1902. A monograph of the genus *Acrida* Stål (= *Truxalis* Fabr.) with notes of some allied genera, and descriptions of new species. *Transactions of the Royal Entomological Society of London*, 1902: 149-187.

Carl, J. 1916. Acridides nouvaux ou peu connus du museum de Geneve. *Revue Suisse de Zooologie*, 24: 461-518.

Caudell, A. N. 1921. Some new Orthoptera from Mokansham, China. *Proceedings Entomological Society Washington*, 18: 2: 27-35. figs. 2.

Chang, K. S. F. 1937. Some new Acridids from Szechan and Szechan-Tibetan border. *Notesd' Entomologie Chinoise*, Ⅳ(8): 177-199, pl. Ⅲ-Ⅳ.

Chang, K. S. F. 1939. Some new species of Chinese Acrididae (Orthoptera: Acrididea). *Notesd' Entomologie Chinoise*, 6 (1): 1-54, pl. 1 Ⅱ.

Chopard, L. 1922. Faune de France. 3. Orthopteres et Dermapteres. Paris, Lechevalier, 212, pf.

de Geer, C. 1773. *Memoires pour server a J Histoire des Insects*. Stockholm Pierre Hesselberg, 3: Ⅷ +696 +2pp. +44pl.

Dirsh, V. M. 1949. Revision of Western Palaearctic species of the genus *Acrida* Linne (Orthoptera: Acrididae). *Eos. Revista Española de Entomologia*, 25: 15-47, 102 figs.

Dirsh, V. M. 1954. Revision of species of the genus *Acrida* Linne (Orthoptera: Acridiae). *Bulletin Société Fouad Entomologique*, 38: 107-160, 8 maps, 22 figs.

Dirsh, V. M. 1956. Preliminary revision of the Catantops Schaum and review of the group Catantopini

(Orthoptera, Acrididae). *Publiçaçoes Culturais Companhiadi Diamantes de Angola*, 28: 1-151, figs. 1-518.

Drish, V. M. 1957. Two new genera of Acridoidea (Orthoptera). *Annual Magazine Natural History*, London, 12(10): 861-862. 9 figs.

Dirsh, V. M. and Uvarov, B. P. 1953. Preliminary diagnoses of new genera and new sysnomy in Acrididae. *Tijdschr voon Entomologie*, 96: 231-237.

Fabricius, J. C. 1775. *Systerma Entomologiae sistens insectorum classes, ordines, genera, species, adectis synonymis, locis, descriptionibus, observationibus*. Flensburgi et Lipsiae: Libraria Kortii, XXII + 832 pp.

Fabricius, J. C. 1787. Mantissa insectorum stens eorum species nuper detectas adjectis characteribus genericis, differentiis specificis, emendationibus observationibus. 2(1): 20 + 348pp; 2(2): 2 + 383pp. Hafniae.

Fabricius, J. C. 1798. *Supplementum Entomologiae Systematicae* (Entomologia Systematica emenda et Aucta. Secundum classes, ordines, genera, species adjectis synonimis, locis, observationibus, descriptionibus). Hafniae, (4) +572pp.

Fieber, F. X. 1853. Synopsis der europäischen Orthopteren mit besonderer Rücksicht auf die in Bohmen vorkommenden Arten. Lotos, Prag, 3: 115-129.

Fischer, L. H. 1853. *Orthoptera. Europaca*: i-X X, 1-454, pls 1-18; Lipsiae [Leipzig] (Engelmann).

Fritze, A. 1899. Orthopteres de l'Archipel malais. *Revue Suisse de Zooologie*, VII: 335-340, pl. xvl.

Haan, W. de. 1842. *In*: Temminck (ed.). *Bijdragen tode kennis de orthoptera. Verhandelingen over de Natuurlijke Geschiedenis der Nederlansche Overzeesche Bezittingen*, In commissie bij S. en J. Luchtmans, en C. C. van der Hoek, Leiden, 2: 95-138.

Hollis, D. 1968. A revision of the Genus *Aiolopus* Fieber (Orthoptera: Acridoidea). *Bulletin British Museum Natural History (Ent.)*, 22 (7): 309-352.

Hollis, D. 1971. A preliminary revision of the genus *Oxya* Audinet-Serville (Orthoptera: Acridoidea). *Bulletin British Museum Natural History (Ent.)*, 26: 269-343, 269 figs.

Houlbert, C. 1927. Desgleichen, II. 357 pp. Paris.

Huang, C. M. 1982. Two new species of Sinopodisma Chang (Orthoptera: Catantopinae). *Zoological Research*, 3(2): 431-435. [黄春梅. 1982. 蹦蝗属二新种的记述(直翅目: 斑腿蝗亚科). 动物学研究, 3(4): 431-435, 图 1-12.]

Ikonnikov, N. 1911. Zur Kenntnis der Acridoideen Sibriens. *Annuaire du Musee Zoologique de l' Academie d. Sciences de St. Petersbourg*, 16: 242-270.

Ikonnikov, N. 1913. Ueber die von P. Schmidt aus Korea mitgebrachten Acridiodeen. Kuznetzk, pp. 1-22.

Jacobson, G. G. 1905. Orthoptera. *In*: Jacobson, G. G. & Bianchi, V. L. [eds]. *Orthopteroid and Pseudoneuropteroid insects of Russian Empire and adjacent countries*. Devriena Publication, St. Petersburg. 29-466.

Jago, N. D. 1971. A review of the Gomphocerinae of the world with a key to the genera (Orthoptera, Acrididae). *Proceedings Academy Natural Sciences Philadephia*, 123: 205-343, 405 figs, 2 tabs.

Jiang, G. F. and Zheng, Z. M. 1998. *Grasshoppers and locusts from Guangxi*. Guilin: Guangxi Normal University Press. 1-262pp. [蒋国芳, 郑哲民. 1998. 广西蝗虫. 桂林: 广西师范大学出版社,

1-262, 图 102-588.］

Karny, H. H. 1907. Beitage zur einheimischen Orthoptern fauna. *Verhandllungen der kaiserlich-königiglichen zoologisch-botanischen Gesellschaft in Wien*, 57: 275-287.

Karny, H. H. 1908. Hexapoda: Dictyoptera, Tettigoniodea, Acridoidea. *In*: Wissenschaftliche Ergebnisse der Expedition Filchner nach China und Tibet, 1903-1905. Bd. 10: 1-56, 2 Taf.

Karny, H. 1915. Sauter's Formosa-Ausbeute. Orthoptera *et* Oothecaria. *Supplementa Entomogica*, 4: 56-108.

Karsch, F. 1896. Neue Orthopteren aus demtropischen Afrika. *Stettiner Entomologische Zeitung*, 57: 242-359.

Kirby, W. F. 1910. *A synonymic catalogue of Orthoptera. Volume Ⅲ. Orthoptera Saltatoria. Part Ⅱ. (Locustidae vel Acrididae)* The Trustees of the British Museum, London, ⅰ-ⅹ, 1-674, 1-28.

Kirby, W. F. 1914. *The Fauna of British India including Ceylon and Burma. Orthoptera. Volume I (Accididae)*. New Delhi, ⅰ-ⅹ, 1-276.

Li, H. C. and Xia, K. L. 2006. *Fauna Sinica, Insecta, volume* 43, *Orthoptera, Acridoidea, Catantopidae*. Science Press, Beijing, China, 736 pp.

Li, ML., Feng, J. N. and Wu, D. K. 1991. A new species of *Qinlingacris* in Shaanxi (Orthoptera: Oedipodidae). *Journal of Northwest Forestry University*, 6(1):55-57. ［李孟楼, 冯纪年, 吴定坤. 1991. 陕西秦岭蝗属一新种(直翅目: 斑腿蝗科). 西北林学院学报, 6(1): 55-57, 图 1-10.］

Linnaeus, C. 1758. *Systema natura per regna tria nature. secundum classes. ordines, genera, species cum characteribus differentiis, synonymis, locis.* Tome 1 (10 th ed.). 1-824.

Liu, J. P. and Cui, J. Z. 2005. Orthoptera: Acridoidea. Pp. 59-70. *In*: Yang, X. K. (ed.). Insect Fauna of Middle-West Qinling Range and South Mountains of Gansu Province. Science Press, Beijing, 1055pp. ［刘举鹏, 崔俊芝. 2005. 直翅目: 蝗总科. 59-70. 见: 杨星科主编. 秦岭西段及甘南地区昆虫. 北京: 科学出版社, 1055.］

Ma, E. B., Guo, Y. P. and Zheng, Z. M. 1993. A new species of the genus *Oxya* Audinet-Serville and karyotype analysis of chromosome C-bangding. (Orthoptera: Acridoidea). *Oriental Insects*, 27: 211-215.

Marschall, A. F. von 1836. Decas Orthopterorum novorum. *Annalen des naturhistorischen Musums in Wien* 1: 207-218.

Miram, E. 1908. Zur Orthopteren-Fauna Russlands. *Öfversigt af Kongel Vetenskaps Akademiens Förhandlinger*, 49(6): 1-9.

Mishchenko, L. L. 1951. *In*: Bey-Bienko, G. Ya and Mishchenko, L. L. (ed.). Locusts and grasshoppers of the USSR and adjacent countries Catantopinae. Leninggrad, 131-270, figs. 103-562 (In Russsian).

Mishchenko, L. L. 1952. *Fauna USSR. Insects: Orthoptera* 4 (2). Acrids (Catantopinae). ［In Russian.］ Zoologicheskii Institute Akademia Nauk SSSR, Moscow(N. S.), 54: 1-610, 520 figs.

Ramme, W. 1939. Beitrage zur Kenntnis der palaearktischen Orthopterenfauna (Tettig. u. Acr-id.). Ⅲ. *Mitteilungen aus dem Zoologischen Museum, Berlin*, 24: 41-150, 2 pls., 58 figs.

Ramme, W. 1941. Beitrage zur Kenntnis der Acrididen-Fauna des indomalayischen und benac-hbarter Gebiete (Orth.). Mit besonderer Berucksichtigung der Tiergeographie von Celebes. *Mitteilungen aus dem Zoologischen Museum, Berlin*, 25. 1-243, 21 pls. 2 maps. 55 figs.

Rehn, J. A. G. 1902. Notes on some generic names employed by Serville in the Revue Methodique, and

Fieber in the Synopsis der europansoben Orthopteren. *Canadian Entomologist*, 34: 316-317.

Rehn, J. A. G. 1928. On the relationship of Certain new or previously known genera of the Acridine group Chrysochraontes (Orthoptera: Acridiae) *Proceedings Academy Natural Sciences Philadelphia*, 80: 185-205, 2 pls.

Rehn, J. A. G. and Rehen, J. W. H. 1939. Studies of certain Cytacanthacridoid genera (Orthoptra: Acrididae). part I. The Podisma comples. *Transactions of the American Entomological Society*, LXV: 61-95. 5figs, 3pls.

Ritchie, J. M. 1981. A taxonomic revision of the genus *Oedaleus* Fieber (Orthoptera: Acrididae). *Bulletin British Museumof Natural History* (Ent.), 42 (3): 83-183.

Saussure, H. 1884. Prodromus Oedipodiorum, insectorum ex ordine Orthopterorum. *Memoires de la Societe Physique et d'Histoire Naturelle de Geneve*, 28(9): 1-246, 1 pl.

Saussure, H. 1888. Prodromus Oedipodiorum, insectorum ex ordine Orthopterorum. *Memoires de la Societe Physique et d'Histoire Naturelle de Geneve*, 30 (1): 1-180.

Schaum, H. R. 1853. Uebersicht der von ihm in Mossambique beobachteten Orthopteren nebst Beschreibung der neu entdeckten Gattungen und Arten durth Herrn Dr. Hermann Schaum. *Bericht über die zur Bekanntmachung geeigneten Verhandlungen der königlich Preussischen. Akademie Wissenschaften zu Berlin*, 2: 775-780.

Serville, A. 1839. Histoire naturelle des insects. Orthopteres: i - XVIII: 1-776 + 1, figs.

Shiraki, T. 1910. Acridiiden Japans (Keiseisha). Tokyo. 4: 1-90, 2 pls.

Sjöstedt, Y. 1933. Schwedisch-Chchinesische Wissenschaftliche Expedition nach den nordwestlichen Provinzen Chinas, unter Leitung von Dr Sven Hedin und Prof. Su. Pingchang. Orthoptera 1. Acrididae, Mantidae. 3. Odonota. In Zur Arthropodenwel Nordwest-Chinas. Sammlung Dr. David Hummel in den Jahren 1927-1930. *Arkiv for Zoologi*, Stockholm, 25A(3): 17-34, 3 pls.

Stål, C. 1860. *Orthoptera. Species novas descripsit*. Konglia Svenska. Fregatten Eugenie's Resa omkring Jorden. Stockholm, 3: 229-350.

Stål, C. 1861. Orthoptera species novas descripsit C. Stål. *In*: Konglia Svenska Fregatten Eugenies Res aomkring under befal af C. A. Virgin, aren 1851-1853, D. 2. *Zoologi, Insecta*, 10: 324-348.

Stål, C. 1873. Recensio Orthopterorum Revue Critque des Orthopteres decrits decrits Par Linne, de Geer *et* Thunberg. Stockholm, P. A. Norstedt & Soner I: iv + (20) + 154pp.

Stål, C. 1877. Orthoptera nova ex Insulis Philippinis. *Öfversigt af Kongel Vetenskaps Akademiens Förhandlinger*, Stockholm, 34(10): 33-58.

Stoll, C. 1813. *Representation exactment coloree d'apres nature des spectres ou phasmes, des mantes, des sauterelles, des grillons, des criquets et des blattes, qui se trouvent dans les quatres parties du Monde, l'Europe, l'Asia, l'Amerique Troisieme genre les sauterelles a sabre*: Troisieme genre. lessauterelles a sabre: 21pp., fig. 31. (J. Sepp, Amesterdam).

Tarbinsky, S. P. 1925. Materials concerning the Orthopterous fauna of the province Altai. Russian *Entomologicheskoe Obozrenie*, 19 (3-4): 176-195 (In Russian).

Tarbinsky, S. P. 1927. On some new and little-known Orthoptera from Palearctic Asia. *Annals and Magazine of Natural History*, 9, 20: 489-502.

Tarbinsky, S. P. 1930. Neue und weing bekannte orthopteren des palaarktischin Asiens. IV. *Zoologische Anzeiger*, Leipzig, 91: 335.

Tinkham, E. R. 1936. Notes on a smallcollection of Orthoptera from Hupeh and Kiangsi with a key to *Mongolotettix Rehn. Lingnan Science Journal*, 15(2): 201-218.

Thunberg, C. P. 1815. Hemiterorum maxillosoum genera illustrate. Memoires de I'Academie Imperiale des Sciences de St. Petersburg, 5: 211-301.

Tsai, Pang-Hwa. 1929. Description of three new species of Acridiids from China, with a list of the species hitherto recorded. *Journal of the College of Agriculture*, Tokyo Imperial University, Sapporo, 10: 139-149, 2 figs.

Tsai, Pang-Hwa. 1931. Zwei neus Oxya Arten aus China. *Mitteilungen aus dem Zoologischen Museum in Berlin*, 17(3): 436-440.

Uvarov, B. P. 1914. Contribution à la faune de Orthopteres de la province de Transbaicalie. *Annuaire du Musee Zoologique de l'Academie d. Sciences de St. Petersbourg*, 19: 167-172.

Uvarov, B. P. 1923. A revision of the Old World Cyrtacanthacrini (Orthoptera, Acrididae). Ⅰ. Introduction and key to genera. *Annual Magazine Natural History*, (9), XI: 13-144.

Uvarov, B. P. 1923. A revision of the Old World Cyrtacanthacrini (Orthoptera, Acrididae). Ⅲ. Genera *Valanga to Patanga. Annual Magazine Natural History*, (9), XII: 345-366, 1 fig.

Uvarov, B. P. 1924. A revision of the Old World Cyrtacanthacrini (Orthoptera, Acrididae). Part. Ⅳ. *Annual Magazine Natural History*, (9)XIV: 96-113, figs.

Uvarov, B. P. 1925. A revision of genus *Ceracris* Walker (Orthoptera, Acrididac). *Entomologische Mitteilungen*, XVI(1): 11-17.

Uvarov, B. P. 1936. Locusts as an International Problem. Current Science, 5(4): 191-193.

Uvarov, B. P. 1942. New and less known southern Palaearctic Orthoptera. *Transactions American. Entomological Society*, 67: 303-361, 5 pls.

Vnukovsjy, V. 1926. Zur Fauna der Orthopteren und Dermapteren des Bezirkes Kamenj (südwestliches Sibirien, früh. Gouvernment Tomsk). *Mitteilungen der Münchener Entomologischen Gesellschaft*, (8-12): 88-92.

Walker, F. 1859. Characters of some apparently undescribed Ceylon insects. *Annals and Magazine of Natural History*, (3) 4, 217-224.

Walker, F. 1870a. *Catalogue of the Speciens of Dermaptera saltatoria in the collection of the British Maseum*. Part. Ⅲ. Locustidae and Acrididae(part). Printed for the Trustees of the British museum, London, pp. 425-604.

Walker, F. 1870b. *Catalogue of the Speciens of Dermaptera saltatoria in the collection of the British Maseum*. Part Ⅳ. Acrididae (concluded). Printed for the Trustees of the British museum, London, pp. 605-809.

Walker, F. 1871. *Catalogue of the Speciens of Dermaptera saltatoria in the collection of the British Maseum*. Part Ⅴ. Tettigidae and Supplement to earlier parts. Printed for the Trustees of the British museum, London, Pp. 4+811-850+43+116.

Westwood, J. O. 1842. *Natural history of the Insects of China, containing upwards of two hundred and tenty figures and descriptions*. E. Donovan, new edition: 1-90.

Willemse, C. 1921(1922). Bijdrage tot de Kennis der Orthoptera s. s. van deN Nederlandsch Indischen Archipel en omliggende Gebieden. *Zoologische Mededelingen* Leiden, Ⅵ: 6-44, 1 Pl., 4 figs.

Willemse, C. 1922. Description de trios nouveaux genres d'Orthoptera Fam. Acridiens, Sous-famille,

Cyrtacanthacrinae de Borneo, de Celebes *et* de Tonkin. *Entomologische Mitteilungen*, 11: 3-8, 3 figs.

Willemse, C. 1925. Revision der Gattung *Oxya* Serville (Orth. Subfam. Acridiodea, trib. Cyrtacanthacrinae). *Tijdschrift voor Entomologie* (*Gravenhagen*), 68: 1-60, 65 figs.

Willemse, C. 1928. Revision des Acridoidea, décrites par de Haan, avec descriptions de nouvelles espèces. *Zoologische Mededeelingen*, 11 (1), 1-27, plates 1-6.

Willemse, C. 1932. Description of some new Acrididae (Orthoptera) chiefly from China from the Naturnistoriska Riksmuseum of Stockholm. *Natuurhist Maandblad*, 21(8): 104-107, 4 figs.

Willemse, C. 1933. On a small collencion of Orthoptera from the Chungking district, S. E. China. *Natuurhist Maandblad*, 22(2): 15-21, 3 figs.

Willemse, C. 1951. Synopsis of the Acridoidea of the Indo-Maloyan and adjacent rejoins (Insecta, Orthoptera) part I. Fam. Acrididae. subfam. Acridinae. *Publties van het natuurhistorisch Genootschap in Limburg*, 4: 41-114.

Willemse, C. 1957. Synopsis of the Acridoidea of the Indo-Malayan and adjacent regions (Insecta, Orthoptera). (Contd.). *Publties van het natuurhistorisch Genootschap in Limburg*, 10: 227-500 + V, 15pls., figs.

Willemse, F. 1968. Revision of the Genera *Stenocatantops* and *Xenocatantops* (Orthoptera, Acrididae, Catantopinae). *Monografieen van de Nederlandsche Entomologische Vereniging*, 4: 1-77, 109 figs., 6 pls.

Xia, K. L. 1958. Synopsis of the classification on the Chinese Acridoidea. Science Press, Beijing, 239pp. [夏凯龄. 1958. 中国蝗科分类概要. 北京: 科学出版社. 1-239, 图 1-239.]

Xia, K. L. and Jin, X. B. 1982. A study on the genus *Chorthippus* from China (Orthoptera: Acrididae). *Entomotaxonomia*, IV(3): 205-228. [夏凯龄, 金杏宝. 1982. 中国雏蝗属的分类研究(直翅目: 蝗科). 昆虫分类学报, 4(3): 205-228.]

Xia, K-L. *et al.*, 1994. Fauna Sinica. Insecta Volume 4. Orthopter. Science Press, Beijing, China, 340 pp.

Xu, S. J. and Zheng, Z. M. 2011. Describe the female *Chaorthippus taibaieusis* (Orthoptera: Arcypteridae). *Journal of Huazhong Agricultural University*, 30(6): 691-692. [许姝娟, 郑哲民. 2011. 太白雏蝗雌性的记述(直翅目: 蝗总科). 华中农业大学学报, 30(6): 691-692.]

Xu, S. Q. and Zheng, Z. M. 2007. Two new species of the genus *Sphingonotus* from Shaanxi (Orthoptera, Oedipodidae). Acta Zootaxonomia Sinica, 32(4): 929-932. [许升全, 郑哲民. 2007. 陕西束颈蝗属二新种记述(直翅目, 斑翅蝗科). 动物分类学报, 32(4): 929-932.]

Yin, X. C. 1982. On the taxonomic system of Acridoidea from China. *Acta Biologica Plateau Sinica*, 1: 69-99.

Yin, X. C. 1984. *Grasshoppers and locusts from Qinghai-Xizang Plateau of China*. Science Press, Beijing, China, 287 pp, 34 plates. [印象初. 1984. 青藏高原的蝗虫. 北京: 科学出版社. 1-278, 34 图版]

Yin, X. C. and Xia, K. L. 2003. Fauna Sinica. Insecta Volume 32. Orthoptera, Acridoidea, Gomphoceridae and Acrididae. Science Press, Beijing, China, 280 pp.

Yin, X. C. and Zhou, Y. 1979. Two new genera and three new species of grasshoppers from Shaanxi. *Entomotaxonomia*, 1(2): 125-130. [印象初, 周尧. 1979. 陕西省蝗虫二新属三新种. 昆虫分类学报, 1(2): 125-130.]

Yin, X. C., Shi, J. P. and Yin, Z. 1996. *A synonymic catalogue of grasshoppers and their allies of the world* (*Orthoptera: Caelifera*). Beijing: China Forestry Publishing House, 1266 pp.

Zheng, Z. M. 1974. A new species of *Sinopodisma* Chang and description of the male of *Chorthippus louguanensis* Cheng *et* Tu（Orthoptera：Acrididae）. *Acta Entomologica Sinica*, 17（1）：97-101.［郑哲民. 1974. 蹦蝗属 *Sinopodisma* Chang 一新种及楼观雏蝗 *Chorthippus louguanensis* Cheng *et* Tu 雄性的发现. 昆虫学报, 17（1）：97-99, 图 1-7.］

Zheng, Z. M. 1980. New genera and new species of grasshoppers from Sichuan, Shaanxi and Yunnan. *Entomotaxonomia*, 2（4）：335-350.［郑哲民. 1980. 川、陕、滇蝗虫的新属和新种. 昆虫分类学报, 2（4）：335-350, 图 1-61.］

Zheng, Z. M. 1983. A new genus of grasshopper *Chryascris* from shaanxi. *Entomotaxonomia*, 5（3）：259-261, figs. 1-11.［郑哲民. 1983. 陕西蝗虫新属——金色蝗属. 昆虫分类学报, 5（3）：259-261, 图 1-11］

Zheng, Z. M. 1985. Grasshoppers from Acridoidea from Yunnan, Guizhou, Sichuan, Shaanxi, and Ningxia. Science Press, Beijing, 1-406.［郑哲民. 1985. 云贵川陕宁地区的蝗虫. 北京：科学出版社, 1-406, 图 1-1945］

Zheng, Z. M., Xu, W. X. and Lian, Z. M. 1990. Grasshoppers of Shaanxi. Shaanxi Normal University Publishing House, Xi'an, 219pp.［郑哲民, 许文贤, 廉振民. 1990. 陕西蝗虫. 西安：陕西师范大学出版社, 219.］

Zheng, Z. M. 1993. *Acritaxonomy*. Shaanxi Normal University Publishing House, Xi'an, China, 442 pp.［郑哲民. 1993. 蝗虫分类学. 西安：陕西师范大学出版社, 442.］

Zheng, Z. M. 1996. Two new species of Chorthippus Fieber from HuBei and Shaanxi Province（Orthoptera：Arcypteridae）. *Journal of Hubei University*（Natural Science）, 18（4）：313-314.［郑哲民. 1996. 鄂陕地区雏蝗属二新种（直翅目：网翅蝗科）. 湖北大学学报（自然科学版）, 18（4）：313-314.］

Zheng, Z. M. 2007. Two new species of the genus *Sphingonotus* from Shaanxi（Orthoptera, Oedipodidae）. *Acta Zootaxonomica Sinica*, 32（4）：929-932.

Zheng, Z. M. and Huo, K. K. 2000. Study on the genus Pedopodisma Zheng（Orhtoptera：Acridoidea：Catantopidae）from China. Pp. 7-14. *In*：Zhang, Y. L.（ed.）. Systematic and Faunistic research on Chinese Insects. Beijing：China Agricultural Press, 331pp.［郑哲民, 霍科科. 2000. 中国小蹦蝗属研究（直翅目：蝗总科：斑腿蝗科）, 7-14. 见：张雅林主编. 昆虫分类区系研究. 北京：中国农业出版社, 331.］

Zheng, Z. M. and Meng, J. H. 2008. Two new species of Arcypteridae from China（Orthoptera：Acridoidea）. *Journal of Shaanxi Normal University*（Natural Science）, 36（6）：66-68.［郑哲民, 孟江红. 2008. 中国网翅蝗科二新种记述（直翅目：蝗总科）. 陕西师范大学学报（自然科学版）, 36（6）：66-68.］

Zheng, Z. M. and Tu, Q. 1964. Studies on the family Acrididae of Shaanxi Ⅰ. Genus *Chorthippus* Fieber, 1852. *Acta Zoologica Sinica*, 16（2）：263-271, figs. 1-6.［郑哲民, 屠钦. 1964. 陕西省蝗虫的研究 Ⅰ. 雏蝗属（*Chorthippus* Fieber 1852）. 动物学报, 16（2）：263-271, 图 1-6.］

Zheng, Z. M. and Xia, K. L. 1998. Fauna Sinica. Insecta Volume 10. Orthoptera, Acridoidea, Oedipodidae and Arcypteridae. Science Press, Beijing, China, 616 pp.

Zheng, Z. M. and Zeng, H. H. 2009. Two new species of the genus *Chorthippus* Fieber（Orthoptera：Acrypteridae）from China. *Journal of Hubei University*（Natural Science）, 31（4）：420-421.［郑哲民, 曾慧花. 2009. 中国雏蝗属二新种记述（直翅目：网翅蝗科）. 湖北大学学报（自然科学版）, 31（4）：420-421.］

Zheng, Z. M., Li, M. and Wei, X. J. 2009. A New Species of the Genus *Chorthippus* Fieber from Qinling Mountain Area (Orthoptera：Arcypteridae). *Journal of Huazhong Agricultural Uni-Versity*, 28(3)：268-269.[郑哲民, 李敏, 魏秀娟. 2009. 秦岭地区雏蝗属一新种记述(直翅目：网翅蝗科). 华中农业大学学报, 28(3)：268-269.]

Zheng, Z. M. *et al.* 1999. A survey of grasshoppers from Foping natural reserve of Qinling. *Wuyi Science Journal*, 15：42-47.[郑哲民, 等. 1999. 秦岭佛坪自然保护区蝗虫的调查. 武夷科学, 15：42-47.]

蚱总科 Tetrigoidea

魏朝明　廉振民

(陕西师范大学生命科学学院，西安 710119)

鉴别特征：体小型。触角很短，丝状，少数种类为三棱角状或片状。复眼卵圆形或圆形，突出；侧单眼位于复眼前缘中部或复眼下缘内侧。颜面垂直或倾斜，颜面隆起在中央单眼处分岔，呈细沟状或较宽。前胸背板发达，后突向后延伸，盖住腹部或超出腹端。前翅小，呈鳞片状；后翅一般发达，不到达、到达或超过前胸背板后突的顶端；亦有无翅类型。足短，后足股节粗大，适于跳跃；前、中足跗节 2 节，后足跗节 3 节，爪间无中垫。缺听器及发音器。产卵瓣锥状，边缘具细齿。雄性外生殖器仅具阳具基背片，上具刺。

一般生活于潮湿的地方，以菌类、地衣、苔藓、杂草种子及其他植物或腐败物质为食，也危害蔬菜和作物。多数种类以成虫越冬，春季产卵于土中。主要分布于温带和热带地区。

分类：世界性分布，东洋区的种类最为丰富。全世界已知 8 科，中国记录 8 科，陕西秦岭地区分布 2 科 8 属 22 种。

分科检索表

前胸背板侧片后角向外稍突出，后端斜截，通常不具刺；后足跗节第 1 节与第 3 节等长 ……………………………………………………………………………………………… 短翼蚱科 Metrodoridae

前胸背板侧片后角向下，末端稍圆；后足跗节第 1 节长于第 3 节 ……………… 蚱科 Tetrigidae

七、短翼蚱科 Metrodoridae

鉴别特征：体中小型。颜面隆起在触角之间分岔呈沟状，狭或中等宽。触角丝状，着生于复眼的下缘或复眼下缘以下的内侧。前胸背板前缘平直，极少呈钝角形突出；前胸背板侧片后下角斜截形，不具刺，有时呈翼状向外扩大；前胸背板背面平坦，有时在近前端中隆线呈驼背状或丘状隆起。前翅鳞片状，后翅发达，亦有无翅者。后足跗节第1、3节等长。

分类：新热带区，非洲热带区，古北区，东洋区，澳洲区。全世界已知88属500种，中国记录14属96种，陕西秦岭地区分布1属1种。

44. 大磨蚱属 *Macromotettix* Günther, 1939

Macromotettix Günther, 1939：154. **Type species**：*Macromotettix quadricarinatus* (Bolívar, 1898).

属征：体小型，细长或粗短。侧面观头部略突出或不突出于前胸背板之上。头顶宽度狭于、相等或宽于一眼宽，在复眼之间的头顶明显凹陷；头顶前缘与颜面隆起上部侧面观在复眼前不明显或形成圆形或钝角形；颜面隆起分岔处位于复眼中下半处，颜面隆起在触角之间突出。触角窝上缘低于复眼之下缘，触角较细，长于头部。前胸背板短，前缘平直，中隆线明显，沟前区侧隆线明显；肩顶隆线与前胸背板下侧缘联结处位于下缘长度之中部或其后；侧片外翻，后角顶钝或略尖。前翅正常，后翅不到达或到达或超过前胸背板后突的顶端。前、中足股节不扩大，上缘、下缘较平直或呈微波状，后足股节正常，后足胫节具明显的刺。

分布：古北区，东洋区。世界已知24种，中国记录12种，秦岭地区分布1种。

(83) 秦岭大磨蚱 *Macromotettix qinlingensis* Zheng, Wei *et* Li, 2009（图230）

Macromotettix qinlingensis Zheng, Wei *et* Li, 2009：143.

鉴别特征：雌性体长10.0mm，前胸背板长10.5mm，后足股节长5.5mm；体小型，粗壮。头顶宽，其宽度为1个眼宽的2.0倍，前缘近平直，略突出于复眼前，中隆线明显，侧缘略反折；侧面观，头顶与颜面隆起形成圆角形，颜面隆起在侧单眼处略凹陷，在触角基部之间弧形突出；颜面隆起纵沟宽，在触角基部之间的宽度大于触角基节的宽度。触角丝状，16节，着生于复眼下缘之下，中段节长为宽的3.0倍。复眼圆球形，突出；侧单眼位于复眼前缘的中部。前胸背板背面具粗糙的颗粒和短隆线；前缘平直，中隆线明显，侧面观，背板上缘在肩部前略弧形隆起，在肩部后平直；沟前区侧隆线粗，隆起，略向内收缩；肩角圆形，侧缘在肩部后略收缩；肩顶隆线与前胸背板下缘联结点位于下缘长度中部略后处；前胸背板后突略超过后足股节顶端；前胸背板侧片略外翻，后角顶端平截，侧片后缘具2个凹陷。前翅长卵形；后翅不到达后突的顶端，约达后足股节膝部前。前、中足股节上缘、下缘略呈波状；前足股节的宽度略宽于中足股节宽；中足股节的宽度略狭于前翅能见部分宽；后足股节粗短，长为宽的 2.95 倍, 上侧中隆线具细齿, 膝前齿及膝齿顶角形, 下侧中隆线上具 3～4 个突起; 后足胫节内、外侧具刺 6 个; 后足跗节第 1 节长度大于第 2、3 节之和, 第 1 跗节下之第 1、2 垫小, 顶尖, 第 3 垫大, 顶钝。产卵瓣狭长, 上瓣、下瓣均具细齿。下生殖板宽略大于长, 后缘中央三角形突出。

雄性未知。

体呈暗褐色, 不具斑纹; 后足胫节褐色。

采集记录: 1♀, 洋县华阳, 2000. V. 23, 霍科科采。

分布: 陕西(洋县)。

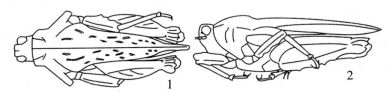

图 230　秦岭大磨蚱 *Macromotettix qinlingensis* Zheng, Wei *et* Li(仿郑哲民等, 2011)
1. 整体背面观; 2. 整体侧面观

八、蚱科 Tetrigidae

鉴别特征: 体小型至中型。颜面隆起在触角之间分岔呈沟状。触角丝状, 多数着生于复眼下缘内侧。前胸背板侧片后缘通常具 2 个凹陷, 少数仅具 1 个凹陷; 侧片后角向下, 末端圆形。前翅、后翅正常, 少数缺翅。后足跗节第 1 节明显长于第 3 节。

分类: 世界性分布。全世界已知 226 属 1600 余种, 中国记录 16 属 223 余种, 陕西秦岭地区分布 7 属 21 种。

分属检索表

1. 复眼适度突出、不突出或稍突出于前胸背板之上; 前胸背板沟前区方形或适度横长方形, 其宽度不大于长度的 2.0 倍 ··· 2
  复眼极突出、明显高于头及前胸背板水平之上; 前胸背板沟前区极横长方形, 短, 其宽度为长度的 2.0 倍 ··· 6
2. 头顶很狭, 向前端极狭, 使复眼在前端几乎相接 ············· **尖顶蚱属 Teredorus**
  头顶狭于或宽于一眼宽, 不向前端极狭 ··· 3
3. 头顶背面观宽于一眼宽, 侧面观在复眼之间向前突出; 中足胫节不向顶端收缩; 前胸背板中隆线到达前缘 ··· 4
  头顶背面狭于一眼宽, 侧面观在复眼之间不向前突出; 中足胫节向顶端收缩; 前胸背板中隆线在前缘处不明显 ································· **长背蚱属 Paratettix**
4. 前胸背板侧片后缘具 2 个凹陷; 前翅、后翅发达或缩短 ······························· 5
  前胸背板侧片后缘仅具 1 个凹陷; 缺前翅、后翅, 外观不可见 ········· **台蚱属 Formosatettix**

5. 前胸背板不呈屋脊形或略呈屋脊形；前、后翅正常 ……………………………………………………………… **蚱属 Tetrix**
　前胸背板强烈屋脊形；具很小的前翅和后翅；颜面隆起侧面观在侧单眼前略凹陷；前胸背板在
　肩部之间不具 1 对短纵隆线 …………………………………………………… **微翅蚱属 Alulatettix**

6. 颜面隆起侧面观在头顶与中单眼之间形成圆弧形突出；触角窝位于复眼下缘之间；侧单眼位
　于复眼前缘中部 …………………………………………………………… **悠背蚱属 Euparatettix**
　颜面隆起侧面观仅在触角基部之间形成弧形突出；触角窝位于复眼下缘之下；侧单眼位于复
　眼前缘中部之下；中足股节下缘波状；中足股节向端部变狭；后足股节外侧具结节突起 ……
　……………………………………………………………………………… **突眼蚱属 Ergatettix**

45. 尖顶蚱属 *Teredorus* Hancock, 1907

Teredorus Hancock, 1907: 51. **Type species**: *Teredorus stenofrons* Hancock, 1907.

属征：体小型，狭长。头部不突出；头顶向前极狭，使两复眼在前端几乎相接；
颜面隆起在触角之间略突出，在中央单眼处凹陷。触角着生于复眼下缘稍下。前胸
背板背面光滑，中隆线明显或不明显；后突长锥形，超过后足股节顶端；侧片后缘具
2 个凹陷，后角向下，顶圆形。前翅长卵形；后翅到达后突的顶端。后足跗节第 1 节
与第 3 节等长或长于第 3 节。

分布：新热带区，古北区，东洋区。全世界已知 34 种，中国记录 15 种，秦岭地
区分布 4 种。

分种检索表

1. 后足跗节第 1 节下具 3 个肉垫 ………………………………………………………………………… 2
　后足跗节第 1 节下仅具 2 个大肉垫……………………………………… **二垫尖顶蚱 T. bipulvillus**

2. 体型较大，狭长，体长（头顶至前胸背板后突顶端）为体最宽处（前胸背板侧片后角之间的宽
　度）4.0 倍；后足胫节具 2 个明显的白环；雌性体长 17.0~18.0mm；前翅网状翅脉明显，呈淡
　白色；雌性产卵瓣狭长，上瓣的长度为最宽处的 4.0 倍 ………………… **卡尖顶蚱 T. carmichaeli**
　体型较小，粗短，体长（头顶至前胸背板后突顶端）为体最宽处（前胸背板侧片后角之间的宽
　度）3.3~3.7 倍 …………………………………………………………………………………………… 3

3. 体长在 12.0~14.0mm；侧面观，头顶突出于复眼之前，头顶与颜面隆起呈直角形；颜面隆起
　在复眼前凹陷；前胸背板总长为后突超出后足股节顶端部分长的 6.5 倍；前翅长为宽的3.1倍；
　中足股节宽狭于前翅能见部分宽…………………………………………… **太白尖顶蚱 T. taibeiensis**
　体长在 10.5mm 以下；侧面观，头顶略突出于复眼之前，自头顶至中央单眼间弧形突出；前胸
　背板中隆线全长完整；沟前区侧隆线完整；后翅到达后突的顶端；后足股节下侧非黑色；雌性
　下生殖板后缘形成 2 个齿突 …………………………………………………… **二齿尖顶蚱 T. bidentatus**

(84) 卡尖顶蚱 *Teredorus carmichaeli* Hancock, 1915（图 231）

Teredorus carmichaeli Hancock, 1915: 110.

鉴别特征： 雌性体小型，体长(从头顶至前胸背板后突顶端)为体最宽处(侧片后角间宽度)4.3~4.7 倍。头不突出，背面观很小；头顶明显向前收缩，使两复眼很接近，近似三角形；颜面隆起仅略突出于复眼前，在中单眼处凹陷。触角着生于复眼稍下处。复眼明显球形。前胸背板背面光滑，具细颗粒，前胸背板前端柱状，在肩部之间扩大；中隆线很不明显，沟前区侧隆线在前缘之后退化成细线状，平行，肩前隆线不明显；后突长锥形，超过后足股节顶端；前胸背板侧片后角向下，顶圆或略截。前翅卵形，基部宽，向顶端尖，顶狭圆形，网状翅脉明显；后翅伸达后突的顶端。前、中足股节边缘完整，具细锯齿；中足股节稍侧扁，外侧具 2 条隆线；后足股节边缘完整，具细锯齿，膝前齿尖锐；后足第 1 跗节与第 3 节等长，第 1 跗节下的三垫等长。体呈黑褐色，灰色，染有灰白色。触角具白色，后翅黑色或烟色；后足胫节深褐色，具 2 个明显的白环。

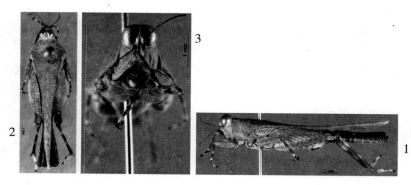

图 231　卡尖顶蚱 *Teredorus armichaeli* Hancock
1. 雌性侧面观；2. 雌性背面观；3. 雌性前面观

雄性体较雌性小。下生殖板短锥形，其余构造与体色同雌性。

雄性体长 14.0~15.0mm，雌性体长 17.0~18.0mm；雄性前胸背板长 13.0~13.5mm，雌性前胸背板长 16.0~16.5mm；雄性后足股节长 4.0~5.0mm，雌性后足股节长 7.0~8.0mm。

采集记录： 3♂1♀，佛坪，2001.Ⅶ.12，郑哲民采。

分布： 陕西(佛坪)、内蒙古、河南、甘肃、安徽、浙江、江西、福建、四川、贵州；印度。

(85) 二垫尖顶蚱 *Teredorus bipulvillus* Zheng, 2006(图 232)

Teredorus bipulvillus, Zheng, 2006：25.

鉴别特征： 雌性体长(头顶至前胸背板顶)14.0~14.5mm，前胸背板长 13.0~13.2mm，后足股节长 7.0~8.0mm；体小型，狭长，体长(自头顶至前胸背板后突顶)

为体宽(前胸背板侧片后角之间的宽度)的3.5倍。头部不突出于前胸背板水平之上，背面观，头顶极向前狭，两复眼很接近，中隆线明显，直达后头；侧面观，头顶与颜面呈钝角形，颜面隆起在复眼前直，不凹陷，在触角之间略弧形突出，在中央单眼处凹陷；颜面隆起纵沟在触角之间部分的宽度略狭于触角基节宽。触角丝状，15节，中段节长为宽的4.0倍，触角着生于复眼下缘稍下处。复眼圆球形，突出；侧单眼位于复眼前缘下1/3处。前胸背板较平滑，具细小颗粒；前缘平直，中隆线全长明显；侧面观，背板上缘在肩部前略波状，在肩部后平直；肩角钝角形；后突长锥形，超过后足股节的顶端；前胸背板侧片后缘具2个凹陷，后角顶圆形。前翅狭长卵形，顶狭圆，具明显的网状脉纹；后翅发达，到达前胸背板后突的顶端。前、中足股节较狭长，上缘、下缘平直，中足股节的宽度略狭于前翅能见部分的宽度；后足股节粗短，长为宽的4.4倍，膝前齿直角形，膝齿大，尖锐；后足胫节外侧具7个刺，内侧具5个刺；后足跗节第1节长于第3节，第1跗节下仅具2个大肉垫。产卵瓣较粗短，上瓣之长为宽的3.0倍，上瓣、下瓣均具细齿，下产卵瓣之背侧密具细毛。下生殖板宽略大于长，后缘中央三角形突出。体呈暗褐色；后翅黑色；前、中足胫节黑色，中部具2个淡色环，第1跗节及第2跗节基部和端部黑色；后足股节内侧及下侧黑色，后足胫节黑色，中部具2个淡色环，第2跗节及第3跗节基部和端部黑色。

　　雄性未知。

　　采集记录：2♀，周至楼观台，2002.Ⅸ.23，郑哲民采。

　　分布：陕西(周至)。

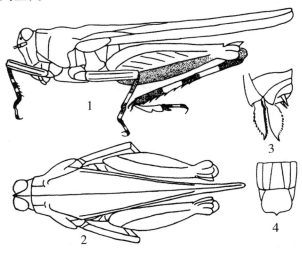

图232　二垫尖顶蚱 *Teredorus bipulvillus* Zheng(仿郑哲民等，2011)

1. 整体侧面观；2. 整体背面观；3. 雌性腹端侧面观；4. 雌性下生殖板

(86)太白尖顶蚱 *Teredorus taibeiensis* **Zheng et Xu, 2010**(图233)

Teredorus taibeiensis Zheng et Xu, 2010：14.

鉴别特征：雌性体长（头顶至前胸背板顶端）14.0～14.2mm，前胸背板长 13.5～14.0mm，后足股节长 7.5～7.7mm；体小型，狭长；体长（自头顶至前胸背板后突顶）为体宽（前胸背板侧片后角之间的宽度）的 3.5 倍。头部略突出于前胸背板水平之上；背面观，头顶极向前狭，两复眼很接近，中隆线明显；侧面观，头顶与颜面隆起呈直角形，在复眼前可见，颜面隆起在侧单眼前凹陷，在触角之间弧形突出，在中央单眼处凹陷；颜面隆起在触角之间部分的宽度明显狭于触角基节的宽度。触角丝状，15 节，中段 1 节的长度为宽度的 4.0 倍，触角着生于复眼下缘之下。复眼圆球形，突出；侧单眼位于复眼前缘下 1/3 处。前胸背板较平滑，密具细小颗粒；前缘平直，中隆线全长明显，侧面观，背板上缘平直；沟前区侧隆线平行；肩角钝角形，后突长锥形，超过后足股节顶端而达后足胫节基 1/3 处，其超出部分长约 2.0mm，前胸背板总长为超出后足股节顶端部分长的 6.5 倍；前胸背板侧片后缘具 2 个凹陷，后角顶圆形。前翅长卵形，顶狭圆，长为宽的 3.1 倍，网状脉明显；后翅发达，到达后突的顶端。前足股节上缘、下缘平直，中足股节较狭长，上缘、下缘平直，中足股节的宽度狭于前翅能见部分的宽度；后足股节粗壮，上侧中隆线具较大的锯齿，膝前齿及膝齿尖锐；后足跗节第 1 节长于第 3 节，第 1 跗节下之 1、2 垫小，第 3 垫大，各垫顶钝。产卵瓣较粗短，上瓣之长为宽的 2.4 倍，上瓣、下瓣均具细齿。下生殖板长宽近相等，侧缘明显向内收缩，后缘中央三角形突出。体呈黑褐色；后翅黑色，前、中足股节及胫节上具 2 个黑环，第 1 跗节及第 2 跗节端部黑色；后足股节下侧外面黑色；后足胫节黑色，具 2 个褐色环。

雄性未知。

采集记录：1♀，太白蒿坪寺，2005.Ⅶ.13，许升全采。

分布：陕西（太白）。

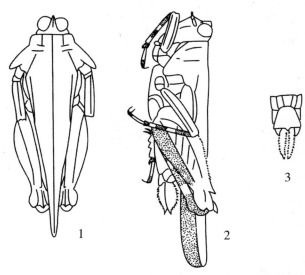

图 233　太白尖顶蚱 *Teredorus taibeiensis* Zheng et Xu（仿郑哲民等，2011）
1. 整体背面观；2. 整体侧面观；3. 雌性腹端腹面观

（87）二齿尖顶蚱 *Teredorus bidentatus* **Zheng，Huo *et* Zhang，2000**（图234）

Teredorus bidentatus Zheng，Huo *et* Zhang，2000：235.

鉴别特征： 雌性体小型，较粗短，体长为体最宽处的3.75倍。头部稍突出于前胸背板水平之上；头顶极狭，前端尖锐，具中隆线，但不到达后头，侧面观略突出于复眼之前；颜面倾斜，颜面隆起在触角之间弧形突出，在复眼中部前及中央单眼处凹陷，纵沟明显。触角着生于复眼下缘略下处，丝状，中段1节的长度为宽度的4.0倍。复眼圆球形，突出；侧单眼位于复眼下1/3处。前胸背板较平，具细颗粒，中隆线全长明显，侧隆线在沟前区明显，平行；前胸背板后突楔状，超过后足股节顶端，超出股节顶端部分较短，约2.5mm，前胸背板总长为超出后足股节顶端部分长度约5.6倍；前胸背板侧片后缘具2个凹陷，后角顶端圆形。前翅长卵形，长为宽的2.5倍，顶端较狭圆，网状脉纹明显；后翅到达前胸背板后突的顶端。前、中足股节上缘、下缘平直；后足股节粗短，长为宽的2.8倍，上缘、下缘均具细齿，膝前齿直角形；后足胫节外侧具5个刺，内侧具6个刺；后足跗节第1、3节近等长，第1跗节下之3垫近等长。产卵瓣粗短，上产卵瓣之长为宽的2.14倍，上产卵瓣之上外缘及下产卵瓣之下外缘均具细锯齿。下生殖板长宽近相等，后缘具2个钝齿突，腹面具1条明显的纵沟。体呈黑褐色。前足、中足股节褐色，胫节黄褐色，上具2个黑斑；后足股节褐色，胫节黄褐色，具2个黑色大斑，基部黑色。后翅黑色。

雄性体型较雌性小，体长为宽的3.3倍。前胸背板后突超出后足股节顶端部分长约1mm，前胸背板总长为超出后足股节顶端部分程度的6.7倍；后翅略不到达、到达或略超过后突的顶端；下生殖板短锥形；体色同雌性。

雄性体长8.0～8.5mm，雌性体长12.0mm；雄性前胸背板长9.0～10.0mm，雌性前胸背板长14.0mm；雄性后足股节长5.0～6.0mm，雌性后足股节长8.0mm。

采集记录： 3♂，佛坪，1997.Ⅶ.25，霍科科采。

分布： 陕西（佛坪、宁陕）。

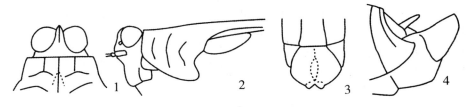

图234　二齿尖顶蚱 *Teredorus bidentatus* Zheng，Huo *et* Zhang（仿郑哲民等，2011）
1. 雌性头、前胸背板前段背面观；2. 雌性头、前胸背板侧面观；3. 雌性下生殖板；4. 雄性腹端侧面观

46. 蚱属 *Tetrix* **Latreille，1802**

Acrydium Geoffroy，1762：390（Suppressed）. **Type species：** information not available.

Acrydium Schrank，1801：30（Suppressed）. **Type species**：information not available.

Tetrix Latreille，1802：284. **Type species**：*Tetrix subulatus* Linnaeus，1761.

属征：体小型，头不突出。头顶宽于或等于一眼宽，具中隆线，侧面观在复眼前呈角状突出，颜面略倾斜或近垂直，颜面隆起在触角之间向前突出，在复眼上半部之间直或凹陷，颜面隆起具纵沟，从中央单眼向上几乎达头顶。触角丝状，13～15 节，着生于复眼下缘之间。复眼略突出，不高出于前胸背板水平之上。前胸背板略呈屋脊形，中隆线全长明显，前缘平直或呈钝角形突出；前胸背板后突楔状，一般仅到达腹端，亦有超出后足股节顶端较长的种类；前胸背板侧片后缘具 2 个凹陷，后角顶圆形。前翅卵形，后翅发达或缩短。中足股节狭于或宽于前翅能见部分的宽度，上缘、下缘平直，少数种类波状；中足胫节不向端部收缩；后足股节粗短，边缘具细齿；后足跗节第 1 节长于第 3 节。

分布：世界性分布。全世界已知 176 种，中国记录约 80 种，秦岭地区分布 12 种。

分种检索表

1. 中足股节较狭，明显狭于或等于前翅能见部分宽度；前胸背板较长，远超出后足股节顶端 … 2
   中足股节较宽，明显宽于前翅能见部分宽；前胸背板较短，不到达、到达或略超过后足股节顶端 ………………………………………………………………………………………… 8
2. 头顶宽明显宽于一眼宽；颜面隆起侧面观在复眼之间微凹或不凹陷 ……………………… 3
   头顶宽略狭于或略宽于一眼宽 …………………………………………………………………… 6
3. 中足股节宽明显狭于前翅能见部分宽，下缘平直 ………………………… 钻形蚱 *T. subulata*
   中足股节宽略狭于或等于前翅能见部分宽，下缘波状 ………………………………………… 4
4. 头顶为一眼宽的 2.0 倍；前胸背板前缘平直，背板背面密具瘤突和短纵隆线；后突几乎到达后足胫节端部；颜面隆起侧面观在复眼之间略凹陷；后足股节下侧中隆线具小叶状突 ………
   ……………………………………………………………… 陕西蚱 *T. shaanxiensis*
   头顶为一眼宽的 1.5～1.6 倍；中足股节宽略狭于前翅能见部分宽 ……………………………… 5
5. 侧面观，头顶与颜面隆起形成钝角形，颜面隆起在复眼前不凹陷；触角丝状，15 节，中段一节的长为宽度的 4.0 倍；后翅超过后突的顶端，超出部分为 1.0～2.0mm；前胸背板侧观上缘在肩部前略隆起，后突不到达后足胫节中部 ………………………… 秦岭蚱 *T. qinlingensis*
   侧面观，头顶与颜面隆起形成钝角形，颜面隆起在复眼间微凹几乎直；触角丝状，16 节，中段一节的长为宽度的 2.5 倍；后翅到达足股节顶端，而略不到达后突的顶端 …………………
   ……………………………………………………………………… 留坝蚱 *T. liubaensis*
6. 前胸背板中隆线低，不呈片状；头顶宽为一眼宽的 1.3 倍，头顶前缘不突出于复眼前缘之前，顶平；侧面观头顶与颜面隆起呈钝角形；前胸背板背面平坦，光滑，中隆线全长明显；侧隆线在沟前区平行………………………………………………………… 波氏蚱 *T. bolivari*
   前胸背板中隆线高，尖锐及片状或呈屋脊形；头顶略宽于一眼宽 ……………………………… 7
7. 前胸背板前缘钝角形；颜面隆起纵沟狭于触角基节宽；肩角钝角形；前胸背板后突到达后足胫节 2/3 处；中足股节下缘平直 ………………………………………………… 喀蚱 *T. ceperoi*

前胸背板前缘平直；颜面隆起纵沟宽狭于触角基节宽；前胸背板背面光滑；中足股节宽狭于前翅能见部分；后足股节上、下侧中隆线不具细锯齿；雌性下生殖板宽大于长；后翅到达后足胫节基部 1/3 处 ·································· **西安蚱 _T. xianensis_**

8. 前、中足股节下缘明显波状 ·································· 9
　　前、中足股节下缘直或微波状 ·································· 10

9. 前胸背板中隆线很高，侧面观呈极弯曲的弧形；前胸背板前缘锐角形突出，向前几乎达复眼中部之前 ·································· **隆背蚱 _T. tartara tartara_**
　　前胸背板中隆线较低，侧面观上缘较平或呈波状；前胸背板前缘平直；头顶宽为一眼宽的 2.2 倍；侧面观头顶与颜面隆起形成直角形；颜面隆起在复眼前凹陷；触角短，中段节长为宽的 2.8 倍；前胸背板中隆线在肩部前、后形成 2 个突起；肩部之间不具 1 对短纵隆线；后突略超过后足股节顶端；前胸背板背面密具细颗粒 ·································· **波股蚱 _T. undatifemura_**

10. 前胸背板前缘明显呈锐角形突出，中隆线高，片状；头顶为一眼宽的 1.7 倍；头顶前缘钝角形；颜面隆起在侧单眼前不凹陷；侧面观背板上缘弧形；后突不到达后足股节膝部；中足股节宽于前翅宽 ·································· **仿蚱 _T. simulans_**
　　前胸背板前缘平直或呈钝角形突出，中隆线较低，不呈片状或略呈片状，在肩部之间不具 1 对短纵隆线；头顶为一眼宽的 1.5 倍；前胸背板后突不到达后足股节顶端；后翅不到达后突的顶端 ·································· 11

11. 前胸背板侧观上缘近平直；后突到达腹端；触角中段节长为宽的 4.0 倍以下 ·································· **日本蚱 _T. japonica_**
　　前胸背板侧观上缘在肩部前丘状隆起，在肩后近平直；后突到达后足股节膝部；触角中段长为宽的 5.0 倍 ·································· **乳源蚱 _T. ruyuanensis_**

（88）钻形蚱 _Tetrix subulata_（Linnaeus，1761）（图 235）

　　Gryllus subulatus Linnaeus，1761：236.

　　Tetrix subulata：Finot，1890：167.

　　鉴别特征： 雄性体小型，具小颗粒。头不突起；头顶突出于复眼前缘，其宽约为一复眼宽的 1.66 倍，前缘钝角形，中隆线明显，两侧稍凹陷，侧隆线稍隆起。颜面倾斜，颜面隆起侧面观与头顶成直角，在侧单眼间微凹入，在触角间拱形突出；纵沟明显，两侧自侧单眼上方向中单眼微扩宽，在触角间的宽狭于触角基节宽。侧单眼位于复眼中部偏上的内侧。触角丝状，着生于复眼下缘内侧，其长约为前足股节长的 2.2 倍，14 节，中段一节长约为宽的 2.7 倍。复眼球形突出。前胸背板前缘平截，有些个体的前缘中央微突出；背面在肩部略呈屋脊形，后突长锥形，末端到达后足胫节中部；中隆线略呈片状隆起，侧面观在前半部略呈弧形，后半部平直，侧隆线在沟前区近平行，沟前区近方形，肩角间的短纵隆线不明显或明显。肩角弧形。前胸背板侧叶间后缘具 2 个凹陷，侧叶后角向下，末端圆。前翅长卵形，末端圆；后翅略超出前胸背板末端。前足股节上缘略弯，下缘直；中足股节明显狭于前翅可见不分的宽度，上缘、下缘近直；后足股节细长，长约为宽的 3.3 倍；后足胫节边缘具刺；后足跗节第 1 节明显长于第 3 节,第 1 节下缘的第 1、2 肉垫小,三角形,末端尖,第 3 肉垫最大,近似长方形。体呈黄褐色至黑褐色,有些个体前胸背板背面在肩角间具 2 对黑斑。

雌性产卵瓣狭长,上瓣长约为宽的 4.2 倍,边缘具小刺。其余构造同雄性。

采集记录：7♂5♀,留坝韦驮沟,1998.Ⅶ.21,郑哲民采。

分布：陕西(留坝、佛坪、宁陕)、内蒙古、天津、河南、甘肃、安徽、湖北、福建、四川、贵州;俄罗斯,欧洲,美洲。

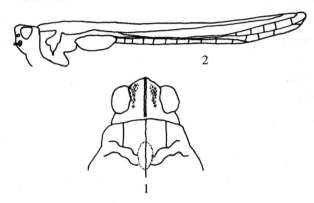

图 235　钻形蚱 *Tetrix subulata*（Linnaeus）（仿郑哲民,2005）
1. 头部背面观; 2. 头、前胸背板侧面观

(89) 陕西蚱 *Tetrix shaanxiensis* Zheng,2005（图 236）

Tetrix shaanxiensis Zheng,2005：272.
Tetrix shaanxiensis Zheng,2005：73.

鉴别特征：雌性体小型。头顶略突出于复眼之前,前缘平直,头顶宽为一眼宽的 2.0 倍,侧缘略反折,与前缘形成圆角形;中隆线明显,突出于前缘,向后不达后头;侧面观,头顶与颜面隆起形成圆角形,颜面隆起在复眼前凹陷,在触角之间弧形突出;纵沟较宽,其宽度略大于触角基节宽。触角丝状,着生于复眼下缘之下,16 节,中段节长为宽的 3.0 倍。复眼圆球形,侧单眼位于复眼前缘的中部。前胸背板背面较平,密具小颗粒和皱纹;前缘平直,中央微凹,中隆线明显,在近前缘处消失,侧隆线在沟前区明显,略向后收缩;侧面观背板的上缘在肩部之间向前略突出,向后平直;肩角宽圆形;后突长锥形,超过后足股节顶端而几乎达后足胫节的端部,其超出后足股节顶端部分的长度为 5.0~5.5mm;前胸背板侧片后缘具 2 个凹陷,侧片略外翻,后角顶圆形。前翅长卵形,端部狭圆,长为宽的 2.5 倍;后翅到达或略超过后足股节的顶端,若超出,其超出部分的长度约 0.8mm;前、中足股节上缘、下缘均具细齿,在下缘上具有数个小叶片状突起;后足胫节外侧具 7 个刺,内侧具 5~6 个刺;后足跗节第 1 节长度为第 2、3 节之和,第 1 跗节下之 3 垫等长,顶钝。产卵瓣较粗短,上瓣之长为宽的 2.5 倍，上瓣、下瓣均具细齿。下生殖板近方形，后缘具 3 枚齿，中齿短于侧齿。体呈黄褐色至暗黄褐色；后翅黑色；前、中足股节具 2 个不明显暗色横带纹，胫节具 2 黑褐色带纹，第 1 跗节及第 2 个跗节端部黑褐色；后足胫节具 2 个黑褐色带纹，基部黑褐色，第 2 跗节及第 3 跗节端部黑色。

　　雄性体型较雌性小；体色与构造同雌性，后翅略超过后突的顶端，下生殖板短锥形。

　　采集记录：1♀，留坝韦驮沟，1998.Ⅶ.31，廉振民采；1♂，宁陕火地塘鸦雀沟，1998.Ⅶ.28，张学忠采。

　　分布：陕西（留坝、宁陕）。

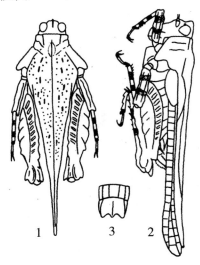

图 236　陕西蚱 *Tetrix shaanxiensis* Zheng（仿郑哲民，2005）
1. 整体背面观；2. 整体侧面观；3. 雌性下生殖板

（90）秦岭蚱 *Tetrix qinlingensis* **Zheng，Huo et Zhang，2000**（图 237）

Tetrix qinlingensis Zheng Huo et Zhang，2000：238.

　　鉴别特征：雌性体小型。头顶略突出于复眼之前，前缘平直，中隆线明显，直延至后头，侧缘略反折，头顶的宽度为一眼宽的 1.5～1.6 倍；侧面观头顶与颜面隆起成钝角形，在侧单眼之间不凹陷，较平直；颜面隆起纵沟在触角之间部分的宽度略宽于触角基节宽。触角丝状，着生于复眼下缘之间，15 节，中段一节的长度为宽度的 4.0 倍。复眼圆球形；侧单眼位于复眼前缘中部。前胸背板前缘平直，中隆线全长明显，侧隆线在沟前区明显，平行；侧面观背板上缘在肩部前略隆起，向后平直；肩角宽钝角形；前胸背板后突长锥状，超过后足股节的顶端，但不到达后足胫节之中部；前胸背板侧片后缘具 2 个凹陷，后角向下，顶圆形。前翅长卵形，端部狭圆；后翅超过前胸背板后突的顶端，其超出部分长 2.0mm。前足股节上下缘近平直，中足股节下缘略波状，中足股节的宽度略狭于前翅能见部分的宽度；后足股节粗短，长约为宽的3.0倍；后足胫节外侧具6～8个刺，内侧具7个刺；后足跗节第1节长度大于2、3节之和，第1跗节下之3垫近等长。产卵瓣狭长，上瓣之上外缘及下瓣之下外缘均具细齿。下生殖板长大于宽，后缘中央三角形突出。体呈暗褐色；前胸背板两侧各具1个黑斑；后翅黑色；前、中足股节暗褐色，胫节上具2个淡色环，第2跗节端部黑色；后足股节暗褐至黄褐色；后足胫节黄褐色，无斑纹。

雄性体型较雌性小；体色及构造同雌性。后翅超出前胸背板后突部分长为1.0～2.0mm；下生殖板短锥形；中足股节稍狭于前翅能见部分宽度。

采集记录：3♂2♀，佛坪三仙峰，1997.Ⅶ.27，霍科科采。

分布：陕西(周至、留坝、佛坪、宁陕)、甘肃、湖南。

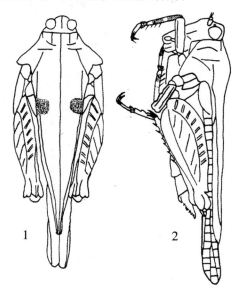

图237 秦岭蚱 *Tetrix qinlingensis* Zheng, Huo *et* Zhang (仿郑哲民等, 2011)

1. 整体背面观；2. 整体侧面观

(91) 波氏蚱 *Tetrix bolivari* Saulcy，1901 (图238)

Tetrix bolivari Saulcy, 1901: 61.

鉴别特征：雄性体中小型，具细纹颗粒。头不突起，头顶稍突出于复眼前缘，其宽约为一复眼宽的1.3倍，前缘近平截，中隆线明显，两侧稍凹陷，侧隆线在端半部稍隆起。颜面略倾斜，侧面观与头顶成钝角；颜面隆起在侧单眼前不凹陷，在触角间拱形突出；纵沟深，两侧自侧单眼上方向中单眼处逐渐扩宽。侧单眼位于复眼中部内侧。触角丝状，着生于复眼下缘内侧，14节，中段一节长度约为宽的4.0倍。复眼球形。前胸背板前缘平截，背面较平直，仅在横沟至肩角间稍隆起，后突长锥形，超过后足胫节中部；中隆线全长明显且低，侧隆线在沟前区平行，沟前区呈方形，肩角间具1对倾斜的短纵隆线。肩角弧形。前胸背板侧叶后缘具2个凹陷，侧叶后角向下，末端圆。前翅卵形，端部圆，后翅超出前胸背板末端。前足股节上缘稍弯曲，下缘近直；中足股节宽稍狭于前翅可见部分宽，上缘略弯，下缘波曲状。后足股节粗短，长约为宽的2.8倍，上缘、下缘均具细锯齿。后足胫节边缘具刺。后足跗节第1节明显长于第3节，第1节下缘的第1、2肉垫细小，近似三角形，端部尖，第3肉垫明显大于前两者。体呈褐色至暗褐色，多数个体前胸背板背面肩角之后具1对大黑斑，少数个体在肩角之前还有1对小黑斑。

雌性体型较雄性大。产卵瓣较粗短，外缘具小刺，上瓣长为宽的2.6~3.0倍。其余构造与体色同雌性。

分布： 陕西（秦岭）、黑龙江、吉林、辽宁、内蒙古、河北、山西、山东、河南、宁夏、甘肃、青海、新疆、江苏、安徽、浙江、江西、福建、台湾、广东、广西、贵州、西藏；俄罗斯，日本。

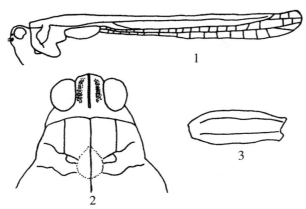

图238　波氏蚱 *Tetrix bolivari* Saulcy（仿郑哲民，2005）
1. 头、前胸背板侧面观；2. 头、前胸背板前端背面观；3. 中足股节

（92）喀蚱 *Tetrix ceperoi*（Bolívar，1887）（图239）

Tettix ceperoi Bolívar，1887：100.
Tetrix ceperoi Uvarov，1940：72.

鉴别特征： 雄性体小型。头部不突出。头顶稍突出于复眼前缘，头顶较狭，其宽度稍宽于一眼宽，前缘略呈弧形，几乎平直，中隆线明显，两侧稍凹陷；颜面略倾斜，颜面隆起侧面观与头顶形成钝角形，在复眼前不凹陷，在触角之间弧形突出；颜面隆起纵沟明显，在触角之间的宽度稍狭于触角基节的宽度。复眼圆球形；侧单眼位于复眼前缘中部内侧。触角丝状，着生于复眼下缘内侧，中段一节长度为宽度的2.5~3.0倍。前胸背板前缘平直，背面较平坦，在肩部之间略隆起，后突长锥形，超过后足股节顶端而达胫节 2/3 处；中隆线略呈片状隆起，侧面观前半部呈弧形，后半部平直；侧隆线在沟前区平行；前胸背板侧片后缘具 2 个凹陷，后角向下，顶圆形。前翅长卵形；后翅超过前胸背板后突的顶端。前、中足股节较狭，前足股节具直的或极弱的弧形下缘，中足股节的宽度稍狭于前翅能见部分的宽度，具略呈弧形的上缘和直的下缘；后足股节较粗，长为宽的 3.0 倍；后足跗节第 1 节长于第 3 节，第 1 跗节下之第 1、2 垫小，顶尖，第 3 垫长方形，较大，顶钝。体呈黄褐色至黑褐色，前胸背板上常具 1 对黑斑。

雌性体型较雄性大。产卵瓣较狭长，上瓣之长为宽的 3.0～4.0 倍。其余构造与体色同雄性。

分布：陕西（秦岭）、河南、湖北、广东、广西、云南；亚洲，非洲各国。

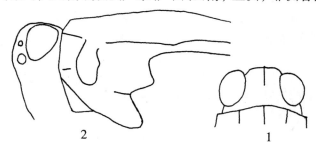

图 239　喀蚱 *Tetrix ceperoi* (Bolívar)（仿郑哲民，2005）
1. 头部背面观；2. 头、前胸背板前端侧面观

(93) 西安蚱 *Tetrix xianensis* Zheng, 1996（图 240）

Tetrix xianensis Zheng, 1996：177.

鉴别特征：雌性体小型。头顶前缘圆弧形，略突出于复眼之前，具中隆线，头顶的宽度略宽于一眼宽，侧缘略反折；颜面隆起侧面观稍倾斜，与头顶形成钝角形，在复眼之前平直，并在触角之间隆起，纵沟较狭，其在触角之间的宽度狭于触角基节宽。触角丝状，15 节，着生于复眼下缘之间，中段一节的长度为宽度的 4.0 倍。复眼圆球形，突出；侧单眼位于复眼前缘的中部。前胸背板稍屋脊形，前缘平直，后突长锥形，略超过后足股节的顶端；中隆线全长明显，侧面观上缘在肩部之间略弧形，其后平直；侧隆线在沟前区明显，平行；肩角钝圆角形；前胸背板侧片后缘具 2 个凹陷，后角顶圆形。前翅卵圆形；后翅发达，超过后突的顶端。前、中足股节下缘略呈波状，中足股节的宽度略狭于前翅能见部分的宽度；后足股节粗短，长为宽的 2.5倍，膝前齿钝，后足胫节外侧具 7～9 个刺，内侧 6 个；后足跗节第 1 节长度为第 2、3节之和的 1.5 倍，第 1 跗节下之第 3 垫大于其余 2 垫，顶钝，第 1、2 垫顶尖。上产卵瓣粗大，顶端尖不钩状，上外缘不具细齿，下产卵瓣较直，不具向下弯曲的顶，顶钝，下外缘粗糙。下生殖板宽大于长的 1.4 倍，后缘中央略三角形突出。体呈黑褐色，前胸背板黑褐色，在肩部之间具 1 对黄褐色宽横带，横带后具 2 个三角形黑斑，前翅褐色，具淡色边，后翅黑褐色，后足股节黑褐色，在外侧中部具 1 个黄色斑。

雄性未知。

雌性体长 11.0mm；雌性前胸背板长 9.0mm；雌性后足股节长 7.0mm。

采集记录： 1♀，陕西师范大学，1990.Ⅹ.26，徐正会采。

分布： 陕西（西安）。

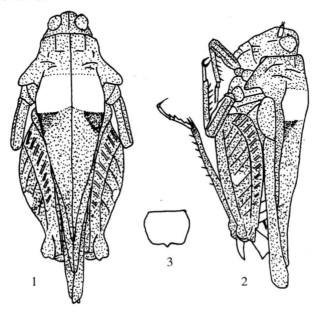

图 240　西安蚱 *Tetrix xianensis* Zheng（仿郑哲民，2005）

1. 整体背面观；2. 整体侧面观；3. 雌性下生殖板

(94) 隆背蚱 *Tetrix tartara tartara* Saussure, 1887（图 241）

Tetrix tartara tartara Saussure, 1887：262.

鉴别特征： 雌性体小型。具小颗粒，头不突起。头顶宽为一复眼宽的 2.0 倍，前缘明显超出复眼前缘，中隆线明显，两侧稍凹陷；颜面略倾斜，颜面隆起侧面观与头顶垂直，在复眼前微凹入，在触角间稍突出，纵沟的宽度与触角基节等宽。复眼圆球形；侧单眼位于复眼中部内侧。触角丝状，着生于复眼下缘内侧，长约为前足股节长的 2.0 倍，14 节，中段一节长为宽的 5.0 倍。前胸背板前缘钝角形突出，覆盖后头，其前缘到达复眼中部；背面屋脊状隆起，后突楔形，末端几乎到达后足股节膝前部；中隆线明显片状隆起，侧面观上缘呈弧形，侧隆线在沟前区略收缩，在肩角间缺短纵隆线，肩角弧形；前胸背板侧叶后缘具 2 个凹陷，侧叶后角向下，末端圆。前翅长卵形，端部稍狭；后翅未到达前胸背板末端。前、中足股节上缘稍弯，下缘波状，中足股节宽稍宽于前翅可见部分宽；后足股节粗壮，长约为宽的 2.5 倍；后足胫节边缘具刺；后足跗节第 1 节明显长于第 3 节，第 1 节下缘的 1、2 垫细小，几乎等大，近似三角形，第 3 垫大，近似长方形。产卵瓣外缘具小刺，上瓣长约为宽的 3.1 倍。体呈褐色，前胸背板背面中部具 1 对黑斑。

采集记录：1♂1♀，石泉，2004.X.03，白义采。

分布：陕西（西安、石泉）、甘肃；俄罗斯。

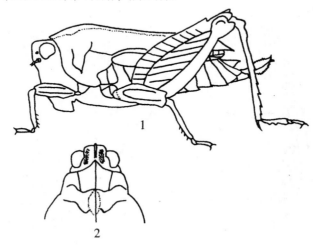

图 241　隆背蚱 *Tetrix tartara tartara* Saussure（仿郑哲民，2005）
1. 整体侧面观；2. 头、前胸背板前端侧面观

(95) 波股蚱 *Tetrix undatifemura* Zheng, Huo *et* Zhang, 2000（图 242）

Tetrix undatifemura Zheng, Huo *et* Zhang, 2000：237.

鉴别特征：雌性体小型，粗短。头顶略突出于复眼之前，前缘近平，中隆线突出于前缘之前，头顶的宽度约为一眼宽的 2.2 倍；侧面观，颜面隆起与头顶形成角形突出，在复眼前明显凹入，在触角基部之间弧形突出，中纵沟明显宽于触角基节的宽度。触角丝状，15 节，中段一节的长度为宽度的 2.8 倍，触角着生于复眼下缘之间。复眼圆球形，侧单眼位于复眼前缘的中部。前胸背板前缘平直，中隆线在近前缘及后段不明显，中段很明显；侧隆线在沟前区明显，略收缩；前胸背板背面密具细颗粒，特别在肩部之间中隆线两侧最密，肩角近圆弧形；后突超过后足股节顶端；侧面观背板上缘在肩部前、后均隆起；前胸背板侧片后缘具 2 个凹陷，后角斜向后方，顶圆形。前翅长卵形，较大，顶狭圆。后翅不到达前胸背板后突的顶端。前、中足股节上缘波状，下缘具 2~3 个大叶状突起。后足股节粗糙，外侧具 3 个突起，上侧中隆线具细齿，膝前齿直角形，膝齿大，突出；后足胫节内侧、外侧均具 6 个刺；第 1 跗节的长度大于第 2、3 节之和，第 1 跗节下之垫小，第 2、3 垫大。产卵瓣较粗短，上瓣、下瓣之外缘均具细齿。下生殖板宽短，后缘具3个突起。体呈暗褐色；后足股节色较深；后足胫节暗褐色。

雄性未知。

采集记录： 2♀，佛坪三仙峰，1997.Ⅶ.27，霍科科采。

分布： 陕西(佛坪)。

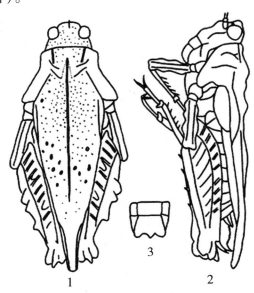

242　波股蚱 *Tetrix undatifemura* Zheng, Huo et Zhang(仿郑哲民等，2011)

1. 整体背面观；2. 整体侧面观；3. 雌性下生殖板

(96)仿蚱 *Tetrix simulans* (B.-Bienko, 1929)(图243)

Acrydium simulans B.-Bienko, 1929：367.

Tetrix simulans：B.-Bienko, 1951：97.

鉴别特征： 雄性体小型。具小颗粒，头不突起。头顶略突出于复眼前缘，其宽约为一复眼宽的1.5倍，前缘钝角形，在中隆线两侧具小凹口；中隆线明显，侧隆线略翘起；颜面倾斜，颜面隆起侧面观与头顶形成近似直角形，在侧单眼前不凹陷，在触角间弧形突出；纵沟深，在触角间宽略狭于触角基节宽。复眼球形，侧单眼位于复眼中部内侧。触角丝状，着生于复眼下缘内侧，长约为前足股节长的2.0倍，14节，中段一节长约为宽的4.0倍。前胸背板前缘明显钝角形突出，背面屋脊形，后突楔形，末端到达膝前部至膝部；中隆线稍呈薄片状，侧面观呈弓形隆起，侧隆线在沟前区不大明显或明显，近平行，沟前区近方形，肩角间短纵隆线不明显；肩角弧形；前胸背板侧叶后缘具2个凹陷，侧叶后角向下，顶端圆。前翅长卵形，末端圆，后翅不到达、到达或略超出前胸背板末端，前、中足股节上缘稍弯，下缘近直，中足股节宽稍大于前翅可见部分宽。后足股节粗壮，长约为宽的 2.5 倍，上缘、下缘均具微细锯齿。后足胫节边缘具刺。后足跗节第 1 节明显长于第 3 节，第 1 节下缘的第 1、2 肉垫近似三角形，顶端尖，第 3 肉垫最长大。体褐色至黑褐色，前胸背板背面中部有 1 对明显或不明显黑斑，个别个体在横沟后还有 1 对较小的黑斑。

雌性有些个体中足股节下缘略呈微波状，后翅未达前胸背板末端。触角约为前足股节长的 1.8 倍，中段一节长为宽的 4.5 倍。产卵瓣外缘具小刺，上瓣长为宽的 2.8～3.1 倍。其余与雄性相同。

雄性体长 7.5～8.1mm，雌性体长 9.3～11.3mm；雄性前胸背板长 6.5～7.3mm，雌性前胸背板长 7.7～7.8mm；雄性后足股节长 4.8～5.2mm，雌性后足股节长 5.5～5.8mm。

采集记录：1♂1♀，长安，1984.Ⅶ.19，郑哲民采。

分布：陕西(长安、周至)、内蒙古、河南；蒙古，俄罗斯。

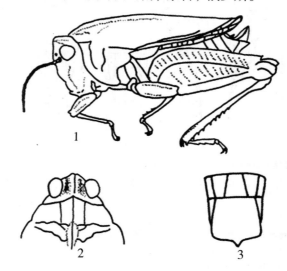

图 243　仿蚱 *Tetrix simulans* (B.-Bienko)(仿郑哲民，2005)
1. 整体侧面观；2. 头、前胸背板前端背面观；3. 雌性下生殖板

(97) 日本蚱 *Tetrix japonica* (Bolívar, 1887)(图 244)

Tettix japonicus Bolívar, 1887：263.
Tettix longulus Shiraki, 1906：3.
Tetrix japonica Bolívar, 1951：99.
Tetrix trux Steimann, 1964：462.

鉴别特征：雄性体小型。具小颗粒，头不突起。头顶稍突出于复眼前缘，其宽约为一复眼宽的 1.1 倍，前缘近平截，中隆线明显，且略向前突出，两侧浅凹陷，侧隆线在端半部略翘起。颜面稍倾斜；颜面隆起侧面观与头顶成钝角，在复眼前微凹陷，在触角间拱形突出，纵沟深，两侧自侧单眼上方向中单眼处逐渐扩宽。侧单眼位于复眼中部内侧。触角丝状，着生于复眼下缘内侧，其长约为前足股节长的 1.8 倍，14节，中段一节长约为宽的 3.5 倍。复眼近球形。前胸背板前缘近平截，背面在横沟间略呈屋脊形，肩角之后较平，后突楔形，末端到达或稍超出腹端；中隆线明显，但不呈片状隆起，侧隆线在沟前区平行，沟前区方形，肩部缺短纵隆线；肩角弧形。前胸背板侧叶后缘具 2 个凹陷，侧叶后角向下，末端圆。前翅卵形，后翅未达、到达或略超过前胸背板末端。前、中足股节上缘微弯，下缘近乎直，中足股节宽稍大于前翅可见部分宽。后足股节粗短，长约为宽的 3.0 倍。后足胫节边缘具刺。后足第 1 跗节明显长于第 3 节，第 1 跗节下缘的第 1、2 肉垫小，三角形，顶端尖，第 3 肉垫长，顶端钝。体呈褐色至深褐色。有些个体前胸背板背面中部具 1 ~ 2 对黑斑，有些个体具1 对条状黑斑。

　　雌性体较雄性大。中足股节宽几乎与前翅可见部分等宽。下生殖板长大于宽，亦有些个体长宽相等或宽大于长。产卵瓣外缘具小齿。上瓣长为宽的 3.0 ~ 3.4 倍。其余与雄性相同。

　　采集记录：5♂4♀，宝鸡，2004.Ⅸ.11，白义采。

　　分布：陕西（宝鸡、留坝），全国各地广布；俄罗斯，日本。

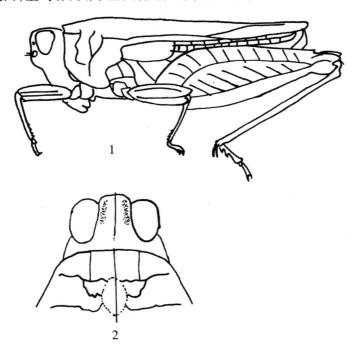

图 244　日本蚱 *Tetrix japonica*（Bolívar）（仿郑哲民，2005）
1. 整体侧面观；2. 头、前胸背板前端背面观

（98）乳源蚱 *Tetrix ruyuanensis* **Liang**，**1998**（图 245）

Tetrix ruyuanensis Liang，1998：174.

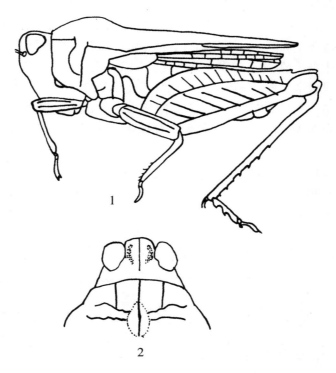

图 245　乳源蚱 *Tetrix ruyuanensis* Liang（仿郑哲民，2005）
1. 整体侧面观；2. 头、前胸背板前端背面观

鉴别特征：雌性体小型，具小颗粒。头不突起，头顶稍突出于复眼前缘，其宽为一复眼的 1.5 倍，前缘弧形，中隆线明显，两侧略凹陷，侧隆线在端部稍隆起。颜面倾斜，颜面隆起侧面观与头顶成钝角形，在侧单眼前不凹陷，在触角间拱形突出，纵沟深，侧缘自侧单眼上方中单眼处逐渐扩宽，纵沟在触角间的宽度与触角基节等宽。侧单眼位于复眼中部内侧。触角丝状，着生于复眼下缘内侧，其长为前足股节长的 2.0 倍，14 节，中段一节长为宽的 5.0 倍。复眼球形。前胸背板前缘近平截，背面在横沟间呈小丘状隆起，肩部以后较平直，后突楔形，到达后足股节膝部；中隆线略呈片状隆起，侧隆线在沟前区近平行，沟前区近似方形，肩角间无短纵隆线；肩角近弧形。前胸背板侧叶后缘具 2 个凹陷，后角向下，末端圆。前翅长卵形，后翅未到达前胸背板末端。前、中足股节上缘弯曲，下缘微波状，中股节宽略宽于前翅可见部分宽。后足股节粗短，长为宽的 2.8 倍，上缘、下缘均具细锯齿。后足胫节边缘具刺，端部略宽于基部。后足跗节第 1 节明显长于第 3 节；第 1 节下缘的第 1、2 肉垫小，三角形，顶端尖，第 3 肉垫大，近似长方形，末端钝。下生殖板长大于宽。产卵瓣粗

短，上瓣长为宽的3.0倍。体呈深褐色，前胸背板背面及后足股节外侧面色较深。雄性未知。

采集记录： 2♂5♀，留坝韦驮沟，1998. Ⅶ.21，郑哲民采。

分布： 陕西(西安、长安、周至、留坝、佛坪、宁陕)、甘肃、广东、广西、云南。

(99) 留坝蚱 *Tetrix liubaensis* Zheng，2005（图246）

Tetrix liubaensis Zheng，2005：74.

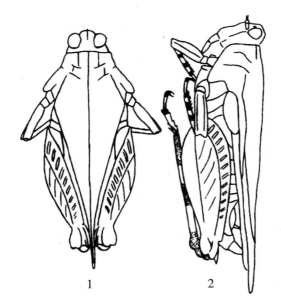

图246　留坝蚱 *Tetrix liubaensis* Zheng(仿杨星科，2005)

1. 整体背面观；2. 整体侧面观

鉴别特征： 雄性体小型。头部略突出于前胸背板水平之上。头顶略突出于复眼之前，前缘略弧形，侧缘略反折，与前缘形成圆形；中隆线明显，头顶宽约为一眼宽的1.5倍。侧面观，头顶与颜面隆起形成钝角形，在侧单眼前微凹几乎直，在触角之间弧形突出；纵沟宽，与触角基节等宽。触角丝状，较短，其长度约为前足股节长的1.4倍，16节，中段一节的长度为宽度的2.5倍，触角着生于复眼下缘之间。复眼圆球形，侧单眼位于复眼前缘的中部，前胸背板缘平直，侧面观，上缘近折，在近前缘略弧形；中隆线全长明显，侧隆线在沟前区近平行；肩角钝圆形；后突楔状，超过后足股节的顶端；前胸背板侧片后缘具2个凹陷，后角顶圆形。前翅长卵形，顶狭圆。后翅到达足股节顶端，而略不到达后突的顶端。前足股节上缘略弯，下缘直；中足股节的宽度略狭于前翅能见部分的宽度，后足股节上缘略弯，下缘直，中足股节的宽度略狭于前翅能见部分的宽度，后足股节长为宽的2.75倍，上缘、下缘均具细齿，膝前齿小，直角形，后足胫节外侧具 8 个刺，内侧具 6 个刺。后足跗节第 1 节明显长于第 3 节，第 1 跗节之第 3 垫略长于第 1 及 2 垫，顶钝，下生殖板短锥形，顶尖。体呈暗褐色。前翅黑褐色，后翅黑色。前、中足胫节具 2 个暗色横斑，第 1 跗节黑色，第 2 跗节端部黑色；后足胫节褐色。基部黑色，中部具 2 个黑褐色斑。第 2 跗节黑褐色，第 3 跗节端部黑褐色。

雌性未知。

采集记录：1♂，留坝韦驮沟，1998. Ⅶ. 21，陈军采。

分布：陕西（留坝）。

47. 微翅蚱属 *Alulatettix* Liang，1993

Alulatettix Liang，1993：73. **Type species**：*Alulatettix yunnanensis* Liang，1993.

属征：体小型。具小颗粒；头顶在复眼前缘突出，具中隆线，其宽度为一眼宽的 2.0 倍，颜面倾斜，颜面隆起在侧单眼前略凹或不凹，在触角之间稍隆起，颜面隆起纵沟狭。复眼球形；侧单眼位于复眼前缘中部。触角丝状，着生于复眼下缘内侧。前胸背板明显屋脊形，中、侧隆线和肩角均明显；前胸背板侧片后缘具 2 个凹陷。前翅、后翅很小，退化。前、中足股节下缘平直或略呈波状。后足跗节第 1 节长于第 3 节。

分布：古北区，东洋区。全世界已知 24 种，中国记录 10 种，秦岭地区分布 1 种。

(100) 秦岭微翅蚱 *Alulatettix qinlingensis* Deng，Zheng *et* Wei，2006（图 247）

Alulatettix qinlingensis Deng，Zheng *et* Wei，2006：114.

鉴别特征：雄性体小型。头顶突出于复眼之前，中隆线明显，伸至后头，前缘圆形，侧缘适度反折，在侧缘和中隆线间形成明显沟状，头顶宽为一复眼的 1.5 倍，后头部具 1 对瘤突，颜面隆起在侧单眼间略凹陷，在触角间弧形突出；颜面隆起与头顶形成近直角，颜面隆起纵沟与触角基节等宽。复眼球形，侧单眼位于复眼前缘中部。触角丝状，着生于复眼的下缘之间，14 节，长约为前足股节的 2.0 倍，中段一节长为宽的 4.0～5.0 倍。前胸背板屋脊形，前缘近平直，中隆线侧面观在前足上方明显呈弓形，中后部较平，后突不到达后足股节的顶端，或略不到达、到达、略超过腹部顶端，末端顶圆形。沟前区的侧隆线在沟前区的前部分明显，平行，在沟前区后部分不明显；肩角宽钝角形；侧片后缘具 2 个凹陷，侧片后角向下，末端钝圆形。前翅明显，后翅缩短，到达第 3 腹节后缘。前、中足股节下缘呈波状，中足股节宽为前翅能见部分宽的 2.3 倍；后足股节粗短，长为宽的 2.8 倍，膝前齿及膝齿近直角形；后足胫节外侧刺 11 个，内侧刺 8 个；后足跗节第 1 节长为第 3 节的 1.5 倍，第 1 跗节下之第1、2垫小，顶尖，第3垫较大，顶钝。下生殖板短锥形，末端分叉。体呈褐色。前胸背板背面有些个体具1对黑斑，后足胫节暗褐色，基部和中部具1个淡色环。

雌性前胸背板后突伸至肛上板前缘或末端。下生殖板宽大于长，后缘中央三角形突出，产卵瓣粗短，上瓣之长为宽的2.5倍，外缘具细齿。其余与雄性相同。

雄性体长8.0～8.5mm，雌性体长10.0～11.0mm；雄性前胸背板长6.8～7.8mm，雌性前胸背板长7.8～8.8mm；雄性后足股节长5.5～6.2mm，雌性后足股节长6.5～7.0mm。

采集记录：1♂，西安秦岭野生动物园，2005.Ⅲ.24，邓维安采。

分布：陕西（西安）。

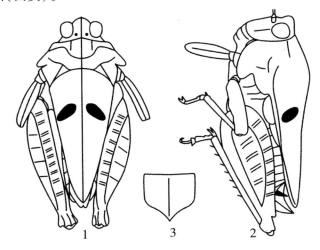

图247　秦岭微翅蚱 *Alulatettix qinlingensis* Deng, Zheng *et* Wei（仿郑哲民等，2011）
1. 雄性整体背面观；2. 雄性整体侧面观；3. 雌性下生殖板

48. 台蚱属 *Formosatettix* Tinkham，1937

Formosatettix Tinkham, 1937：237. **Type species**：*Formosatettix arisanensis* Tinkham, 1937.

属征：体小型，粗壮。头部不突出于前胸背板之上。头顶的宽度明显宽于一眼宽，前缘平直或近弧形，突出于复眼前缘，中隆线明显，颜面略倾斜，颜面隆起在复眼前凹陷或不凹陷，在触角之间弧形突出，侧单眼位于复眼前缘的中部。触角丝状，着生于复眼下缘内侧，13～15节。前胸背板前缘平直或钝角形突出，背面屋脊形，缺肩角，后突不到达、到达腹端或达后足股节膝部或顶端；中隆线通常高，侧面观上缘呈弧形或平直；侧隆线在沟前区平行或向后收缩，前胸背板侧片后缘仅具1个凹陷，后角顶圆形。前翅、后翅缺或退化，外观不可见。后足跗节第1节明显长于第3节。

分布：古北区，东洋区。全世界已知66种，中国记录32种，秦岭地区分布1种。

(101)秦岭台蚱 *Formosatettix qinlingensis* Zheng, 1982(图 248)

Formosatettix qinlingensis Zheng, 1982：77.

鉴别特征：雌性体小型。头顶突出于复眼前缘，其宽为一复眼宽的 3.0 倍，前缘近片状隆起，中隆线明显。颜面近垂直，颜面隆起侧面观与头顶成圆角形，在侧单眼前及中单眼处均明显凹陷，颜面隆起纵沟宽略大于触角基节宽。触角丝状，其长约为前足股节长的 2.0 倍，中段一节长约为宽的 4.0 倍。前胸背板前缘呈锐角状突出，几乎达复眼中部，背面强烈屋脊形，后突到达后足股节膝部；中隆线高，片状隆起，侧面观上缘呈弧形，侧隆线明显；前胸背板侧叶后缘仅有 1 个凹陷，后角向下，末端圆。前翅、后翅退化，从外面看不见。前、中足股节下缘波状。后足股节粗短，长为宽的 2.8 倍。后足跗节第 1 节为第 3 节的 2.0 倍。产卵瓣细长，上瓣之上位宽的 4.0 倍。下生殖板后缘中央三角形突出。

雄性前胸背板前缘突出较短，钝角形，仅达复眼后缘。后足股节长为宽的 3.3 倍。下生殖板短锥形，顶端具 2 个齿突。其余与雌性相同。

采集记录：1♂3♀，宁陕火地塘，1974.Ⅵ.13，郑哲民采。

分布：陕西(长安、周至、户县、留坝、佛坪、宁陕、洛南、华山)、河南、甘肃。

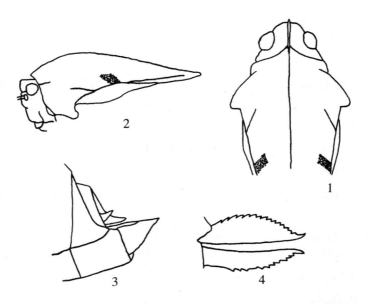

图 248　秦岭台蚱 *Formosatettix qinlingensis* Zheng(仿郑哲民，2005)

1. 头、前胸背板前端背面观；2. 头、前胸背板侧面观；3. 雄性腹端侧面观；4. 雌性产卵瓣

49. 长背蚱属 *Paratettix* Bolívar, 1887

Paratettix Bolívar, 1887：270. **Type species**：*Tetrix meridionalis* Rambur, 1839.

属征：体小型。头部不突出或稍突出于前胸背板水平之上。头顶狭于、等于或宽于一眼宽，前缘平截，侧面观不突出于复眼之前；颜面隆起略倾斜，在触角之间呈弧形突出，纵沟明显。触角丝状，14 节，着生于复眼下缘之间。侧单眼位于复眼前缘的中部。前胸背板背面较平坦，前缘平直，后突锥形，通常超过后足股节顶端；中隆线低平，在前端部分往往不明显；侧隆线在沟前区明显，平行或向后收缩。肩角钝；前胸背板侧片后缘具 2 个凹陷，后角向下，顶圆形。前翅长卵形，后翅通常超过前胸背板后突的顶端。前、中足股节侧扁，上缘、下缘平直或呈微波状；中足胫节有时明显向端部变狭；后足股节粗壮，边缘具细齿；后足跗节第 1 节长于第 3 节，第 1 节下缘的第 3 垫长于 1、2 垫。

分布：世界性分布。全世界已知 70 种，中国记录 5 种，秦岭地区分布 1 种。

(102) 长翅长背蚱 *Paratettix uvarovi* Semenov, 1915（图 249）

Paratettix uvarovi Semenov, 1915：451.

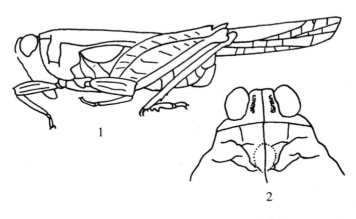

图 249　长翅长背蚱 *Paratettix uvarovi* Semenov（仿郑哲民，2005）
1. 整体侧面观；2. 头、前胸背板前端背面观

鉴别特征：雄性体中小型，具小颗粒。头不突起，头顶宽等于或略宽于一复眼宽，前缘平截，伸至或略超过复眼前缘，中隆线明显，伸至后头，两侧稍凹陷，侧隆线稍隆起。颜面隆起在复眼前弧形突出，侧面观或头顶成钝角或近弧形，纵沟明显，自侧单眼上方向中单眼微扩宽。侧单眼位于复眼中部内侧。触角丝状，着生于复眼下缘内侧，14 节，中段一节长约为宽的 5.0 倍。复眼球形。前胸背板前缘平截，背面

在肩角间稍隆起，后突锥形，伸至后足胫节中部；中隆线低，全长明显；侧隆线在沟前区平行，沟前区的宽略大于长；肩角间缺短纵隆线；肩角弧形；前胸背板侧叶后缘具2个凹陷，后角向下，顶端圆形。前翅长卵形，端部圆。后翅超出前胸背板末端约1.0~2.2mm。前足股节细长，下缘微波状；中足股节宽等于前翅可见部分宽，下缘波状；后足股节粗壮，长约为宽的2.8倍，边缘具细齿；后足胫节边缘具刺；后足跗节第1节长于第3节，第1节下缘的第1、2肉垫三角形，细小而顶端尖，第3肉垫明显大于前两者。下生殖板短锥形。体呈褐色至黑褐色，有些个体的前胸背板背面肩角前后各具1对黑斑，或仅在肩角后方具1对黑斑，个别个体沿中隆线呈1条淡黄色纵带。

雌性中足股节之宽明显狭于前翅可见部分的宽度；产卵瓣细长，边缘具细齿，上瓣长约为宽的3.0倍。

采集记录：1♂1♀，佛坪，1998.Ⅶ.17，刘诗峰采。

分布：陕西（西安、长安、周至、户县、佛坪）、吉林、北京、河北、河南、甘肃、新疆、广东、广西、云南；俄罗斯，伊朗。

50. 悠背蚱属 *Euparatettix* Hancock，1904

Euparatettix Hancock，1904：108. **Type species**：*Paratettix personatus* Bolivar，1887.
Indatettix Hancock，Hancock 1915：127. **Type species**：*Euparatettix nodulosus* Hancock，1912.
Euparatettix Hancock，1951：124. **Type species**：*Euparatettixoides guangxiensis* Zheng，1994.

属征：体小型。复眼极突出，明显高出于前胸背板水平之上。头顶狭于、等于或略宽于一眼宽，突出于复眼之前，具中隆线，侧面观，颜面隆起在头顶与中央单眼之间形成弧形突出。触角着生于复眼下缘之间，侧单眼位于复眼前缘的中部。前胸背板前缘平直，沟前区宽度大于长度的2.0倍，中隆线全长明显，后突长锥形，超过后足股节顶端甚远，亦有少数较短；侧片后缘具2个凹陷，后角顶圆形。前翅卵形，后翅发达，超过后突的顶端。前、中足股节下缘平直或波状，中足股节狭于、等于或略宽于前翅能见部分宽，中足胫节不向顶端变狭；后足跗节第1节长于第3节。

分布：非洲热带区，古北区，东洋区。全世界已知80种，中国记录32种，秦岭地区分布1种。

（103）留坝悠背蚱 *Euparatettix liubaensis* Zheng，2005（图250）

Euparatettix liubaensis Zheng，2005：400.

鉴别特征：雄性体长8.0mm，前胸背板长9.0mm，后足股节长5.5mm；体小型。头部略突出于前胸背板水平之上。头顶略突出于复眼之前，前缘略弧形，侧缘略反折，与前缘形成圆形；中隆线明显；头顶宽约为一眼宽的1.5倍；侧面观头顶与颜面隆起形成钝角形，在侧单眼前微凹几乎直，在触角之间弧形突出；纵沟宽，与触角基节等宽。触角丝状，较短，其长度约为前足股节长的1.4倍，16节，中段1节的长度为宽度的2.5倍，触角着生于复眼下缘之间。复眼圆球形；侧单眼位于复眼前缘之中部。前胸背板前缘平直，侧面观上缘近平直，在近前缘略弧形；中隆线全长明显，侧隆线在沟前区近平行；肩角钝圆角形，后突锥形，超过后足股节的顶端，前胸背板侧片后缘具2个凹陷，后角顶圆形。前翅长卵形，顶狭圆；后翅到达后足股节顶端，而略不到达后突的顶端。前足股节上缘略弯曲，下缘直；中足股节上缘略弯，下缘直，中足股节的宽度略狭于前翅能见部分的宽度；后足股节长为宽的2.75倍，上缘、下缘均具细齿，膝前齿小，直角形，膝齿角形；后足胫节外侧具8个刺，内侧具6个刺；后足跗节第1节明显长于第3节，第1跗节下之第3垫略长于第1、2垫，顶钝。下生殖板短锥形，顶尖。体呈暗褐色；前翅黑褐色；后翅黑色；前、中足胫节具2个暗色横斑；第1跗节及第2跗节端部黑色；后足胫节褐色，基部黑色，中部具2个黑褐色环；第2跗节及第3跗节端部黑褐色。

雌性未知。

采集记录：1♂，留坝韦驮沟，1998.Ⅶ.21，陈军采。

分布：陕西（留坝）。

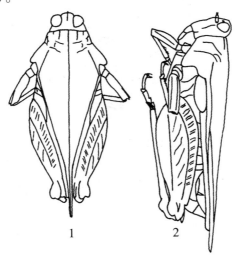

图250　留坝悠背蚱 *Euparatettix liubaensis* Zheng（仿郑哲民，2005）
1. 整体背面观；2. 整体侧面观

51. 突眼蚱属 *Ergatettix* Kirby, 1914

Ergatettix Kirby, 1914：69. **Type species**：*Ergatettix tarsalis* Kirby, 1914（ = *Tettix dorsiferus* Walker, 1871）

属征：体小型。复眼极突出，明显高出于前胸背板水平之上。头顶狭于一眼宽，向前端收缩，具中隆线；侧面观，颜面隆起仅在触角之间弧形突出。触角着生于复眼下缘之下。侧单眼位于复眼中部之下。前胸背板前缘平直，中隆线全长波状，后突长锥形，不超过或超过后足股节顶端甚远；前胸背板侧片后缘具 2 个凹陷，后角圆形。前翅卵形；后翅发达，超过或不超过后突的顶端。中足股节之宽不狭于前翅能见部分的宽度，下缘波状，中足胫节向顶端变狭，后足股节外侧具结节或突起；后足跗节第 1 节明显长于第 3 节。

　　分布：古北区，东洋区，非洲热带区，澳洲区。全世界已知 19 种，中国记录 4 种，秦岭地区分布 1 种。

（104）突眼蚱 *Ergatettix dorsiferus*（**Walker，1871**）（图 251）

Tettix dorsiferus Walker，1871：825.

Paraterttix dorsiferus：Kirby，1914：63.

Ergatettix tarsalis Kirby，1914：170.

Euparatettix parvus Hancock，1904：145.

Ergatettix dorsiferus Walker：B. -Bienko，1951：107.

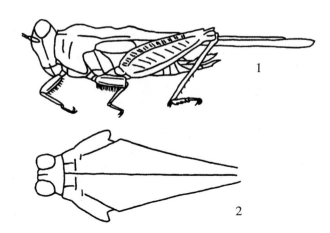

图 251　突眼蚱 *Ergatettix dorsiferus*（Walker）（仿郑哲民，2005）
1. 整体侧面观；2. 头、前胸背板背面观

　　鉴别特征：雄性体型较小。头顶明显狭于一眼宽，其前缘具隆线；颜面近垂直，颜面隆起在中眼之上具纵沟，中眼以下具纵脊；颜面隆起侧观仅在触角之间弧形突出。触角丝状，着生于复眼下缘之下。侧单眼位于复眼前缘中部之下；复眼极突出，圆形，高于前胸背板水平之上。前胸背板前缘平直，中隆线明显，呈波状；侧隆线明显，在肩部之间具有 2 条附加隆线，前胸背板沟前区很短，呈横长方形，其宽为长的 2.0 倍；前胸背板侧片后缘具 2 个凹陷；后突极长，几乎到达后足股节的顶端。前翅长卵形；后翅发达，超过后突的顶端。中足股节较扁，宽于前足股节，其宽度几乎等于前翅能见部分的宽度，在股节下缘具有整齐成行的长纤毛，中足胫节向端部变狭；

后足股节粗短，上侧中隆线具锯齿；后足胫节外侧具 5 ~ 6 个刺，内侧具 5 个刺；后足第 1 跗节呈长于第 3 跗节。下生殖板短锥形，背面具凹沟。体呈暗褐色或褐色；后足股节内侧暗黑色；后足胫节黄褐色，顶端暗褐色。

雌性体型较大。产卵瓣较细长，上产卵瓣的上外缘及下产卵瓣的下外缘具细齿。体色与构造同雄性。

采集记录：5♂6♀，安康，2004．X．01，白义采。

分布：陕西(长安、周至、户县、留坝、宁陕、安康)、甘肃、福建、台湾、广东、广西、四川、贵州、云南；印度，斯里兰卡，中亚地区。

参考文献

Bey-Bienko, G. Y. 1929. Notes on the Siberian representatives of the genus *Acrydium* Geoffr. *Eos*, 5: 365-373.

Bey-Bienko, G. Y. 1951. Locusts and grasshoppers of the USSR and adjacent countries, Fam. Tetrigidae, *In*: Bey-Bienko, G. Y. & Mishchenko, L. L. (Eds.), *Keys to the Fauna of the U. S. S. R.*, 1, 1-107.

Bolívar, I. 1887. Acridiens de la Tribu des Tetrigidae. *Annales de la Societe Entomologique de Belgique*, 31: 172-313.

Chopard, L. 1951. Faune de France. 56. Orthopteroides. Paris, 1-359.

Deng, W. A., Zheng, Z. M. and Wei, S. Z. 2006. A taxonomic study of the genus *Alulatettix* Liang (Orthoptera: Tetrigoidea: Tetrigidae) from China. *Acta Entomologica Sinica*, 49(1): 112-117. [邓维安, 郑哲民, 韦仕珍. 2006. 中国微翅蚱属的分类研究(直翅目：蚱总科：蚱科). 昆虫学报, 49(1): 112-117.]

Günther, K. 1937. Orthoptera Celebica Sarasiniana. *Treubia*, 16: 165-179.

Günther, K. 1939. Revision der Acrydiinae (Orthopetra), Ⅲ. Sectio Amorphopi (Metrodorae Boll. 1887 auct.). *Abhandllungen und Berichte der Museum fur Tierkunde und Volkerkunde zu Dresden* (A), 20: 1-335.

Hancock, J. L. 1904. The Tetrigidae of Ceylon. *Spolia Zeylanica*, 2: 97-157.

Hancock, J. L. 1906. Acridiidae, subfamily Tetriginae, Genera Insectorium, Brussels, 48: 1-79.

Hancock, J. L. 1915. Indian Tetriginae (Acridiinae). Records of the Indian Museum, 11(1): 55-138.

Jiang, G. F. and Zheng, Z. M. 1998. *Grasshoppers and locusts from Guangxi*. Guilin: Guangxi Normal University Press. 1-262pp. [蒋国芳, 郑哲民. 1998. 广西蝗虫. 桂林：广西师范大学出版社, 1-262, 图 102-588.]

Kirby, W. F. 1914. *The Fauna of British India including Ceylon and Burma. Orthoptera. Volume* Ⅰ (*Accididae*). New Delhi, ⅰ - Ⅹ, 1-276.

Liang, G. Q. and Zheng, Z. M. 1998. Fauna Sinica, Insecta *vol.* 12, Orth. Tetrigoidea. Science Press, Beijing, 1-278. [梁铬球, 郑哲民. 1998. 中国动物志, 昆虫纲, 第十二卷, 直翅目, 蚱总科. 北京：科学出版社, 1-278.]

Podgornaya, L. L. 1983, Straight-winged insects of the family Tetrigidae, of the Fauna of USSR. *Trudy Zoologicheskga Institute Akadeniya Nauk USSR*, 112: 1-96 (in Russia).

Shiraki, T. 1906. Die Tetrigidae Japans. *Transactions of the Sapporo Natural History Society*, 1 (2): 1-11.

Shishodia, M. S. 1991, Taxonomy and Zoogeography of the Tetrigidae (Orthopetra: Tetrigoidea) of North

Eastern India. *Records of the Zoologica Surveryof India*, 140: 1-204.

Steimann, H. 1964. Some new Tetrigid species and subspecies from Asia (Orthoptera: Tetrigidae). *Acta Zoologica Academiae Scientiarum Hungaricae*, 10: 457-468.

Storozhenko, S. Y. and Ichikawa, A. 1993. Review of the genus *Formosatettix* Tinkham (Orthoptera: Tetrigidae) from Japan, Russion Far East and adjacent regions. *Akitu*, 134: 1-12.

Tinkham, E. R. 1937. Notes on a small collection of Acrydiinae with descriptions of a new genus and two species (Orthopetra, Acrydidae). *Transactionsof the Natural History Society of Formosa*, 27: 229-249.

Walker, F. 1870-1871. Catalogue of the specimens of Dermaptera Saltatoria in the collection of the British Museumand Supplement to earlier parts. Ⅲ, Ⅳ, Ⅴ, Tetrigidae. Pp. 425-604 + 811-850 + 49-89. London.

Yin, X. C. 1984. Grasshoopers and locusts from Qinghai-Xizang Plateau of China. Science Press, Beijing, 1-287.［印象初. 1984. 蚱总科, 青藏高原的蝗虫. 北京: 科学出版社, 287.］

Zheng, Z. M. 1982. A new Species of Tetrigidae from Shaanxi. *Entomotaxonomia*, 4 (1-2): 77-78.［郑哲民. 1982. 陕西菱蝗科一新种. 昆虫分类学报, 4 (1-2): 77-78.］

Zheng, Z. M. 1993. A Study of the Genus *Teredorus* Hancock (Orthoptera: Tetrigoidea, Tetriginae) from China. *Wuyi Science Journal*, 10: 13-19.［郑哲民. 1993. 中国尖顶蚱属的研究(直翅目: 蚱科: 蚱亚科). 武夷科学, 10: 13-19.］

Zheng, Z. M. 1996. Two new Species of *Tetrix* Latreille from China (Orthoptera: Tetrigidae). *Journal of Hubei University*, 18 (2): 177-180.［郑哲民. 1996. 我国蚱属二新种(直翅目: 蚱科). 湖北大学学报, 18 (2): 177-180.］

Zheng, Z. M. 2005. Fauna of Tetrigoidea from Western China. Science Press, Beijing, 1-431.［郑哲民. 2005. 中国西部蚱总科志. 北京: 科学出版社, 1-431.］

Zheng, Z. M. 2005. Orthoptera: Scelimenidae and Tetrigidae. pp. 71-78. *In*: Yang, X. K. (ed.): Insect Fauna of Middle-West Qinling Range and South Mountains of Gansu Province. Science Press, Beijing, 1055pp.［郑哲民. 2005. 直翅目: 刺翼蚱科, 蚱科, 77-81. 见: 杨星科主编. 秦岭西段及甘南地区昆虫. 北京: 科学出版社, 1055.］

Zheng, Z. M. 2006. A Taxonomic Study of the Genus *Teredorus* Hancock (Orthoptera: Tetrigoidea) from China. *Entomotaxonomia*, 28(1): 21-29.［郑哲民. 2006. 中国尖顶蚱属的分类研究(直翅目: 蚱总科: 蚱科). 昆虫分类学报, 28(1): 21-29.］

Zheng, Z. M., Huo, K. K. and Zhang, H. J. 2000. Three New Species of Tetrigidae (Orthoptera: Tetrigoidea) from Shaanxi. *Entomotaxonomia*, 22(4): 235-241.［郑哲民, 霍科科, 张宏杰. 2000. 陕西省蚱科三新种记述(直翅目: 蚱总科). 昆虫分类学报, 22(4): 235-241.］

Zheng, Z. M., Jiang, G. F. 2002. A Study on the Genus *Macromotettix* Günther (Orthoptera: Tetrigoidea: Metrodoridae) from China. *Entomotaxonomia*, 24(4): 235-238.［郑哲民, 蒋国芳. 2002. 中国大磨蚱属的研究(直翅目: 蚱总科: 短翼蚱科). 昆虫分类学报, 24(4): 235-238.］

Zheng, Z. M., Wei, X. J. and Li, M. 2009. Five New Species of Tetrigoidea from China(Orthoptera). *Journal of Huazhong Agricultural University*, 28(2): 143-144.［郑哲民, 魏秀娟, 李敏. 2009. 中国蚱总科5新种记述(直翅目). 华中农业大学学报, 28(2): 143-144.］

Zheng, Z. M. and Xu, S. Q. 2010. A Review of the Genus *Teredorus* Hancock (Orthoptera: Tetrigidae) from China and Adjacent Countries with Description Two New Species. *Journal of Huazhong Agricultural University*, 29(1): 14-20.［郑哲民, 许升全. 2010. 中国及其邻国尖顶蚱属的分类及新种记述直翅目: 蚱科. 华中农业大学学报, 29(1): 14-20.］

螽斯总科 Tettigonioidea

王瀚强 刘宪伟

（中国科学院上海昆虫博物馆，上海 200032）

鉴别特征：触角较体长；若具前翅则较为坚硬，与后翅结构不同；雄性前翅基部通常具发音挫，具发育完全的 Cu_2 脉和镜膜；腹部侧面和后足股节内侧在若虫与成虫均不具摩擦发音齿钉；前足胫节基部通常具鼓膜听器；跗节 4 节，第 1 跗节与第 2 跗节分节明显，下具跗垫，第 3 节跗节具侧叶；尾须粗短而坚硬；产卵瓣发达，通常具 6 瓣。

分类：除古北区俄罗斯中北部地区，新北区北部外，全世界广泛分布。全球已知 3 科 22 亚科，其中现存 1 科 20 亚科，中国记录 1 科 12 亚科，陕西秦岭地区分布 1 科 5 亚科。

九、螽斯科 Tettigoniidae

鉴别特征：与螽斯总科相同。

分类：螽斯科及其亚科的分类地位及数目不断变化，较为普遍接受的是螽斯科 21 亚科的划分（Eades *et al.*, 2016），除拟螽亚科 Pseudotettigoniinae 外均为现生类群。目前全世界已知 1255 属 7375 种，中国记录 12 亚科 127 属 657 种，陕西秦岭地区发现 5 亚科 24 属 30 种。

分亚科检索表

1. 头圆形；前胸腹板不具齿 ·················· **露螽亚科 Phaneropterinae**
   头非圆形；前胸腹板具齿或退化 ························· 2
2. 触角窝边缘分界明显，其内缘外伸；后足胫节背面缺距 ·········· **拟叶螽亚科 Pseudophyllinae**
   触角窝边缘分界不明显；后足胫节背面有距 ···················· 3
3. 前足胫节听器开放式；后足胫节端部背面具内外两距 ·········· **蛩螽亚科 Meconematinae**
   前足胫节听器封闭式；后足胫节端部背面具 1 距 ···················· 4
4. 后足第 1 跗节具 1 个游离瓣片 ·················· **螽斯亚科 Tettigoniinae**
   后足第 1 跗节无游离瓣片 ·················· **草螽亚科 Conocephalinae**

（一）露螽亚科 Phaneropterinae

鉴别特征：触角窝腹缘在复眼腹缘以上。头部为下口式，圆球状，稍向前倾斜。前足胫节端部截面近方形，背面不凸出；前中足胫节背面具距，后足胫节背面具内外端距；第1、2 跗节缺侧沟。前胸腹板缺刺。产卵瓣短，弯镰型，边缘常具细齿。

分类：世界广布。目前全世界已知 352 属 2500 余种，中国分布 47 属 242 种，陕西秦岭地区发现 8 属 12 种。

分属检索表

1. 前足胫节听器内外两侧均为开放型 ·· 2
   前足胫节听器至少一侧不为开放型 ··· 7
2. 前胸背板具完整的侧隆线，光滑不具细褶；前翅膜质半透明；雄性下生殖板腹突长，雌性产卵瓣窄长 ·· **平背螽属 Isopsera**
   前胸背板不具侧隆线或仅沟后区具侧隆线 ··· 3
3. 雄性下生殖板腹突较短 ·· **秦岭螽属 Qinlingea**
   雄性下生殖板缺明显的腹突 ··· 4
4. 肩凹明显较深；前足胫节基部在听器后骤狭，背面缺刺 ················ **露螽属 Phaneroptera**
   肩凹明显较浅；前足胫节基部在听器后渐狭，背面具刺 ······················ 5
5. 雄性下生殖板具 1 对长后叶，其间凹口深狭 ······························· 6
   雄性下生殖板后叶短，其间凹口多样，较浅 ····················· **桑螽属 Kuwayamaea**
6. 雄性尾须向端部渐狭，具腹端脊或背端脊（可能无脊）；雄性下生殖板后叶狭，具指向中间的腹突或钩 ·· **条螽属 Ducetia**
   雄性尾须亚端部较宽，端部渐狭，端部腹面具 3 条腹脊；雄性下生殖板后侧叶较宽且无腹突和端钩 ··· **角螽属 Prohimerta**
7. 前足胫节听器为内闭外开型 ··································· **糙颈螽属 Ruidocollaris**
   前足胫节听器两侧均为封闭型 ································· **掩耳螽属 Elimaea**

52. 露螽属 *Phaneroptera* Serville, 1831

Phaneroptera Serville, 1831：158. **Type species**：*Gryllus falcata* Poda, 1761.

Dannfeltia Sjöstedt, 1902：19. **Type species**：*Dannfeltia amplectens* Sjöstedt, 1902.

Anerota Caudell, 1921：488（new name for *Phaneroptera* Brunner）.

Paranerota Karny, 1926：105. **Type species**：*Phaneroptera gracilis* Burmeister, 1838.

Euanerota Karny, 1927：12. **Type species**：*Locusta brevis* Serville, 1838.

属征：体纤细。头顶侧扁，狭于触角第 1 节，背面具沟。复眼卵圆形，突出。前胸背板缺侧隆线；表面光泽或无光泽；侧叶肩凹较明显。前后翅均发达。前翅通常无光泽；Rs 脉从 R 脉中部或中部前分出，分叉。雄性左前翅发音区不突出，左前翅腹面的摩擦发音音锉形状特殊。后翅远长于前翅。前足基节具刺；各足腿节腹面均缺刺；前足胫节背面具沟，缺刺；内外两侧听器均为开放型。雄性第 9 腹节背板非特化，但稍微延长，雄性下生殖板缺腹突。雌性产卵器发育完全，背缘和腹缘具钝的细齿。

分布：古北区，东洋区，新北区，新热带区。世界已知 2 亚属 40 种，中国记录 1 亚属 7 种，秦岭地区记录 2 种。

分种检索表

前胸背板侧叶明显长大于高 ·· 瘦露螽 *P. gracilis*
前胸背板侧叶高等于或稍大于长 ····································· 镰尾露螽 *P. falcata*

(105) 镰尾露螽 *Phaneroptera falcata*（Poda，1761）（图 252）

Gryllus falcata Poda，1761：52.

Locusta libellula Stoll，1787：35.

Phaneroptera lilifolia Serville，1831：158.

Decticus phyllopteroides Fischer von Waldheim，1846：173.

Phaneroptera sinensis Uvarov，1933：7.

鉴别特征：体型较小，长翅种。侧叶长约等于高。前覆翅不透明，雄性左前覆翅不突出。雄性第 10 腹节背板后缘截形，肛上板横宽，后缘截形，背面中央凹陷。雄性尾须较长，端半部呈角形弯曲，指向上方，端部尖锐。雄性下生殖板长大于宽，端部稍扩宽，后缘具三角形凹口，腹面中隆线明显。雌性产卵器腹缘近基部明显凸出。体绿色，具赤褐色散点。前覆翅和后翅超出前覆翅部分淡绿色，翅室内具细小的黑点，雄性左前覆翅摩擦发音区具 2 个暗棕色大斑。

图 252　镰尾露螽 *Phaneroptera falcata*（Poda）
1. 雄性整体侧面观；2. 雌性整体侧面观；3. 雄性腹端背面观

采集记录：1♂，太白山蒿坪寺，2008. Ⅵ-Ⅸ，西北农林科技大学采；2♀，天台山保护区，1999. Ⅸ. 02-03，刘宪伟、章伟年、殷海生采。

分布：陕西(西安、宝鸡、太白、旬阳、汉中、山阳、甘泉、伊泰、淳化)、黑龙江、吉林、内蒙古、北京、天津、河北、山东、河南、甘肃、新疆、江苏、上海、安徽、浙江、湖北、湖南、福建、台湾、四川、云南；朝鲜，日本，欧洲。

(106) 瘦露螽 *Phaneroptera gracilis* Burmeister, 1838 (图 253)

Phaneroptera gracilis Burmeister, 1838：690.

Phaneroptera roseata Walker, 1869：343.

Phaneroptera elongata Brunner, 1878：210.

Phaneroptera indica Brunner, 1878：215.

Phaneroptera marginalis Brunner, 1878：214 .

Phaneroptera subcarinata Bolívar, 1900：764.

鉴别特征：体型较小，长翅种。前胸背板侧叶长约等于高。前覆翅不透明，雄性左前覆翅不突出。雄性第 10 腹节背板后缘中央微内凹。肛上板近方形，后缘宽圆。雄性尾须较长，强弯曲，端部稍扁平，具端刺。雄性下生殖板狭长，端部具三角形凹口，腹面中隆线明显。雌性尾须短，锥形；下生殖板钝三角形；产卵器弯镰形，边缘具较钝的细齿。体绿色，具赤褐色散点。前覆翅和后翅超出前覆翅部分淡绿色，翅室内具细小的黑点，雄性左前覆翅摩擦发音区具 2 个暗棕色大斑。

采集记录：1♂1♀，周至楼观台，1984. Ⅹ. 15，夏凯龄、毕道英采。

分布：陕西(周至、武功、华县、安康、汉中、旬阳、镇安、洛南、商南、合阳、紫阳、礼泉、渭南)、甘肃、江苏、湖北、福建、海南、广西、四川、贵州、西藏；非洲，古北区，东洋区。

图 253　瘦露螽 *Phaneroptera* (*Phaneroptera*) *gracilis* Burmeister
1. 雄性整体侧面观；2. 雄性腹端背面观

53. 平背螽属 *Isopsera* Brunner, 1878

Isopsera Brunner, 1878：218. **Type species**：*Isopsera pedunculata* Brunner von Wattenwyl, 1878.

属征：头顶稍侧扁，与颜顶角接触或几乎接触，背面具沟。前胸背板具光泽，背面平坦与背板成角形相交，前缘平直，后缘宽圆形，侧缘较直，平行；侧叶稍微高于长，肩凹较明显。前足基节具刺；前足和中足胫节背面具沟，背缘具刺和端距，内外两侧听器均为开放型。后足股节膝叶具2个刺，后足胫节具3对端距。前后翅均发达，前翅具光泽，半透明；Sc脉和R脉从基部分开，Rs脉从R脉中部前分出，分叉。后翅长于前翅。雄性第10腹节背板非特化；雄性下生殖板具细长的腹突；生殖器完全膜质。雌性产卵器发育完全，边缘具较钝的细齿。

分布：东洋区。全世界已知24种，中国记录9种，秦岭地区发现2种。

分种检索表

雄性下生殖板后缘凹口"U"形；雄性尾须端部具3～5个细齿 ······ **细齿平背蟋** *I. denticulata*

雄性下生殖板后缘凹口"V"形；雄性尾须端部钝，具端刺 ················ **刺平背蟋** *I. spinosa*

(107)细齿平背蟋 *Isopsera denticulata* Ebner，1939（图254）

Isopsera denticulata Ebner，1939：301.

Nephoptera sinica Steinman，1966：416.

鉴别特征：体型中等。雄性第10腹节背板稍延长，后缘平截，表面中央稍低凹；肛上板三角形；尾须强内弯，端部具3～5个细齿；下生殖板后缘具"U"形凹口，腹突细长。产卵器约为前胸背板长的2.0倍，背缘和腹缘具较钝的细齿。体绿色。复眼暗褐色；触角单色；前翅具不明显的暗点；后足胫节有时赤褐或暗褐色，腿节和胫节刺暗黑色。

采集记录：1♂，佛坪，1998.Ⅶ.23。

分布：陕西（佛坪）、安徽、浙江、湖北、江西、湖南、福建、广东、海南、广西、四川、贵州；日本。

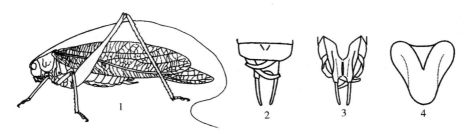

图254　细齿平背蟋 *Isopsera denticulata* Ebner（2～4仿 Kang，Liu & Liu，2014）

1. 雄性整体侧面观；2. 雄性腹端背面观；3. 雌性腹端腹面观；4. 雌性下生殖板

(108)刺平背螽 *Isopsera spinosa* Ingrisch，1990（图255）

Isopsera spinosa Ingrisch，1990：161.

鉴别特征：体型较大。前足和中足股节腹面无或具小刺。雄性尾须端部钝和具1个小刺，下生殖板具3条明显的纵隆线，后缘具"V"形凹口；雌性下生殖板三角形，端部钝圆。体绿色。触角淡绿色；前胸背板侧叶上部常具较明显的锈色带；各腹节背板基部中央具暗黑色斑；雄性尾须背面具1条暗色纵纹。

采集记录：1♂，太白山嵩坪寺，2009.Ⅵ-Ⅸ，西北农林科技大学采；2♂1♀，秦岭天台山保护区，1999.Ⅸ.02-03，刘宪伟、章伟年、殷海生采。

分布：陕西（宝鸡、太白）、河北、湖北、海南、四川、云南、西藏；印度，尼泊尔。

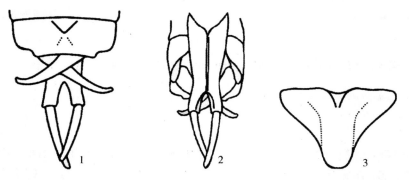

图255 刺平背螽 *Isopsera spinosa* Ingrisch（仿 Kang，Liu & Liu，2014）
1. 雄性腹端背面观；2. 雌性腹端腹面观；3. 雌性下生殖板

54. 秦岭螽属 *Qinlingea* Liu *et* Kang，2007

Qinlingea Liu *et* Kang，2007：25. **Type species**：*Isopsera brachystylata* Liu *et* Wang，1998.

属征：前胸背板不具侧隆线。前足基节具刺，前足胫节听器内外均为开口式，前覆翅远远超出后足腿节的端部，后翅长于前翅，前覆翅 Rs 脉从中部分出，具分支，C脉不明显，Sc 脉和 R 脉在基部相连接，后分开，相近，一直到近端部完全分开。雄性下生殖板较长，端缘具锐角形凹，端刺短。雌性产卵器较短宽，端部钝圆，边缘具细齿。

分布：中国。中国已知1种，秦岭地区有分布。

(109)短突秦岭螽 *Qinlingea brachystylata*（Liu *et* Wang，1998）（图256）

Isopsera brachystylata Liu *et* Wang，1998：71.

Qinlingea brachystylata：Liu & Kang, 2007：27.

Qinlingea brachyptera：Kang, Liu & Liu, 2014：120.（misspelling）

鉴别特征：体型中等。前足基节具刺，前足腿节腹面内缘具5或6个刺，中足腿节腹面外缘具4个刺，后足腿节腹面内外缘各具0~3个刺；前足胫节背面外缘具1或2个小刺，中足胫节背面内缘具4~6个小刺，后足胫节背面内外缘具24~25个刺。雄性摩擦发音音锉弧形，基半部约45个不明显密集排列的摩擦发音音齿，端半部约具30个细的密集排列的摩擦发音音齿。第10腹节背板后缘截形，肛上板短舌形，尾须较短，圆柱形，内弯，端部具1个小刺。下生殖板狭长，后缘"U"形凹口；端刺较短，约为裂叶长的2.0倍。雌性尾须短，锥形；下生殖板三角形，端部钝圆；产卵器较短宽，渐上弯，表面光滑，端部钝圆，背腹缘具细圆齿。体绿色，腹部背面中央具较宽的黑色纵带。各足腿节内外两侧具暗深棕色斑点或斜条纹。

采集记录：5♂9♀，长安南五台，1957.Ⅷ，吴明广、蔡席李、张志德、熊玉兰采。

分布：陕西(长安)、河南。

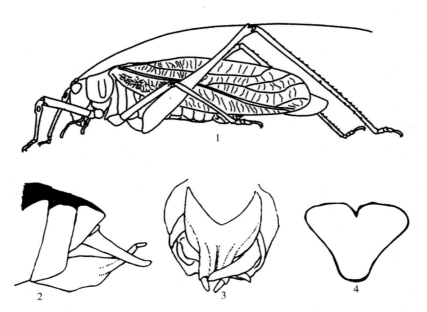

图256 短突秦岭螽 *Qinlingea brachystylata*（Liu et Wang）（1仿Wang et Shi, 2014）
1. 雄性整体侧面观；2. 雄性腹端侧面观；3. 雌性腹端腹面观；4. 雌性下生殖板

55. 条螽属 *Ducetia* Stål, 1874

Ducetia Stål, 1874：11. **Type species**：*Locusta japonica* Thunberg, 1815.

Epiphlebus Karsch, 1896：325. **Type species**：*Epiphlebus crypterius* Karsch, 1896.

Paura Karsch, 1889：439. **Type species**：*Paura biramosa* Karsch, 1889.

Pseudisotima Schulthess, 1898: 199. **Type species**: *Pseudisotima punctata* Schulthess, 1898.

Schubotzacris Rehn, 1914: 169. **Type species**: *Schubotzacris producta* Rehn, 1914.

Telaea Bolivar, 1922: 201. **Type species**: *Telaea quadripunctata* Bolivar, 1922.

属征：头顶角侧扁，狭于触角第 1 节宽，背面具沟。复眼近椭圆形，凸出。前胸背板背面圆柱形，不具侧隆线。前足基节具或不具小刺。腿节通常腹面具刺。前足胫节内外两侧听器均为开口型。雄性下生殖板长而狭，有端刺（或钩）指向中间，无腹端刺。雄性内生殖器膜质。雌性产卵器较狭，腹缘端部和背缘大部分均为细锯齿状。

分布：亚洲。全世界已知 33 种，中国记录 8 种，秦岭地区发现 1 种。

(110) 日本条螽 *Ducetia japonica* (**Thunberg, 1815**) (图 257)

Locusta japonica Thunberg, 1815: 282.

Ducetia japonica: Stål, 1874: 26.

Phaneroptera quinquenervis Haan, 1842: 193.

Steirodon lanceolatum Walker, 1859: 222.

Phaneroptera neochlora Walker, 1869: 342.

Phaneroptera privata Walker, 1869: 344.

Ducetia adspersa Brunner, 1878: 110.

鉴别特征：头顶角尖，向颜面弯曲，纵长，背面具深沟。前胸背板侧叶长远远大于高，垂直的深中沟位于另 1 条较小的纵沟前部，腹缘上部具 1 个明显的纵隆骨褶。前覆翅端部尖，雌性更为明显；后翅端部前缘直，不具明显限定的端部三角形区域。前足基节常具小刺，后足腿节腹缘具较大的刺。雄性前覆翅 Rs 脉从 R 脉近中部前分出，且具 4～6 个近平行的分支；肛上板纵长，三角形，端部尖。雄性尾须细，微内弯，端部适中变细，端部斧形，腹缘锐尖，具下端脊；下生殖板几乎从基部开始分成 2 叶，裂叶近圆柱形，背缘向基部内缘稍突出。雌性尾须稍长于产卵器的中部宽；产卵器约为前胸背板的 1.5 倍长，背缘基半部为弧形圆凹，端半部近直且具细锯齿，侧褶具斜指向后的细的小乳头状突起和位于产卵器基部的 1 个小圆形突起。体绿色或灰棕色。触角单色。

采集记录：3♀，周至楼观台，1984. X. 15，夏凯龄、毕道英采。

分布：陕西（周至、太白、武功、宁陕）、北京、山东、江苏、安徽、湖南、福建、海南、广西、四川、贵州、云南；韩国，日本，菲律宾，东洋区，澳洲区。

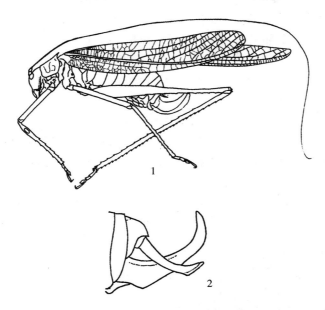

图 257　日本条螽 *Ducetia japonica*（Thunberg）
1. 雌性整体侧面观；2. 雄性腹端侧面观

56. 角螽属 *Prohimerta* Hebard, 1922

Prohimerta Hebard, 1922：133. **Type species**：*Prohimerta annamensis* Hebard, 1922.

属征：前翅 R 脉的端半部发出常不分支的径分脉和 1 个平行不分支的斜脉；后翅超出前翅。前足基节不具小刺；前足胫节背面具沟和刺，侧面观从中部到基部渐倾斜，内外两侧听器均为开口型。雄性尾须明显分成宽的近基端和狭的端部，沿着端具腹脊。雄性下生殖板无腹突。雄性外生殖器膜质。雌性下生殖板三角形。

分布：东洋区。世界已知 11 种，中国记录 7 种，秦岭地区发现 1 种。

(111) 歧安螽 *Prohimerta*（*Anisotima*）*dispar*（**Bey-Bienko, 1951**）（图 258）

Anisotima dispar Bey-Bienko, 1951：133.

Prohimerta（*Anisotima*）*dispar*：Gorochov & Kang, 2002：349.

鉴别特征：颜面角端和头顶角端间由指向上的深凹相隔开。前胸背板背面近平，在前缘后为圆柱形，前胸背板侧叶和端部圆钝角形，侧叶长稍大于高。雄性前翅远远超出后足腿节的端部；雌性前覆翅仅到达后足腿节的端部；Rs 脉从 R 脉近中部分处，Rs 脉之后具 2 或 3 个不规则的相似的斜脉；雄性摩擦发音器官短，稍横宽；摩擦发音横脉近直，向前覆翅的外缘加厚，摩擦发音脉后的区域很短，横三角形；后翅明显长于前翅。雄性腹部第 10 腹节背板在尾须基部具片状突起，后缘微凹；肛上板三角形，不狭，在尾须基部之间延伸；尾须基部粗，圆锥形，端部狭长，且变平呈斧状，背面和腹面均具纵沟；下生殖板端叶直，具近平行缘。雌性下生殖板三角形。产卵器的背缘基部微凹，腹瓣微短于背瓣，为规则弧形。体绿色，前覆翅的后部各翅室内具暗色点。

采集记录： 2♂3♀，周至厚畛子，1350m，1999. Ⅵ. 25；1♂，留坝庙台子，1470m，1999. Ⅵ. 01；1♀（若虫），佛坪凉风垭，1800～2100m，1999. Ⅵ. 28；2♂，宁陕火地塘，1580～1650m，1999. Ⅵ. 26；1♀，宁陕平河梁，2020m，1998. Ⅶ. 29；中科院动物所采。

分布： 陕西（周至、留坝、佛坪、宁陕）、甘肃、浙江、湖北、江西、湖南、福建、广西、四川、云南。

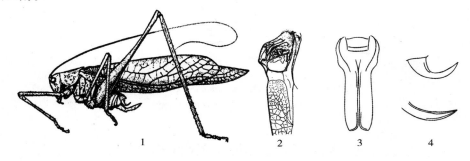

图 258　歧安螽 *Prohimerta*（*Anisotima*）*dispar*（Bey-Bienko）（1 仿 Bey-Bienko，1951；2～4 仿 Kang，Liu *et* Liu，2014）

　　1. 雄性整体侧面观；2. 雄性右覆翅发音区背面观；3. 雄性下生殖板腹面观；4. 雄性尾须及端部

57. 桑螽属 *Kuwayamaea* Matsumura *et* Shiraki，1908

Kuwayamaea Matsumura *et* Shiraki，1908：5. **Type species：** *Kuwayamaea sapporensis* Matsumura *et* Shiraki，1908.

属征： 前胸背板背面圆柱形，肩凹不显著。前足基节不具刺；前足胫节在基部微加宽，内外听器均为开口式。前翅 Rs 脉从 R 脉近中部发出，不分支，在更端部发出 1 或 2 个斜支，雄性右前复翅摩擦发音器官镜膜横宽。雄性下生殖板狭，侧缘向上弯，侧叶彼此连接在一起，侧叶具钩，端部有凹口。雄性内生殖器膜质。雌性下生殖板三角形，产卵器短而宽，薄片状，从基部向上弯；背缘直，不为锯齿状；腹缘几乎半圆形，仅在端部为锯齿状。

分布： 古北区，东洋区。世界已知 10 种，中国均有记录，秦岭地区发现 2 种。

分种检索表

雄性下生殖板端部具明显的中突，侧叶之间三角形深凹；尾须强内弯呈弧状 ………………… ………………………………………………………… **中华桑螽 K. chinensis**

雄性下生殖板端部不具明显的中突，侧叶之间圆形浅凹；雄性尾须稍内弯 ………………… ……………………………………………………… **短翅桑螽 K. brachyptera**

(112) 中华桑螽 *Kuwayamaea chinensis*（**Brunner von Wattenwyl, 1878**）（图 259）

Isotima chinensis Brunner von Wattenwyl, 1878：113.

Kuwayamaea yezoensis Matsumura, 1913：30（new name for *Kuwayamaea sapporensis* Matsumura *et* Shiraki, 1908）.

Anisotima chinensis：Bey-Bienko, 1954：93.

Kuwayamaea chinensis：Bey-Bienko, 1955：1252.

Ducetia chinensis：Ragge, 1961：190.

鉴别特征： 雄性摩擦发音音锉直，约具 170 个摩擦发音音齿；仅在两端稍弧形，可分成三部分，基部摩擦发音音齿间距较窄，中部齿间距较宽，端部齿间距最大。后翅稍超出前翅。尾须较强内弯，端部具锐齿。下生殖板后缘凸，具突出的小中叶，中叶中央具小直角形凹；端部狭带状微骨质化的中域具近平行的侧缘；背面观具 2 个相对粗壮的骨质钩。雌性后翅常稍短于前覆翅，少数个体稍超出前覆翅。雄性有些个体后翅明显超出前覆翅，体型大小和翅长也常变化。体绿色。前胸背板纵中线略为黄色。

采集记录： 1♀，宁陕旬阳坝，1350m，1998.Ⅶ.29，中科院动物所采。

分布： 陕西(宁陕)、辽宁、内蒙古、河南、甘肃、江苏、上海、安徽、浙江、江西、湖南、福建、广西；朝鲜，日本。

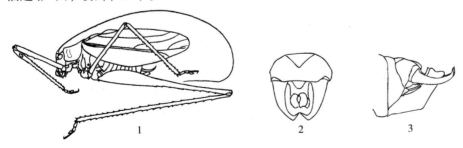

图 259　中华桑螽 *Kuwayamaea chinensis*（Brunner von Wattenwyl）（2～3 仿 Kang, Liu *et* Liu, 2014）
1. 雄性整体侧面观；2. 雄性腹端背面观；3. 雄性腹端侧面观

(113) 短翅桑螽 *Kuwayamaea brachyptera* **Gorochov** *et* **Kang，2002**（图 260）

Kuwayamaea brachyptera Gorochov *et* Kang，2002：347.

　　鉴别特征：体中型。雄性前翅较长，后翅强缩短，明显不达前翅端；前翅 R 脉具 2 个明显的分支；右复翅的镜膜后缘近直，右复翅的中缘在镜膜附近明显凸。尾须微内弯，端齿稍钝。下生殖板的端部不具明显的腹中突，侧叶之间具浅凹，近圆形；腹面中间狭长的半膜质化区域端部稍加宽；端部侧缘和腹缘形成向下渐变窄的较小较浅的宽梯形；背面观具相对较尖的粗壮骨质钩。体绿色。前翅背部浅棕色，右复翅半透明的膜质摩擦发音区略显黄色。有时左复翅在背部基部具暗棕色的大点；前翅 R 脉的明显分支的数目为 2 或 3。

　　采集记录：5♂，2 若虫，秦岭天台山保护区，1999. IX. 02-03，刘宪伟、章伟年、殷海生采。

　　分布：陕西（西安、周至、宝鸡、太白、华阴、甘泉）、河南。

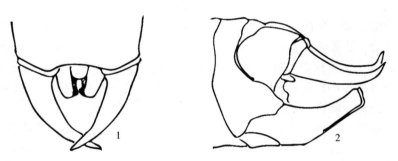

图 260　短翅桑螽 *Kuwayamaea brachyptera* Gorochov *et* Kang
1. 雄性腹端背面观；2. 雄性腹端侧面观

58. 糙颈螽属 *Ruidocollaris* Liu，1993

Ruidocollaris Liu，1993：54. **Type species**：*Ruidocollaris truncatolobata* Liu，1993（ = *Ruidocollaris sinensis* Liu *et* Kang，2014）.

　　属征：体型较大。头部背面圆凸，头顶侧扁，狭于触角基节宽。前胸背板背面光滑，平坦，侧隆线向后向两侧略扩展；侧叶高大于长，肩凹明显。前足基节具刺，前足胫节内侧听器为封闭型，外侧听器为开放型。各足腿节膝叶均缺刺。前后翅发育完全，前翅缺或具弱光泽，C 脉不明显，Rs 脉从 R 脉中部之前分出，具分叉；后翅略长于前翅。雄性第 10 腹节背板正常，下生殖板具粗短的端刺。雌性产卵器发育完全，腹缘端部斜截，端部背腹缘具细齿，侧表面具数列颗粒状的细齿。

　　分布：东洋区。世界已知 9 种，中国均有记录，秦岭地区发现 2 种。

分种检索表

体型较大；前覆翅多为叶绿色，隐约具一些稀疏的淡白斑；后足胫节端部包括端距、后足跗节、雌性和雄性第 10 腹节背板、肛上板、肛侧板及尾须多为绿色 ············ **中华糙颈螽 R. sinensis**

体型中等；颜面深赤褐色，后足腿节膝部暗棕红色；触角（不包括鞭节）、足的基节及转节、胸部和腹部的腹板及第 9 和第 10 腹节背板均为赤褐色 ············ **凸翅糙颈螽 R. convexipennis**

(114) 中华糙颈螽 *Ruidocollaris sinensis* **Liu et Kang, 2014**（图 261）

Ruidocollaris truncatolobata Liu, 1993：46（err.）.

Ruidocollaris truncatolobata Liu et Kang, 2010：48（err.）.

Ruidocollaris sinensis Liu et Kang, 2014：301.

鉴别特征： 体大型。前胸背板后缘三角形突出。前翅革质，向端部稍变尖，翅脉非常明显，横脉平行，Rs 脉从中部前分出，具分支，"Z" 形，分支到达前翅的后缘。中胸腹板叶三角形，后胸腹板叶后端明显斜截。雄性第 10 腹节背板平截，尾须基部 3/4 圆锥形，端部 1/4 突然膨胀，内弯，渐变尖，端部成 1 枚棕色的齿；下生殖板纵长，长明显大于基部宽，端缘中央具小三角形凹，端刺稍细长，约为下生殖板 1/3 长。雌性产卵器粗壮，渐上弯，侧表面端部具成行规则排列的粗糙瘤状突起；端部渐尖，腹缘斜截，端部边缘具间断的锯齿，基褶圆，长不超过前胸背板长 1.5 倍；下生殖板钝。体绿色。各足跗节仅爪端部浅棕色；前足胫节听器中间膜棕色；各腹节背板基部向后具倒大三角形褐色斑，后缘绿色；雄性第 10 腹节背板红褐色，尾须、肛侧板、肛上板均为绿色。

分布： 陕西（宁陕、安康、镇巴、镇安）、河南、安徽、浙江、湖北、江西、湖南、福建、台湾、广东、海南、广西、四川、贵州、云南、西藏。

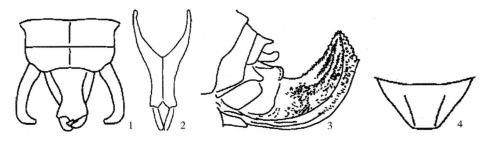

图 261　中华糙颈螽 *Ruidocollaris sinensis* Liu et Kang（仿 Kang, Liu et Liu, 2014）
1. 雄性腹端背面观；2. 雄性下生殖板腹面观；3. 雌性腹端侧面观；4. 雌性下生殖板

（115）凸翅糙颈螽 *Ruidocollaris convexipennis*（Caudell, 1935）（图262）

Liotrachela convexipennis Caudell, 1935：245.

Ruidocollaris convexipennis：Liu, 1993：46.

鉴别特征：体型较前种稍小。颜面具明显的粗刻点。前胸背板具刻点，后缘呈圆形突出。前翅具弱光泽；C脉不明显，Sc脉和R脉从基部分开，除近端部外较紧密地靠拢；Rs脉从R脉中部之前分出，分叉。后翅长于前翅。前足基节具刺。后足腿节腹面内缘具1或2个刺，外缘具7个刺，膝叶不具刺。雄性第10腹节背板后缘截形；尾须圆柱形，内弯，端部具1枚小齿；下生殖板长大于基部的宽，向端部渐趋狭；腹突较短，圆柱形。雌性下生殖板圆三角形，端部微凹；产卵器端部较钝，边缘具齿，侧表面近端部具数列颗粒状细齿。体黄绿色。颜面赤褐色；触角基部2节淡色，其余节暗黑色，具暗色环纹；前翅绿色，具淡褐色斑纹，部分斑纹具不完整的黑边；前足胫节听器区和后足膝部暗黑色。

采集记录：2♂♂，宁陕旬阳坝，2017.Ⅷ，魏朝明采。

分布：陕西（镇巴）、安徽、浙江、湖北、江西、湖南、福建、广东、广西、四川、云南、西藏。

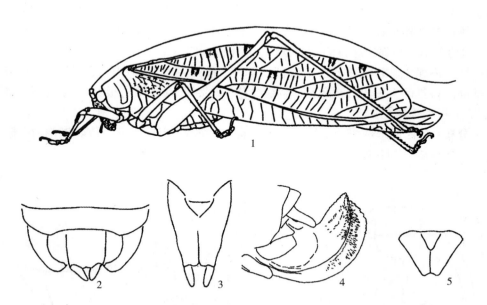

图262 凸翅糙颈螽 *Ruidocollaris convexipennis*（Caudell）（1仿Wang *et* Shi, 2014；2～5仿Kang, Liu *et* Liu, 2014）

1. 雄性整体侧面观；2. 雄性腹端背面观；3. 雄性下生殖板腹面观；4. 雌性腹端侧面观；5. 雌性下生殖板腹面观

59. 掩耳螽属 *Elimaea* Stål，1874

Elimaea Stål，1874：11．**Type species**：*Phaneroptera subcarinata* Stål，1860．

属征：颜面垂直。触角细，柔软。前胸背板具明显肩凹；侧叶短，腹缘完全或近圆。前覆翅较狭，纵脉和横脉明显，后翅均长于前覆翅。前足基节不具刺（仅亚属*Schizelimaea* 具很小的刺）；前足腿节背面弯曲，不具沟，腹面具小沟；前足胫节两侧听器孔均被肿起结构所覆盖，形成外耳；中足和后足胫节正常，仅在基部微加宽。雄性尾须长而细，内弯曲。雌性尾须内弯，近与产卵器的基部宽度相等。雄性下生殖板长而狭，端部深裂成两半，无腹突。雌性产卵器短，背腹缘具不明显细锯齿缘，腹缘弓形，背缘强向上弯，端部直。雌性下生殖板一般不为宽三角形，具端凹。

分布：亚洲。全世界已知164种，中国记录53种，秦岭地区发现1种。

(116) 贝氏掩耳螽 *Elimaea* (*Elimaea*) *berezovskii* Bey-Bienko，1951（图263）

Elimaea berezovskii Bey-Bienko，1951：131．

鉴别特征：体型较大。头顶尖角形，狭于触角第1节宽，背面具沟，后头隆起。前胸背板不具侧隆线；侧叶长明显大于高，后部明显加宽；前半部腹缘直。前足腿节腹面明显具刺；后足腿节腹面端半部具类似的刺。前翅纵长，长为最大宽度的5.1～5.3倍；雄性Rs脉从前覆翅基部1/4端部的R脉分出，近前翅的基部；雌性Rs脉从翅近基部1/3分出。雄性摩擦发音音锉具23个距离较大的大齿，从基部向两端逐渐变小；第10腹节背板后缘圆凸；肛上板长三角形；尾须较粗短，圆柱形，强内弯，约达到下生殖板中部，近端部稍增粗，具1个粗壮端刺；下生殖板狭长，适度上弯，约从端半部开裂。雌性尾须较短，锥形；下生殖板三角形，长稍大于宽，侧缘在中部微凸，端缘微凹；产卵器侧扁，适中向上弯曲，腹缘近端部和背缘具细齿。

分布：陕西(周至、宁陕)、河南、湖北、江西、湖南、四川。

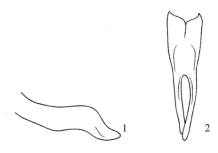

图263　贝氏掩耳螽 *Elimaea* (*Elimaea*) *berezovskii* Bey-Bienko(仿 Gorochov，2009)
1. 雄性尾须末端；2. 雄性下生殖板

（二）拟叶螽亚科 Pseudophyllinae

鉴别特征：体中等至大型。颜面略向后倾斜，触角着生于复眼之间，触角窝边缘极度隆起，内缘尤为显著。前胸腹板具或缺突起。前翅和后翅通常发育完全，极少缩短；前翅形如树叶，颜色似树皮、树叶或地衣。雄性具发音器，后足股节侧扁，背面具隆线，后足胫节背面缺距，跗节具侧沟。产卵瓣呈长马刀形。

分类：世界已知242属980种，中国记录10属22种，秦岭地区发现2属2种。

分属检索表

中胸腹板前、侧缘具细齿；前翅绿色或淡黄色；后翅透明，短于前翅；中足与后足股节背面无刺，后足股节侧扁，腹缘具刺 ························· **翡螽属 Phyllomimus**

中胸腹板非横宽；前翅具皱褶，暗色，前、后缘近乎平行；后翅暗色；各足股节均侧扁，腹缘缺刺 ·· **覆翅螽属 Tegra**

60. 翡螽属 Phyllomimus Stål，1873

Phyllomimus Stål，1873：44. **Type species**：*Phyllomimus granulosus* Stål，1873.

属征：头锥形，头顶明显凸出于复眼前缘，背面具弱的纵沟。前胸背板具密的颗粒状突，横沟2条，后横沟位于中部之后。前翅和后翅发达。足较短，各足股节背面具隆线。前、中足胫节背面平坦，具侧隆线，缺背距；前足胫节内、外侧听器均为封闭型。前胸腹板缺刺；中胸腹板横宽，前缘和侧缘具瘤突。雄性下生殖板狭长，端部呈柄状，具扁叶状腹突。雌性产卵瓣马刀形，边缘具极小的细齿，背瓣侧表面近端部具斜隆褶。

分布：东洋区。世界已知27种。中国分布6种，秦岭地区发现1种。

(117) 中华翡螽 *Phyllomimus*（*Phyllomimus*）*sinicus* Beier，1954（图264）

Phyllomimus（*Phyllomimus*）*sinicus* Beier，1954：106.

鉴别特征：体中型。头圆锥形；头顶突出于复眼前缘，背面具细纵沟。前翅远超过后足股节末端，前缘呈弧形弯曲，后缘较直，M脉与Cu脉基部合并，翅顶较尖；后翅短于前翅。足较扁短；前足胫节内外侧听器均为封闭式。前胸腹板缺刺；中胸腹板横宽，前缘与侧缘具瘤突。雄性第10腹节背板稍延长，后缘截形；肛上板卵圆形；

尾须细长，较直，端部钩状弯曲；下生殖板长，端部柄状，腹突长且扁。雌性产卵瓣端部向背侧弯曲，边缘具细齿，背板侧面近端具 3 条斜隆褶；下生殖板梯形，端部具三角形凹口。体绿色。

分布：陕西(秦岭)、浙江、湖北、江西、福建、台湾、广东、广西、重庆、四川、贵州。

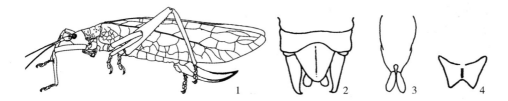

图 264　中华翡蟋 *Phyllomimus*（*Phyllomimus*）*sinicus* Beier（1 仿 Wang *et* Shi，2014）
1. 雌性整体侧面观；2. 雄性腹端背面观；3. 雄性下生殖板腹面观；4. 雌性下生殖板腹面观

61. 覆翅蟋属 *Tegra* Walker，1870

Tegra Walker，1870：439. **Type species：***Locusta novaehollandiae* Haan，1842.

Tarphe Stål. 1874：54. **Type species：***Locusta novaehollandiae* Haan，1842.

属征：头顶锥形，到达或稍超过触角窝内缘顶端，背面具沟。前胸背板近鞍形，前缘向前突出，中央较平直，两侧具瘤突，后缘圆弧形，后横沟位于中部之后，侧片矮，下缘平直。前翅和后翅发达，前翅前缘近乎平行后缘，具皱结，后翅约等长前翅。各足股节腹面外缘片状扩张，边缘呈波曲形，具毛；前足胫节听器封闭型，后足胫节背面具弱刺。前胸腹板缺刺突，中胸腹板非横宽，前缘较直较光滑。肛上板椭圆形。尾须较简单。雄性下生殖板端部非柄状，腹突较短。雌性下生殖板横宽，产卵瓣马刀形，背缘具细齿，背瓣侧表面近端部具弱的斜隆褶。

分布：东洋区。世界已知 3 种。中国分布 2 种，秦岭地区发现 1 种。

(118) 绿背覆翅蟋 *Tegra novaehollandiae viridinotata*（Stål，1874）（图 265）

Tarphe viridinotata Stål. 1874：73.

Tegra viridinotata：Kirby，1906：308.

Tegra novaehollandiae viridinotata：Beier，1962：219.

鉴别特征：体大型。头顶锥形，向前凸出，背面具纵沟；颜面向后倾斜。前胸背板马鞍状，具 2 条横沟；前缘中部前凸，两侧各具 1 个瘤突，后缘钝圆；肩凹不明显；前翅远超腹部末端，Sc 脉与 R 脉从基部分开，Rs 脉从 R 脉中部之前分出，翅室具皱褶；后翅稍长于前翅。前足基节具 1 个片状刺，胫节内外侧听器均封闭；中后足股节片状扩展,腹面外缘具缺刻,后足胫节背面内外缘具小刺。雄性肛上板椭圆形,背具沟;尾须较长,近端部稍弯,端部刺状;下生殖板长方形,后缘具凹口;腹突短,扁平。雌性尾须长锥形;产卵瓣背瓣端半部、腹瓣近端部具细齿,近端部侧面背方具1条弱斜隆褶;下生殖板短宽,后缘中部略凹。体烟色,颜面黑色杂褐色斑;头、前胸、足具黑色斑点;前翅皱褶黑褐色;中后胸及腹部腹板黑褐色。

分布: 陕西(秦岭)、浙江、湖北、江西、湖南、福建、台湾、广东、广西、重庆、四川、贵州、云南;泰国,缅甸,印度。

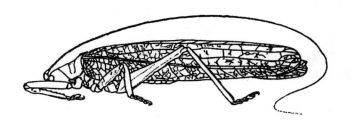

图 265　绿背覆翅螽 *Tegra novaehollandiae viridinotata*（Stål）

（三）螽斯亚科 Tettigoniinae

鉴别特征: 体小型到大型,较粗壮。触角窝内缘不明显凸出。前胸背板发达。胸听器被前胸背板侧片遮盖。前胸腹板具1对刺或缺失。前后翅发育完全或退化,雄性前翅具发音器。前足胫节内外侧听器均为封闭式;后足胫节背面具端距;跗节第1~2节具侧沟。产卵瓣较长剑状。

分类: 世界已知159属903种,中国记录17属73种,陕西秦岭地区分布4属5种。

分属检索表

1. 头顶狭于触角第1节 ·· 螽斯属 *Tettigonia*
   头顶宽于触角第1节 ··· 2
2. 前胸腹板具刺突 ··· 3
   前胸腹板缺刺突 ·· 初姬螽属 *Chizuella*
3. 后足跗节基节的垫叶较小,不能活动;中胸腹板裂叶长不大于宽;前胸背板长于前足股节,具侧隆线 ·· 寰螽属 *Atlanticus*
   后足跗节基节的垫叶较大,能活动;中胸腹板裂叶长大于宽;前胸背板不长于前足股节,缺侧隆线 ·· 蝈螽属 *Gampsocleis*

62. 寰螽属 *Atlanticus* Scudder, 1894

Atlanticus Scudder, 1894: 177, 179. **Type species**: *Decticus pachymerus* Burmeister, 1838.

Orchesticus Saussure, 1859: 201 (nec Cabanis, 1851). **Type species**: *Orchesticus americanus* Saussure, 1859.

Amuria Brunner von Wattenwyl, 1893: 185. **Type species**: information not available.

Stipator Rehn, 1900: 90. **Type species**: *Atlanticus americanus* Saussure, 1859.

Orchamus Bolívar, 1906: 392 (new name for *Orchesticus* Saussure, 1859).

属征: 体中型到大型。头大, 复眼相对小近球形。头顶宽于触角第 1 节, 背面缺纵沟。前胸背板长于前足股节, 具侧隆线; 侧片后缘强倾斜, 缺肩凹。前胸腹板具刺突, 中后胸腹板裂叶较短。雄性前翅短, 不超过腹部末端; 雌性前翅极小, 侧置; 后翅退化。前足胫节内外两侧听器均封闭, 后足胫节具 3 对端距。雄性尾须内齿多位于中部或以远; 下生殖板具腹突。雌性产卵瓣平直或端部稍背弯。

分布: 古北区, 东洋区。世界已知 57 种, 中国记录 47 种, 秦岭地区发现 2 种。

分种检索表

后足股节外腹缘具刺; 雄性前翅不超过第 2 腹节背板后缘; 雄性尾须端部内下方弯; 产卵瓣较宽, 最宽处 2.0mm ·· **格氏寰螽 *A.* (*A.*) *grahami***

后足股节外腹缘缺刺; 雄性前翅到达第 3～4 腹节; 雄性尾须端部内弯; 产卵瓣较狭, 最宽处为 1.3～1.5mm ································ **中华寰螽 *A.* (*A.*) *sinensis***

(119) 格氏寰螽 *Atlanticus* (*Atlanticus*) *grahami* Tinkham, 1941 (图 266)

Atlanticus grahami Tinkham, 1941: 227.

Atlanticus (*Atlanticus*) *grahami*: Bey-Bienko, 1955: 1267.

鉴别特征: 头顶较狭, 窄于触角第 1 节的 1.5 倍。雄性前翅不超过第 2 腹节背板后缘; 雌性前翅不露出前胸背板后缘, 背观不可见。前足股节腹内缘具 3 个刺, 中足股节腹外缘具 0～1 个刺, 后足股节腹内缘具 5～6 个刺, 外缘具 4 个刺。雄性尾须较粗短, 端部向内下方弯, 内齿位于尾须中部。雌性产卵瓣至少为前胸背板的 2.0 倍, 背缘端部非斜截。体褐色, 头顶黑色, 复眼后方具黑色纵条纹。前胸背板侧片上部和胸侧部具黑褐色, 后足股节外侧基半部具 1 条较狭窄的褐色纵带。

采集记录: 1 ♂, 周至厚畛子, 1350m, 1999. Ⅵ. 25; 1 ♀, 留坝庙台子, 1350m, 1998. Ⅶ. 21; 1 ♀, 宁陕火地塘, 1580m, 1998. Ⅶ. 26; 中科院动物所采。

分布: 陕西 (周至、留坝、宁陕)、河南、甘肃、四川。

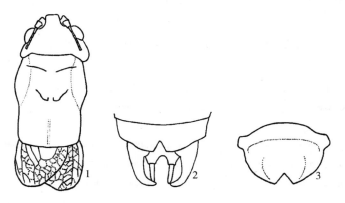

图 266　格氏寰螽 *Atlanticus* (*Atlanticus*) *grahami* Tinkham
1. 雄性头与前胸背板背面观；2. 雄性腹端背面观；3. 雌性下生殖板腹面观

(120) 中华寰螽 *Atlanticus*（*Atlanticus*）*sinensis* Uvarov，1924（图 267）

Atlanticus sinensis Uvarov，1924：512.

　　鉴别特征：头顶较狭，窄于触角第 1 节宽的 1.5 倍。雄性前翅到达第 3 或 4 腹节；雌性前翅藏于前胸背板下，背观不可见。前足股节腹面内缘具 2 个刺；中足股节腹面外缘具 2 个刺；后足股节腹面内缘具 3 ~ 5 个刺，外缘缺刺。雄性尾须较粗短，端部稍内弯，内齿位于中部。雌性产卵瓣较窄，背缘端部非斜截形。体褐色或深褐色。头顶两侧黑色，复眼后方各具 1 条黑色纵纹。前胸背板侧片上部和胸侧板具黑褐色，后足股节外侧具黑褐色纵带。

　　采集记录：3♂3♀，长安，1996. Ⅶ，薛里菲采；3♂，3♀（若虫），户县桦树坪，1700m，2007. Ⅵ.23-28，周顺采；3♂3♀，秦岭天台山保护区，1999. Ⅸ.02-03，刘宪伟、章伟年、殷海生采；1♀，华山青柯坪，1220m，1978. Ⅷ.06，金根桃采；3♂，华阳，1350 ~ 1500m，1978. Ⅷ.13-19，金根桃采。

　　分布：陕西（长安、户县、宝鸡、太白、华县、华阴）、北京、河北、河南、湖北。

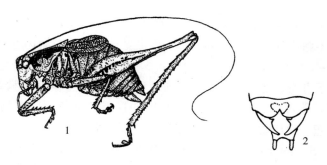

图 267　中华寰螽 *Atlanticus* (*Atlanticus*) *sinensis* Uvarov
1. 雄性整体侧面观；2. 雄性腹端背面观

63. 蝈螽属 *Gampsocleis* Fieber, 1852

Gampsocleis Fieber, 1852：2, 8. **Type species**：*Locusta glabra* Herbst, 1786.

Gampsocleodes Tarbinsky, 1932：191. **Type species**：*Gampsocleis schelkovnikovae* Adelung, 1916.

属征：头顶宽于触角第 1 节, 背面缺沟。前胸背板不长于前足股节, 横沟 3 条, 沟后区稍抬高, 有时具弱的中隆线。前胸腹板具刺突；中胸腹板裂叶长大于基部宽。前翅发达或缩短。前足胫节内外两侧听器均为封闭型；后足胫节具 3 对端距。雄性第 10 腹节背板向后凸出, 后缘具或深或浅的凹口。雄性尾须内齿位于基部；下生殖板具腹突。雌性产卵瓣平直或稍腹弯, 端部斜截。

分布：古北区。世界已知 16 种, 中国已知 4 种, 秦岭地区发现 1 种。

(121) 中华蝈螽 *Gampsocleis sinensis*（Walker, 1869）（图 268）

Decticus sinensis Walker, 1869：261.

Gampsocleis sinensis：Kirby, 1906：185.

鉴别特征：头大, 光滑。头顶宽于触角第 1 节。前胸背板沟后区具较弱的侧隆线, 横沟 3 条, 中横沟"V"形。前翅超过腹端, 端部宽圆；右前翅镜膜方形。雄性第 10 腹节背板后缘具深而狭的凹口；尾须内齿位于中部之前, 内齿前缘具 3 ~ 5 个微小的刺；下生殖板后缘具三角形凹口, 腹突长约为宽的 3.0 倍。雌性下生殖板端部截形；产卵瓣短于后足股节, 较平, 端部斜截。体绿色。头部和前胸背板背面有时具淡褐色, 两侧较深；前翅绿色, 径脉域具不明显的黑斑。

采集记录：3♂3♀, 佛坪, 870 ~ 1000m, 1998. Ⅶ. 26, 中科院动物所采。

分布：陕西(佛坪)、内蒙古、湖北、湖南、福建、广西、四川、贵州。

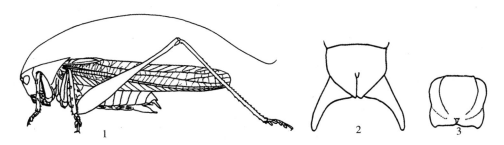

图 268　中华蝈螽 *Gampsocleis sinensis*（Walker）

1. 雄性整体侧面观；2. 雄性腹端背面观；3. 雌性下生殖板腹面观

64. 初姬螽属 *Chizuella* **Furukawa**，1950

Chizuella Furukawa，1950：40. **Type species**：*Platycleis bonneti* Bolívar，1907.

属征：体小型至中等。头部较短，头顶为触角第 1 节宽的 2.0～3.0 倍。前胸背板侧片肩凹不明显，较平，沟后区具中隆线。前胸腹板缺刺突，中胸腹板裂叶长不大于宽。前翅缩短，后翅退化。前足胫节背面外侧具 3 枚距，内外两侧听器均为封闭型。雄性第 10 腹节背板后缘开裂成 2 叶；雄性尾须较直，具内齿。雌性下生殖板具明显的缺口，产卵瓣均匀的上弯，边缘具细齿。

分布：中国东南部；俄罗斯远东，朝鲜半岛，日本。目前仅知模式种 1 种，秦岭地区有分布。

(122) 帮内特初姬螽 *Chizuella bonneti*（**Bolívar**，**1890**）（图 269）

Platycleis bonneti Bolívar，1890：326.

Chelidoptera bonneti：Kirby，1906：205.

Metrioptera bonneti：Caudell，1908：31.

Chizuella bonneti：Furukawa，1950：40.

鉴别特征：体型较小。头顶宽圆，约为触角第 1 节的 3.0 倍。前胸背板平，沟后区具弱的中隆线；侧片下缘微倾斜，后缘肩凹不明显。前翅短，仅到达第 3 腹节背板后缘或超过腹端；后翅不长于前翅。雄性尾须较长，内齿位于基部；下生殖板宽大，后缘中央具深凹，腹突细长。雌性下生殖板后缘中央方形凹入；产卵瓣微向上弯，端部尖。体栗褐色，复眼后方具黑色纵带，前胸背板侧片后缘具黄白色边，后足股节基半部外侧具黑斑。

采集记录：1♂，秦岭天台山保护区，1999.Ⅸ.02-03，刘宪伟、章伟年、殷海生采。

分布：陕西（宝鸡）、黑龙江、吉林、北京、河南、甘肃、湖北、四川；俄罗斯，日本。

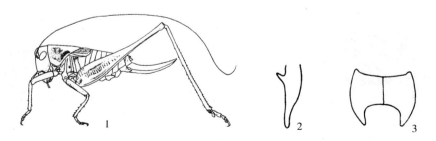

图 269　帮内特初姬螽 *Chizuella bonneti*（Bolívar）

1. 雌性整体侧面观；2. 雄性右尾须背面观；3. 雌性下生殖板腹面观

65. 螽斯属 *Tettigonia* Linnaeus, 1758

Gryllus（*Tettigonia*）Linnaeus, 1758：429. **Type species**：*Gryllus viridissimus* Linnaeus, 1758.

Locusta Fabricius, 1775：282. Suppressed.

Phasgonura Stephens, 1835：15. **Type species**：*Gryllus viridissimus* Linnaeus, 1758.

Eumenymus Pictet, 1888：58. **Type species**：*Eumenymus vaucherianus* Pictet, 1888（ = *Gryllus viri-dissimus* Linnaeus, 1758）.

　　属征：头顶狭于触角第 1 节宽,背面具弱纵沟。颜面缺眼下脊。前胸背板较平,缺横凹和侧隆线,侧片下缘倾斜。前后翅发达。前足胫节背面具 3 枚外距,听器为封闭型。后足胫节具 3 对端距。前胸腹板具刺突。雄性尾须较长,内齿近基部;下生殖板腹突相对长。雌性产卵瓣较长,平直或稍下弯。

　　分布：古北区,东洋区。世界已知 21 种,中国记录 6 种,秦岭地区发现 1 种。

(123) 中华螽斯 *Tettigonia chinensis* Willemse, 1933（图 270）

Tettigonia chinensis Willemse, 1933：17.

　　鉴别特征：前翅远超后足股节端部。雄性第 10 腹节背板端部裂成 2 片三角形叶。雄性尾须较长,超过腹突,圆锥形微内弯,基部较宽内侧具 1 枚齿,末端向下,尾须端部钝;下生殖板长大于宽,后缘微凹;腹突细长,较直。雌性尾须短圆锥形;下生殖板长稍大于宽,后缘具较深的裂口;产卵瓣短于后足股节,不达翅端,几乎平直。体呈绿色或褐色,绿色型几乎单色;褐色型褐绿色,从头部复眼之后具 1 条黑褐色的纵纹,延伸至前翅臀脉域。足背面具黑褐色。

　　采集记录：2♂1♀,华山青柯坪,1220m,1978.Ⅷ.06,金根桃采。

　　分布：陕西(华阴)、河南、浙江、湖北、湖南、福建、四川、贵州。

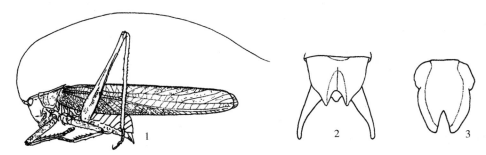

图 270　中华螽斯 *Tettigonia chinensis* Willemse
1. 雄性整体侧面观；2. 雄性右尾须背面观；3. 雌性下生殖板腹面观

（四）草螽亚科 Conocephalinae

鉴别特征： 体型小至中等，粗壮。触角着生于复眼之间，触角窝边缘非明显隆起。胸听器扩大，为前胸背板侧片覆盖。前胸腹板具或缺刺突。前翅、后翅发达或退化，雄性前翅具发音器。前足和中足胫节缺背距，内外两侧听器均为封闭型；后足胫节背面具端距；跗节前两节具侧沟。雌性产卵瓣较长，剑状。

分类： 世界已知 196 属 1328 种，中国记录 14 属 60 种，陕西秦岭地区发现 3 属 4 种。

分属检索表

1. 头顶延长，突出于颜顶角之前 ·· 钩额螽属 *Ruspolia*
   头顶不延长，不突出于颜顶角之前 ··· 2
2. 前翅长于前胸背板，后足股节膝叶具 2 个刺；雄性第 10 腹节背板不特化，后缘中央不具锥形突起 ·· 草螽属 *Conocephalus*
   前翅短于前胸背板，后足股节膝叶具 1 个刺；雄性第 10 腹节背板特化，后缘中央具锥形突起 ·· 锥尾螽属 *Conanalus*

66. 钩额螽属 *Ruspolia* Schulthess, 1898

Ruspolia Schulthess, 1898：207. **Type species**：*Ruspolia pygmaea* Schulthess, 1898.

Conocephalus（*Homorocoryphus*）Karny, 1907：41. **Type species**：*Gryllus nitidulus* Scopoli, 1786.

属征： 体型中等，细长。体表被刻点和纤毛。头顶宽于触角第 1 节，圆柱形，两侧缘平行，顶端钝，腹面缺中隆线，基部具齿突，通常与颜顶相接触。前胸背板背面较平，侧隆线较明显，侧片下缘强下斜，肩凹明显。前后翅发育完全，翅长变异较大，通常超过后足股节末端，后翅不超过前翅。股节腹面具刺，膝叶具端刺。前胸腹板具刺突，中后胸腹板裂叶三角形。雄性第 10 腹节背板后缘内凹，裂叶尖；尾须粗短，端部具 1 对内弯锐刺。雌性产卵瓣狭长。中部非扩展，端部渐尖，边缘光滑。

分布： 古北区，东洋区，新热带区。世界已知 41 种，中国记录 6 种，秦岭地区发现 1 种。

（124）疑钩额螽 *Ruspolia dubia*（Redtenbacher, 1891）（图 271）

Conocephalus dubius Redtenbacher, 1891：385.

Homorocoryphus dubius：Karny, 1912：37.

Ruspolia dubia：Bailey, 1975：174.

鉴别特征：头顶长宽约相等，圆柱形，顶端钝。前翅明显超过后足股节顶端，后翅不长于前翅。雄性第 10 腹节背板稍延长，后缘三角形内凹，两侧角突出；尾须较粗壮，端部具 2 个指向内的刺；下生殖板长大于宽，后缘具 1 对腹突。雌性尾须细圆锥形；下生殖板小。体淡黄绿色或黄褐色；单色。

采集记录：2♂，佛坪，950～2100m，1998.Ⅶ.23-25，中科院动物所采。

分布：陕西（佛坪）、黑龙江、山东、河南、甘肃、安徽、浙江、湖北、江西、湖南、福建、台湾、广西、四川、贵州、云南；日本。

图 271　疑钩额螽 *Ruspolia dubia*（Redtenbacher）（1 仿 Wang *et* Shi，2014）

1. 雌性整体侧面观；2. 雄性腹端背侧面观；3. 雄性腹端腹面观

67. 锥尾螽属 *Conanalus* Tinkham，1943

Conocephalus（*Conanalus*）Tinkham，1943：54. **Type species：***Conocephalus pieli* Tinkham，1943.

Conanalus：Xia & Liu，1992：9.

属征：体小型。头顶或多或少侧扁，顶端钝，不突出于颜顶之前，背面缺纵沟。前胸背板侧片呈斜三角形，后缘在听器上方具凸的半透明区域。前后翅强缩短，明显短于前胸背板。前足和中足胫节背面缺距，腹面具较短的距；前足胫节听器为封闭型。后足股节膝叶具 1 个刺。前胸腹板具刺突。雄性第 10 腹节背板后缘中央具锥形突起。雄性尾须具 1 个内齿。产卵瓣剑状，边缘光滑或具极细弱的齿。

分布：东洋区。世界已知 6 种，中国记录 5 种，秦岭地区发现 1 种。

(125) 比尔锥尾螽 *Conanalus pieli*（Tinkham，1943）（图 272）

Conocephalus（*Conanalus*）*pieli* Tinkham，1943：55.

Conanalus pieli：Shi，Wang & Fu，2005：84.

鉴别特征：前翅强缩短，明显短于前胸背板，雌性前翅内缘不重叠。雄性第 10 腹节背板背面中央向后凸出，形成 1 个长圆锥形突起，背面具横皱褶，凸起腹面近基部具 1 对突起, 端部钝圆; 尾须强内弯, 近端部具 1 个内齿; 下生殖板短, 横宽, 后缘中央具突起。雌性下生殖板近方形, 侧缘近端部微凹, 中央具浅凹口。体绿色, 头部背面具 1 条暗色纵带, 向后渐扩宽, 至前胸背板后缘。后足膝叶黑色。腹板背面具 2 条黑色纵带。

采集记录: 1♀, 华阳, 1350~1500m, 1978. Ⅷ. 13-19, 金根桃采。

分布: 陕西(洋县)、河南、安徽、江西、湖南、四川。

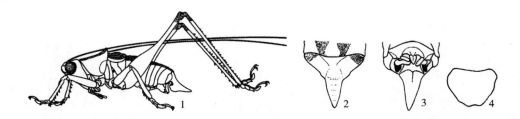

图 272   比尔锥尾螽 *Conanalus pieli* (Tinkham) (1 仿 Wang *et* Shi, 2014)
1. 雄性整体侧面观; 2. 雄性腹端背面观; 3. 雄性腹端腹面观; 4. 雌性下生殖板腹面观

68. 草螽属 *Conocephalus* Thunberg, 1815

Conocephalus Thunberg, 1815: 214. **Type species:** *Gryllus conocephalus* Linnaeus, 1767.

属征: 体小型。头顶多少侧扁, 顶端钝, 不突出于颜顶, 背面缺纵沟。前胸背板侧片呈斜三角形。前后翅均发达, 若缩短不短于前胸背板。前足和中足股节腹面常缺刺, 后足股节膝叶具 2 个刺。前胸腹板具或缺刺突。雄性第 10 腹节背板后缘中央开裂成 2 叶, 雄性尾须具 1~2 个内齿。产卵瓣剑状, 边缘光滑或具极细弱的齿。

分布: 古北区, 东洋区, 非洲区, 澳洲区。世界已知 154 种, 中国记录 21 种, 秦岭地区发现 2 种。

分种检索表

后足股节腹面缺刺, 前翅具暗斑 ······························ 斑翅草螽 *C.* (*Anisoptera*) *maculatus*
后足股节腹面具刺 ···································· 长翅草螽 *C.* (*A.*) *longipennis*

(126) 长翅草螽 *Conocephalus* (*Anisoptera*) *longipennis* (**Haan, 1843**) (图 273)

Locusta (*Xiphidium*) *longipennis* Haan, 1843: 188, 189.

Xiphidium spinipes Stål, 1877: 47.

Xiphidium (*Xiphidium*) *longipenne*: Redtenbacher, 1891: 512.

Xiphidium (*Xiphidium*) *longicorne* Redtenbacher, 1891: 513.

Xiphidium longipenne：Brunner von Wattenwyl, 1893：181.

Anisoptera longipenne：Kirby, 1906：278.

Conocephalus carolinensis var. *macroptera* Willemse, 1942：99.

Conocephalus (*Anisoptera*) *longipennis*：Otte, 1997：38.

鉴别特征：体型中等。头顶较狭，稍侧扁，顶端较钝，不突出于颜顶之前，背面缺沟；从前面观侧缘近乎平行。前胸背板侧片长与高几乎相等，下缘向后较强地倾斜，后缘具弱的肩凹。前翅超过后足股节顶端，较狭窄。前胸腹板具 2 个刺突。雄性第 10 腹节背板端部开裂成两叶，裂叶稍宽，不下弯；尾须较短，中部之后具 1 个内齿，齿端稍锐向下弯；下生殖板延长，后缘平直，具 1 对较细长的腹突。雌性尾须圆锥形；下生殖板近三角形，端部圆；产卵瓣短于后足股节，较直，端部尖锐。

分布：陕西(宁强)、河南、上海、安徽、浙江、湖南、福建、台湾、广东、海南、香港、四川、云南、西藏；泰国，缅甸，印度，尼泊尔，斯里兰卡，新加坡，菲律宾，印度尼西亚。

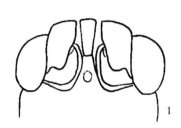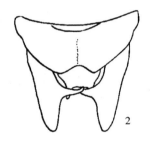

图 273　长翅草螽 *Conocephalus* (*Anisoptera*) *longipennis* (Haan)

1. 雄性头部正面观；2. 雄性腹端背面观

(127) 斑翅草螽 *Conocephalus* (*Anisoptera*) *maculatus* (Le Guillou, 1841) (图 274)

Xiphidion maculatus Le Guillou, 1841：294.

Locusta (*Xiphidium*) *lepida* Haan, 1843：188, 189.

Xiphidium sinensis Walker, 1871：35.

Anisoptera maculatum：Kirby, 1906：278.

Xiphidium dimidiatum Matsumura *et* Shiraki, 1908：56.

Xiphidion neglectum Bruner, 1920：123.

Conocephalus (*Xiphidion*) *arabicus* Uvarov, 1933：262.

Conocephalus bidens Uvarov, 1957：363.

Conocephalus (*Anisoptera*) *maculatus*：Otte, 1997：38.

鉴别特征：体型中等。头顶前面观扇形，侧缘岔开。前胸背板侧片长与高几乎相等，后缘肩凹较弱。前翅到达后足股节顶端，较狭窄，后翅长于前翅。前胸腹板具

2 个刺突。雄性尾须中部具 1 个内齿；下生殖板延长，后缘近乎平直，具 1 对较长的腹突。雌性尾须较短，圆锥形；下生殖板近三角形，端部圆；产卵瓣明显短于后足股节，较直，端部尖锐。体淡绿色。头部和前胸背板背面具褐色纵带，向后渐宽，两侧具黄色镶边；前翅具明显的暗斑。

分布：陕西（洋县）、北京、河北、河南、江苏、上海、浙江、湖北、江西、湖南、福建、台湾、广东、香港、广西、四川、贵州、云南；日本，泰国，缅甸，印度，尼泊尔，孟加拉国，斯里兰卡，菲律宾，马来西亚，印度尼西亚，巴布亚新几内亚，澳大利亚，非洲。

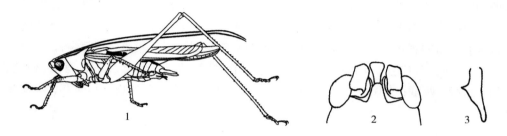

图 274　斑翅草螽 *Conocephalus*（*Anisoptera*）*maculatus*（Le Guillou）
1. 雄性整体侧面观；2. 雄性头部正面观；3. 雄性右尾须背面观

（五）蛩螽亚科 Meconematinae

鉴别特征：体小型。触角纤细长于体长，着生复眼之间，头顶稍突出颜顶，通常呈圆锥形，触角窝周缘稍隆起，口常下口式，颜面略向后倾斜；胸听器通常较小且外露；前足胫节具听器，完全开放或具罩壳开口向前，开口圆形或狭圆或缝状，前足背面缺端距，后足胫节背面具内外端距，跗节 4 节，第 1 与 2 跗节具跗垫和侧沟，分界明显，第 3 跗节具侧叶；除模式属外，雄性前翅肘脉区具发音器，具第 2 肘脉和镜膜，翅发达程度多样；雄性腹端变异较大，尾须形态多样，雌性产卵瓣呈剑状且通常较细长。

分类：主要分布于非洲区、东洋区。世界已知 130 属 878 种（亚种），中国记录 40 属 230 种，陕西秦岭地区发现 7 属 7 种。

分属检索表

1. 后足胫节具 3 对端距 ⋯⋯⋯⋯⋯⋯⋯⋯⋯⋯⋯⋯⋯⋯⋯⋯⋯⋯⋯⋯⋯⋯⋯⋯ 2
   后足胫节具 2 对端距 ⋯⋯⋯⋯⋯⋯⋯⋯⋯⋯⋯⋯⋯⋯⋯⋯⋯⋯⋯⋯⋯⋯⋯⋯ 6
2. 头部背面具暗或黑斑纹，至少触角窝内缘暗色 ⋯⋯⋯⋯⋯⋯⋯⋯⋯⋯⋯⋯ 3
   头部背面无暗色斑纹 ⋯⋯⋯⋯⋯⋯⋯⋯⋯⋯⋯⋯⋯⋯⋯⋯⋯⋯⋯⋯⋯⋯⋯ 5
3. 头部背面黑色纵纹或完全暗黑色 ⋯⋯⋯⋯⋯⋯⋯⋯⋯⋯⋯⋯⋯⋯⋯⋯⋯⋯ 4

头部背面具暗色纵带或头顶黑色 ……………………………………… **库螽属 Kuzicus**

4. 头部背面完全暗黑色 ………………………………… **大蝉螽属 Megaconema stat. nov.**

头部背面具暗黑色纵纹 ……………………………………… **优剑螽属 Euxiphidiopsis**

5. 头部背面具成对的浅色条纹 ………………………… **小蝉螽属 Microconema stat. nov.**

头部背面无条纹，单色 ………………………………………… **原栖螽属 Eoxizicus**

6. 前胸背板具明显的中隆线；雄性第 10 腹节背板后缘具 2 片圆叶；雌性下生殖板狭长，端部狭

圆 ……………………………………………………… **瀛螽属 Nipponomeconema**

前胸背板无中隆线；雄性第 10 腹节背板后缘平直或具凹缺；雌性下生殖板非横宽和无突出的

中叶 …………………………………………………… **拟库螽属 Pseudokuzicus**

69. 大蝉螽属，新地位 *Megaconema* Gorochov, 1993 stat. nov.

Xiphidiola (*Megaconema*) Gorochov, 1993：89. **Type species**：*Xiphidiopsis geniculata* Bey-Bienko, 1962.

Teratura (*Megaconema*)：Gorochov & Kang, 2005：66.

属征：体型较大。头顶圆锥形，端部钝，背面具纵沟。下颚须端节长于亚端节，端部略扩宽。前胸背板沟后区略延长；侧片后缘肩凹较明显，胸听器外露。前足胫节听器为开放型，后足胫节具 3 对端距。前翅和后翅发达，雄性前翅具发音器。雄性第 10 腹节背板中央具深的凹口和尖形的裂叶，肛上板发达，下生殖板具腹突，外生殖器具被细齿的革片。雌性产卵瓣腹瓣端部具锯齿。

分布：中国。目前仅知 1 种，秦岭地区有分布。

讨论：该属仅有 1 个种，发表时定为剑螽属 *Xiphidiopsis*，Beier（1966）指出其与叶尾剑螽 *Xiphidiopsis* (*Xiphidiopsis*) *phyllocercus* Karny, 1907 同名，并重新命名了该种。Gorochov（1993）将该种移入箭螽属 *Xiphidiola*，建立大蝉螽亚属 *Megaconema*，后与刘春香、康乐（2005）根据雄性第 10 腹节背板将该亚属移入畸螽属 *Teratura*。鉴于该种后足胫节末端具 3 对端距，沟后区明显抬高，雄性第 10 腹节背板刺突、肛上板欠发达、尾须腹叶非窄长以及雌性产卵瓣仅腹瓣具齿，提升为属较合适。

(128) 黑膝大蝉螽 *Megaconema geniculata*（Bey-Bienko, 1962）（图 275）

Xiphidiopsis phyllocerca Tinkham, 1944：507（nec Karny, 1924）.

Xiphidiopsis geniculata Bey-Bienko, 1962：131.

Xiphidiola (*Megaconema*) *geniculata*：Gorochov, 1993：90.

Teratura (*Megaconema*) *geniculata*：Gorochov, Liu & Kang, 2005：67.

鉴别特征：体型较大。前胸背板向后适度延长，沟后区明显抬高。前翅缘超过后足股节端部；后翅长于前翅。前足胫节腹面有 4 根内刺、5 根外刺。雄性第 10 腹节

背板后缘具圆弧形凹口，凹口侧角尖三角形；肛上板稍扩宽，后缘三齿形；尾须适度内弯，基部圆柱形，内侧具 1 个锐齿，端部背腹叶状扩展；下生殖板宽大，后缘平直，腹突较短小。雌性下生殖板；宽大，后缘圆形，中央微凹；产卵瓣稍短于后足股节，腹瓣具端钩和 6 个齿。体绿色，背部黑褐色。头部背面褐色，中间稍淡，具白色镶边，前胸背板背面相同；前翅前缘脉域绿色，其余均为褐色；后足膝部黑色，前足胫节刺稍暗色。

采集记录： 1 ♂，周至楼观台，1962. Ⅶ. 16，郑哲民采；2 ♀，太白山蒿坪寺，2009. Ⅵ-Ⅸ，采集人不详。

分布： 陕西（周至、太白）、河北、山东、河南、浙江、湖北、湖南、重庆、四川、贵州。

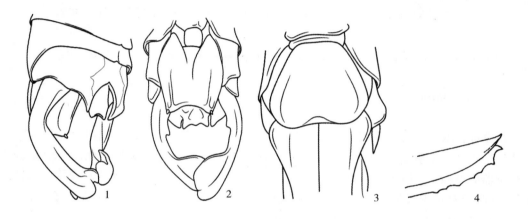

图 275　黑膝大蛩螽 *Megaconema geniculata*（Bey-Bienko）

1. 雄性腹端背侧面观；2. 雄性腹端腹面观；3. 雌性下生殖板腹面观；4. 产卵瓣末端侧面观

70. 优剑螽属 *Euxiphidiopsis* Gorochov，1993

Xiphidiopsis（*Euxiphidiopsis*）Gorochov，1993：66. **Type species：** *Xiphidiopsis motshulskyi* Gorochov，1993.

Euxiphidiopsis：Liu & Zhang，2000：157.

Paraxizicus Gorochov，Liu et Kang，2005：71（nec Liu，2004）. **Type species：** *Paraxizicus brevicercus* Gorochov et Kang，2005.

属征： 头部背面复眼后具 1 对暗黑色纵条纹，延伸至前胸背板后缘，后足股节膝叶端部具明显的黑点。前翅和后翅发达，雄性具发音器。雄性第 10 腹节背板具突起或缺失，尾须背腹常具扩展的叶，下生殖板具或无腹突，外生殖器完全膜质。雌性第 7 腹板有时特化，产卵瓣剑状，腹瓣具端钩。

分布： 东洋区。世界已知 17 种，中国记录 10 种，秦岭地区发现 1 种。

(129)格尼优剑螽 *Euxiphidiopsis gurneyi*（Tinkham，1944）（图276）

Xiphidiopsis gurneyi Tinkham，1944：507.

Euxiphidiopsis（*Euxiphidiopsis*）*gurneyi*：Liu & Zhang，2000：158.

鉴别特征：体型较小。头顶圆锥形，短宽，背面具纵沟；复眼球形略向前凸出；下颚须端节端部扩展，约等长于亚端节。前胸背板沟后区非扩展，稍抬高，侧片略高，肩凹不明显；后翅长于前翅；雄性第10腹节背板后缘无突起。尾须基部2/3较厚实，端部1/3较细和内弯，背面中部具1个鳍状叶；下生殖板长大于宽，后缘凸形，具较短的腹突。雌性第7腹板向后凸出，侧缘平行，后缘具角形的凹口，形成较粗短叉形突起；下生殖板后缘宽圆形；产卵瓣较短，端部略向上弯曲。体淡黄绿色。复眼暗褐色，头顶背面具2条暗褐色的短纵纹，复眼后方各具1条暗黑色纵纹，延伸至前胸背板后缘，后足股节膝叶端部具黑点，胫节刺黑色。

采集记录：2♂4♀，太白山蒿坪寺，2009.Ⅵ-Ⅸ，采集人不详。

分布：陕西（太白）、四川。

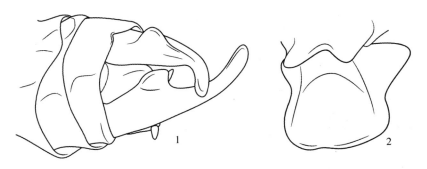

图276 格尼优剑螽 *Euxiphidiopsis gurneyi*（Tinkham）
1. 雄性腹端背侧面观；2. 雌性下生殖板腹面观

71. 库螽属 *Kuzicus* Gorochov，1993

Kuzicus Gorochov，1993：71. **Type species**：*Teratura suzukii* Matsumura *et* Shiraki，1908.

属征：头顶圆锥形，端部钝，背面具纵沟；下颚须端节约等长于亚端节，端部略扩宽。前胸背板侧片后缘肩凹较明显，胸听器外露；前足胫节听器为开放型，后足胫节具6个端距；前翅和后翅发达，后翅明显长于前翅，雄性前翅具发音器。雄性第9腹节背板下部延伸出特化的下臀板，第10腹节背板具成对的长突起，肛上板退化，下生殖板具腹突。雌性下生殖板和产卵瓣基部具下垂的突起。

分布：东洋区。世界已知14种，中国记录7种，秦岭地区发现1种。

（130）铃木库螽 _Kuzicus_（_Kuzicus_）_suzukii_（Matsumura _et_ Shiraki, 1908）（图 277）

Teratura suzukii Matsumura _et_ Shiraki, 1908：48.

Xiphidiopsis suzukii：Hebard, 1922：250.

Kuzicus（_Kuzicus_）_suzukii_：Gorochov, 1993：71.

Kuzicus suzukii：Kim & Puskás, 2012：5.

鉴别特征：体型中等。头顶较短圆锥形，背面具纵沟；复眼球形凸出。前胸背板沟后区背观略扩展，非抬高，侧片较高，肩凹不明显；前翅超过后足股节端部，后翅长于前翅。雄性第 9 腹节背板下部与特化的下臀板融合，第 10 腹节背板后缘具 1 对毗邻的较长的渐向下弯的突起，其背面近端部具 1 个齿状分支，分支有变异。尾须侧扁，强内弯，中部具叶状突起，端部较细而尖；下生殖板较短，后缘微凹，具腹突。雌性下生殖板基部具 1 对垂下的瘤突，亚端部具 1 对较尖的下突起，端部具延长的突起，中央具缺口；产卵瓣腹瓣基部具 1 对垂下的瘤突，腹瓣具端钩。体淡黄绿色。触角窝内缘黑色，前胸背板具淡色中线，前翅具明显的暗点。

采集记录：1♀，周至楼观台，1993. Ⅸ. 21，石福明采。

分布：陕西（周至）、北京、河北、山东、甘肃、河南、江苏、上海、安徽、浙江、湖北、江西、湖南、福建、台湾、广东、香港、海南、广西、四川；日本。

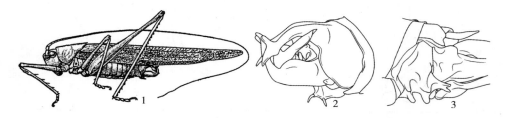

图 277　铃木库螽 _Kuzicus_（_Kuzicus_）_suzukii_（Matsumura _et_ Shiraki）
1. 雄性整体侧面观；2. 雄性腹端侧面观；3. 雌性腹端腹面观

72. 小蛩螽属，新地位 _Microconema_ Liu, 2005 stat. nov.

Xiphidiola（_Microconema_）Liu _et_ Zhang, 2005：90. **Type species**：_Xiphidiopsis clavata_ Uvarov, 1933.

属征：体型较小。头顶钝圆锥形，背面具沟；复眼圆形，突出；下颚须端节不短于亚端节。前胸背板侧片长大于高，后缘肩凹较明显；前后翅发育完好，雄性具发音器；后翅长于前翅；前足胫节听器为开放型，后足胫节具 3 对端距。雄性第 10 腹节背板具成对的小突起，尾须较简单，下生殖板具腹突，外生殖器完全膜质。雌性产卵瓣腹瓣具亚端齿和端钩。

分布：中国特有。目前仅知 1 种，秦岭地区有分布。

(131)棒尾小蟿蟿 *Microconema clavata*（Uvarov，1933）（图278）

Xiphidiopsis clavata Uvarov，1933：7.

Xiphidiola（*Microconema*）*clavata*：Liu & Zhang，2005：91.

鉴别特征：体型较小。头顶钝圆锥形，背面具沟；复眼圆形，突出；下颚须端节不短于亚端节。前胸背板侧片长大于高，后缘肩凹较明显；前翅超过腹端，后翅短于前翅。雄性第10腹节背板后缘中央具成对的小突起；尾须较简单，基半部较粗，背缘具隆脊，端部棒状；下生殖板后缘圆形，具1对较长的腹突，外生殖器完全膜质。雌性下生殖板较大，端部圆三角形，中央具纵沟；产卵瓣几乎等长于后足股节，较直，腹瓣具1个较宽的亚端齿和端钩。体淡绿色。头部复眼之后具黄色侧条纹，延伸至前胸背板后缘，雄性前翅发音部具暗斑。

采集记录：2♂5♀，秦岭天台山，1999.Ⅸ.02-03，刘宪伟、章伟年、殷海生采；1♂，华阳，1400m，1978.Ⅷ.14，金根桃采。

分布：陕西（宝鸡、洋县）、河北、河南、甘肃、湖北。

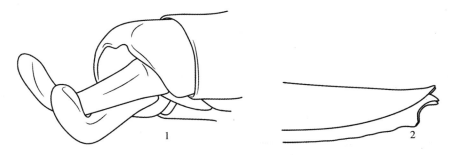

图278 棒尾小蟿蟿 *Microconema clavata*（Uvarov）

1. 雄性腹端侧面观；2. 产卵瓣末端侧面观

73. 原栖蟿属 *Eoxizicus* Gorochov，1993

Xizicus（*Eoxizicus*）Gorochov，1993：74，76. **Type species**：*Xiphidiopsis kulingensis* Tinkham，1943.

Axizicus Gorochov，1998：113. **Type species**：*Xizicus*（*Axizicus*）*sergeji* Gorochov，1998.

Eoxizicus：Liu & Zhang，2000：158.

属征：头顶圆锥形，端部钝，背面具沟，头部背面无斑纹；下颚须端节等长于或略微长于亚端节。前胸背板侧片肩凹较明显，背片两侧具成对暗色纵纹；前足胫节听器为开放型，后足胫节具3对端距；前翅和后翅均发达，雄性具发音器。雄性第10腹节背板具成对非钩状指状突起或缺失，下生殖板具腹突，生殖器完全膜质。

分布：东洋区。世界已知37种，中国记录26种，秦岭地区发现1种。

（132）贺氏原栖螽 *Eoxizicus*（*Eoxizicus*）*howardi*（Tinkham，1956）（图279）

Xiphidiopsis howardi Tinkham，1956：4.

Eoxizicus howardi：Liu & Zhang，2000：160.

Xizicus（*Eoxizicus*）*howardi*：Gorochov，Liu & Kang，2005：75.

Eoxizicus（*Eoxizicus*）*howardi*：Liu，Zhou & Bi，2010：82.

　　鉴别特征：体中型。头顶圆锥形，稍长，端部钝，背面具纵沟；复眼球形向前凸出，下颚须端节稍微长于亚端节。前胸背板侧片较高，肩凹较明显。前翅远超过后足股节端部，后翅长于前翅。雄性第10腹节背板后缘具1对间距较窄的短突起，突起近锥形，突起的长度明显小于其间距；尾须强内弯，基部壮实，具短的内突与长刺状腹突，端2/3细，扁平，末端圆；下生殖板稍宽，基部2/3近半圆，端部1/3较窄，后缘平截，两侧具较短的腹突。雌性尾须短圆锥形；下生殖板延长，后缘凹入，两侧面凹入；产卵瓣约等长于后足股节，中部侧观稍细，略上弯，腹瓣具弱端钩。体淡绿色。前胸背板具成对的暗褐色侧条纹。

　　分布：陕西（留坝、镇巴）、山东、河南、安徽、浙江、湖北、湖南、福建、广西、四川。

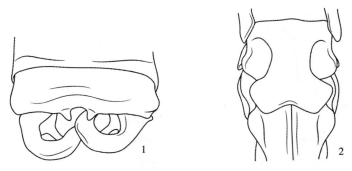

图279　贺氏原栖螽 *Eoxizicus*（*Eoxizicus*）*howardi*（Tinkham）

1. 雄性腹端背面观；2. 雌性下生殖板腹面观

74. 拟库螽属 *Pseudokuzicus* Gorochov，1993

Pseudokuzicus Gorochov，1993：71. **Type species：***Xiphidiopsis pieli* Tinkham，1943.

　　属征：体型中等，稍粗壮。头顶圆锥形，端部钝，背面具纵沟；下颚须端节约等长于亚端节。前胸背板短，肩凹存在不明显；胸听器大，肾形；前足胫节内外侧听器均开放。前翅缩短，不超过后足股节末端，长于或稍短于后翅，雄性前翅发音器大部分被前胸背板覆盖，后足胫节端部具2对端距。雄性第10腹节背板后缘具1对对称的岔开长突起；尾须适度内弯；下生殖板大，腹突存在或有时消失；外生殖器具1对突出的端突。雌性尾须圆锥形；下生殖板非横宽；产卵瓣基部粗壮，端半部适度上弯，端部尖，腹瓣具端钩。体杂色。

分布：中国南部；越南。世界已知 7 种，中国已知 6 种，秦岭地区发现 1 种。

（133）皮氏拟库螽 *Pseudokuzicus*（*Pseudokuzicus*）*pieli*（**Tinkham，1943**）（图 280）

Xiphidiopsis pieli Tinkham, 1943：49.

Pseudokuzicus pieli：Gorochov, 1993：71.

Pseudokuzicus（*Pseudokuzicus*）*pieli*：Shi, Mao & Chang, 2007：24.

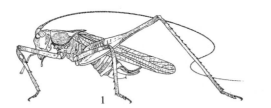

图 280　皮氏拟库螽 *Pseudokuzicus*（*Pseudokuzicus*）*pieli*（Tinkham）（2～3 仿 Gorochov, 1998）
1. 雄性整体侧面观；2. 雄性腹端侧面观；3. 雄性腹端腹面观

鉴别特征：体中型，略壮。下颚须端节明显长于亚端节。前胸背板沟后区几乎不抬高，侧片较高，腹缘凸圆，后缘具弱的肩凹；胸听器较大，完全外露。前翅不超过后足股节端部，后翅稍短于前翅；前足基节具刺，股节腹面缺刺，膝叶端部钝圆。雄性第 10 腹节背板宽，后缘中部具 1 对渐岔开的长突起；尾须细长，简单，基部稍粗，背面具 1 个粗壮的钝突起，突起后渐细，末端具 1 个缺口；下生殖板较大，长大于宽，腹面具 1 对隆线，基部稍窄，亚基部两侧缘凸圆，后缘为三角形缺口，两侧腹突较短。雌性第 9 腹节背板侧缘明显向后凸；第 10 腹节背板短，中央具裂口；尾须短，端部尖；下生殖板近半圆形，后部凸出，中央具凹口形成 1 对圆叶；产卵瓣较直，基部粗壮，中部渐细，端部稍扩展，腹瓣具明显的端钩。体褐色杂黑褐色斑纹。颜面黑色，两侧复眼下及后浅黄色，其间近后头黑褐色。前胸背板侧片黑褐色，背片侧棱浅黄色，在后横沟处间断，沟前区侧棱内侧具黑褐色镶边，沟后区侧棱之间具大小不一的 1 对黑褐色斑；前翅浅褐色，具较大的褐色斑，足黑褐色、褐色、浅黄色斑杂。腹部背面黑褐色，侧面具褐色斑。

采集记录：1♂3♀，宁陕火地塘，1580m，1998.Ⅶ.27，中科院动物所采。

分布：陕西（宁陕）、浙江、江西。

75. 瀛螫螽属 *Nipponomeconema* Yamasaki, 1983

Nipponomeconema：Yamasaki, 1983：59. **Type species**：*Nipponomeconema musashiense* Yamasaki, 1983.

属征：体小型至中型。长翅类型，与模式属十分相近但雄性前翅具发音器。头顶适度凸出背具纵沟；复眼相对较小；触角长。前胸背板比模式属长且矮，无侧隆线和肩凹，沟后区向后凸出并圆形隆起，雌性隆起较弱，端半部具弱的中隆线；胸听器外露。前翅发达，但不超过后足股节端部，发音器大部分隐藏于前胸背板下，后翅发达，与前翅等长。前足胫节听器内外开放，后足股节长且光滑，后足胫节端部具2对端距。雄性第10腹节背板内弯或后缘中部凹；尾须瘦长，较模式属内弯；下生殖板后缘多样，腹突小；无阳茎端突。雌性下生殖板无中突起；产卵瓣剑状，微上弯，腹瓣具端钩。复眼后有时具1对黑带；前胸背板亚端部具1对黑点，沟后区具1对暗褐色的大斑。

分布：中国；日本。世界已知5种，中国记录1种，秦岭地区有分布。

（134）中华瀛螽 *Nipponomeconema sinica* Liu et Wang, 1998（图281）

Nipponomeconema sinica Liu et Wang, 1998: 72.

鉴别特征：体中型，稍粗壮。头顶圆锥形，稍长，基部较窄，端部钝圆，背面具沟。前胸背板前缘近直，后缘半圆形，沟后区短于沟前区，沟后区抬高，略微扩展，侧片较高，腹缘凸圆，后缘稍内凹，整个背板背面中间亚基部至末端具弱中隆线，缺肩凹；胸听器较小，完全外露；前翅不超过后足股节端部，生活时不超过腹端，后翅约等长于前翅。前足基节具刺，股节腹面缺刺，膝叶端部钝圆。雄性第10腹节背板宽，后部向后凸出，后缘中部凹形成1对圆叶；肛上板稍宽，钝三角形；尾须细长，简单，基部稍粗，具1个粗壮的钝刺状突起，突起后内面凹，端部钝圆；下生殖板短宽，后缘近直中央微凸，腹突稍长。雌性前胸背板沟后区平，自后横沟向上翘起。第9腹节背板侧缘向后凸；第10腹节背板短，中央具裂口；尾须中等长度，稍内弯，端部尖；下生殖板圆三角形，端部稍平，侧缘弯向背方；产卵瓣约为前胸背板的2.0倍，腹瓣具顶钩。体浅绿色。触角淡黄色，复眼红褐色，头部背面和头顶背面具1条淡黄色窄纵带；前胸背板中央具黄色窄纵带，沟后区后部带两侧具1对三角形的褐色斑，斑外缘黑褐色；前翅后缘发音区以外褐色；腹部背面具淡色纵带；足端部稍褐色。

采集记录：1♀，秦岭天台山，1999. IX. 02-03，刘宪伟、章伟年、殷海生采。

分布：陕西（宝鸡）、河南。

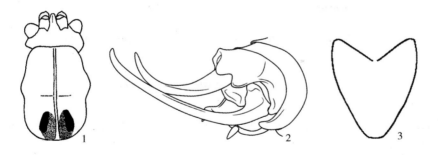

图 281　中华瀛蟴螽 *Nipponomeconema sinica* Liu et Wang

1. 雄性头面与前胸背板背面观；2. 雄性腹端背侧面观；3. 雌性下生殖板腹面观

沙螽总科 Stenopelmatoidea

鉴别特征：头部特化、触角退化或产卵瓣退化；如具听器则位于前足胫节基部，跗节 4 节，且多少有点扁平，跗垫明显；尾须细长柔软，极少分节或端部具环。

分类：目前世界已知 4 科 155 属 1000 余种，中国记录 2 科 24 属 118 种，陕西秦岭地区分布 1 科 1 属 1 种。

十、蟋螽科 Gryllacrididae

鉴别特征：头大，触角一般极长。前胸背板前部不扩展；前足基节具刺，胫节缺听器。雄性前翅缺发音器，尾须不分节。雌性产卵瓣发达。

分类：本科目前包括蟋螽亚科 Gryllacridinae 和勒螽亚科 Lezininae，全世界已知 101 属 800 余种，中国记录 1 亚科 23 属 104 种，陕西秦岭地区发现 1 属 1 种。

（一）蟋螽亚科 Gryllacridinae

鉴别特征：头部非特化，头顶不侧扁，端缘弧形，缺纵沟。触角极长，为体长的数倍。前胸背板前部不扩宽。足粗短而强壮，前足基节具刺，前足胫节缺听器，跗节 4 节扁平。前翅与后翅发达或退化，极少无翅，雄性前翅不具发音器。尾须细长柔软不分节。雌性产卵瓣发达，呈剑状。

分类：世界已知 99 属 809 种，中国记录 23 属 104 种，陕西秦岭地区发现 1 属 1 种。

76. 杆蟋螽属 *Phryganogryllacris* Karny，1937

Phryganogryllacris Karny，1937：118. **Type species**：*Gryllacris phryganoides* Haan，1842.

属征：体小型至中型。头顶长卵形，前额光滑。前胸背板前缘圆凸，后缘平直。前翅远超过腹端，翅脉淡色，翅室半透明，M 脉与 R 脉基部不合并；后翅透明，横脉周围缺色。雄性第 10 腹节背板两侧具钩状突，下生殖板具腹突。产卵瓣稍上弯，端部稍尖。

分布：亚洲。世界已知 40 种，中国记录 17 种，秦岭地区发现 1 种。

(135) 申氏杆蟋螽 *Phryganogryllacris sheni* Niu et Shi，1999（图 282）

Phryganogryllacris sheni Niu et Shi，1999：70.

鉴别特征：体型中等，较粗壮。头顶约为触角第 1 节宽的 1.5 倍。前胸背板前缘弧形凸出，后缘平直。前翅颇远地超过腹端；R 脉端部具 5 分支，Rs 脉从 R 脉中部之后分出，具 2 分支或无分支；CuA 脉简单，在翅中部具 1 根斜脉与 M 脉相连；后翅稍长于前翅。后足股节腹面内缘具 4~7 个刺，外缘具 3~5 个刺；后足胫节背面具 5 个内刺和 5~7 个外刺。雄性第 10 腹节背板两侧的钩状突起稍直。尾须较短；下生殖板侧缘圆弧形，后缘中央开裂成两叶；腹突较粗壮，稍扁平。雌性下生殖板端部圆截形；产卵瓣长于后足股节，稍向上弯。全体黄褐色。单眼黄色，复眼褐色。前翅翅脉带黑褐色，腹部末端及后足的刺黑色。

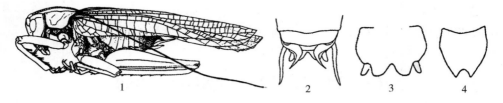

图 282 申氏杆蟋螽 *Phryganogryllacris sheni* Niu et Shi
1. 雄性整体侧面观；2. 雄性腹端背侧面观；3. 雄性下生殖板腹面观；4. 下生殖板腹面观

采集记录：3♂，户县桦树坪，1700m，2007.Ⅵ.28，周顺采；3♂，陇县，1980.Ⅷ.06，王革祥采；1♀，宝鸡，1980.Ⅹ.01，周尧等采；1♀，太白中山寺，1430m，1956.Ⅶ.23，周尧采；2♂，太白山上白云，1740m，1956.Ⅶ.23-25，周尧采；1♀，太白山大殿，1982.Ⅶ.16，魏鸿谋采；3♂，太白山蒿坪寺，1200m，1982.Ⅶ.14-26，采集人不详；1♀1♂，太白中山寺，1982.Ⅶ.17，周静若、刘兰采；2♂，太白山蒿坪寺，1983.Ⅷ.15，西北农学院学生采；1♀，华县，1981.Ⅹ.19，采集人不详；1♂，佛坪龙草坪，

1981. Ⅷ. 09，采集人不详；1♂，合阳，1981. Ⅹ. 01，采集人不详。

分布：陕西(户县、陇县、宝鸡、太白、华县、佛坪、合阳)、河南、甘肃。

驼螽总科 Rhaphidophoroidea

鉴别特征：本总科所有种类体侧扁，完全无翅。足极长，前足胫节缺听器，跗节强侧扁，缺跗垫。尾须细长而柔软，极少分节或具端环。

分类：世界已知 1 科，中国有记录，陕西秦岭地区有分布。

十一、驼螽科 Rhaphidophoridae

鉴别特征：完全无翅，大多数种类栖于洞穴。触角与足甚长。前足胫节缺听器，跗节 4 节，侧扁；后足跗节第 1 节背面缺端距或仅具 1 端距。尾须细长而柔软；产卵瓣侧扁，马刀形。

分类：世界已知 10 亚科 85 属 718 种，中国记录 2 亚科 11 属 74 种，陕西秦岭地区分布 1 亚科 1 属 1 种。

（一）灶螽亚科 Aemodogryllinae

鉴别特征：头顶具纵沟，分其为 2 个瘤突。前足股节内膝叶缺刺或具 1 个小刺，外侧膝叶具 1 个长距。中足股节内外膝叶各具 1 个长距。后足第 1 跗节背面具 1~4 个刺。雄性下生殖板缺刺突；雄性阳茎背片膜质，中叶两侧具或缺革质片；阳茎骨片具或缺失。

分类：世界已知 16 属 205 种，中国记录 8 属 66 种，陕西秦岭地区发现 1 属 1 种。

77. 芒灶螽属 *Diestrammena* Brunner von Wattenwyl, 1888

Diestrammena Brunner von Wattenwyl, 1888：298. **Type species**：*Locusta marmorata* Haan, 1842.

属征：体侧扁，完全无翅。头顶具纵沟，分顶角为 1 个尖形的瘤突。前足股节内膝叶具 1 个短刺，外膝叶具可活动的长距。中足股节内、外膝叶各具 1 个可活动的长距。后足股节腹面具或无刺，后足胫节背面内外缘具刺，排列稀疏或成簇。后足跗基节背面具 1 个端刺，腹面具隆线或具短刚毛。雄性第 7 腹节背板非特化。雄性下生殖板无腹突，雄性生殖器中叶两侧具骨片，端部分成 1 个小叶，具阳具骨片。

分布： 古北区，东洋区。世界已知 68 种，中国记录 33 种，秦岭地区发现 1 种。

（136）贝式裸灶螽 *Diestrammena*（*Gymnaeta*）*berezovskii*（Adelung, 1902）（图 283）

Gymnaeta berezovskii Adelung, 1902：62.

Gymnaeta gansuicus Adelung, 1902：64.

Tachycines adelungi Chopard, 1921：520.

Tachycines（*Gymneta*）*berezovskii*：Karny, 1934：218.

Diestrammena（*Gymnaeta*）*berezovskii*：Rampini, Di Russo & Cobolli, 2008：130.

鉴别特征： 雄性体型中等，完全无翅。头顶分裂，具 2 个尖的瘤状突起。足较长，前足股节约为前胸背板的 1.0 倍，腹面无刺；后足股节腹面无刺，后足胫节背面内缘、外缘各具 1 个刺，排列成簇，后足内侧上端距与跗基节等长，后足第 1 跗节腹面具隆线，无小刚毛。雄性生殖器如图。雌性下生殖板三角形，具 1 个较深的凹口，产卵瓣较短，约为后足股节的 1/2。体呈棕褐色，杂以淡色条纹。

采集记录： 2♀，户县桦树坪，1700m, 2007. VI. 28，周顺采。

分布： 陕西（户县）、河南、宁夏、甘肃、四川。

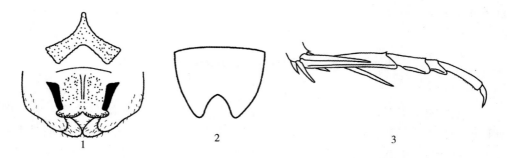

图 283　贝式裸灶螽 *Diestrammena*（*Gymnaeta*）*berezovskii*（Adelung）
1. 雄性生殖器；2. 雌性下生殖板腹面观；3. 雄性后足跗节侧面观

参考文献

Adelung, N. 1902. Beitrag zur Kenntnis der Paläarctischen Stenopelmatiden（Orthoptera, Locustodea）. *Annuaire du Musée Zoologique de l'Académie Impériale des Sciences de St. -Pétersbourg*, 7：55-75.

Beier, M. 1954. *Revision der Pseudophyllinen*. 1. Hälfte. Trabajos del Instituto Espanol de Entomologia, Graficas Gonzalez, Madrid, 479 pp.

Beier, M. 1962. *Das Tierreich Orthoptera*：*Tettigoniidae*（*Pseudophyllinae*）. Walter der Gryter & Co., Berlin, 468pp.

Bey-Bienko, G. Y. 1954. Orthoptera *Vol*. II No. 2. Tettigonioidea. Phaneropterinae. *Fauna of the U. S. S. R*, 59：387pp.

Bey-Bienko, G. Y. 1956. Two new species of the genus *Letana* Walk. (Orthoptera, Tettigoniidae) from tropical Asia. *Entomologicheskoe Obozrenie*, 35(3): 648-651.

Bey-Bienko, G. Y. 1962. New or less-known Tettigonioidea (Orthoptera) from Sichuan and Yunnan results of Chinese-Soviet zoological-botanical expediions of south-western China 1955-1957. *Trudy Zoologicheskogo Instituta*, *Moscow*, 20, 111-138.

Bolívar, I. 1890. Diagnosis de ortópteros nuevos. *Anales de la Sociedad Española de Historia Natural*, 19: 299-333.

Bolívar, I. 1900. Les Orthoptères de St-Joseph's College à Trichinopoly (Sud de l'Inde). *Annales de la Société Entomologique de France*, 68: 761-812.

Bolívar, I. 1906. Rectificaciones y observaciones ortopterológicas. *Boletín de la Real Sociedad Española de Historia Natural*, 6(7): 384-393.

Braun, H. 2015. On the family-group ranks of katydids (Orthoptera, Tettigoniidae). *Zootaxa*, 3956(1): 149-150.

Brunner von Wattenwyl, C. 1862. Über die von der k. k. Fregatte Novara mitgebrachten Orthopteren. *Abhandlungen der K. K. Zoologisch-botanischen Gesellschaft Wien*, 12: 87-96.

Brunner von Wattenwyl, C. 1878. *Monographie der Phaneropteriden*. Verhandlungen der Kaiserlich-Königlichen Zoologisch-Botanischen Gesellschaft in Wien, 28: 1-401.

Brunner von Wattenwyl, C. 1888. Monographie der Stenopelmatiden und Gryllacriden. *Verhandlungen der Kaiserlich-Königlichen Zoologisch-Botanischen Gesellschaft in Wien*, 38: 247-394.

Brunner von Wattenwyl, C. 1893. Révision du système des Orthoptères *et* déscription des espèces rapportées par M. Leonardo Fea de Birmanie. *Annali del Museo Civico di Storia Naturale di Genova*, (2), 13(33): 1-230.

Brunner von Wattenwyl, C. 1895. *Monographie der Pseudophylliden*. Verhandlungen der Kaiserlich-Königlichen Zoologisch-Botanischen Gesellschaft in Wien, 45: 282 pp.

Burmeister, H. 1838. Kaukerfe, Gymnognatha (Erste Hälfte: Vulgo Orthoptera). *Handbuch der Entomologie*, (2) 2(I -VIII): 397-756.

Burr, M. 1899. Essai sur les Eumastacides tribu des Acridiodea. *Anales de la Sociedad Española de Historia Natural*, 28: 75-112, 253-304, 345-350.

Caudell, A. N. 1908. Orthoptera Fam. Locustidae. Subfam. Decticinae. *Genera Insectorum*, 72: 1-43.

Caudell, A. N. 1921. On the orthopterous group Phanopterae (= Scudderiae), with descriptions of a new genus and species. *Journal of the Washington Academy of Sciences*, 11: 487-493.

Caudell, A. N. 1935. A new species of katydid from China (Orthoptera, Tettigoniidae, Phaneropterinae). *Peking Society of Natural History Bulletin*, 9 (3): 245-246.

Chang, K. S. F. 1935. Index of Chinese Tettigoniidae. *Notes d'Entomologie Chinoise*, 2(3): 25-77.

Chopard, L. 1921. On some cavernicolous Dermaptera and Orthoptera from Assam. *Records of the Indian Museum*, 22: 511-527.

Dirsh, V. M. 1927. Studies on the genus *Gampsocleis* Fieber (Orthoptera: Tettigoniidae). *Mémoires de la Classe des Sciences physiques et mathématiques de l'Académie des Sciences de l'Ukraine*, 8: 147-158.

Eades, D. C., Otte, D., Cigliano, M. M. and Braun, H. 2016. Orthoptera Species File. Version 5.0/5.0. < http://Orthoptera.SpeciesFile.org >.

Ebner, R. 1939. Tettigoniiden (Orthoptera) aus China. *Lingnan Science Journal*, 18: 293-302.

Fabricius, J. C. 1775. *Systerma Entomologiae sistens insectorum classes, ordines, genera, species, adectis synonymis, locis, descriptionibus, observationibus.* Flensburgi *et* Lipsiae: Libraria Kortii, ⅩⅩⅩⅱ + 832 pp.

Fieber, F. X. 1852. Orthoptera Oliv. (*et* omn. Auct.) Oberschlesiens. In Kelch, A (ed.). *Grundlage zur Kenntnis der Orthopteren (Gradflügler) Oberschlesiens, und Grundlage zur Kenntnis der Käfer Oberschlesiens, erster Nachtrag (Schulprogr.).* Ratibor, Bogner (publication series), 1-19.

Fischer von Waldheim, G. 1846. Entomographia Imperii Rossici. Ⅳ. Orthoptera Imperii Rossici. *Nouveaux mémoires de la Société impériale des naturalistes de Moscou.* 8: 443pp.

Furukawa, H. and Shiraki, T. 1950. Orthoptera, pp. 22-52. *In:* Uchida, S. (Ed.), *Iconographia Insectorum Japonicorum* (Nippon Konchu Zukan; Edito Prima). 1736 pp.

Gorochov, A. V. 1993. A contribution to the knowledge of the tribe Meconematini (Orthoptera: Tettigoniidae). *Zoosystematica Rossica*, 2 (1), 63-92.

Gorochov, A. V. 1998. New and little known Meconematinae of the tribes Meconematini and Phlugidini (Orthoptera: Tettigoniidae). *Zoosystematica Rossica*, 7 (1), 101-131.

Gorochov, A. V. and Kang, L. 2002. Review of the Chinese species of Ducetiini (Orthoptera: Tettigoniidae: Phaneropterinae). *Insect Systematice and Evolution*, 33: 337-360.

Gorochov, A. V., Liu, C. X. and Kang, L. 2005. Studies on the tribe Meconematini (Orthoptera: Tettigoniidae: Meconematinae) from China. *Oriental Insects*, 39 (1), 63-87.

Haan, W. 1843. Bijdragen tot de kennis der Orthoptera. *In* Temminck, *Verhandelingen over de Natuurlijke Geschiedenis der Nederlansche Overzeesche Bezittingen*, 19/20: 165-228.

Hebard, M. 1922. Studies in Malayan, Melanesian and Australian Tettigoniidae (Orthoptera). *Proceedings of the Academy of Natural Sciences, Philadelphia*, 74: 121-299.

Ingrisch, S. 1990. Grylloptera and Orthoptera s. str. from Nepal and Darjeeling in the Zoologische Staatssammlung München. *Spixiana (Munich)*, 13: 149-182.

Ingrisch, S. 1990. Revision of the genus *Letana* Walker (Grylloptera: Tettigonioidea: Phaneropteride). *Entomologica Scandinavica*, 21(3): 241-276.

Jin, X. B. and Xia, K. L. 1994. An index-catalogue of Chinese Tettigoniodea (Orthopteroidea: Grylloptera). *Journal of Orthoptera Research*, 3: 15-41.

Kang, L., Liu, C. X. and Liu, X. W. 2014. *Fauna Sinica Insecta 57. Orthoptera Tettigoniidae Phaneropterinae.* Beijing. 574 pp. [康乐, 刘春香, 刘宪伟. 2014. 中国动物志 昆虫纲 57 卷 直翅目 螽斯科 露螽亚科. 北京: 科学出版社, 574.]

Karny, H. H. 1907. Revisio Conocephalidarum. *Abhandlungen der Zoologisch-Botanischen Gesellschaft*, Wien, 4, 1-114.

Karny, H. H. 1912. Orthoptera Fam. Locustidae subfam. Copiphorinae. *Genera Insectorum*, Bruxelles, 139, 1-50.

Karny, H. H. 1926. On Malaysian katydids (Tettigoniidae). *Journal of the Federated Malay States Museums*, 13(2-3): 69-157.

Karny, H. H. 1927. Revision der Gryllacriden des Zoologischen Institutes in Halle a. S., sowie einiger Tettigoniiden-Typen von Burmeister und Giebel. *Zeitschrift für die gesammten Naturwissenschaften*, 88: 1-14.

Karny, H. H. 1934. Zur Kenntnis der ostasiatischen Rhaphidophorinen (Orth. Salt. Gryllacrididae).

Konowia, *Zeitschrift für Systematische Insektenkunde*, 13(1－3)：70-80, 111-124, 214-230.

Karny, H. H. 1937. Orthoptera Fam. Gryllacrididae, Subfamiliae Omnes. *Genera Insectorum*, 206：1-317.

Karsch, F. A. F. 1889. Orthopterologische Beiträge Ⅲ. *Berliner Entomologische Zeitschrift*, 32：415-464.

Karsch, F. A. F. 1896. Neue Orthopteren aus dem tropischen Afrika. *Stettiner Entomologische Zeitung*, 57：242-359.

Kirby, W. F. 1906. A Synonymic Catalogue of Orthoptera. *Vol.* 2. Orthoptera Saltatoria. Part Ⅰ. Achetidae *et* Phasgonuridae, British Museum, London, 502pp.

Kirby, W. F. 1906. Orthoptera Saltatoria. Part I. (Achetidae *et* Phasgonuridae). A Synonymic Catalogue of Orthoptera (Orthoptera Saltatoria, Locustidae vel Acridiidae), 2：i-viii, 1-562.

Krausze, A. H. 1904. Zwei neue Phaneropteridenarten. *Insektenbörse*, Stuttgart, 21：29.

Liu, C. X. and Kang, L. 2007. New taxa and records of Phaneropterinae (Orthoptera：Tettigoniidae) from China. *Zootaxa*, 1624：17-29.

Liu, X. W. 1993. Orthoptera：Tettigonioidea, Stenopelmatoidea. 41-56. *in* Huang, C. M. (ed). *Animals of Longqi Mountain*. China Forestry Publishing House, Beijing. 1-1105. ［刘宪伟. 1993. 直翅目：条蟋螽总科、螽蟖总科. 41-56. 见：黄春梅主编. 龙栖山动物. 北京：中国林业出版社，1-1105.］

Liu, X. W. and Jin, X. B. 1999. Tettigonioidea. 119-174. *in* Huang, B-K (ed). *Fauna of Insects Fujian Province of China Vol.* 1. Fujian Science & Technology Publishing House, Fujian. 1-479. ［刘宪伟，金杏宝. 1999. 螽斯总科. 119-174. 见：黄邦侃主编. 福建昆虫志第一卷. 福建：福建科学技术出版社. 1-479.］

Liu, X. W. and Wang, Z. G. 1998. A survey of katydids from the Henan Province, China (Orthoptera). *Henan Science*, 16(1)：68-76. ［刘宪伟，王志国. 1998. 河南省螽斯类初步调查(直翅目). 河南科学，16 (1)：68-76.］

Liu, X. W. and Zhang, W. N. 2000. Studies on Chinese katydids I：ten new species of the tribe Meconematini (Orthoptera：Tettigonioidea：Meconematidae) from China. *Entomotaxonomia*, 22 (3), 157-170.

Liu, X. W. and Zhang, W. N. 2005. Orthoptera：Tettigonioidea and Stenopelmatoidea. Pp. 87-94. *In*：Yang, X. K. (ed.). Insect Fauna of Middle-West Qinling Range and South Mountains of Gansu Province. Science press, Beijing：1-1055. ［刘宪伟，章伟年. 2005. 直翅目：螽斯总科，沙螽总科，87-94. 见：杨星科主编. 秦岭西段及甘南地区昆虫. 北京：科学出版社，1-1055.］

Liu, X. W., Zhou, M. and Bi, W. X. 2010. Orthoptera：Tettigonioidea. Pp. 68-91. *In*：Xu, H. C. & Ye, T. X. (Eds.), Insects of Fengyangshan National Nature Reserve. China Forestry Publishing House, Beijing, 397pp.［刘宪伟，周敏，毕文烜. 2010. 直翅目：螽斯总科，68-91. 见：徐华朝，叶坛仙主编. 浙江凤阳山昆虫. 北京：中国林业出版社，397.］

Mao, S. L., Huang, Y. and Shi, F. M. 2009. Review of the genus *Kuzicus* Gorochov, 1993 (Orthoptera：Tettigoniidae：Meconematinae) from China. *Zootaxa*, 2137, 35-42.

Matsumura, S. 1913. *Thousand Insects of Japan* (*Nippon Senchu Zukai*, *in Japanese*), *Keisei Sha*, *Tokyo*. Additamenta 1, 1-184, pls. ⅰ-ⅩⅤ.

Matsumura, S. and Shiraki, T. 1908. Locustiden Japans. *Journal of the College of Agriculture*, Tohoku Imperial University. 3(1)：1-80.

Niu, Y. and Shi, F. M. 1999. A new species of the genus *Phrygarogryllacris* in Henan Funiu Mountain, 1: 14-15. *In*: Shen, X. C. and Pei, H. C. (eds.): The fauna and taxonomy of Insects in Henan. China Agricultural Scientech Press, Beijing, 415pp. [牛瑶, 石福民. 1999. 伏牛山杆蟋螽属一新种, 14-15. 见: 申效成, 裴海潮主编. 伏牛山南坡及大别山区昆虫. 河南昆虫区系研究 第四卷. 北京: 中国农业科技出版社, 415.]

Pictet, A. 1888. Locustides nouveaux ou peu connus du Musée de Genève. *Mémoires de la Société de Physique et d'Histoire Naturelle de Genève*, 30(6): 1-84.

Poda von Neuhaus, N. 1761. *Insecta Musei Groecensis, quoe in ordines, genera et species juxta systema naturoe Caroli Linnoei*. Grcci, typis hredum Widmanstadii, 127pp.

Ragge, D. R. 1956. A revision of the genera *Phaneroptera* Serville and *Nephoptera* Uvarov (Orthoptera: Tettigoniidae), with conclusions of zoogeographical and evolutionary interest. *Proceedings of the Zoological Society of London*, 127(2): 205-283.

Ragge, D. R. 1961. A revision of the genus *Ducetia* Stål (Orthoptera: Tettigoniidae). *Bulletin of the British Museum (Natural History) Entomology*, 10(5): 171-208.

Rampini, M., Di Russo, C. & Cobolli, M. 2008. The Aemodogryllinae cave crickets from Guizhou, southern China (Orthoptera: Rhaphidophoridae). *Monografie Naturalistiche*, 3: 129-141.

Redtenbacher, J. 1891. Monographie der Conocephaliden. *Verhandlungen der Zoologisch-Botanischen Gesellschaft, Wien*, 41, 315-562.

Rehn, J. A. G. 1900. Notes on Mexican Orthoptera with descriptions of new species. *Transactions of the American Entomological Society*, 27: 85-96.

Rehn, J. A. G. 1914. Orthoptera I: Mantidae, Phasmidae, Acrididae, Tettigoniidae und Gryllidae aus dem Zentral-Afrikanischen Gebiet, Uganda und dem Ituri-Becken des Kongo. *Wissenschaftliche Ergebnisse der deutschen Zentralafrika Expedition 1907-1908*, 5: 1-223.

Saussure, H. 1859. Orthoptera Nova Americana (Diagnoses praeliminares). *Revue et Magasin de Zoologie Pure et Appliquée*, 2(11): 201-212, 315-317, 390-394.

Scudder, S. H. 1894. A preliminary review of the north American Decticidae. *Canadian Entomologist*, 26 (7): 177-184.

Schulthess, A. 1898. Orthoptères du Pays des Somalis, recueillis par L. Robecchi-Brichetti en 1891 *et* par le Prince E. Ruspoli en 1892-93. *Annali del Museo Civico di Storia Naturale di Genova*, 39: 161-216.

Serville, J. G. A. 1831. Revue méthodique des insectes de l'ordre des Orthoptères. *Annales des Sciences Naturelles*, 22(86): 28-65, 134-167, 262-292.

Sjöstedt, Y. 1902. Locustodeen aus Kamerun und Kongo. *Bihang till Kungliga Svenska Vetenskaps-Akademiens Handlingar*, 27(3): 1-45, pls. I -Ⅳ.

Shi, F. M., Wang, J. F. and Fu, P. 2005. A review of the genus *Conanalus* Tinkham (Orthoptera, Tettigonioidea) from China. *Acta Zootaxonomica Sinica*, 30(1): 84-86.

Stål, C. 1861. Orthoptera species novas descripsit. *Kongliga Svenska fregatten Eugenies Resa omkring jorden under befä af C. A. Virginåren 1851-1853 (Zoologi)*, 2(1): 299-350.

Stål, C. 1873. Orthoptera nova descriptist. *Öfversigt af Kongliga Vetenskaps-Akademiens Förhandlinger*. 30(4): 39-53.

Stål, C. 1874. *Recencio Orthopterorum. Revue critique des Orthoptères décrits par Linné, de Geer et Thun-*

berg, 2 Locustina: 121 pp.

Stoll, C. 1787. *Représentation exactement colorée d'après nature des spectres, des mantes, des sauterelles, des grillons, des criquets et des blattes.* Qui se trouvent dans les quatre parties du monde, l'Europe, l'Asie, l'Afrique *et* l'Amérique; rassemblées *et* décrites. 139pp.

Storozhenko, S. Y. 1990. Review of the orthopteran subfamily Aemodogryllinae (Orthoptera, Rhaphidophoridae). *Entomologicheskoe Obozrenie*, 69(4): 835 – 849.

Tarbinsky, S. P. 1932. A contribution to our knowledge of the orthopterous insects of U. S. S. R. (in Russian, with English descriptions). *Bulletin of the Leningrad Institute for Controlling Farm and Forest Pests*, 2: 181-205.

Thunberg, C. P. 1815. Hemipterorum maxillosorum genera illustrata plurimisque novis speciebus ditata ac descripta. *Mémoires de l'Académie Impériale des Sciences de St. Pétersbourg*, 5: 211-301.

Tinkham, E. R. 1943. New species and records of Chinese Tettigoniidae from the Heude Museum, Shanghai. *Notes d'Entomologie Chinoise*, 10(2): 33-66.

Tinkham, E. R. 1944. Twelve new species of Chinese leaf-katydids of the genus *Xiphidiopsis*. *Proceedings of United States National Museum*, 94: 505-527.

Tinkham, E. R. 1956. Four new Chinese species of Xiphidiopsis (Tettigoniidae: Meconematinae). *Transactions of the American Entomological Society*, 82: 1-16.

Uvarov, B. P. 1924. Notes on the Orthoptera in the British Museum, 3. Some less known or new genera and species of subfamilies Tettigoniidae and Decticinae. *Transactions of the Royal Entomological Society of London*, 3-4: 492-537.

Uvarov, B. P. 1933. Schwedisch-chinesische wissenschaftliche Expedition nach den nordwestlichen Provinzen Chinas. 6. Orthoptera. 5. Tettigoniidae. *Arkiv för Zoologi*, A, 26 (1): 1-8.

Walker, F. 1859. Characters of some apparently undescribed Ceylon Insects. *Annals and Magazine of Natural History, London*, 3 4: 217-224.

Walker, F. 1869. *Catalogue of the specimens of Dermaptera Saltatoria and supplement of the Blattariœ in the collection of the British museum* volume 2. Printed for the Trustees of the British museum, London, pp. 225-423.

Walker, F. 1870. *Catalogue of the specimens of Dermaptera Saltatoria and supplement of the Blattariœ in the collection of the British museum* volume 3. Printed for the Trustees of the British museum, London, pp. 425-604.

Wesmaël, C. 1838. Enumeratio methodica Orthopterorum Belgii. *Bulletins de l'Académie Royale des Sciences, des Lettres et des Beaux-Arts de Belgique*, 5: 587-597.

Willemse, C. 1933. On a small collection of Orthoptera from the Chungking district, S. E. China. *Natuurhistorisch Maandblad*, 22(2): 15-18.

Zhang, F. & Liu, X. W. 2009. A review of the subgenus Diestrammena (Gymnaeta) from China (Orthoptera: Rhaphidophoridae Aemodogryllinae). *Zootaxa*, 2272: 21-36.

Zhou, M., Bi, W. X. and Liu, X. W. 2010. The genus *Conocephalus* (Orthoptera, Tettigonioidea) in China. *Zootaxa*, 2527: 49-60.

蟋蟀总科 Grylloidea

卢慧 何祝清 李恺

（华东师范大学，上海 200062）

鉴别特征：体小型至大型。触角一般长于体长，前翅上下折叠，覆于腹部上方。雄性前翅特化为发音器，雌性具长矛状或弯刀状产卵瓣。后足发达善跳跃。尾须长。蟋蟀的多样性由赤道向两极递减，一般热带地区的蟋蟀终年繁殖，卵非滞育，若虫、成虫均可见。随着纬度的上升，冬季越来越寒冷，蟋蟀需要以某一形态过冬。一般低纬度地区以若虫形态过冬，高纬度地区以卵的形态过冬，卵为滞育卵。因此在秦岭地区，针蟋、蟋蟀等亚科相对更多见，而距蟋、树蟋、蛉蟋等亚科种类较少。

分类：世界性分布。世界上已知 4 科，中国记录 4 科，陕西秦岭地区分布 2 科 18 属 23 种。

分科检索表

前足挖掘足 …………………………………………………… 蝼蛄科 Gryllotalpidae
前足步行足 …………………………………………………… 蟋蟀科 Gryllidae

十二、蝼蛄科 Gryllotalpidae

鉴别特征：前口式，触角较短，前胸背板呈卵形，前足为挖掘足，产卵瓣退化。

分类：世界性分布。世界已知 5 属 116 种，中国记录 1 属 9 种，陕西秦岭地区发现 1 属 1 种。

78. 蝼蛄属 *Gryllotalpa* Latreille，1802

Gryllotalpa Latreille，1802：275. **Type species**：*Gryllus gryllotalpa* Linnaeus，1758.

属征：体中型到大型。头较小，明显狭于前胸背板，复眼和单眼突出，侧单眼 2 枚，缺中单眼，触角较短；前胸背板明显长大于宽，背面较强地凸起，前足为挖掘足，胫节具 4 个片状趾突，仅内侧具听器为封闭形，雌性产卵瓣短。

分布：世界性分布。世界已知 73 种，中国记录 9 种，陕西秦岭地区分布 1 种。

(137) 东方蝼蛄 *Gryllotalpa orientalis* Burmeister，1838（图 284）

Gryllotalpa orientalis Burmeister，1838：739.

Curtilla africana Kirby, 1906: 6.

Gryllotalpa africana: Chopard, 1968: 450.

鉴别特征：头部前端尖，前口式，体长条形，前胸背板卵形，前足挖掘足，产卵器退化。掘土穴居。

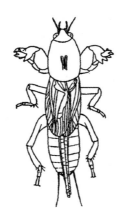

图 284 东方蝼蛄 *Gryllotalpa orientalis* Burmeister（仿殷海生、刘宪伟，1995）
成虫背面观

采集记录：2♂，宁陕火地塘，2010.Ⅷ.15，何祝清采。

分布：陕西（宁陕）、黑龙江、吉林、辽宁、内蒙古、北京、天津、河北、山东、青海、江苏、上海、浙江、湖北、江西、湖南、福建、广东、海南、广西、四川、贵州、云南、西藏。

十三、蟋蟀科 Gryllidae

鉴别特征：下口式或后口式，触角较长，前胸背板呈马鞍形，前足为步行足，产卵瓣发达，呈剑状或马鞍状。

分类：世界性分布。世界已知 462 属 4000 种，中国记录 63 属 256 种，陕西秦岭地区发现 17 属 22 种。

分属检索表

4.　前足胫节具听器，至少一侧为封闭型；若两侧均为开放型，则后足胫节外侧端距较短，约等长 ·· 8

　　前足胫节缺听器；或具开放型听器，但后足胫节外侧端距不等长 ·················· 9

5.　后足胫节最后 1 枚内侧背距膨大 ·································· **异针蟋属 Pteronemobius**

　　后足胫节最后 1 枚内侧背距正常 ··· 6

6.　后足胫节具黑色横条纹 ··· **双针蟋属 Dianemobius**

　　后足胫节无明显条纹 ··· **灰针蟋属 Polionemobius**

7.　雌性和雄性翅脉形似 ··· **蛉蟋属 Trigonidium**

　　雌性和雄性翅脉不同，雄性具发音器 ································· **唧蛉蟋属 Svistella**

8.　爪上缺细齿，产卵瓣端部膨大 ··· **片蟋属 Truljalia**

　　爪上具细齿，产卵瓣端部不膨大 ··· **纤蟋属 Euscyrtus**

9.　后足胫节背面两侧缘的刺间缺距 ·· **铁蟋属 Sclerogryllus**

　　后足胫节背面两侧缘的刺间具距 ·· **树蟋属 Oecanthus**

10.　雄性具发音器 ··· 11

　　雄性缺发音器 ··· 16

11.　雄性头部平截 ··· **棺头蟋属 Loxoblemmus**

　　雄性头部饱满 ··· 12

12.　前胸背板颜色均一，或无明显斑纹 ··································· **油葫芦属 Teleogryllus**

　　前胸背板杂色，具浅色斑纹 ··· 13

13.　复眼间无横纹连接 ··· **特蟋属 Turanogryllus**

　　复眼间有横纹连接 ··· 14

14.　额突窄，与触角基部等宽 ·· **灶蟋属 Gryllodes**

　　额突宽于触角基部 ··· 15

15.　头顶弱倾斜 ··· **姬蟋属 Modicogryllus**

　　头顶饱满且突出 ··· **斗蟋属 Velarifictorus**

16.　具有发达的前翅 ··· **秦蟋属 Qingryllus**

　　前翅无，或退化为卵圆形 ··· **哑蟋属 Goniogryllus**

79. 双针蟋属 *Dianemobius* Vickery，1973

Dianemobius Vickery, 1973：421. **Type species**：*Eneoptera fascipes* Walker, 1869.

　　属征：体小型，被绒毛和刚毛。额突约等宽于触角基节。前足胫节仅外侧具听器。雄性前翅具发音器，斜脉 1 条。雄性后足胫节背距外侧 3 枚，内侧 4 枚；雄性两侧均为 3 枚。雄性外生殖器副肢不超过阳茎基背片端部；产卵瓣剑状。

　　分布：古北区，东洋区。世界已知 13 种，中国记录 11 种，秦岭地区发现 1 种。

(138) 斑腿双针蟋 *Dianemobius fascipes*（Walker，1869）（图 285）

Eneoptera fascipes Walker, 1869：67.

Eneoptera alboatra Walker, 1871：11.

Nemobius histrio Saussure, 1877：95.

Nemobius nigrosignatus Brunner von Wattenwyl, 1893：196.

Cyrtoxipha fascipes：Kirby, 1906：81.

Pteronemobius fascipes：Chopard, 1936b：45.

Dianemobius fascipes：Vickery, 1973：419.

鉴别特征：颜面大部分淡色，前胸背板背片淡色，侧片黑色，后足内侧最后1枚背距不膨大，后足胫节具6枚端距，后足股节具有黑色横条纹，雄性具发音器，端域不明显。栖息于草坪等。

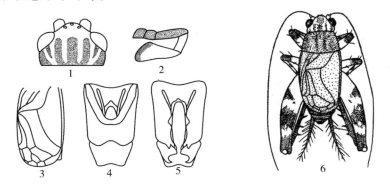

图285　斑腿双针蟋 *Dianemobius fascipes*（Walker）（仿何祝清，2010；仿殷海生、刘宪伟，1995）
1. 头部背面观；2. 下颚须；3. 雄性前翅；4. 雄性外生殖器腹面观；5. 雄性外生殖器背面观；6. 整体背面观

采集记录：3♂3♀，西安，2001.Ⅵ.26，李恺采；23♂12♀，武功，1987.Ⅶ.10，采集人不详；5♂8♀，柞水，2001.Ⅶ.12，李恺采；2♀，镇安，2001.Ⅶ.16，李恺采；11♂13♀，山阳，2001.Ⅶ.14，李恺采。

分布：陕西（西安、武功、柞水、镇安、山阳）、上海、浙江、湖北、江西、福建、台湾、广东、海南、云南；缅甸，印度，新加坡，斯里兰卡，印度尼西亚。

80. 灰针蟋属 *Polionemobius* Gorochov, 1983

Dianemobius (*Polionemobius*) Gorochov, 1983a：44. **Type species**：*Trigonidium taprobanense* Walker, 1869.

Polionemobius：Storozhenko, 2004：218.

属征：体小型，被绒毛和刚毛。头圆形，额突略宽于触角基节。前胸背板横宽，前足胫节仅外侧具开放型听器。雄性前翅具发音器，斜脉1条。雄性后足胫节背距外侧3枚，内侧4枚；雄性两侧均为3枚，产卵瓣剑状。

分布：亚洲。世界已知9种，中国记录5种，秦岭地区发现1种。

（139）斑翅灰针蟋 *Polionemobius taprobanensis*（**Walker，1869**）（图286）

Trigonidium taprobanense Walker，1869：102.

Eneoptera lateralis Walker，1871：11.

Nemobius infernalis Saussure，1877：83.

Nemobius javanus Saussure，1877：85.

Pteronemobius taprobanensis Chopard，1936b：43.

Dianemobius（*Polionemobius*）*taprobanensis*：Yin & Liu，1995：22.

Polionemobius taprobanensis：Ichikawa，Murai & Honda，2000：292.

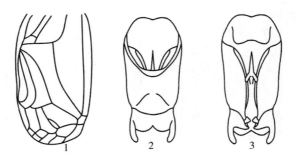

图286 斑翅灰针蟋 *Polionemobius taprobanensis*（Walker）（仿何祝清，2010）
1. 雄性前翅；2. 雄性外生殖器背面观；3. 雄性外生殖器腹面观

鉴别特征：体色以黄色为主，头部黄色，下颚须褐色，后足股节黄褐色，前翅具褐色斑，雄性具发音器，端域不明显。栖息于草坪等。

采集记录：6♂8♀，南郑南湖，2001.Ⅶ.28，李恺采。

分布：陕西（南郑）、黑龙江、吉林、辽宁、内蒙古、北京、河北、山东、河南、江苏、上海、浙江、湖北、江西、福建、海南、广西、四川、贵州、云南；日本，缅甸，印度，孟加拉国，巴基斯坦，斯里兰卡，马来西亚，印度尼西亚，马尔代夫。

81. 异针蟋属 *Pteronemobius* Jacobson，1904

Pteronemobius Jacobson，1904：450. **Type species**：*Nemobius tartatus* Saussure，1874.

Brachynemobius Hebard，1913：443. **Type species**：*Nemobias*（*Brachynemobias*）*prmteli* Hebard，1913.

属征：体小型，被绒毛和刚毛。头圆形，额突与触角第1节约等宽；前胸背板横宽，前足胫节仅外侧具开放型听器。雄性前翅具发音器，斜脉1条。后足胫节背距外侧4枚，内侧4枚；雄性内侧第4枚背距基部膨大和弯曲，雌性产卵瓣剑状。

分布：世界性分布。世界已知88种，中国记录16种，秦岭地区分布1种。

（140）太白异针蟋 *Pteronemobius taibaiensis* **Deng** *et* **Xu，2006**（图 287）

Pteronemobius taibaiensis Deng et Xu，2006：577.

鉴别特征： 整体呈黄褐色，头部具有数条纵条纹，雄性具发音器，后足背距 4 对，雄性内侧最后 1 枚背距基部膨大。

采集记录： 1♂1♀，太白蒿坪寺，2005. Ⅶ. 13，许升全采；2♂，宁陕火地塘，2001. Ⅷ. 25，李恺采。

分布： 陕西（太白、宁陕）。

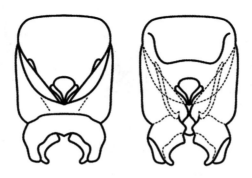

图 287　太白异针蟋 *Pteronemobius taibaiensis* Deng *et* Xu（仿何祝清，2010）

1. 雄性外生殖器背面观；2. 雄性外生殖器腹面观

82. 蛉蟋属 *Trigonidium* Rambur，1838

Trigonidium Rambur，1838：39. **Type species：** *Trigonidium cicindeloides* Rambur，1838.

属征： 体型小，头部具刚毛，复眼突出，前胸背板横宽，雌性和雄性翅脉相似，光滑，黑色，纵脉间具伪脉，产卵瓣弯刀状。

分布： 世界性分布。全世界已知 175 种，中国记录 3 种，秦岭地区发现 1 种。

（141）虎甲蛉蟋 *Trigonidium cicindeloides* **Rambur，1883**（图 288）

Trigonidium cicindeloides Rambur，1838：39.

Trigonidium paludicola Serville，1838：351.

Trigonidium coleoptratum Stål，1861：316.

Trigonidium tibiale Stål，1861：316.

Scleropterus atrum Walker，1869：74.

Trigonidium madecassum Saussure，1878：464.

Piestoxiphus simiola Karsch, 1893：162.

鉴别特征：整体呈黑色，前足缺听器，足胫节黑色，股节淡色。雄性不具发音器，前翅略隆起，似甲虫。

采集记录：1♂，安康岚皋，2001.Ⅷ.21，李恺采。

分布：陕西（安康）、江苏、上海、安徽、江西、福建、台湾、广东、海南、广西、四川、贵州、云南；亚洲，欧洲，非洲。

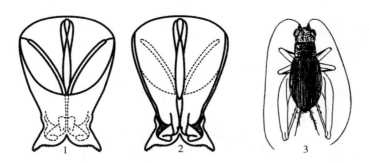

图 288　虎甲蛉蟋 *Trigonidium cicindeloides* Rambur（仿何祝清，2010；仿殷海生、刘宪伟，1995）
1. 雄性外生殖器背面观；2. 雄性外生殖器腹面观；3. 整体背面观

83. 唧蛉蟋属 *Svistella* Gorochov, 1987

Svistella Gorochov, 1987：13. **Type species**：*Paratrigonidium bifasciata* Shiraki, 1911.

属征：体型小。复眼垂直状延长。前胸背板前缘较直或微凸。雄性前翅膜质，伸达腹端，镜膜长略大于宽，内具伪脉，雌性前翅较弱地凸起，纵脉平行。前足胫节外侧具膜质听器，雄性阳茎基背片外侧突基半部宽，端半部很窄，不及基半部的1/4。雌性产卵瓣弯刀状，端部具细齿。

分布：亚洲。世界已知8种，中国分布7种，秦岭地区发现1种。

（142）双带唧蛉蟋 *Svistella bifasciata*（Shiraki, 1911）（图289）

Paratrigonidium bifasciatum Shiraki, 1911：108.

Svistella bifasciata：Gorochov, 1987：13.

Trigonidium bifasciatum：Otte, 2006：339.

鉴别特征：整体呈淡黄色，复眼间具黑色弯曲条纹，雄性具发音器，雌性前翅略革质化，稍隆起，后足股节具2条黑色纵条纹。

采集记录：2♂，南郑南湖，2001.Ⅶ.28，李恺采。

分布：陕西(南郑)、江苏、上海、安徽、浙江、江西、湖南、台湾、海南、四川；日本。

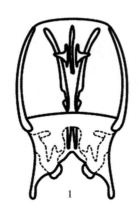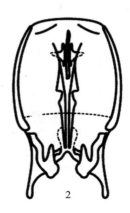

图 289　双带唧蛉蟋 Svistellai bfasciatum（Shiraki）（仿何祝清，2010）
1. 雄性外生殖器背面观；2. 雄性外生殖器腹面观

84. 哑蟋属 *Goniogryllus* Chopard，1936

Goniogryllus Chopard，1936a：7. **Type species**：*Goniogryllus punctatus* Chopard，1936.

属征：体型中等，呈黑色，具光泽，缺翅或退化为翅芽，缺听器，后足胫节背面背距内侧 4 枚，外侧 3 枚，内侧上端距与中端距等长，产卵瓣剑状。

分布：中国；印度，日本。世界已知 21 种，中国记录 19 种，秦岭地区发现 2 种。

分种检索表

具翅，但退化，仅为翅芽 ·· 卵翅哑蟋 *G. ovalatus*
无翅 ·· 黑须哑蟋 *G. atripalpulus*

(143) 卵翅哑蟋 *Goniogryllus ovalatus* Chen et Zheng，1996（图 290）

Goniogryllus ovalatus Chen et Zheng，1996：289.

鉴别特征：体呈黑色，具光泽，复眼上方具淡色细条纹，前翅极小，卵圆形。
采集记录：1♂，户县桦树坪，1700m，2007. Ⅵ. 23-28，周顺采；1♀，户县桦树坪，1700m，2007. Ⅵ. 23-28，周顺采。
分布：陕西(户县)。

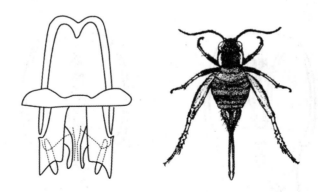

图 290 卵翅哑蟋 *Goniogryllus ovalatus* Chen *et* Zheng（仿陈军、郑哲民，1996；仿李恺、郑哲民，2001）

1. 雄性外生殖器背面观；2. 整体背面观

（144）黑须哑蟋 *Goniogryllus atripalpulus* Chen *et* Zheng, 1996（图 291）

Goniogryllus atripalpulus Chen *et* Zheng, 1996：289.

鉴别特征：体呈黑色，具光泽，复眼上方具淡色条纹，至后头处分叉，雌性和雄性完全无翅。

采集记录：1♀，旬阳，1983.Ⅵ.18，胡景辉采。

分布：陕西(旬阳)。

图 291 黑须哑蟋 *Goniogryllus atripalpulus* Chen *et* Zheng（仿陈军、郑哲民，1996）

整体背面观

85. 秦蟋属 *Qingryllus* Chen *et* Zheng，1995

Qingryllus Chen *et* Zheng，1995a：70. **Type species**：*Qingryllus striofemorus* Chen *et* Zheng，1995.

属征：似哑蟋属，体呈黑色，雌性和雄性翅脉近似，前翅长，后翅超过前翅，雌性产卵器长。

分布：中国。目前仅知 2 种，秦岭地区发现 1 种。

(145) 纹股秦蟋 *Qingryllus striofemorus* Chen *et* Zheng，1995（图 292）

Qingryllus striofemorus Chen *et* Zheng，1995a：70.

鉴别特征：体呈黑褐色，复眼上方具淡色条纹，雌性和雄性翅脉相似，前翅及腹部端部，后翅长度超出腹部，后足股节具数条黑色斜条纹。

采集记录：1♀，户县桦树坪，2007.Ⅵ.23-28，1700m，周顺采；1♂1♀，太白蒿坪寺，1982.Ⅵ.07，王、柴采（采集人不详）。

分布：陕西（户县、太白）。

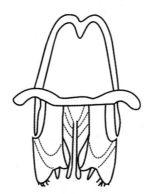

图 292 纹股秦蟋 *Qingryllus striofemorus* Chen *et* Zheng（仿李恺、郑哲民，2001）
雄性外生殖器背面观

86. 灶蟋属 *Gryllodes* Saussure，1874

Gryllodes Saussure，1874：409. **Type species**：*Gryllus sigillatus* Walker，1869.

属征：头顶较平，额突较狭，不宽于触角第 1 节，前胸背板缺侧隆线，雄性前翅宽短，雌性前翅退化为翅芽，左右不相接，前足胫节只具外听器，产卵瓣长。

分布：世界性分布。世界已知 3 种，中国记录 1 种，秦岭地区有分布。

(146) 短翅灶蟋 *Gryllodes sigillatus*（**Walker, 1869**）（图 293）

Gryllus sigillatus Walker, 1869：108.

Gryllus nanus Walker, 1869：47.

Gryllus pustulipes Walker, 1869：51.

Gryllodes poeyi Saussure, 1874：420.

Zaora bifasciata Walker, 1875：108.

Cophogryllus walkeri Saussure, 1877：233.

Scapsipedus fuscoirroratus Bolívar, 1895：196.

Homaloblemmus indicus Bolívar, 1900：800.

Miogryllus transversalis Scudder, 1901：257.

Gryllodes sigillatus：Rehn, 1912：274.

Gryllodes subapterus Chopard, 1912：403.

Gryllolandrevus abyssinicus Bolívar, 1922：196.

Acheta tokyonis Okazaki, 1926：206.

鉴别特征：体呈黄褐色，扁平，具黑色斑点。雄性前翅短，端部平截，仅及腹部的 1/2，雌性前翅极短，左右翅不接触，尾须长。长翅型个体前翅长，至腹部端部，后翅长度超出腹部。

采集记录：2♀，安康，1973. Ⅵ. 21，周书云采。

分布：陕西（安康）、黑龙江、辽宁、山东、江苏、安徽、江西、湖南、福建、广东、海南、广西、贵州、云南；印度，尼泊尔，巴基斯坦，德国，美国，古巴。

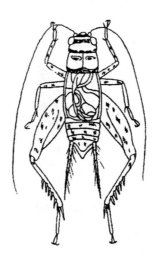

图 293　短翅灶蟋 *Gryllodes sigillatus*（Walker）（仿殷海生、刘宪伟，1995）
雄性整体背面观

87. 油葫芦属 *Teleogryllus* Chopard，1961

Teleogryllus Chopard，1961：277. **Type species**：*Gryllus posticus* Walker，1869.

属征：体型粗大。复眼内缘具淡色眉状斑纹，前胸背板几乎单色，具绒毛，前翅 Sc 脉具多条分支，雄性前翅具 4~6 条斜脉，镜膜内具分脉，端域发达；前足胫节内侧听器具鼓膜，产卵瓣较长，剑状。

分布：亚洲，非洲，澳洲。世界已知 62 种，中国记录 7 种，秦岭地区发现 1 种。

（147）黄脸油葫芦 *Teleogryllus emma*（Ohmachi *et* Matsuura，1951）（图 294）

Gryllulus emma Ohmachi *et* Matsuura，1951：68.
Teleogryllus emma：Chopard，1967：98.

鉴别特征：体型大；呈黄褐色。复眼上方具有条带型眉状纹。雄性具发音器及听器，前翅镜膜发达，端域长，后翅长度超出腹部。雌性产卵瓣长。

采集记录：3♂♀，西安，2001.Ⅸ.05，李恺采；1♂，洋县，2001.Ⅶ.23，李恺采；3♂5♀，镇安，2001.Ⅶ.16，李恺采。

分布：陕西（西安、洋县、镇安）、河北、山西、山东、江苏、上海、安徽、浙江、湖北、湖南、福建、广东、海南、广西、四川、贵州、云南；朝鲜半岛，日本。

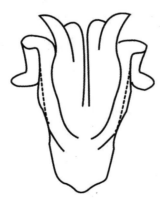

图 294 黄脸油葫芦 *Teleogryllus emma*（Ohmachi *et* Matsuura）
雄性外生殖器腹面观

88. 姬蟋属 *Modicogryllus* Chopard，1961

Modicogryllus Chopard，1961：272. **Type species**：*Gryllus conspersus* Schaum，1853.

属征：体型较小。头部侧面观背面强倾斜，侧单眼间具淡色横条纹；前胸背板具绒毛；前翅 Sc 脉具 1～2 分支，雄性前翅具 2 条斜脉，镜膜具分脉，前足胫节内、外侧听器具鼓膜，后足胫节具背距。

分布：亚洲，非洲，欧洲，澳洲。世界已知 83 种，中国记录 2 种，秦岭地区发现 1 种。

(148) 长翅姬蟋 *Modicogryllus siamensis* Chopard, 1961（图 295）

Modicogryllus siamensis Chopard, 1961：273.

鉴别特征：体呈红褐色，颜面黑色，复眼间具淡色细条纹。后翅为长翅型，会脱落。一年 2 代，若虫过冬。5～6 月及 8～9 月成虫。

采集记录：4♂6♀，旬阳，2001.Ⅶ.18，李恺采。

分布：陕西（旬阳）、江西、福建、广东、广西、贵州、云南；朝鲜半岛，日本。

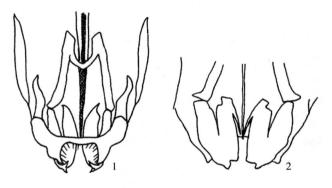

图 295 长翅姬蟋 *Modicogryllus siamensis* Chopard（仿 Ichikawa，2000）
1. 雄性外生殖器背面观；2. 雄性外生殖器腹面观

89. 斗蟋属 *Velarifictorus* Randell, 1964

Velarifictorus Randell, 1964：1586. **Type species**：*Scapsipedus micado* Saussure, 1877.

属征：头部侧面观背面弱倾斜，单眼排列呈三角形；前胸背板具绒毛；前翅 Sc 脉具 1～2 分支，雄性前翅镜膜具弯曲的分脉，斜脉 2 条；前足胫节外听器具鼓膜，内听器呈凹坑状，后足胫节具背距。

分布：世界性分布。世界已知 103 种，中国记录 9 种，秦岭地区发现 3 种。

分种检索表

　　侧单眼间缺淡色横条纹 ···································· 丽斗蟋 **V. ornatus**
2.　上颚极长，颜面及唇部极凹陷 ······················ 长颚斗蟋 **V. aspersus**
　　上颚及颜面正常 ···································· 迷卡斗蟋 **V. micado**

（149）长颚斗蟋 *Velarifictorus aspersus*（Walker，1869）（图 296）

Gryllus aspersus Walker，1869：39.

Gryllodes asperses：Uvarov，1924：317.

Scapsipedus asperses：Chopard，1936b：29.

Velarifictorus asperses：Randell，1964：1596.

　　鉴别特征：体中型；呈黑色。侧单眼间具细的横条纹。下颚极度延长，上唇处形成凹陷。小个体下颚不发达，凹陷亦不明显。雌性和雄性前翅一般接近或至腹部端部。仅秋季成虫。

　　采集记录：2♂，宁陕火地塘，2010.Ⅷ.15，何祝清采。

　　分布：陕西（宁陕）、山东、河南、甘肃、江苏、安徽、浙江、江西、福建、广东、海南、广西、四川、贵州、云南；朝鲜半岛，日本，泰国，印度，斯里兰卡，马来西亚。

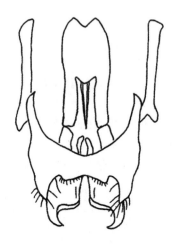

图 296　长颚斗蟋 *Velarifictorus aspersus*（Walker）（仿 Ichikawa，2000）
雄性外生殖器背面观

（150）丽斗蟋 *Velarifictorus ornatus*（Shiraki，1911）（图 297）

Gryllus ornatus Shiraki，1911：52.

Modicogryllus ornatus：Chopard，1961：275.

Velarifictorus ornatus：Liu，Yin & Hsia，1992：85.

　　鉴别特征：体中型；呈黑色。颜面黑色，侧单眼间具 1 对淡色斑，但两者间无横条纹相连。雌性前翅短，至腹部的1/2。一般夏季成虫。

　　采集记录：1♂，秦岭天台山，1999.IX.02，刘宪伟、章伟年、殷海生采。

　　分布：陕西（宝鸡）、江苏、浙江、江西、四川、贵州、云南。

图 297　丽斗蟋 *Velarifictorus ornatus*（Shiraki）（仿殷海生、刘宪伟，1995；仿 Ichikawa，2000）

1. 头部正面观；2. 雄性外生殖器腹面观

(151) 迷卡斗蟋 *Velarifictorus micado*（**Saussure, 1877**）（图 298）

Scapsipedus micado Saussure, 1877：415.

Velarifictorus latefasciatus Chopard, 1933：2.

Gryllulus micado Chopard, 1936a：6.

Scapsipedus aspersus Chopard, 1940：193.

Velarifictorus micado：Randell, 1964：1586.

　　鉴别特征：体中型；呈黑色。侧单眼间具细的横条纹。下颚正常。雄性前翅一般接近或至腹部端部，雌性前翅较短。

　　采集记录：1♂2♀，镇安，2001.VII.16，李恺采。

　　分布：陕西（镇安）、北京、河北、山西、山东、河南、江苏、上海、浙江、湖北、江西、湖南、福建、广东、广西、四川、贵州、云南；俄罗斯远东地区，朝鲜半岛，日本。

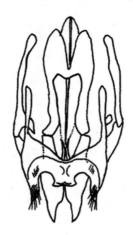

图 298　迷卡斗蟋 *Velarifictorus micado*（Saussure）（仿 Ichikawa，2000）

雄性外生殖器背面观

90. 特蟋属 *Turanogryllus* Tarbinsky, 1940

Turanogryllus Tarbinsky, 1940：115. **Type species**：*Gryllus lateralis* Fieber, 1853.

Paragryllopsis Chopard, 1963：169. **Type species**：*Paragryllopsis wahrmani* Chopard, 1963.

属征：体型较小。颜面圆凸，单眼排列呈三角形，侧单眼间缺淡色横条纹；前胸背板具绒毛；前翅 Sc 脉具 1～2 分支，雄性前翅镜膜具分脉，斜脉 3～4 条；前足胫节内、外侧听器具鼓膜。

分布：亚洲，非洲。世界已知 37 种，中国记录 3 种，秦岭地区发现 1 种。

(152) 东方特蟋 *Turanogryllus eous* Bey-Bienko, 1956（图 299）

Turanogryllus eous Bey-Bienko, 1956：221.

鉴别特征：头部小于前胸背板，前翅端部与基部窄，中部略宽。体背面深色，侧面白色，头部背面具 6 条纵条纹。

采集记录：1♂，洋县碗牛坝，1994.Ⅷ.31，李恺采。

分布：陕西(洋县)、山东、江苏、广西。

图 299　东方特蟋 *Turanogryllus eous* Bey-Bienko（仿殷海生、刘宪伟，1995）
雄性前翅背面观

91. 棺头蟋属 *Loxoblemmus* Saussure, 1877

Loxoblemmus Saussure, 1877：249. **Type species**：*Loxoblemmus equestris* Saussure, 1877.

Pezoloxoblemmus Karny, 1907：285. **Type species**：*Loxoblemmus lativertex* Saussure, 1899.

Comidogryllus Otte *et* Alexander, 1983：90. **Type species**：*Comidogryllus adina* Otte *et* Alexander, 1983.

属征：体中型。具短绒毛，头部颜面呈斜截状，雄性尤其明显，后头具细长的淡色条纹，额突呈角状或圆弧状，一些雄性种类的颊面具侧突，侧单眼间淡色横条纹，中单眼位于额突的腹面，有些种类雄性触角第1节的外侧角具齿状突或较长的片状突；前胸背板具绒毛，雄性前翅具镜膜，前足胫节内、外侧听器具鼓膜，内侧较小，圆形，外侧较大，椭圆形，后足股节外侧具细斜纹，胫节背面具背距，产卵瓣较长，剑状。

分布：亚洲，非洲，澳洲。世界已知60种，中国记录20种，秦岭地区发现3种。

分种检索表

(153) 多伊棺头蟋 *Loxoblemmus doenitzi* Stein，1881（图300）

Loxoblemmus dönitzi Stein，1881：95.

Loxoblemmus frontalis Shiraki，1911：71.

Loxoblemmus doenitzi Chopard，1967：126.

鉴别特征：雄性头部平截，颊侧具明显突出，明显超出复眼。雌性面部黄色，略平截。秋季成虫，卵越冬。

采集记录：1♂，西乡麻柳，1375m，2009.X.04，马丽滨采；2♂1♀，旬阳，2001.VII.18，李恺采；4♂3♀，安康岚皋，2001.VIII.21，李恺采。

分布：陕西（西乡、旬阳、岚皋）、辽宁、北京、河北、山西、山东、河南、江苏、上海、安徽、浙江、湖北、江西、湖南、台湾、广西、四川、贵州；朝鲜半岛，日本。

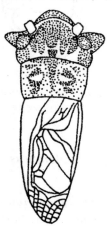

图300　多伊棺头蟋 *Loxoblemmus doenitzi* Stein（仿殷海生、刘宪伟，1995）

雄性整体背面观

(154) 石首棺头蟋 *Loxoblemmus equestris* Saussure, 1877（图 301）

Loxoblemmus equestris Saussure, 1877: 252.

Loxoblemmus satellitius Stål, 1877: 48.

Loxoblemmus equestris manipurensis Bhowmik, 1969: 149.

鉴别特征：个体较小。雄性颜面平截，额突不明显，触角第 1 节外侧具有齿状突起。卵越冬。

采集记录：1♂，秦岭天台山，1999. Ⅸ. 02，刘宪伟、章伟年、殷海生采。

分布：陕西（宝鸡）、辽宁、北京、河北、江苏、上海、安徽、浙江、湖北、江西、湖南、福建、海南、广西、重庆、四川、云南、西藏；朝鲜半岛，日本，印度，菲律宾。

图 301　石首棺头蟋 *Loxoblemmus equestris* Saussure（仿殷海生、刘宪伟，1995）

雄性头部正面观

(155) 尖角棺头蟋 *Loxoblemmus angulatus* Bey-Bienko, 1956（图 302）

Loxoblemmus angulatus Bey-Bienko, 1956: 225.

鉴别特征：雄性颜面平截，颊侧突出于复眼外，向下延伸。触角第 1 节具有较长的突起，片状。若虫越冬。

采集记录：13♂12♀，南郑南湖，2001. Ⅶ. 27，李恺采。

分布：陕西（南郑）、江西、湖南、海南、广西、四川、云南。

图 302　尖角棺头蟋 *Loxoblemmus angulatus* Bey-Bienko（仿殷海生、刘宪伟，1995）

雄性头部背面观

92. 铁蟋属 *Sclerogryllus* Gorochov, 1985

Sclerogryllus Gorochov, 1985b: 15. **Type species**: *Gryllus coriaceus* Haan, 1842.
Scleropterus Haan, 1842: 232. **Type species**: *Gryllus (Scleropterus) coriaceus* Haan, 1842.

　　属征: 头较小, 球形, 额突较宽; 前胸背板较长, 前缘较窄, 背面凸起, 缺侧隆线, 具较密的刻点, 后缘呈圆弧状; 雄性前翅镜膜较大, 内具 1 条分脉, 雌性前翅革质, 具纵脉, 横脉甚多, 前足胫节具膜质的听器, 后足胫节背面两侧缘具刺, 缺距, 产卵瓣剑状。
　　分布: 亚洲。世界已知 5 种, 中国记录 3 种, 秦岭地区发现 1 种。

(156) 刻点铁蟋 *Sclerogryllus punctatus* (**Brunner von Wattenwyl, 1893**) (图 303)

Scleropterus punctatus Brunner von Wattenwyl, 1893: 204.
Sclerogryllus punctatus: Gorochov, 1985b: 15.

　　鉴别特征: 体型小; 呈黑色。前胸背板具细刻点, 雄性具发音器, 雌性前翅革质。栖息于落叶或朽木堆中。卵越冬。
　　采集记录: 1♂, 南郑, 2009. X. 06, 马丽滨采。
　　分布: 陕西(南郑)、江苏、上海、安徽、浙江、江西、台湾、海南、广西、云南; 朝鲜半岛, 日本, 越南, 缅甸, 印度, 尼泊尔, 孟加拉国, 巴基斯坦, 马来西亚。

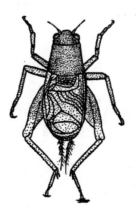

图 303　刻点铁蟋 *Sclerogryllus punctatus* (Brunner von Wattenwyl) (仿殷海生、刘宪伟, 1995)
雄性整体背面观

93. 树蟋属 *Oecanthus* Serville, 1831

Oecanthus Serville, 1831: 38. **Type species**: *Oecanthus pellucens pellucens* (Scopoli, 1763) (= *Acheta italica* Fabricius, 1781).

Aecanthus Brullé, 1835: 174. **Type species**: information not available.

Gryllomyia Seidl, 1837: 212. **Type species**: *Acheta italica* Fabricius, 1781.

属征: 体细长而纤弱,口器前口式;前胸背板狭长,向后稍扩宽;雄性后胸背部具1个大的圆形腺窝,雄性前翅几乎透明,镜膜甚大,内具分脉1条;足细长,前足胫节内、外两侧均具大的长椭圆形膜质听器,后足胫节背面具刺,刺间具背距,产卵瓣端部较圆,具齿。

分布: 世界性分布。世界已知71种,中国记录8种,秦岭地区发现1种。

(157) 长瓣树蟋 *Oecanthus longicauda* Matsumura, 1904(图304)

Oecanthus longicauda Matsumura, 1904: 136.

鉴别特征: 体呈黄绿色。头部窄,前口式。雄性前翅前窄后宽,略宽于腹部,镜膜明显,体纤弱,腹部具有黑色纵条纹。雌性产卵瓣长,明显超出后翅端部。

采集记录: 1♂,太白,2010. Ⅷ. 16,马丽滨采;1♀,留坝,2010. Ⅷ. 17,马丽滨采;4♂6♀,安康旬阳坝,2001. Ⅷ. 10,李恺采;3♂3♀,宁陕,2001. Ⅷ. 21,李恺采;5♂6♀,镇安,2001. Ⅶ. 16,李恺采。

分布: 陕西(太白、留坝、安康、宁陕、镇安)、黑龙江、吉林、辽宁、河南、江苏、湖北、江西、湖南、四川、贵州;朝鲜半岛,日本,俄罗斯远东地区。

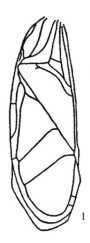
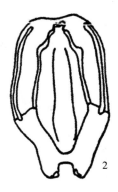

图304　长瓣树蟋 *Oecanthus longicauda* Matsumura (仿殷海生、刘宪伟,1995)
1. 雄性前翅背面观;2. 雄性外生殖器背面观

94. 片蟋属 *Truljalia* Gorochov，1985

Truljalia Gorochov，1985c：89. **Type species**：*Calyptotrypus citri* Bey-Bienko，1956.

属征：体中型；呈绿色或黄绿色。头小，额突明显狭于触角第 1 节；前胸背板具侧隆线，前翅超出腹端，雄性斜脉较多，镜膜较大，内具 1 条分脉，端域较发达，雌性翅脉较平行，前足胫节外侧听器较大，卵圆形，内听器呈裂缝状。

分布：亚洲。世界已知 17 种，中国记录 14 种，秦岭地区发现 1 种。

(158) 梨片蟋 *Truljalia hibinonis*（Matsumura，1917）（图 305）

Madasumma hibinonis Matsumura，1917：279.
Calyptotrypus hibinonis：Chopard，1936：12.
Truljalia hibinonis：Gorochov，1985c：101.

鉴别特征：体长条形；呈绿色。头部小，触角淡色，具黑色环纹。雄性镜膜明显，端域长。后足股节不发达，后翅略长于前翅。产卵瓣端部膨大。

采集记录：4♂3♀，安康平利，2001.Ⅷ.17，李恺采。

分布：陕西（安康）、江苏、上海、浙江、江西、湖南、福建、广西、四川、云南；日本。

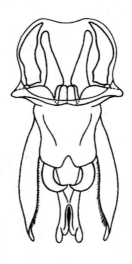

图 305　梨片蟋 *Truljalia hibinonis*（Matsumura）（仿 Gorochov，1985）
雄性外生殖器背面观

95. 纤蟋属 *Euscyrtus* Guérin-Méneville, 1844

Euscyrtus Guérin-Méneville, 1844: 334. **Type species**: *Euscyrtus bivitatus* Guérin-Méneville, 1844.

属征：体较狭长。头顶凸起；额突宽，复眼凸出，单眼排列呈三角形；雌性和雄性翅脉相似，前足、中足股节短，前足胫节内、外侧均具膜质听器，后足股节细长，胫节具刺，产卵瓣细长，端部较尖并且下弯。

分布：亚洲，非洲，北美洲。世界已知21种，中国记录3种，秦岭地区发现1种。

(159) 半翅纤蟋 *Euscyrtus hemelytrus* (De Haan, 1842) (图306)

Gryllus (*Eneoptera*) *hemelytrus* De Haan, 1842: 231.
Euscyrtus hemelytrus: Bolívar, 1889: 430.

鉴别特征：体纤细，狭长。头胸腹基本等宽。整体黄色，复眼突出，雌性和雄性翅脉相似。爪上具细齿，产卵瓣端部不膨大。

采集记录：4♂6♀，宁陕，2001. Ⅷ. 21，李恺采。

分布：陕西(宁陕)、浙江、四川；斯里兰卡，印度尼西亚，菲律宾。

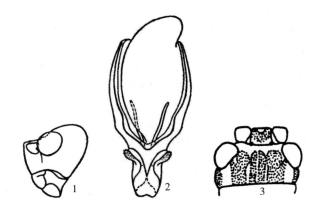

图306　半翅纤蟋 *Euscyrtus hemelytrus* (仿殷海生、刘宪伟, 1995；仿 Gorochov, 1987)
1. 头部侧面观；2. 头部背面观；3. 雄性外生殖器背面观

参考文献

Bolívar, I. 1889. Enumeración de los grílidos de Filipinas. *Sociedad Española de Historia Natural*, 18: 415-431.

Brunner von Wattenwyl, C. 1893. Révision du système des Orthoptères *et* déscription des espèces rapportées par M. Leonardo Fea de Birmanie. *Annali del Museo Civico di Storia Naturale di Genova*, 13 (33): 1-230.

Burmeister, H. 1838. Kaukerfe, Gymnognatha (Erste Hälfte: Vulgo Orthoptera). *Handbuch der Entomologie*, (2) 2(I -Ⅷ): 397-756.

Chen, J. and Zheng, Z. M. 1995. One new genus and two species of Gryllidae from China (Orthoptera: Grylloidea). *Journal of Shaanxi Normal University (Natural Science Edition)*, 23(2): 72-76. [陈军, 郑哲民. 我国蟋蟀科一新属及两新种记述. 陕西师范大学学报(自科版), 1995(2):72-76.]

Chopard, L. 1933. Schwedisch-chinesische wissenschaftliche Expedition nach den nordwestlichen Provinzen Chinas, unter Leitung von Dr. Sven Hedin und Prof. Su Ping-chang. Insekten gesammelt vom schwedischen Arzt der Expedition Dr. David Hummel 1927-1930. 4. Orthoptera. 3. Gryllidae. *Arkiv för Zoologi*, 25B(3): 1-4.

Chopard, L. 1936a. Note sur les gryllides de Chine. *Notes d'Entomologie Chinoise*, 3(1): 6-7.

Chopard, L. 1936b. The Tridactylidae and Gryllidae of Ceylon. *Ceylon Journal of Science (Biological Science)*, 20: 9-87.

Chopard, L. 1967. Gryllides. Fam. Gryllidae: Subfam. Gryllinae (Trib. Grymnogryllini, Gryllini, Gryllomorphini, Nemobiini). *Orthopterorum Catalogus*, 10: 1-213.

Deng, S. F. and Xu, S. Q. 2006. A new species of the genus *Pteronemobius* from China (Orthoptera, Grylloidea). *Acta Zootaxonomiaca Sinica*, 31(3): 577-579. [邓素芳, 许升全. 中国异针蟋属一新种记述(直翅目, 蟋蟀总科). 动物分类学报, 2006, 31(3):577-579.]

Gorochov, A. V. 1981. Review of crickets of subfamily Nemobiinae (Orthoptera) of fauna of USSR. *Vestnik Zoologii*, 2: 21-26.

Gorochov, A. V. 1983. Crickets (Orthoptera, Grylloidea) of the USSR Far East. *In*: Soboleva, R. G. (Ed.). *Systematic and ecology-faunistic review of the insects orders of the Soviet Far East*. Vladivostok, pp. 39-47.

Gorochov, A. V. 1985b. On the Orthoptera subfamily of Gryllidae (Orthopterea, Gryllidae) from eastern Indochina. In Medvedev, L. N. (ed.), *Insect of Vietnam*. 9-17 pp.

Gorochov, A. V. 1985c. Contribution to the cricket fauna of China (Orthoptera, Grylloidea). *Entomologicheskoe Obozrenie*, 64(1): 89-109.

Gorochov, A. V. 1987. On the fauna of crickets of the subfamily Gryllinae (Orthoptera, Gryllidae) of eastern Indochina. *Insect Fauna of Vietnam. Nauka, Moscow*, 5-12.

Haan, W. de. 1842. Bijdragen tot de Kennis der Orthoptera. *In*: Temminck, K. J. (eds.) *Verhandlingen over de Natuurlijke Geschiedenis der Nederlansche Overzeesche Bezittingen*, Leiden, Netherlands, pp. 45-248.

Hebard, M. 1913. A New Norh American genus belonging to the group Nemobiites (Orthoptera: Gryllidae). *Entomological News*, 24, 451-452.

Ichikawa, A., Murai, T. and Honda, E. 2000. Monograph of Japanese crickets (Orthoptera; Grylloidea). *Bulletin of the Hoshizaki Green Founddation*, 4: 257-332.

Ichikawa, A., Murai, T. and Honda, E. 2000. Monograph of Japanese crickets (Orthoptera: Grylloidea). *Bulletin of the Hoshizaki Green Foundation*, 4: 291-305.

Jacobson, G. G. and Bianchi, V. L. 1904. *Orthoptera and Pseudoneuroptera of the Russian* [EmpirePriamokrylyia I lozhnostchatokrylyia Rossiskoi imperii]. Izdanie A. f. Devriena, St. Petersbourg.

Karny, H. 1907. Die Orthopteren fauna des Ägyptischen Sudens und von Nord-Uganda (Salatoria, Gressoria, Dermaptera) mit besonderer Berunksichtingung der Acridoiden gattung Cantanops. *Sber Akad Wissen Wien*, 116, 267-378.

Kirby, W. F. 1906. *A Synonymic Catalogue of Orthoptera (Orthoptera Saltatoria, Locustidae vel Acrididae)*. British Museum Natural History, 2, 562pp.

Matsumura, S. 1904. *Thousand insects of Japan*. 1. Keiseisha, Tokyo, 1-312.

Ohmachi, F. and Matsuura, I. 1951. On the Japanese large field cricket and its allied species. *Bulletin of the Faculty of Agriculture*, *Mie University*, 2, 63-72.

Otte, D. and Alexander, R. D. 1983. The Australian crickets (Orthoptera: Gryllidae). *Academia Nature Science Philadelphia*, *Monograph*, 22, 1-477.

Randell, R. L. 1964. The male genitalia in Gryllinae (Orthoptera: Gryllidae) and a tribal revision. *The Canadian Entomologist*, 96(12): 1565-1607.

Saussure, H. 1877. Mélanges Orthoptérologiques, V fascicule Gryllides. *Mémoires de la Société de Physique et d'Histoire Naturelle de Genève*, 25(1): 1-352.

Shiraki, T. 1911. *Monographie der Grylliden von Formosa, mit der Uebersicht der japanischen Arten*. Taihoku, 1-129.

Stål, C. 1877. Orthoptera nova ex Insulis Philippinis descripsit. *Öfversigt af Kongliga Vetenskaps-Akademiens Förhandlingar*, 34(10): 33-58.

Storozhenko, S. Yu. 2004. Long-horned orthopterans (Orthoptera: Ensifera) of the Asiatic part of Russia [in Russian]. *Dalnauka, Vladivostok*, 1-280.

Vickery, V. R. and Johnstone, D. E. 1973. The Nemobiinae (Orthoptera: Gryllidae) of Canada. *The Canadian Entomologist*, 105(3): 419-424.

Walker, F. 1869. Catalogue of the Specimens of Dermaptera Saltatoria and Suppliment to the Blattariaein the Collection of the British Museum. *British museum of Natural History*, London, 1: 1-224.

Yin, H. S. and Liu, X. W. 1995. Synopsis on the classification of Grylloidea and Gryllotalpoidea from China. *Shanghai Scientific and Technological Literature Publishing House*, Shanghai, 237pp. [殷海生, 刘宪伟. 1995. 中国蟋蟀总科和蝼蛄总科分类概要. 上海: 上海科学技术文献出版社, 237.]

蚤蝼总科 Tridactyloidea

曹成全

（四川乐山师范学院生命科学学院，乐山 614000）

鉴别特征：前、中足跗节 2 节，后足跗节 1 节；前足适于挖掘，后足腿节膨大，适于跳跃；前翅通常硬化为鞘质，后翅膜质，扇状折叠在前翅下。

分类：全球广泛分布，在热带和温带地区种类较多。蚤蝼总科分为 3 个科：Tridactylidae, Ripipterygidae, Cylindrachetidae。其中，最大的科是蚤蝼科 Tridactylidae。Cylindrachetidae 主要分布在澳洲和非洲南端，Ripipterygidae 主要分布在北美洲的南端一小部分和南美洲除南端一小部分外的所有区域，Tridactylidae 则分布非常广泛，几乎遍布全球。中国记录只有蚤蝼科 Tridactylidae，陕西秦岭地区有分布。

十四、蚤蝼科 Tridactylidae

鉴别特征：体小型；虫体多为黑色且具光泽，偶有灰白色或棕黄色的色斑。触角呈丝状，9～12 节；复眼较大，3 只单眼；前足为挖掘足，中足为桨足，后足为跳跃足，股节明显增大，胫节细长；前、中足跗节 2 节，具有 2 个独立的爪钩，没有爪间垫；后足跗节 1 节，没有可活动的爪，经常可见退化的残端；前翅通常硬化为鞘质，后翅膜质，扇状折叠在前翅下；1 对尾须呈柱状，由两节构成，肛侧板是 1 个薄且单一的结构；雄性的肛侧板具有钩状骨片，肛上板具有物种特异性；雌性生殖突退化，其余部分隐藏于下生殖板。

分类：分为 3 个亚科，分别是 Dentridactylinae，Mongoloxyinae，Tridactylinae，其中，最大的亚科是 Tridactylinae。世界已知 8 属，其中 2 属是化石类群（*Archaeoellipes*，*Cratodactylus*），6 个现生属（*Afrotridactylus*，*Asiotridactylus*，*Ellipes*，*Neotridactylus*，*Tridactylus*，*Xya*），共 120 多个种，最大的属是 *Xya*，具有 55 种；中国记录 *Xya* 和 *Bruntridactylus* 2 个属，前者分布在河南、河北、陕西，以及华北、东北部分地区，后者只分布在台湾，且隶属于 Dentridactylinae 亚科；陕西秦岭地区分布 1 属 1 种。

96. 蚤蝼属 *Xya* Latreille，1809

Xya Latreille 1809：383. **Type species**：*Xya variegata* Latreille，1809.

Tridactylus Kirby，1906：8. **Type species**：*Xya variegata* Latreille，1809.

属征：体小型；身体常呈黑色，伴有白色斑纹。头圆，3 只单眼。触角短，10 节。前胸背板圆形。前足胫节特化成开掘足，后足股节高度发达，用以跳跃，后足胫节背侧呈锯齿状，具 0～4 对能活动的游泳片，1 对亚顶端刺和 1 对长顶端刺。后足跗节单节，无端刺，且比后足胫节的亚顶端刺短很多。尾须 2 节。尾针 1 节，长度与尾须基本一致。雄性肛上板略呈箭形。雌性肛上板呈圆形。

分布：除南北美洲外，几乎遍布全球。世界已知 55 种，中国记录 6 种，秦岭地区分布 1 种。

(160) 日本蚤蝼 *Xya japonica*（Haan，1844）（图 307）

Gryllus（*Xya*）*japonica* Haan，1844：238.

Tridactylus japonicus：Saussure，1877：9.

Xya japonica：Günther，1980：149.

鉴别特征：体长4.0~6.0mm；呈黑色，有淡淡光泽，带一点铜色。前胸背板后角及后腿股节处有一点白斑；身体花斑较少，触角和前后翅均为黑色；从复眼到头顶有微隆起的线；雄性肛上板箭头状。

采集记录：2♂2♀，太白山，2013. Ⅵ. 20，童超采。

分布：陕西（秦岭）、河北、山东、河南；俄罗斯，朝鲜，韩国，日本。

寄主：主要取食苔藓和小麦、玉米等禾本科植物。

图307　日本蚤蝼 *Xya japonica*（Haan）（曹成全摄）

1. 整体背面观；2. 整体腹面观

参考文献

Ginther, K. K. 1979. Einige Bemerkungen uber die Gattungen der Familie Tridactylidae Brunner und zur Klassifi kation der Tridactylodea. *Deutsche Entomologische Zeitschrift*, 26：255-264.

Günther, K. K. 1980. Katalog der Caelifera-Unterordnung Tridactylodea（Insecta）. *Deutsche Entomologische Zeitschrift*, 27(1-3)：149-178.

螳目 Phasmatodea

魏朝明 廉振民

(陕西师范大学生命科学学院，西安 710119)

螳目昆虫为我国近年来新发现的比较典型的森林害虫，并且仍处于上升趋势。主要分布于热带、亚热带湿地地区，温带地区虽然也有分布，但种类明显减少。螳目昆虫(竹节虫目)除叶螳科一些种类，体、足扁平，颜色等模拟树叶，为昆虫中著名的拟态代表外，另有不少种类体延长，呈圆筒状、杆状、棒状等，有的酷似竹节形或树枝等，有少数种类外形似蝗类。

螳目一般为中型至大型昆虫，成虫体长大多在 30.0mm 左右，有的超过 30.0mm，体长从新螳属 Timema 小于 12.0mm 至盖氏足刺螳 Phobaeticus kirbyi 的 328.0mm，而齿足刺螳 Phobaeticus serratipes 长达 278.0mm，如包括伸展的前足，则可达到 555.0mm，为昆虫纲中体最长者。头部为前口式，额唇基沟发育良好，头盖缝与后头沟以及划分唇基的横沟不清楚。胸部由 3 节组成，前胸短，一般有纵横沟形成的十字沟纹，中胸与后胸较长，后胸常与第 1 腹节合并，有时这两者之间的沟很模糊，无翅种类中一般中胸背板长于后胸背板。螳目昆虫的 3 对足相似，后足不特化，一般分为基节、转节、股节(腿节)、胫节、跗节，末端有爪。有不少种类前翅、后翅均消失，或有不同程度的退缩、变形等，当有翅时，前翅又称复翅，甚短，革质，后翅常发达。螳目昆虫的腹部一般由 11 节组成，每节由背板、腹板及侧膜三部分组成，腹部因其功能不同，构造也发生变化。雄性外生殖器一般由延长的第 8 腹板，将雄性外生殖器包在其内。雄性的第 10 腹板可能是单一骨片或有时骨化不强，其下面常有 1 个较大的肛下犁突，它因具特殊肌肉可自由活动，在交配时，雄性可将它伸入雄性第 7 腹板的盖前器内，在昆虫纲中，这两个构造仅见于螳目。螳目昆虫的产卵器是在典型的直翅类复合体基础上发展而成的，它由 3 对小瓣组成，第 1 对为第 8 腹节的附肢，后 2 对由第 9 腹节长出，整个构造包藏在扩大的第 8 腹板，即称之为腹瓣内，腹产卵瓣与第 1 负瓣片相连，内产卵瓣与背产卵瓣两者均与第 2 负瓣片相连。

多数分布于热带和亚热带湿热地区，温带地区虽然也有分布，但种类明显减少，且多数分布于东洋区，少数分布于古北区。世界已知 3000 余种，我国螳目有 5 科 65 属 336 种，陕西秦岭地区分布 2 科 4 属 6 种。

分科检索表

触角线状，分节不明显，长于前股节，或长于体长，若短于前股节且分节明显，则所有股节腹面边缘光滑，中、后股节腹脊非锯齿状，通常仅有少量端齿或无 ……… **异䗛科 Heteronemiidae**

触角分节明显，常短于前股节；雌性股节基背面明显锯齿状；或触角长于前股节，但不如体长，中、后股节腹脊明显均匀呈锯齿状 …………………………………… **䗛科 Phasmatidae**

一、异䗛科 Heteronemiidae

鉴别特征：无翅或有翅，触角常为丝状，比前足股节长或超过体长，一般在中部以后分节不明显，若分节明显短于前股节，通常 3 对足股节腹面光滑，中、后足股节的腹脊无明显锯齿，无齿或仅有少量端齿。

分类：分布于新北区、古北区及非洲热带区。世界已知 168 属 1244 种，我国记录 40 属 269 种，陕西秦岭地区分布 1 属 1 种。

1. 小异䗛属 *Micadina* Redtenbacher, 1908

Micadina Redtenbacher, 1906-1908：533. **Type species**：*Marmessoidea phluctaenoides* Rehn, 1904.

属征：头略凸且延长，光滑；常无单眼。前胸背板扁。足短，光滑，前足股节基部弯曲，各足股节腹中脊无明显刺齿。前翅平、凸或者隆起，端部截状，雄性后翅稍长于后足股节，在雌性则更长；雄性臀节具脊，端部截状或略有凹缘，雌性则延长，桶状，端圆；无肛上板；下生殖板端圆；腹瓣矛状，端尖，不超过腹部，产卵器常外露；尾须稍弯或显弯。

分布：东洋区，古北区。世界已知 15 种，我国记录 12 种，秦岭地区分布 1 种。

(1) 腹锥小异䗛 *Micadina conifera* Chen *et* He, 1997（图 308）

Micadina conifera Chen *et* He, 1997：119.

鉴别特征：雌性体长 45.0mm；体中型；呈黄褐色，后翅前缘绿色，臀域浅玫瑰红色。头宽卵形，宽于前胸背板，头顶略拱起，额前缘较宽，触角间宽弧形凹入；眼半球形；触角长丝状，几乎伸达腹端，触角第 1 节扁宽，第 2 节柱状。前胸背板亚长方形，纵中沟不伸达后缘，横沟位于前方 1/3 处；中胸长，背面具不规则瘤突，纵脊与侧脊明显。前翅短，近似方形，后缘几乎平截，翅脉疏网状；后翅伸达第 4 腹节端部。足较短，前足股节基部弯曲，3 对足无齿叶等外长物。腹部基半部较粗，端部 3 节渐窄，第 7 节腹板后缘具 1 对尖形叉突，臀节略长于第 9 腹节，与第 8 腹节约等长，后缘中央凹入，两侧叶明显；肛上板不明显；腹瓣较短，伸达第 9 腹节中央，产卵瓣超过臀节基部；尾须圆筒形，明显超过腹端。雄性未知。

体长 45.5mm；前胸背板长 2.0mm；中胸背板长 8.2mm；后胸背板（含中节）长 2.0mm；中节长 3.4mm；前足股节长 9.0mm；中足股节长 7.2mm；后足股节长 11.5mm。

分布：陕西（宁陕、宁强）、河南、湖北、四川。

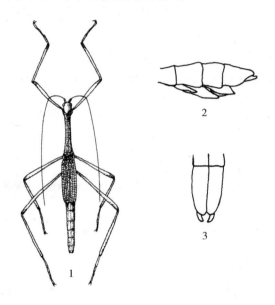

图 308　腹锥小异䗛 Micadina conifera Chen et He（仿陈树椿、何允恒，2008）
1. 雌性整体背面观；2. 雌性腹端背面观；3. 雌性腹端侧面观

二、䗛科 Phasmatidae

鉴别特征：有人将本科提升为䗛次亚目，本科触角分节明显，常短于前足股节，雌性股节基背面呈锯齿状，或触角长于前股节，但从不如体长，中、后股节腹脊呈均匀锯齿状。本科一般中节较短，雌性腹瓣后伸不多，但有的可明显超过腹端。

分类：世界性分布。世界已知 124 属 642 种，我国记录 14 属 151 种，䗛本科分为 6 个亚科，我国已知有 3 个亚科，即䗛亚科 Phasmatinae，粗刺䗛亚科 Eurycanthinae 和宽颊䗛亚科 Platycraninae，陕西秦岭地区分布 3 属 5 种。

分属检索表

1. 雌性第 1 腹节横形 ……………………………………………… 介蝻属 *Interphasma*
   雌性第 1 腹节非横形 ……………………………………………………………… 2
2. 雌性臀节截形或有凹缘；肛上板有或无；前足股节具锯齿 ……………… 短肛蝻属 *Baculum*
   雌性臀节截形或有凹缘；肛上板有或无；前足股节无锯齿 ……… 拟短肛蝻属 *Parabaculum*

2. 短肛蝻属 *Baculum* Saussure，1861

Baculum Saussure，1870：292. **Type species**：*Bacillus*（*Baculum*）*ramosum* Saussure，1861.
Clitumnus Stål，1875：66. **Type species**：*Phasma nematodes* Haan，1842.
Cuniculina Brunner-Wattenwyl，1908：196. **Type species**：*Cuniculina cunicula* Westwood，1859.

　　属征：体细长。头球状或平坦，无角刺，或有 2 个刺、2 个角或横脊；触角一般短于前股节。胸部光滑或具粒突。雄性足细长，雌性较短，具齿或有叶突，雌性前股节多为锯齿状；中、后足股节具齿或叶突，腹中脊端部具小齿。腹部第 2 节长为宽的 2.0～3.0 倍；雌臀节常有凹缘，多有短形肛上板；腹瓣舟形；雄性臀节深裂，下生殖板兜形，不超过腹端；尾须常较短。

　　分布：世界广布。我国已知 88 种，秦岭地区分布 3 种。

分种检索表

1. 眼间具角突或横 ………………………………………………………………… 2
   眼间光滑无角突；体大型；3 对足细长，中、后足胫节基部具齿 …… 平利短肛蝻 *B. pingliense*
2. 腹部第 7 节腹板中突明显；前足股节背内脊自近基部至中央具 5 枚黑齿；第 7 腹板中突较扁
   …………………………………………………………………… 褐纹短肛蝻 *B. brunneum*
   腹部第 7 节腹板中突不明显；前足股节背或腹脊有齿；胸部密被细颗粒；中足股节短于中胸背板的长度，除腹中脊端部具数枚小齿外，腹脊无齿或叶突 ……… 断沟短肛蝻 *B. intersulcatum*

（2）断沟短肛蝻 *Baculum intersulcatum* Chen *et* He，1991（图 309）

Baculum intersulcatum Chen *et* He，1991：230.

　　鉴别特征：雌性体长 88.0～99.0mm；体型较大，杆状；体背有中脊；体呈暗绿色至褐色。头椭圆形，背面较凸；眼间有 1 对前倾角突；触角分节明显，短于前股节之半。前胸背板具"十"字形沟纹，横沟位于近中央；中胸较长于后胸与中节之和；中节较宽。3 对足较长，前足股节腹中脊端部有 1～2 枚齿，腹外脊中部有 3～5 枚齿；中后足股节、胫节近基部间或有 1～2 枚齿，股节腹中脊端部具少量小齿。腹部第 8 节与第 9 节屋脊状；臀节较宽，后缘几乎平截，中央略凹入；肛上板小；腹瓣舟形，后端较钝，不超过腹端；尾须短小。

　　雄性(首次发现)体长 67.0mm 左右；体呈细杆状，光滑；中胸、后胸深褐色，余为褐色，体背中央具纵脊。头宽卵形，黄褐色，眼后有 1 条褐色纵带，头上散布有不规则褐色斑纹；中胸至腹部第 7 腹节背板两侧具黄色纵线。头部光滑，眼圆外突，眼间无角刺；触角分节明显，23 节，长为前足股节的 1/3。前胸背板长方形，长大于宽，后方具 1 个领状物，背中央具"十"字形沟纹，横沟略呈前弯的弧形；中胸、后胸具细密横皱；中节梯形，长大于宽，1 对新月形凹窝位于中央。3 对足细长，前足股节仅腹中脊端部具 0 ~ 2 枚极细小的齿，中、后足股节腹中脊端部具 3 ~ 5 枚小齿的齿叶，其上方还有 1 ~ 4 枚小齿。腹部细长，第 8 节后端与第 9 节前端加宽，臀节略收缩，第 9 节略短，第 8 节与臀节等长，臀节黄色，第 8、9 节两侧有不规则的黑纹，第 8 节后缘黑色，余为黄色；臀节端部浅裂，端缘几乎为平截状；下生殖板隆起，基半部黄色，端半部深褐色，端缘略凹，约伸达第 9 腹节端部；尾须短柱状，内弯，几乎不外露。

　　雌性体长 88.3 ~ 98.5mm，雄性体长 67.0mm；雌性前胸背板长 3.2 ~ 3.5mm，雄性前胸背板长 3.0mm；雌性中胸背板长 18.0 ~ 20.2mm，雄性中胸背板长 13.0mm；雌性后胸背板(含中节)长 14.2 ~ 16.0mm，雄性后胸背板长 11.0mm；雌性中节长 2.8 ~ 3.0mm，雄性中节长 2.4mm；雌性前足股节长 29.5 ~ 31.5mm，雄性前足股节长 34.0mm；雌性中足股节长 17.4 ~ 19.5mm，雄性中足股节长 20.0mm；雌性后足股节长 21.0 ~ 24.5mm，雄性后足股节长 23.5mm。

　　卵长 2.77mm，宽 0.8mm，高 1.67mm。略呈"S"形，扁平，卵表面密披细颗粒，并有不规则隆脊，褐色。卵盖平，上密披颗粒。卵孔板深凹，呈梨形，色深，位于卵背中下部，约为卵长的 1/3，卵孔位于卵孔板的后缘，卵孔上方有 1 条纵隆脊，卵孔杯呈脊片状突出，卵孔板上方中央隆起，两侧各具 1 条黄色纵隆线，卵孔板下方隆起，两侧各具黄色隆线。中线极短，突出，卵腹面中央具纵隆起，两侧各具黄色纵隆线。

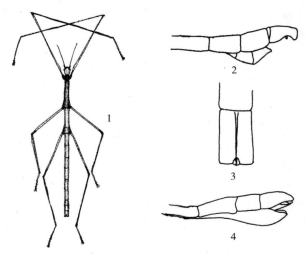

图 309　断沟短肛䗛 *Baculum intersulcatum* Chen et He(仿陈树椿、何允恒，2008)

1. 雄性整体背面观；2. 雄性腹端侧面观；3. 雌性腹端背面观；4. 雌性腹端侧面观

采集记录：1♂，留坝，2005.Ⅷ.05，杨玉柱采。

分布：陕西（留坝）、甘肃、湖北、湖南、四川、贵州。

寄主：麻栎、栓皮栎、构树、苹果、枫杨、合欢、马桑、梧桐等50多种用材林与经济林树种。此外，尚危害玉米、水稻、大豆等农作物。

(3) 平利短肛䗛 *Baculum pingliense* Chen *et* He，1991（图310）

Baculum pingliense Chen *et* He，1991：231.

Baculum intermedium Chen *et* Wang，1993：43.

鉴别特征：雌性体长95.0～100.0mm。头椭圆形，无角刺；眼圆突，长约为其后至头后缘的1/3，眼间有1条褐色横纹；触角约为前股节长的1/3，第1节扁宽，长约为第2节的4.0倍。前胸背板呈梯形，背中央具"十"字形沟纹，横沟位于中央处；中胸后侧稍宽，后胸（含中节）约为中胸长的4/5，两端较宽大；中节梯形。前足股节腹外脊有4～5枚黑齿，中、后足股节近基部外侧有1枚齿，腹中脊端部具数小齿。腹部明显长于头、胸部之和，以第5节最长，第4节次长，臀节略长于第9节，后缘三角形凹入；肛上板略长于臀节端部；腹瓣长舟形，背面具纵脊，略超过肛上板；尾须圆柱形，短于腹瓣端部。

雄性体长70.0～88.0mm；体型较大，细杆状；呈黄褐色至深褐色，中胸、后胸深褐色，侧面具黄色纵线，体背具细中脊。触角分节明显，超过前足股节的2/3，基部两节浅色，前胸背板具"十"字形沟纹；中节梯形。3对足细长，中、后足股节腹中脊端部具数小齿。腹部第8节后侧与第9节稍加宽；臀节背板深裂成2叶，其后缘向下斜切，端部尖窄；下生殖板不超过第9腹节，端尖，背面具中脊；尾须短，中央略弯曲。

雌性体长94.4～99.0mm，雄性体长70.0～88.0mm；雌性前胸背板长3.0～3.2mm，雄性前胸背板长2.6mm；雌性中胸背板长19.2～21.2mm，雄性中胸背板长19.0mm；雌性后胸背板（含中节）长16.0～17.0mm，雄性后胸背板长15.0mm；雌性中节长3.0～3.1mm，雄性中节长2.0mm；雌性前足股节长31.0mm，雄性后足股节长34.0mm；雌性中足股节长20.0mm，雄性中足股节长24.0mm；雌性后足股节长23.5～24.5mm，雄性后足股节长27.5mm；雌性腹部长51.6～52.4mm，雄性腹部长48.4mm。

卵长3.84mm，宽0.59mm，高1.44mm。长扁形，密披颗粒，黄褐色。背腹面较平而直，卵背中央具纵隆起，两侧各具1条纵隆线，卵盖平，具明显边缘，卵盖四周具1圈刺片状突起，卵孔板微凹，椭圆形，位于卵背中下部，约为卵长的1/4，卵孔位于卵孔板下缘，卵孔上方具1条纵隆脊，卵孔杯成脊片状突出，中线明显，极短。卵腹中央具纵隆脊，两侧具纵隆线。

本种于1985年在陕西平利县与断沟短肛䗛 *Baculum intersulcatum* Chen *et* He 混合发生，危害多种果树林与农作物。

采集记录：1♂，留坝，2005.Ⅷ.10，杨玉柱采。

分布：陕西（留坝、平利）、甘肃、湖北、广西、四川、贵州。

寄主：勒仔树、栎、构、梧桐、荷花、合欢、枫杨、苹果等林木，以及玉米、水稻、大豆等农作物。

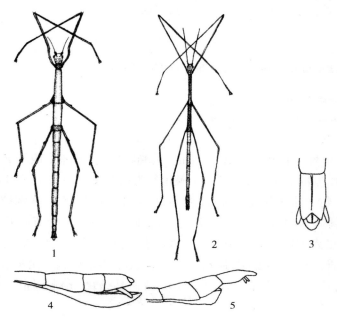

图 310　平利短肛䗛 *Baculum pingliense* Chen et He（仿陈树椿、何允恒，2008）
1. 雄性整体背面观；2. 雌性整体背面观；3. 雌性腹端背面观；4. 雌性腹端侧面观；5. 雄性腹端侧面观

（4）褐纹短肛䗛 *Baculum brunneum* Chen et He，1993（图 311）

Baculum brunneum Chen et He, 1993：357.

鉴别特征：雌性体长 122.0mm；体大型，体与足均长，密披细颗粒突起；体呈褐色至棕色。头较大，端宽基窄，头顶有 3 条由颗粒组成的纵纹；眼圆形，外突，长约为其后至头后缘的 1/3，眼后每侧有 1 条褐纹，眼间稍后方有 1 对黑色角突，角突的前后缘各有小形凹窝 1 对；触角约为前足股节长的 0.29 倍，15 节，触角第 1 节扁宽，长约为宽的 2.0 倍，密披颗粒，背面有纵脊，第 2 节短柱形，约为第 1 节长的 0.29 倍，第 3 节明显长于第 2 节，第 4 节稍短于第 2 节；自第 3 节以后各节略细，端节约与第 1 节等长，端部圆；下颚须 5 节，第 3、4 节约等长，远长于基部 2 节，端节略长于 3、4 节，端部圆；下唇须 3 节，自基部至端部逐渐延长，端节端部圆。前胸短于头部，长大于宽；背纵沟明显，横沟稍成弧形，位于中央处，不达两侧缘；前胸背板前侧较窄，略平行，后侧向外倾斜，较宽；中胸背板后侧稍宽，密披均匀细颗粒；后胸背板略宽于中胸背板，长约为中胸的 7/8，密披细颗粒；中节较短，宽大于长，新月形凹窝不明显；中、后胸背中央无明显纵脊，而有非连续的浅纵沟。3 对足长，前足股节略短于胫节，上脊线自中央至近基部处有5枚黑齿；中、后足下沿中脊线上有成排黑色小齿，下沿外脊线上近基部有1个小形扁叶突，上沿内脊线有1~2枚齿，胫节下沿内中脊线各有1排小齿；后足股节内侧有1列浅色椭圆形花纹。腹部长于头、胸部之和，披均匀细颗粒，以第5背板最长，第7腹板后缘中突较扁，超过该节腹板后缘；第9背板约为第8背板长的1/2；第10背板长于第9背板，两侧叶角形，略钝，端缘呈宽弧形凹入；肛上板三角形，不超过第9背板两侧叶；腹瓣长舟形，略短于第8~10背板之和，不伸达肛上板，端尖，有纵脊；尾须扁，端尖，明显超过第10背板侧叶。

雄性未知。

体长122.0mm；前胸背板长4.1mm；中胸背板长24.0mm；后胸背板（含中节）长23.3mm，中节长2.3mm；前足股节长35.5mm；中足股节长22.0mm；后足股节长24.5mm。

采集记录：1♀，略阳，1986.Ⅷ.01，杨忠岐采。

分布：陕西（略阳）。

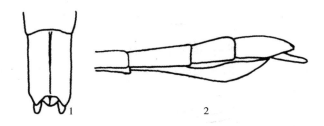

图311　褐纹短肛䗛 *Baculum brunneum* Chen *et* He（仿陈树椿、何允恒，2008）
1. 雌性腹端背面观；2. 雌性腹端侧面观

3. 拟短肛䗛属 *Parabaculum* Brock，1999

Parabaculum Brock，1999：127. **Type species**：*Parabaculum pendleburyi* Brock，1999.

属征：本属与短肛䗛属 *Baculum* 十分相似。两性身体均细长。头长约为宽的2.0倍，触角短。前胸短于头部，中胸长，后胸短。股节具脊，前股节无锯齿，两性中、后股节有小端刺。雌性臀节端部三角形凹入，雄性则分裂成两叶，尾须甚短，隐藏于臀节下。

分布：东洋区。世界已知3种，我国记录1种，秦岭地区有分布。

（5）巫山拟短肛䗛 *Parabaculum wushanense*（**Chen** *et* **He，1997**）（图312）

Baculum wushanense Chen *et* He，1997：116.
Baculum bifasciatum Chen *et* He，1997：117.

Parabaculum wushanense：Chen & He, 2008：301.

鉴别特征：雌性体长96.0mm；体型较大，杆状；体光滑，背中央具中脊；体呈褐色。头椭圆形，背面几乎不隆起，略长于前胸背板；眼间无锥突，后头无沟；眼半球形，外突；触角分节明显，22节，约伸达前足股节的1/3处，第1节扁宽，具中脊，第2节短柱状，第3节短于第1节。前胸背板亚长方形，背中央具"十"字形沟纹，横沟不伸达侧缘；中胸后侧与后胸两端加宽；中节横宽，1对新月形凹窝位于后半部。足细长（后足断失），前足股节无齿叶；中足股节腹中脊端部具3~4枚小齿。腹部长筒形，端部3节屋脊状，以第8节最长，臀节次之；臀节后缘内切，略凹入；肛上板不超过侧叶端部；腹瓣舟形，不超过腹端，近端处具背脊；尾须几乎伸达腹端。

雄性体长65.0mm；体中型，细杆状；体呈黄褐色。中胸、后胸至腹部前数节侧缘有黄褐两色相间纵带。头椭圆形，光滑，略长于前胸背板；触角分节明显。21节，明显超过前足股节中央；眼间稍隆起，无角刺；后头稍收缩，具5条纵沟。前胸背板近似长方形，背面具"十"字形沟纹，横沟不伸达侧缘，中、后胸背板具细密横皱并具纵脊与侧脊；中节长大于宽，1对新月形凹窝位于后方。3对足细长，中、后足股节腹中脊端部具3~4枚小齿，胫节光滑具整齐细毛。腹部圆筒形，第8腹节侧扁，第9腹节端部稍加粗，臀节长于前节，端部裂开，背面微弧形，后缘几乎呈截状；下生殖板隆起状，端部裂开，伸达第9腹节端部；尾须甚短，稍内弯，不超过腹端。

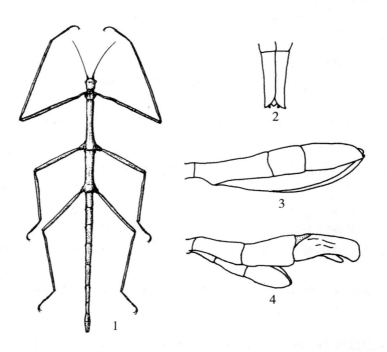

图312　巫山拟短肛䗛 *Parabaculum wushanense* Chen et He（仿陈树椿、何允恒，2008）
1. 雌性整体背面观；2. 雌性腹端背面观；3. 雌性腹端侧面观；4. 雄性腹端侧面观

雌性体长 96.0mm，雄性体长 65.0mm；雌性前胸背板长 3.0mm，雄性前胸背板长 2.2mm；雌性中胸背板长 19.2mm，雄性中胸背板长 12.4mm；雌性后胸背板长（含中节）15.2mm，雄性后胸背板长 11.2mm；雌性中节长 2.6mm，雄性中节长 2.0mm；雌性前足股节长 28.5mm，雄性前足股节长 25.0mm；雌性中足股节长 16.5mm，雄性中足股节长 16.5mm；雌性后足股节长缺失，雄性后足股节长 20.0mm。

卵长 3.43mm，宽 0.84mm，高 1.68mm。较长，两侧扁平，深褐色，背面较凸，中央隆起，腹面平坦，中央凹入，表面具不规则脊，卵盖边缘有短脊。卵孔板椭圆形，位于中央稍下方，边缘清楚，卵孔位于其底部，卵孔杯弧形。中线短。

分布：陕西（宁强）、河南、四川。

4. 介䗛属 *Interphasma* Chen *et* He，2008

Interphasma Chen *et* He，2008：328. **Type species**：*Interphasma lushanense* Chen *et* He，2008.

属征：体中型，无翅，杆状。雌性体较粗糙，多具皱褶与粒突；雄性基本光滑。头稍延伸，背面较平坦，多具粒突，眼间具 1 对小角刺或无；触角分节明显，短于前股节之半；3 对足无明显刺齿，前股节基部弯曲，足隆线明显；中节（即第 1 腹节）与第 2 腹节背板横形。腹部多具纵皱，雄性第 2 腹节长大于宽，雌性臀节短，屋脊状，后缘几乎平截，第 7 腹节腹板多有中突；第 9 腹节背板后缘中央多具片状隆起；腹瓣舟形，约伸达腹端；尾须短柱形；雄性臀节分裂成两叶，下生殖板兜状，尾须内弯。

此属近似于短肛䗛属 *Baculum* Saussure 与厚䗛属 *Pachymorpha* Gray，与前者主要区别为本属 3 对足无明显刺齿，雌性第 2 腹节背板横形，肛上板小，多不显露；与后者主要区别为本属雄性臀节分裂成两叶。

分布：本属为我国特有，现有 13 种，秦岭地区分布 1 种。

（6）陕西介䗛 *Interphasma shaanxiense* Chen *et* He，2008（图 313）

Interphasma shaanxiense Chen *et* He，2008：333.

鉴别特征：雌性体长 57.0mm；体中型，杆状。头与体披粒突，腹部背面具不规则纵皱，背中央纵脊。体呈褐色。头椭圆形，近后头处显著小粒突，眼圆凸，眼间具黑纹 1 对；触角短于前足股节，分节明显，15 节，第 1 节扁宽，具宽纵脊，第 2 节柱形，长于第 1 节之半。前胸背板矩形，其前缘窄于头宽，背面粒突稀不显凸，中央具"十"字形沟纹，横沟位于中央稍后方，两侧不达边缘，中、后胸背板具少量粒突，中胸长于后胸（含中节）；中节横形，长约为后胸的 1/3。3 对足无齿刺。腹部背板具粒突，至第 5 节后渐稀少；各背板具不连续的纵皱，以第 6~8 节较密且显著；第 7 腹板后缘中突较短；腹端 3 节屋脊状，第 9 背板后缘具钝齿，臀节与第 9 节约等长，具背与侧脊，后缘较直，中央具浅凹缘，侧端角稍后伸；腹瓣舟形，约伸达臀节中部，后缘弧状；尾须锥状，超过腹端。

雄性未知。

体长 57.0mm；中胸背板长 13.0mm；后胸背板（含中节）长 8.6mm；中节长 2.2mm；前足股节长 21.0mm；中足股节长 12.0mm；后足股节长 16.5mm。

采集记录：1♀，洋县西沟，1996.Ⅷ.14，孙路采。

分布：陕西（洋县）。

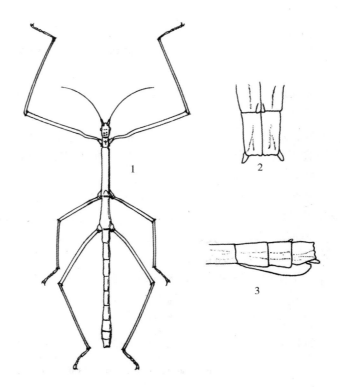

图 313　陕西介䗛 *Interphasma shaanxiense* Chen et He（仿陈树椿、何允恒，2008）
1. 雌性整体背面观；2. 雌性腹端背面观；3. 雌性腹端侧面观

参考文献

Chen, S. C. and He, Y. H. 1997. Phasmatodea: Heteronemiidae, Phasmatidae, pp. 116-121. *In*: Yang, X. K., (ed.): Insects of the Three Gorge Reservoir Area of Yangtze River. Chongqing Press, Chongqing: 974pp. [陈树椿，何允恒. 1997. 䗛目：䗛科，异䗛科，116-121. 见：杨星科主编. 长江三峡库昆虫. 重庆：重庆出版社，974.]

Chen, S. C. and He, Y. H. 2008. Insects of Phasmatodea from China. China Forestry Publishing House, Beijing, 476pp. [陈树椿，何允恒. 2008. 中国䗛目昆虫. 北京：中国林业出版社，476.]

Chen, S. C. and Wang, H. J. 2005. Phasmatodea: Heteronemiidae, Phasmatidae, pp. 95-101. *In*: Yang, X. K., (ed.): Insect Fauna of Middle-West Qinling Range and South Mountains of Gansu Province. Science Press, Beijing, 1055pp. ［陈树椿, 王洪建. 2005. 蜻目: 蜻科, 异蜻科, 95-101. 见: 杨星科主编. 秦岭西段及甘南地区昆虫. 北京: 科学出版社, 1055. ］

Hennemann, F. H. and Conle, O. V. 2008. Revision of Oriental Phasmatodea: The tribe Pharnaciini Günther, 1953, including the description of the world's longest insect, and a survey of the family Phasmatidae Gray, 1835 with keys to the subfamilies and tribes. (Phasmatodea: "Anareolatae": Phasmatidae). *Zootaxa*, 1906: 1-316.

Hennemann, F. H., Conle, O. V. and Zhang, W. W. 2008. Catalogue of the stick and leaf-insects (Phasmatodea) of China, with a faunistic analysis, review of recent ecological and biological studies and bibliography (Insecta: Orthoptera: Phasmatodea). *Zootaxa*, 1735: 1-76.

Redtenbacher, J. 1908. *Die Insektenfamilie der Phasmiden*. Ⅲ. Phasmidae, Anareolatae (Phibalosomini, Acrophyllini, Necrosciini). Verlag W. Engelmann, Leipzig, pp. 341-589, pls. 16-27.

中名索引

（按首字音序排列，右边的号码为该条目在正文的页码）

学名索引

（按首字母顺序排列，右边的号码为该条目在正文的页码）